KB100931

악마를 탐하다

악마를 탐하다 2

신지은 장편소설

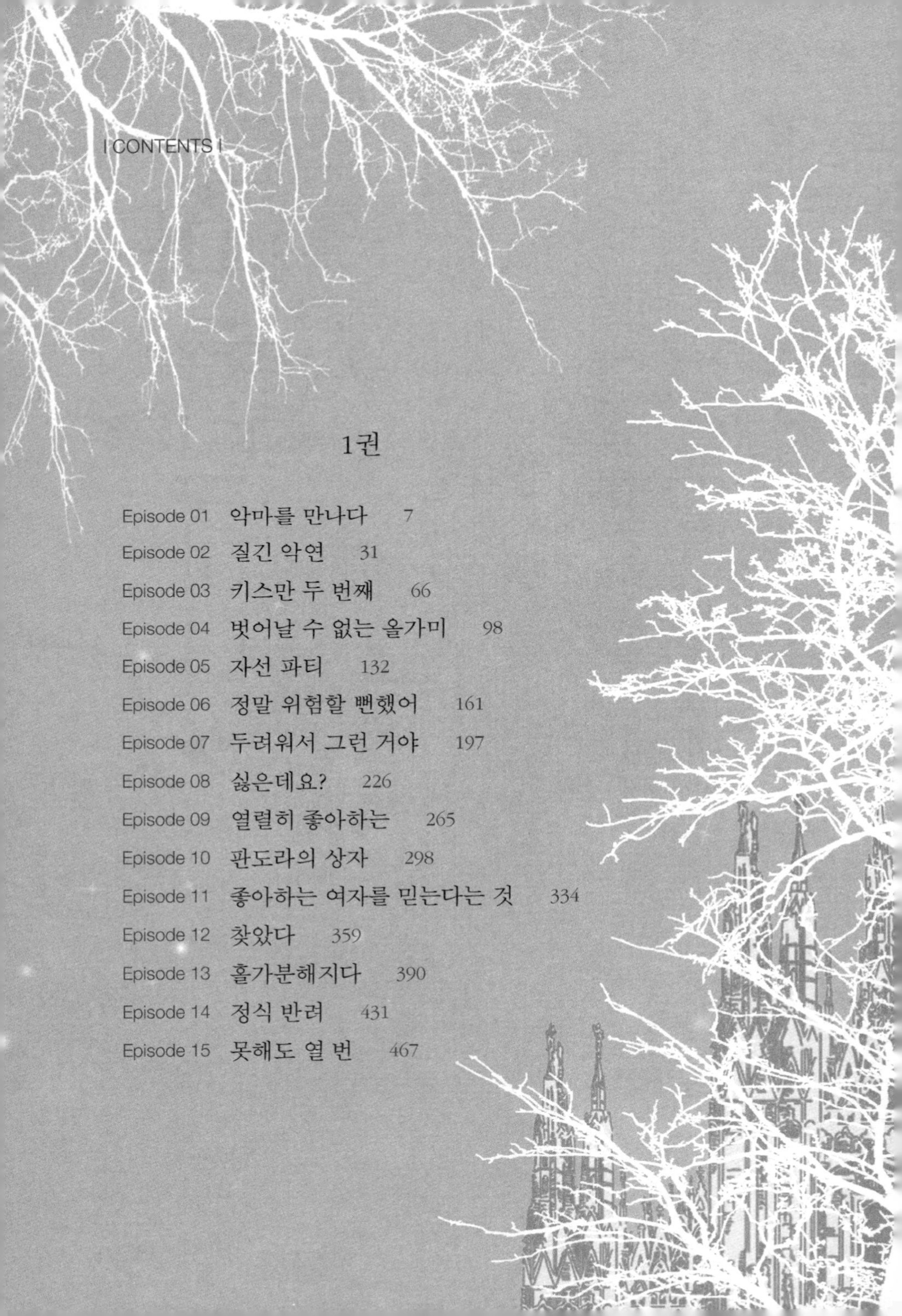

| CONTENTS |

1권

2권

EPISODE 16

립스틱, 다시 발라야겠군

마계의 영지 중앙에 위치한 군주의 성.

군주인 데미안이 오랜 시간 자리를 비워 조용했던 군주의 성은 오래간만에 들썩였다. 데미안이 반려를 맞이한다고 선언했기 때문이다.

데미안이 반려를 맞이한다는 건 완전히 마계로 돌아온다는 의미였기에 모두들 기뻐하며 부지런하게 데미안과 그의 반려를 맞이할 준비를 했다.

갑작스럽게 일이 늘어난 것에 대해 불만을 가질 법도 하건만 경사스러운 일인 만큼 그 누구도 불만을 가지지 않았다. 단 한 명, 대대로 군주의 반려를 모셔온 시녀인 '락슈' 직위를 가진 티에를 제외하고.

"이건 말도 안 됩니다! 반려식을 치르는데 고작 2주밖에 준비를 안 하다니요! 해야 할 일이 얼마나 많은데!"

"상황이 상황인 만큼 어쩔 수가 없지 않나."

그녀의 불같은 성격을 잘 아는 게르비는 이마에 흐르는 식은땀을 닦으며 그녀를 달랬다.

락슈는 독자적인 지위로, 성의 시녀와 시종들을 총괄하는 책임자인 그라고 할지라도 함부로 할 수가 없었다.

“모두 약소화하기로 했다네. 필요한 건 반려식을 치른 뒤에 하고.”

“약소화하면 반려님에 대한 교육은요?”

“그거야 반려식을 치른 뒤에 해도…….”

쾅—.

“그때 하면 늦어요!”

티에는 탁자를 세게 치며 자리에서 벌떡 일어섰다.

“이번에 군주님의 반려가 되실 분은 마계에 대해선 아무것도 모르는 평범한 인간이잖아요! 그런 분이 교육도 제대로 받지 못하고 이곳에 오면 다른 마족들이 무시할 거라고요! 그 여자처럼!”

“아니, 그 여자가 무시당한 건 천족이라서…….”

“그러니까 반드시 반려식 전에 교육을 해야 한다고요!”

티에는 게르비의 말은 귓등으로도 듣지 않고 소리쳤다. 자신이 무슨 말을 해도 듣지 않을 것 같아 게르비는 그녀를 설득하는 걸 포기했다.

“하아, 그럼 뭘 어쩌자는 거냐. 군주님께서 이미 다 결정하신 일인데 이제 와서 반려식을 뒤로 미루자고 할 수는 없잖아.”

“뒤로 미룰 수 없다면 제가 가겠어요.”

“……뭐?”

티에의 눈이 반짝였다. 티에는 주먹을 꽉 움켜쥐고 소리쳤다.

“지금 당장 반려님이 계신 인간계로 가겠습니다!”

시연은 공부에는 재능도 흥미도 없었지만, 데미안의 곁에 있어도 부끄럽

지 않도록 최선을 다했다.

그날도 다르지 않았다. 시연이 책상에 앉아서 열심히 공부를 하고 있는데 더미들이 꾸물거리며 간식을 가지고 왔다. 수제 쿠키와 생과일주스였다.

"고마워."

시연이 싱긋 웃으며 가장 가까이 있는 더미를 쓰다듬어주자 더미의 색이 수줍은 붉은색으로 변했다.

그 주변에 있는 더미들은 자신도 만져달라는 듯 시연에게 아양을 떨었고, 이에 시연은 유쾌한 웃음을 터뜨리며 전부 다 한 번씩 쓰다듬어주었다.

"그러고 보니 점심시간이 지났네."

집중하느라 점심시간이 지난 것도 모르고 있었다. 이렇게 공부해본 것이 얼마만인지 모르겠다. 고등학교 때도 이러진 않았었는데.

시연은 기지개를 쭉 펴며 자리에서 일어섰다.

"미안하지만 쿠키는 이따가 먹을게. 점심부터 먹어야 할 것 같으니까."

시연의 말에 더미들은 꾸잉꾸잉거리며 의사를 표현했다. 자신들이 점심을 준비하겠다는 의미였다.

"괜찮아. 내가 먹을 건 내가 해도 돼."

꾸, 꾸, 꾸.

이건 안 된다는 의미였다. 더미들이 얼마나 고집이 센지 그간의 경험을 통해 잘 알고 있는 시연은 괜히 힘 빼지 않고 물러섰다.

"하하, 그럼 부탁할게."

작고 귀여운 몸짓과 달리 더미들은 순식간에 사라졌다. 점심 준비를 하기 위해 5층으로 올라갔을 것이다.

'근데 재들은 도대체 어디로 들어오는 거지? 현관문도, 창문도 다 잠겨 있는데.'

의아했지만 의문은 오래가지 않았다. 베르가 만든 더미들을 의심할 이유가 없었기 때문이었다. 그만큼 시연은 베르를 믿고 있었다. 물론 데미안 다음으로.

'그러고 보니 데미안 씨는 베르 씨를 믿지 않는다고 했지?'

정확하게 믿지 않는다고 말한 건 아니지만 그런 뉘앙스로 말하긴 했다. 그를 포함해서 가족도, 지인도, 연인도 믿지 말라면서.

그땐 그 말이 너무 무섭게 들렸지만 지금 생각하면 너무나도 웃겼다.

"돌아오면 이 이야기 한번 꺼내볼까?"

이 이야기를 들은 데미안이 어떤 반응을 보일지 궁금했다.

예상컨대 분명 당황하며 어쩔 줄 몰라 할 것이다. 그 모습을 떠올리니 절로 웃음이 났다.

한참 웃던 시연은 전화가 울리자 휴대폰을 확인했다.

"말자?"

말자라니. 뜻밖의 인물에 시연은 황급히 전화를 받았다.

"여보세요?"

[시여니~ 오랜만이다!]

발랄한 목소리를 들으니 말자가 전화를 했다는 것이 좀 더 실감이 났다. 시연은 전화기를 고쳐 잡으며 말을 이었다.

"어떻게 된 거야? 아줌마 임상 실험하는 데 보호자로 들어갔다면서?"

[그거 조금 전에 끝났거든. 그런데 어떻게 알았냐? 너한테 말한 기억이 없는데.]

"어, 그게…… 너, 너희 집에 갔다가 옆집 아줌마한테 들었어."

[그 아줌마, 여전히 입이 가벼우시네.]

마음에 들지 않는지 말자는 혀를 끌끌 내찼다.

[뭐, 그럼 너한텐 사과할 필요 없겠네. 사실 조금 전에 재희한테 전화했다가 엄청 욕먹었거든. 한 달 넘게 연락도 없이 잠수 타냐면서 말이야. 손이

발이 되도록 빌었지.]

재희의 불같은 성격이라면 충분히 그러고도 남았다. 예전이었다면 말자의 말에 동감해주며 유난스레 웃었겠지만 그럴 수가 없는 건 재희의 이름을 듣는 순간 잠시 잊고 있었던 재혁의 일이 떠올랐기 때문이다.

재혁의 죽음에 대한 건 여전히 밝혀진 것이 없었다. 그때 당시 입고 있었던 옷에 묻은 피가 재혁의 것인지도 밝혀지지 않았다.

다른 것보다 그걸 가장 먼저 밝히고 싶었지만 그러지 못했다. 가뜩이나 라오스가 주목하고 있는 상황에서 괜히 나섰다가 누명을 쓸 것을 우려한 데미안이 기다려달라고 말했기 때문이다.

데미안은 마계로 가기 전에 반드시 진실을 밝혀주겠다고 약속했다. 그를 믿었지만 그 옷에 묻은 것이 재혁의 피일까 봐 걱정이 되었다.

[여보세요? 헬로우? 뭐야, 끊겼나? 안 끊겼는데. 야, 차시연!]

"……어, 어?"

[뭐야, 무슨 생각을 하길래 그리 넋을 놓고 있어?]

"아니, 아무것도."

다른 생각에 잠겨 있다가 그제야 정신이 든 시연은 대화의 주제를 유연하게 돌렸다.

"그래서? 아주머니 병은 좀 나아졌어?"

[응. 많이 좋아졌어. 이대로만 계속된다면 문제없을 거래. 역시 '더 뉴'야.]

데미안이 아닌 회사인 '더 뉴'를 칭찬한 것이었지만 시연은 괜히 어깨가 으쓱해졌다.

[그래서 말인데, 오랜만에 셋이 뭉쳐서 놀자.]

그 기분은 금방 다운되었다. 말자가 말한 셋은 말자와 자신, 그리고 재희였으니까. 아직 재희의 얼굴을 보긴 껄끄러웠다.

[왜 대답을 안 해?]

선뜻 대답을 못 하자 말자가 볼멘소리로 말했다.

[아, 설마 너 애인 생겼다고 우리랑 못 놀겠다, 뭐 그런 건 아니지?]

"어? 애인?"

[재희가 엄청 자랑하던데. 너한테 드디어 봄이 왔다고. 그것도 '더 뉴'의 대표 이사라며?]

설마 그 이야기가 말자에게 들어갔을 줄이야.

[아아, 너도 그렇고 재희도 그렇고. 둘 다 애인 생기고 좋겠다. 난 이대로 버려지는 건가.]

"그런 게 아니라…… 잠깐! 둘 다라니? 그 말은 재희도 애인이 생겼다는 거야?"

생전 처음 듣는 이야기에 시연은 자리에서 벌떡 일어서며 소리쳤다. 때마침 들어온 더미가 그 모습을 보고 화들짝 놀라며 뒤로 물러서자, 시연은 어색하게 웃으며 다시 자리에 앉았다.

[너, 몰랐어? 생긴 지 일주일 넘었다던데.]

"진짜?"

[응. 카페에 자주 오는 손님인데 굉장히 잘생겼대. 듣자하니 인간이라고 하던데.]

'여우 일족 중 몇 안 남은 암컷이 인간에게 반해 사귀다니. 여우 일족에서 알면 난리 나겠군.'

특히 여우 일족의 수장인 꼬장꼬장한 노인네가 이 사실을 알게 되면 당장 재희의 카페로 뛰어올 것이다.

[그래도 재희는 나랑 놀아주겠다고 하던데, 넌 우정보다 사랑이 우선인 모양이지?]

"그런 거 아니라니까."

[아니긴. 연애 때도 이런데 결혼하면 아주 날 버리겠네. 아아, 서러워라.]

"아니라고 몇 번…… 아."

생각해보니 데미안의 반려가 되어 마계로 가면 재희와 말자를 만나는 것이 어려울 것이다. 다시는 못 볼 가능성도 있었다.

"……그래."

그렇다면 재희를 보는 것이 조금 껄끄러워도 그들을 만나는 것이 좋을 것 같았다.

"놀자. 어디서 만나면 좋을까?"

10년 넘게 우정을 쌓아온 소중한 친구를 보는 것이 이번이 마지막일 수도 있으니까.

"티에가 반려님의 교육을 위해 인간계로 오고 싶다고 한답니다."

마계에서 보낸 게르비의 긴급 전언을 받은 베르는 난감하다는 듯 데미안에게 보고했다.

"물론 게르비가 안 된다고 말했지만 티에가 워낙 막무가내로 나와서 말릴 수가 없다고 하는군요."

"말리지 못하는 건 나도 마찬가지다. 락슈에게 명을 내릴 수 있는 건 내 반려뿐이니까."

그의 말대로였다. 락슈는 독자적으로 군주의 반려에게 속한 직위로 마계의 군주인 그도 함부로 명을 내리지 못했다.

"그래도 데미안 님이 허락 안 하시면 인간계로 넘어오지 못하니 문제는 없……."

"허락하지."

"예에?"

지금 뭘 들은 거지? 티에가 인간계에 오는 걸 허락하겠다고?

전혀 예상치 못한 말에 당황한 베르는 그를 돌아봤다.

"어차피 시연을 보좌할 시녀를 한 명 둬야겠다고 줄곧 생각했으니까."

반면 데미안은 너무나도 평온한 얼굴로 별일 아니라는 듯 말을 이었다.

"마몬과 너를 계속 붙여두는 것도 한계가 있고 말이야. 라오스에는 반려식 준비 때문에 불렀다고 하면 되니 명목상의 문제도 없겠지."

"부, 분명 그렇긴 합니다만……."

상대는 그 유명한 티에인데요? 그 말이 입안에서 맴돌다가 사라졌다. 감히 데미안의 말에 토를 달 수 없는 탓이었다.

"곧바로 데리고 오도록 해."

"……알겠습니다."

티에의 성격이 불같다는 걸 데미안 역시 알고 있음에도 허락한다는 건 뭔가 다른 생각이 있다는 의미일 것이다. 그러니 베르는 쓸데없는 걱정은 하지 않기로 했다.

"아, 그리고 이번 해의 승계 과정에 대한 도전자 말입니다."

군주의 자리를 가지기 위해선 승계 과정에 도전해야 하지만 항상 도전할 수 있는 건 아니었다. 매해, 일정 기간 동안 승계 과정에 도전할 도전자를 받는데, 이때 신청해야만 승계 과정에 도전할 수 있었다.

"이번 해에도 도전자는 제로였습니다. 7년째 한 명도 없군요. 7년 전에 그녀가 도전하지 않았다면 기록을 경신할 수 있었을 텐데 아깝네요."

"그런 기록 경신해서 뭐가 좋다고."

"하하, 그렇죠?"

이야기를 나누는 사이 '더 뉴'에 도착했다. 베르는 늘 그랬듯이 데미안이 내릴 수 있게 손수 뒷좌석 문을 열었다.

한데 데미안은 내리지 않았다.

다이어트 중이니 점심은 조금만 먹으려고 했지만 더미가 만든 음식이 너무나도 맛있어서 거기에 홀딱 넘어간 시연은 결국 남김없이 전부 다 먹었다.

'난 절대로 반려식 때까지 살 못 뺄 거야.'

이 상태라면 되려 살이 찌지 않는 것이 용했다. 체중계에 올라선 시연은 어제와 몸무게가 똑같다는 것에 위안을 삼으며 깊은 한숨을 내쉬었다.

시연은 다이어트로 흔들리는 마음을 애써 다잡고 공부에 매진했다. 시연이 공부하고 있는 곳은 데미안의 서재였다. 그때그때 필요한 자료를 찾아볼 수 있으니 서재에서 공부하는 것이 편했다.

그렇게 한참 집중을 하고 있는데 휴대폰이 울렸다. 흥신소에서 보낸 문자였다. 문자 내용은 별다른 내용 없이 '찾은 정보 없음'이었다.

'역시 이번에도 꽝인 건가?'

흥신소에서 지금까지 단 한 번도 실종된 엄마에 대한 정보를 찾은 적이 없으니 딱히 기대하진 않았지만 그렇다고 실망하지 않는 건 아니었다.

'이제 그만 포기할까?'

찾는 걸 포기한다는 건 엄마가 죽었다는 걸 인정한다는 의미이니 죽어도 포기하고 싶지 않았지만 솔직히 말해 상당히 지친 상태였다. 매번 이렇게 흥신소에서 연락이 올 때마다 실망하는 것도 그만하고 싶었다. 흥신소에 무의미하게 돈을 가져다주는 것 역시 더 이상 내키지 않았다.

'그래. 반려식을 치르기 전까지만 하자.'

어차피 마계에 가게 되면 하고 싶어도 못 하게 될 테니 그때까지만 엄마를 찾자고 시연은 결정했다. 엄마를 찾는 걸 포기하는 것이 결코 제 의지가 아닌 주변 상황 때문에 어쩔 수 없는 거라고 스스로를 위로하면서.

엄마에 대한 생각을 하니 머릿속이 복잡해 공부에 집중을 할 수가 없었다. 무의미하게 공책에 옮겨 적기만 반복하던 시연은 문득 '계약'이라는 단어를 발견하고 부지런히 움직이던 손을 멈췄다.

"악마의 계약……."

마계에서 가져온 책이라서 그런지 다른 곳에서 볼 수 없는 내용들이 자세하게 적혀 있었다. 그중 가장 시선을 사로잡은 건 악마와 계약을 하기 위해선 영혼을 바쳐야 하며, 그 대가로 악마는 한 가지 소원을 들어준다는 것이었다.

"세 가지 소원이 아니라, 한 가지 소원?"

영화나 책에 보면 세 가지라고 되어 있던데 아니었던 모양이다.

"근데 고작 한 가지 소원을 들어주고 영혼을 가져가는 건 너무한 거 아닌가?"

"너무하지 않아요. 우린 자선 사업가가 아니니까요."

"헉!"

느닷없이 뒤에서 들리는 목소리에 시연은 화들짝 놀라며 뒤를 돌아봤다. 그러자 언제 왔는지 베르가 보였다. 그 뒤로 데미안도 보였다.

"어, 언제 왔어요?"

"방금."

"빨리 왔네요. 오늘 바쁘다고 들은 것 같은데……."

"일이 조금 빨리 끝나서."

어쩜 저리도 태연하게 거짓말을 하는지. 베르는 데미안을 향해 눈을 슬쩍 흘겼다. 왜 차에서 내리지 않나 의아했는데, 데미안은 대뜸 집에 일이 있으니 가자고 말했다. 그 때문에 베르는 뒤에 잡혀 있던 회의를 조금 미룰 수밖에 없었다.

"그래도 금방 나가야 돼. 한 시간 뒤에 회의가 있거든."

"근데 굳이 집에 온 거예요?"

“받아야 할 것이 있잖아.”

의아한 시연이 그를 물끄러미 바라보자, 데미안은 묘한 미소를 지으며 그녀의 허리를 잡아 품으로 끌어당겼다.

“앗!”

반격할 틈도 없이 일어난 일에 놀란 시연은 단말마의 비명을 지르며 그의 품에 안겼다.

“하루에 열 번은 하기로 했는데 오늘 다 해봤자 세 번밖에 안 했잖아.”

“무슨……!”

단둘이 있을 때도 부끄러운 말인데 구경꾼이 있으니 더 부끄러웠다. 시연은 붉어진 얼굴을 감싸며 베르의 눈치를 살폈다.

“아, 참, 할 일이 있었는데 깜빡했네.”

그러자 베르는 능청스럽게 웃으며 크게 기지개를 켰다.

“두 분, 이야기 나누세요.”

눈치껏 자리를 피한 베르가 서재 문을 닫기 전에 본 건 종이 한 장도 들어갈 틈 없이 밀착된 둘의 모습이었다. 사이좋은 모습을 보니 괜히 마음이 흐뭇해졌다.

시연과 데미안이 다시 서재를 나온 건 약 10분 정도 시간이 흐른 후였다.

그동안 얼마나 열렬하게 입을 맞췄으면 그녀의 입술은 살짝 부풀어 올라 있었다. 본인도 그 사실을 아는지 시연은 퍽이나 민망하다는 얼굴로 손으로 입술을 가리고 고개를 숙였다. 언뜻 데미안을 흘겨보는 눈초리는 살짝 원망을 품고 있었다. 정작 당사자는 뻔뻔한 얼굴로 있었지만 말이다.

“이제 출발하셔야 합니다, 데미안 님.”

베르는 손목에 차고 있는 시계로 시간을 확인하며 말했다.

“더 지체하시면 회의에 늦습니다.”

“……그래.”

데미안은 여전히 미련이 듬뿍 남은 목소리로 대답했다. 시연과 더 있고 싶은 마음은 굴뚝같았지만 더 이상은 무리였기에 억지로 자리를 떠났다.

"정말이지……."

그와 입을 맞추는 건 좋았지만 베르의 앞에서 추태를 부린 것 같아 시연은 붉어진 얼굴을 좀처럼 수습하지 못했다. 손부채질을 하며 겨우 얼굴을 진정시켰을 때 베르는 누군가와 통화를 하고 있었다. 내용을 들어보니 마몬인 듯했다.

"아, 그래요? 어쩔 수 없죠. 이 일은 제가 알아보는 수밖에. 네, 네. 범인이 누군지 알았거든요."

'범인'이라는 단어에 재혁의 얼굴이 떠올랐다. 왠지 재혁을 죽인 범인을 찾았다는 의미인 것 같아 시연은 베르가 전화를 끊자마자 그에게 물었다.

"범인을 찾았다니, 무슨 소리예요?"

"아, 그거요."

그녀에게 말하지 못할 이야기는 아니었기에 베르는 쉽게 입을 열었다.

"한재혁을 죽인 범인이 누군지 알아냈습니다."

"저, 정말요?"

시연이 깜짝 놀라며 묻자, 베르는 옅게 웃으며 고개를 끄덕였다.

"네. 그놈들, 연쇄 살인범이었습니다."

"연쇄 살인범?"

"시연 님도 아실 거예요. 요 몇 달간, 인간 여자들이 의문의 괴한에게 습격을 당한 거."

물론 알고 있었다. 카페 아르바이트를 할 때도 들었고, 뉴스 같은 데도 많이 나왔으니까. 요 며칠간은 연쇄 살인이 일어나지 않은 것 같았지만 그래도 심심치 않게 이곳저곳에서 말이 나왔다. 라오스의 무능력함을 비난하면서.

"그놈들이 한재혁을 죽인 범인이라는 의미예요."

"예? 하지만 그 사건의 피해자들은 전부 인간 여자였잖아요? 재혁 오빠는 남자인 데다가 이종족인데……."

"그들이 원래 노리던 대상이 시연 님이라고 하면, 이해가 되십니까?"

베르가 말하고자 하는 바를 단번에 알아들은 시연의 눈동자가 작게 흔들렸다.

"오빠가……."

그건 목소리 역시 마찬가지였다. 북받쳐 오르는 감정에 눈가에 눈물이 고였다. 시연은 두 손을 꼭 마주 쥔 채 말을 이었다.

"재혁 오빠가 죽은 게…… 저 때문이라는 건가요? 저를 지키다가……."

"일단 정황상으로 보면 그렇습니다."

아니, 사실은 그렇지 않았다. 한재혁의 죽음은 시연의 예상과는 완전히 달랐다.

한재혁은 시연을 배신했었다. 데미안이 계약을 한 목격자의 영혼을 통해 본 범인들은 한재혁에게 시연을 건네받고 히죽히죽 웃고 있었으니 확실했다. 그 뒤에 무슨 일이 일어났는지, 어떻게 시연이 그들의 손을 벗어났고, 한재혁은 왜 죽은 건지 알 수 없지만 확실한 건 한재혁이 시연을 배신했다는 사실이었다.

"그러니까 시연 님은 아무 걱정 하지 마세요."

하지만 데미안은 시연이 그 사실을 아는 걸 원하지 않았다. 믿고 있었던 사람에게 배신을 당하는 고통은 상상 이상으로 컸기에, 그 아픔을 겪지 않게 하고 싶다는 것이 그의 생각이었다. 그건 베르 역시 마찬가지였다.

"맥주에서 수면제가 나온 건 아마 '그 일' 때문일 거라고 데미안 님께서 말하셨어요. 전 그 일이 뭔지 모르겠지만요."

이건 진심이었다. 정말로 베르는 그 일에 대해서 알지 못했지만 시연은 알고 있는지 그녀의 몸이 작게 떨렸다. 곧이어 그녀의 눈가에 차올랐던 눈물이 뚝 떨어졌다.
베르는 말없이 들고 있던 손수건을 내밀었다.
손수건이 축축하게 젖을 만큼 하염없이 눈물을 흘린 후에야 시연은 눈물을 그쳤다.
"미안해요. 이런 꼴을 보여서."
시연은 붕어처럼 퉁퉁 부은 눈을 손등으로 가리며 말했다.
"손수건은 깨끗하게 세탁해서 돌려드릴게요."
"괜찮아요. 더미들을 시키면 되는 일이니까."
"아니에요. 제가 더럽힌 건데 제가 해야죠."
"그러시는 것이 마음이 편하시다면야."
그녀가 원하는 대로 해주는 것이 좋을 것 같아 베르는 더 이상 토를 달지 않고 고개를 끄덕였다.
"근데 범인을 어떻게 찾은 거예요? 그 연쇄 살인범들, 라오스나 경찰 쪽에서도 무던히 찾고 있지만 여태껏 못 찾았다고 하던데."
"저희가 원래 이런 쪽에는 전문이에요. 종족 중에서도 최고라고 감히 단언할 수 있죠. 특히 데미안 님이 최고죠."
그 말에 시연의 얼굴이 한층 더 심각하게 굳었다.
"왜 그런 표정을 하세요, 시연 님?"
그러나 돌아오는 대답은 없었다. 시연은 뭔가 곰곰이 생각하는 듯 허공을 바라보고 있을 뿐이었다.
"시연 님."
"……."
"시연 님!"
"아, 네!"
뒤늦게 정신을 차린 시연은 바짝 군기가 든 목소리로 대답했다.

"뭘 그리 곰곰이 생각하세요?"

"아니요, 아무것도 아니에요."

그녀는 조금 과할 정도로 고개를 휘휘 내저었다. 뭔가 수상했지만 감히 군주의 반려에게 깊이 물을 수는 없으니 그냥 넘어갈 수밖에 없었다. 물론 데미안에겐 이 일을 보고해야겠다고 생각하면서.

"그럼 전 공부하러 갈게요."

"도와드릴까요?"

"괜찮아요. 혼자 할 수 있어요. 모르는 거 있으면 물어볼게요."

도망치듯 서재로 들어온 시연은 닫힌 문에 기대서서 한숨을 뱉었다.

'미쳤구나, 차시연.'

아무리 마음이 조급하다곤 하나 그런 생각을 하다니. 안 그래도 바쁜 그들에게 일을 하나 더 얹어주려고 하다니.

아무리 생각해도 정신이 나간 거라고, 그러니 절대 이 이야기는 꺼내지 말자고 생각하면서도 자꾸만 떠오르는 건 미련 때문이었다.

혹시 그들이라면, 라오스와 경찰이 하지 못한 일을 해낸, 이런 쪽에는 전문가라고 스스로 장담하는 그들이라면 7년 전 실종된 자신의 엄마를 찾아 줄 수 있지 않을까 하는 일말의 미련이었다.

데미안은 '더 뉴'에 대한 지분을 리암 가문에 모조리 넘겨주고 지금까지 맡아온 일은 각 지사에 분담해서 넘겨주었다.

'이제 남은 건 원탁회의 수장 자리인가?'

수장의 자리를 넘겨주는 방법에는 두 가지가 있었다.

승계 과정처럼 자리를 가지기 위해 도전해 온 도전자가 이기거나, 아니면 수장이 수장으로서의 역할을 수행할 수 없는 상태가 되는 것.

데미안이 마계로 돌아간다면 후자가 성립되니 자동적으로 수장 자리는 원탁회의 일원 중 한 명에게 이임되는 것이다.

비둘기 놈들만 아니면 아무나 가져도 상관없지만 일원들의 상태를 봤을 때 마몬 아니면 가온이 될 가능성이 높았다.

'그럼 역시 마몬에게 넘겨주는 것이 좋지 않을까.'

마몬은 수장직을 수행할 만한 인물은 아니었지만 가온에게 넘겨주는 것보다는 나았다.

아니면 간간이 인간계에 나와서 수장의 역할을 수행하는 것도 나쁘진 않을 것 같았다. 시연에게 인간계를 구경시켜줄 겸 말이다.

인간으로 태어나 인간으로 자란 시연은 분명 인간계를 그리워할 테니까. 자칫 향수병이라도 걸리면 큰일이었다.

하지만 군주의 반려가 함부로 마계에서 나올 수는 없는 법. 데미안이 허락한다고 해도 분명 안 좋은 소리가 나올 것이다.

그러니 이 부분에 대해선 좀 더 고민해봐야겠다고 생각하며 데미안은 집 안으로 들어섰다.

"어서 오세요, 데미안 님."

데미안을 맞이한 베르는 시연의 상태가 이상했던 것에 대해 보고했다. 그 보고를 듣는 순간부터 데미안은 수장의 자리에 대한 건 모조리 잊고 시연에 대한 걱정만 했다.

베르가 괜한 억측을 하는 건 아닌가 싶었는데 저녁 식사를 하기 위해 자리에 앉은 시연의 얼굴은 확실히 어두웠다. 뭔가 있는 것이 분명했다.

"한재혁을 죽인 범인을 못 잡을 것 같아서 걱정되는 건가?"

베르의 이야기를 들어봤을 때 그것 말곤 시연이 걱정할 만한 것이 없다고 생각한 데미안은 말을 덧붙였다.

"무조건 찾아낼 테니 걱정하지 마라. 얼굴을 알고 있는 놈을 찾아내는 건 쉬우니까."

"……얼굴만 알고 있으면 쉽게 찾아낼 수 있는 건가요?"

"물론."

자신만만한 대답이었다. 그간의 경험을 미뤄봤을 때 그가 저렇게 대답해 놓고 지키지 못하는 경우는 단 한 번도 없었다.

스스로가 일류라며 자신들만 믿으라는 홍신소들과 달리 데미안은 확실했다.

'역시 그라면…… 찾아줄 수 있을지 몰라.'

자신의 엄마를, 아무도 찾지 못한 엄마의 행방을 찾아줄 수 있을지도 모른다. 시연은 엄마의 생사 확인이라도 하고 싶었다.

"저……."

"다녀왔습니다."

엄마에 관해서 물어보려는데 마몬이 돌아왔다. 덕분에 말할 타이밍을 놓친 시연은 입을 다물 수밖에 없었다.

"뭘 하다 왔길래 이리 늦었지? 좋은 정보라도 얻은 건가?"

"아직 확실하지 않은 정보입니다만 가온이 뭔가 하려고 한다는 건 알아냈습니다."

"가온이?"

"네. 설현주라고 기억하시는지 모르겠지만 가온이 그 여자에게 접근하고 있었습니다. 아마 전에 말했던 촉매제와 관련이 있는 것 같습니다."

그들이 나누는 대화에서 시연이 이해할 수 있는 건 가온이 뭔가 하려고 하고 있다는 것뿐이었다. 설현주의 이름이 왜 나온 건지조차 이해할 수가 없었다.

"그리고 티에가 온다는 말이 있던데, 사실입니까?"

"벌써 베르가 말해준 건가?"

"아까 전화했을 때요. 티에가 온다니, 여러모로 악재인데요?"

티에가 오는 것에 대해 아무 말도 못 했던 베르와 달리 마몬은 제 의견을 유감없이 표출했다.

"뭐, 군주님께서 어떤 마음으로 티에가 오는 걸 허락했는지는 알 것 같으니 말리지는 않겠습니다만, 그래도 티에에게 주의는 줘야 할 것 같습니다. 다 정리되어 가고 있는 마당에 괜한 트러블이 일어나면 곤란하잖아요."

"알고 있다. 그래서 말인데, 시연."

"예?"

갑자기 화살이 제게 돌아오자 시연은 살짝 놀라며 데미안을 바라봤다.

"티에가 오면 절대 사고 치지 말라고 네가 당부해."

"제가요? 티에라는 분이 누구길래 제가……."

"락슈의 직위를 가진 자다."

락슈. 책에서 본 적이 있었다. 군주의 반려가 될 자를 모시는 시녀를 그렇게 부른다고 책에는 적혀 있었다.

"근데 그분이 온다고요?"

"그분이 아니라, 티에. 너보다 낮은 직위를 가진 자에게 존칭을 쓸 필요는 없어."

"하지만 전 아직 반려가 아니잖아요."

"아직은 아니지만 반려가 될 테니 문제없지. 그리고 넌 이미 반려나 다름없어."

그녀 말고 다른 사람은 제물로 사용하지 못했으니까. 여전히 왜 그런 건지는 이유를 알지 못했지만 굳이 알아볼 생각도 없었다. 안 그래도 생각할 게 많은데 그런 것까지 고민할 여유는 없었다.

"어, 그러니까 데미안 씨의 말은 티에라는 사람이…… 아니, 악마인가?"

"악마야. 정확히는 서큐버스지."

"네, 네. 아무튼 그 악마가 오면 괜한 사고 치지 말라고 해달라는 거죠?"

"그래."

"알겠어요."

락슈의 직위에 대해 알고 있는 만큼 데미안이 왜 직접 하지 않고 제게 부탁을 했는지 이미 알고 있는 터라 그에 대해선 언급하지 않았다.

"그러고 보니 시연, 하려던 말이 있지 않았나?"

"네? 아, 그게…… 별건 아니고, 내일모레 친구 좀 만나도 될지 물어보려고요."

사실 엄마를 찾을 수 있는지 물어보려고 했지만 말이 나오지 않았다. 안 그래도 바쁜 그에게 차마 성가신 부탁을 할 수가 없었던 것이다.

"마계로 가게 되면 다시 못 볼 가능성이 크잖아요."

어차피 이것도 허락받아야 했으니 말을 꺼내는 건 전혀 어색하지 않았다.

"그럼 내일모레 스케줄을 빼놓도록 하겠습니다."

"아, 그게 친구들을 보는 거니 되도록 혼자 나가고 싶은데요."

"그건 좀……."

시기가 시기인 만큼 시연을 혼자 보내는 건 여러모로 걱정돼서 베르는 말꼬리를 흐렸다. 마몬 역시 걱정된다며 혼자 나가는 건 안 될 것 같다고 말했다.

저리 말하는데 마냥 가겠다고 고집을 피울 수도 없고, 그렇다고 친구들을 보는 걸 포기하자니 그건 또 아쉬워 시연은 어찌할 바를 몰랐다.

자신을 걱정하는 그들의 마음을 알기에 더욱 쉽게 결정을 내릴 수가 없었다.

"가도 돼."

그 순간 데미안이 커피를 마시며 무심한 어조로 말했다.

"대신 귀고리를 끼도록 하고 데려다주는 건 물론, 올 때 마중도 나가도록 하지."

"네, 알겠어요."

그 정도쯤이야 얼마든지 허락할 수 있었다.

그제야 시연의 얼굴에 화색이 돌았다.

여전히 시연이 걱정되긴 했지만 데미안이 허락한 일이기도 했다. 시연이 저리도 좋아하니 어쩔 수 없다고 생각하며 베르와 마몬은 옅게 미소를 지었다.

⚜

친구들과의 약속 당일, 오래간만에 친구들을 만나는 만큼 최대한 예쁘게 꾸미려고 했는데 그녀의 계획은 데미안 때문에 무참히 박살났다.

"치마가 너무 짧아."

"가슴이 너무 파인 것 같은데."

"왜 이렇게 노출이 심한 거지?"

제아무리 깐깐한 시어머니라도 이보다 심하진 않을 거라는 생각이 들었다. 데미안 때문에 옷을 몇 번이나 갈아입은 건지 모르겠다.

예쁜 원피스를 입을 생각이었는데 결국 입은 건 투박한 청바지에 티셔츠였다. 겨우 그의 조건에 맞는 옷을 입고 출발할 수 있게 된 시연은 깊은 안도의 한숨을 내쉬었다.

전에 약속한 대로 데미안은 직접 운전을 해서 시연을 약속 장소까지 태워다주었다.

"그거 기억나요, 데미안 씨?"

시연은 개구쟁이처럼 웃으며 데미안을 바라봤다.

"예전에 저한테 했던 말이요."

"무슨 말?"

"데미안 씨를 포함해서 가족도, 지인도, 연인도 믿지 말라는 말이요."

"……."

"그 말대로라면 지금 전, 당신을 믿으면 안 되지 않나요?"

짓궂은 질문에 굳게 다물어진 입술이 비틀어졌다. 못마땅하다는 의미였다. 작게 찌푸린 눈살은 당황한 것처럼 보이기도 했다.

예상했던 반응이지만 실제로 보니 더 웃겨서 시연은 입을 가린 채 조용히 웃음을 터뜨렸다.

그런 시연의 행동이 불만이라는 듯 데미안이 눈을 흘겼지만 시연은 좀처럼 웃음을 그치지 않았다. 미처 막지 못한 웃음소리가 나지막하게 차 안에 울려 퍼졌다.

그 웃음소리가 사라진 건 얼마 지나지 않아서였다.

끼익―.

갑작스레 차를 길가에 세운 데미안은 매고 있던 안전벨트를 풀고 시연 쪽으로 손을 뻗어 그녀의 양어깨를 잡고 그대로 상체를 숙였다.

"……!"

곧이어 데미안의 입술이 시연의 입술 위로 벌이 쏘듯 내려앉았다.

너무나도 갑작스럽게 일어난 일이기도 했고 곧 거미줄처럼 끈적끈적해진 입맞춤 때문에 시연은 정신을 차리지 못했다.

한 치의 오차도 없이 꽉 맞물렸던 입술이 떨어진 건 시간이 제법 흐른 후였다.

그제야 만족했다는 듯 눈꼬리를 휘며 웃던 데미안은 벙쪄 있는 시연의 입술 주변을 엄지로 부드럽게 쓸어내리며 말했다.

"립스틱, 다시 발라야겠군."

잠시 시간을 지체했지만 약속 시간보다 5분 일찍 약속 장소에 도착했다.

주말이라서 그런지 약속 장소는 사람들로 북적였다. 수많은 인파 속에서 말자를 발견한 시연은 반갑게 웃으며 손을 내저었다.

"말자야!"

이에 시연을 발견하고 한걸음에 시연의 앞으로 온 말자는 인사를 하기도 전에 시연의 어깨를 잡고 탈탈 흔들었다.

"내가 길거리에서 말자라고 부르지 말랬지!"

"네 이름이 말자라서 말자라고 부른 건데 뭐가 문제야?"

"아악! 그 이름 부르지 말라고!"

질색하는 말자를 보며 시연은 소리 높여 웃었다. 오래간만에 친구를 만나서 그런지 엔도르핀이 마구 솟았다. 그냥 말자의 얼굴을 봤을 뿐인데도 기분이 좋아졌다.

"재희는?"

"이 근처에 있다고 금방 온다더라. 그 가시나, 조금 전까지 데이트했단다. 그래서 내가 데리고 오라고 했지. 어차피 데려다줄 건데 얼마나 잘생겼는지 얼굴 한번 보자고 말이야."

호들갑스러운 말자의 대답에 시연은 약속 장소보다 조금 떨어진 곳에 내린 걸 천만다행으로 여겼다. 만약 말자가 데미안을 봤다면 분명 난리를 쳤을 테니까.

"어, 근데 그건 뭐야?"

시연의 귀에 있는 거미 모양 귀고리를 본 말자가 눈을 반짝였다.

"귀고리 예쁘다. 어디서 샀어?"

"아, 선물 받은 거라 나도 잘 몰라."

"선물? 혹시 네 그분에게?"

시연이 고개를 끄덕이자, 말자는 부럽다며 시연의 어깨를 팡팡 쳤다.

"시연아! 말자야!"

그때 저 멀리서 재희가 그들의 이름을 부르며 달려왔다.

"아악! 저 가시나도 말자래!"

이름이 말자인데 도대체 말자라고 부르지 않으면 뭐라고 부르라는 건지.

말자의 억지 아닌 억지에 설핏 웃으며 재희 쪽을 돌아본 시연의 얼굴이 창백하게 변했다.

바로 재희의 옆에 서 있는 남자 때문이었다.

햇빛을 받아 찬란하게 빛나는 금발 때문에 눈이 부셨고, 바다를 품은 듯 푸른색으로 빛나는 눈동자는 예쁘게 휘어 있었다.

'설마…… 아닐 거야.'

저 남자가 재희의 남자 친구일 리가 없다고, 그냥 우연히 나란히 서 있는 것뿐이라고 생각하고 싶었지만 그렇게 생각하기엔 둘 사이가 너무나도 좋아 보였다.

"인사해!"

그런 시연의 마음을 모르는 재희는 해맑게 웃으며 그녀의 옆에 있는 남자를 소개했다.

"이쪽은 내 남자 친구!"

"안녕하세요. 가온이라고 합니다."

그야말로 절망이었다.

원래라면 오늘까지 '더 뉴'에 대해 인수인계를 끝내고 손을 떼려고 했지만

상황을 보아하니 더 봐줘야 할 것 같았다.

애초에 일주일 남짓 되는 시간 동안 인수인계를 하는 것이 무리였던 것이다. 인수인계에만 매진하는 것이 아니라 여러 일을 동시에 진행했으니 그럴 만도 했다.

회사가 망하든 말든 딱히 상관은 없지만 하던 일을 마무리 짓지 않고 넘기는 건 찝찝했다. 그렇다고 회사에 더 투자할 시간은 없었다.

'하는 수 없지.'

일단 급한 용무만 처리하고 나머지는 반려식이 끝나고 해결하는 것이 좋을 것 같았다.

반려식이 끝난 뒤에도, 원탁회 일 뒤에도 인간계에 자주 올 테니 그때 같이 처리하면 되는 것이다.

그래도 최대한 할 수 있는 만큼 해놓으려 노력하고 있는데 전화가 울렸다. 베르였다. 현재 베르는 티에를 마중 나간 상태였다.

티에가 어린아이도 아니고 다른 일로 바쁜 베르에게 마중을 가라고 보내는 건 번거로운 일이었지만, 마계와 이어지는 게이트가 환몽의 숲에 있기 때문에 어쩔 수가 없었다.

차원과 차원의 중심에 있는 환몽의 숲은 숲의 주인인 데미안과 그가 인정한 인도자의 안내 없이는 절대 빠져나올 수도, 게이트가 있는 곳으로 갈 수도 없었다.

라오스에서 게이트를 양도 받은 뒤 지금까지 단 한 번도 사고가 일어나지 않은 이유 중 하나였다.

"여보세요."

[티에와 만났습니다. '더 뉴'에 30분 내로 도착할 겁니다.]

"그래."

통화는 거기서 끝이었다. 베르가 데미안에게 전화를 건 건 티에를 무사히 태웠다는 보고를 하기 위함이었으니 길게 할 이유는 없었다.

티에가 오면 일을 하기 힘들 테니 그 전에 최대한 하던 일을 끝내놓으려고 했는데 또 휴대폰이 울렸다.

이번엔 마몬이었다.

현재 마몬은 연쇄 살인범을 찾고 있었다.

가온의 행동이 의심되긴 했지만 이걸 해결하면 제물에 관한 정보는 자동적으로 따라올 테니 득과 실을 따져봤을 때 이쪽을 먼저 해결하는 것이 맞았다. 비록 짜증은 났지만.

그래서 데미안은 마몬에게 새벽까지 연쇄 살인범을 찾으라고 명을 내렸다. '해결해라'가 아니라 '찾아오라'라는 명을 내린 건 그가 직접 추궁하기 위함이었다.

연쇄 살인에 대한 자백은 물론 마르스와 무슨 작당을 한 건지, 시연을 데리고 가서 뭘 하려고 한 건지 등 알아볼 수 있는 정보는 모조리 알아볼 생각이었다.

'벌써 다 찾아냈을 리는 없고…….'

아직 새벽이 오려면 멀었다. 한데 지금 전화가 왔다는 것이 영 꺼림칙하고 불길했다.

데미안은 약간 굳은 얼굴로 전화를 받았다.

"무슨 일이지?"

[문제가 생겼습니다, 군주님.]

역시 좋은 일로 전화한 건 아니었다. 다급한 목소리를 들으니 불안감은 더욱 증폭됐다.

"무슨 문제?"

[현재 3명의 연쇄 살인범 중 2명을 찾아냈는데…… 둘 다 죽었습니다. 그리고 한 명은 행방이 묘연합니다. 아직 확실하게 찾아보진 않았지만 다른

놈들이 죽은 걸로 보아 그놈 역시…….]

콰직—.

돌연 괴상한 소리가 나면서 마몬의 말이 끊겼다. 데미안이 차오르는 화를 참지 못하고 휴대폰을 부순 탓이었다.

의도한 건 아니었다. 그저 평소보다 좀 더 손에 힘을 줬을 뿐인데 휴대폰이 부서진 것이었으니까.

그 탓에 부서진 조각에 베어 피가 흘러나왔지만 그의 얼굴은 여전히 무미건조했다.

부서진 휴대폰을 아무렇게나 집어 던진 데미안은 이를 바득바득 갈며 머리를 쓸어 올렸다.

"마르스……."

연쇄 살인범들을 죽인 건 분명 마르스일 것이다. 꼬리가 밟힐 것 같으니 미리 잘라낸 것이 분명했다.

계획이 틀어진 것보다 마르스가 자신보다 한 수 더 앞을 보고 있었다는 것이 짜증이 났다. 마치 마르스가 그를 비웃는 것 같은 기분이 들었다.

"하아."

데미안은 갑갑하게 목을 조이는 넥타이를 풀고 길게 숨을 뱉었다. 분노에 동화돼서 폭주하려는 조짐을 보이는 기운들을 잠재우기 위함이었다.

시연은 괜찮다고 했지만 되도록 부담을 주고 싶지 않아 기운을 주는 걸 자제했더니 조금만 자극을 줘도 쉽게 반응을 보였다. 그래도 이전에 크게 힘을 한 번 빼서 그런지 생각보다 쉽게 가라앉았다.

그럼 다행으로 여겨야 하는데 조금 아쉬운 마음이 드는 건 이 핑계로 시연을 일찍 보러 가지 못해서일 것이다.

'바보 같긴.'

마음 편히 놀라고 보내줘 놓고 방해할 생각을 하면 어쩌자는 건지. 데미안은 얼핏 시간을 확인했다.

시연을 마중하러 갈 시간까지는 앞으로 두 시간 남짓 남았다.

'보고 싶다.'

그 시간이 영겁보다 더 길게 느껴지는 건 그녀가 너무도 보고 싶기 때문일 것이다.

지금 데미안은 지독한 상사병을 앓는 중이었다.

"그래서 제가 어떻게 했냐면요……."

"와, 진짜요? 대박!"

시연은 앉은 자리가 가시방석처럼 불편했다.

재희 때문이 아니었다. 바로 그녀의 옆에 앉아서 웃고 있는 저 남자, 가온 때문이었다.

원래라면 재희를 데려다주고 갔어야 할 가온은 특유의 말재간으로 말자의 마음을 사로잡아 무리에 합류했다. 물론 시연은 그가 합류하는 것이 싫었지만 제대로 된 이유 없이 무작정 싫다고 할 수 없을 뿐더러 말자와 재희가 저렇게 좋아하니 어쩔 수 없었다.

말자와 재희가 무슨 일이냐고 물으면 난감할 것 같아 시연은 싫은 티를 내지 않으려고 표정 관리를 하며 버텼다.

하지만 능청스러운 가온의 행동에 가면 쓴 표정이 점차 무너졌다. 말수 역시 적어졌다.

시연은 말자와 재희의 질문에만 간간이 답하며 묵묵히 점심을 먹었다. 가온의 말은 시종일관 무시했다.

"더블데이트 하는 건 어떨까요?"

그러나 무시하는 것도 한계가 있었다.

말자가 잠시 자리를 비운 사이 가온이 터무니없는 말을 꺼내자, 시연은 볼썽사납게 얼굴을 일그러뜨리며 가온을 쳐다봤다.

가온을 보고 있느라 그런 시연의 표정을 전혀 눈치채지 못한 재희는 해맑게 웃으며 박수를 '짝' 쳤다.

"그거 좋은 생각이네요. 너도 그렇게 생각…… 어라? 시연아, 너 표정이 왜 그래?"

"……아니, 아무것도."

시연은 가볍게 고개를 저으며 포크를 내려놓았다.

"혀를 조금 씹어서 그래."

"조심 좀 하지 그랬어."

시연은 애써 웃으며 물을 들이마셨다.

"그래서 넌 더블데이트 하는 거 어떻게 생각해?"

"글쎄."

'더블데이트는 무슨.'

말 같지도 않은 소리였다.

자신의 연인이 데미안이라는 걸 알면서도 이런 이야기를 꺼낸 가온이 이해가 되지 않았다.

"나 혼자 결정할 문제는 아닌 것 같으니, 물어보고 답 줄게."

하나 재희에게 그리 말할 수는 없어 시연은 유연하게 대답을 피했다.

물론 물어볼 생각은 전혀 없었다. 미쳤다고 데미안에게 가온과 더블데이트를 가자고 말하겠는가.

"만약 더블데이트 하면 날짜는 언제가 좋을까요, 가온 씨?"

"다음 주 금요일이면 괜찮을 것 같은데. 그때 재희 씨, 카페 쉬잖아요."

"딱 좋네요!"

더블데이트를 한다는 말도 하지 않았는데 왜 제멋대로 정하는 건지 모르겠다.

하물며 다음 주 금요일은 반려식을 치르기로 예정한 날이었다.

그걸 모를 리가 없는 가온이 그 날짜를 콕 집어 이야기하는 게 꺼림칙했다. 뭔가 나쁜 계획이 있다고 생각할 수밖에 없었다.

"다음 주 금요일에 더블데이트 하는 걸로 물어봐. 응?"

"알았어. 나도 화장실 좀 다녀올게."

재촉하는 재희를 달래며 시연은 자리에서 일어섰다.

때마침 화장실에 간 말자가 돌아왔다.

다시 대화의 늪에 빠진 그들을 뒤로한 채 화장실에 들어간 시연은 데미안에게 전화를 걸었다.

그러나 뭔가 바쁜 일을 하는지 데미안은 전화를 받지 않았다.

어쩔 수 없이 문자를 남겨두고 화장실을 나서는데 그녀의 앞을 누군가 불쑥 막아섰다.

"당신……!"

그는 바로 가온이었다. 복도가 좁아서 그가 비키지 않으면 지나갈 수가 없었다.

"비켜주시죠."

"드디어 저한테 말 걸어주시네요."

"뭐라고요?"

"연락처 좀 알고 싶은데, 알려주시죠."

가온은 가식 없이 웃으며 휴대폰을 내밀었다. 가당치도 않은 소리에 시연의 얼굴은 좀 더 딱딱하게 굳었다.

"내가 미쳤다고 당신에게 제 번호를 알려주나요?"

"거절하시면 후회하실 텐데요."

"뭐라고요?"

"재희, 한재혁이 죽은 거 아직 모르고 있죠?"

긴장감에 가볍게 쥔 주먹에 힘이 들어갔다.

"재희가 이 사실을 알게 되면 어떨 것 같아요?"

"지금 절 협박하시는 건가요?"

"협박이라니, 가당치도 않아요. 그냥 가엽다는 생각이 들어서요. 친오빠가 죽은 걸 전혀 모르고 기다리고 있는 그녀가요."

이게 협박이 아니면 뭐가 협박이란 말인가.

시연은 입안의 연한 살을 피가 날 정도로 세게 깨물었다.

머리를 계속 굴리며 어떻게 해야 하나 고민했지만 아무리 생각해도 나오는 답은 하나였다.

시연이 거칠게 휴대폰을 뺏어가자 가온은 입술을 작게 벌리며 웃음을 흘렸다. 시연은 액정이 부서져라 꾹꾹, 자신의 번호를 누른 뒤 가온에게 돌려주었다.

"제가 번호를 알려줬다고 해서 전화를 받을 거라곤 생각지 마세요."

"그 말 그대로 되돌려주도록 하죠. 제가 전화번호를 받았다고 해서 재희에게 아무 말 안 할 거라고 안심하지 마세요."

계속되는 협박에 시연의 얼굴이 좀 더 볼썽사납게 구겨졌다.

"……도대체 저한테 왜 이러시는 거죠? 제가 데미안 씨의 반려이기 때문에 그러는 건가요?"

"뭔가 오해하시는 것 같은데 마계의 군주가 반려를 맞이하는 건 저희 입장에서 환영할 만한 일입니다. 그가 이곳을 떠나 마계로 돌아간다는 의미이니까요."

"그럼 도대체 왜 이러는 건데요!"

답답한 마음에 시연은 양 주먹을 꽉 쥐고 소리쳤다.

"내가 뭘 잘못했다고 나한테 이러는 건데요!"
혹 그들에게 이런 대접을 받아야 할 만큼 잘못한 것이 있는 건지 깊이 생각해봤지만 아무리 생각해도 떠오르는 게 없었다. 그저 그들이 왜 이러는 건지 진심으로 궁금했다.
"글쎄요."
턱을 쓰다듬는 가온의 입가에 핀 미소가 깊어졌다. 시선은 여전히 시연에게 고정하고 있는 채였다.
"그건 저보다 당신이 더 잘 알 것 같은데요."
"……무슨 의미죠?"
"말 그대로입니다. 한 가지 더 덧붙이자면 당신의 모친이 실종된 것도 당신 때문이지요."
시연의 눈동자가 크게 흔들렸다. 시연은 제 귀로 들은 내용을 의심하며 가온의 옷깃을 두 손으로 꽉 쥐었다.
"그게 무슨 뜻이야. 우리 엄마가 실종된 게 내 탓이라니!"
"이런, 불쌍하게도 아직 아무것도 모르는 모양이군요."
유쾌하게 웃는 모양새가 퍽이나 재수 없었다. 시연은 있는 힘껏 가온을 벽으로 밀친 뒤 소리쳤다.
"말해! 말하란 말이야! 넌 알고 있는 거지? 엄마가 왜 사라진 건지!"
"말했을 텐데요. 당신 때문이라고."
가온은 너무나도 쉽게 그의 옷깃을 잡고 있는 시연의 손을 떼어냈다.
"지금 전부 다 말하면 재미없으니 앞으로 하나씩 알려드리죠."
"……."
"그러니 제 전화 잘 받는 것이 좋을 겁니다."
"……."
"모친이 실종된 것에 대해 듣고 싶으면."

복도를 벗어나기 전, 가온은 그녀를 향해 가볍게 휴대폰을 흔들었다. 마치 그녀를 약 올리려는 듯이.

"참, 그 남자에겐 아무것도 말하지 말아야 한다는 것쯤은 알고 있죠?"

EPISODE 17

군주님은 반려님에게

볼륨 있는 몸매에 딱 달라붙은 붉은색의 원피스가 고혹적이었다. 그 위로 구불구불 내려오는 머리칼은 그녀의 매력을 한껏 돋보이게 만들었다.

"지엄하신 마계의 군주님을 뵙습니다."

바로 락슈의 지위를 가진 티에였다.

악마 중에서도 서큐버스 쪽인 티에는 그녀를 잘 아는 베르조차 순간 넋을 놓고 바라볼 만큼 매혹적이었지만, 데미안은 무덤덤하게 티에의 인사를 받았다.

"생각보다 빨리 왔군."

"반려식까지 얼마 남지 않았는데 당연히 빨리 와야지요. 그래서 말인데요, 반려님은 어디 계시죠?"

"시연이라면 조금 있으면 데리러 갈 생각이다."

"아, 다른 곳에 계신 모양이네요. 알겠습니다. 그럼 다녀오실 동안 저는 반려님을 교육할 준비를 해두도록 하겠습니다."

딩동—.

티에의 말이 끝나기 무섭게 초인종이 울렸다. 1층 로비에서 울린 초인종이었다. 인터폰을 확인해 보니 'xx택배'라고 쓰인 모자를 쓰고 있는 남자가 보였다.

지금껏 집으로 택배 배달을 시킨 적이 한 번도 없는 터라 의아해하며 택배를 받은 베르는 발신자에 적힌 이름을 보고 얼굴을 딱딱하게 굳혔다.

"리엘?"

리엘이라니. 그건 가브리엘의 애칭이 아니던가.

하지만 가브리엘은 죽었으니 이 택배를 보낸 이가 그녀일 리는 없었다.

"그럼 이건 누가 보낸 거지?"

"글쎄요."

베르는 상자를 들고 이리저리 관찰했다. 안에 뭐가 든 건지 모르겠지만 테이프로 몇 번이나 밀봉해둔 상자는 예사로운 물건처럼 보이지 않았다.

"일단 열어볼까요?"

"그래."

데미안의 허락을 받은 베르는 커터칼을 이용해서 조심스럽게 상자를 뜯었다. 상자 속에는 또 다른 상자가 밀봉되어 들어 있었다.

"이거 마치 마트료시카 같네요."

베르는 티에의 말에 동감하며 안에 있는 상자를 열었다. 그 안에는 또 밀봉된 상자가 들어 있었다.

이쯤 되니 누군가 장난을 친 건 아닐까 의심이 됐는데 다행히도 그건 아니었다.

상자를 7개째 개봉했을 무렵, 상자 안에서 작은 쪽지가 발견되었다. 고작 이 쪽지를 포장하기 위해 이렇게 많은 상자를 쓴 것이다.

쪽지는 베르의 손을 거쳐 데미안의 손으로 들어갔다. 데미안은 거침없이 쪽지를 펼쳤다.

가장 먼저 눈에 들어온 건 청초하게 피어 있는 백합 문양이었다. 가브리엘의 상징이었다.

"확실히 가브리엘이 보낸 거군."

문양은 따라할 수 있지만 은은하게 담겨 있는 이 기운은 그 누구도 감히 흉내 낼 수가 없었다. 인간으로 따지면 지문 같은 것이었다.

죽은 그녀가 어떻게 택배를 보냈는지는 다소 의아했지만.

"근데 아무것도 안 적혀 있네요."

"그러게."

문양을 자랑하기 위해 이런 짓을 했을 리는 없었다. 뭔가 의도가 있는 것이 분명한데 그게 뭔지 알 수 없었다.

쪽지를 이리저리 아무리 둘러봐도 문양 말고는 보이지 않았다.

"아, 혹시 그거 아닐까요?"

베르는 문득 생각났다는 듯 말했다.

"전에 루칸 님을 모신 시종에게 들은 적이 있어요. 루칸 님이 특별한 방법을 써서 신과 소통했다고요."

"특별한 방법?"

"네. 서로의 힘에만 반응해 색을 드러내는 특수한 액체를 써서 편지를 썼다고 해요. 그러면 다른 놈들이 훔쳐볼 염려가 없으니까요."

"그거라면 나도 알고 있다. 단지 의아한 건 일족의 수장이 아닌 가브리엘이 어떻게 그 액체를 가지고 있냐는 거다."

"어, 그건……."

"그 여자가 전에 본 그 독약과 관련이 있다면 그런 걸 만드는 건 문제도 아니죠."

뒤에서 불쑥 등장한 마몬이 베르의 말을 가로챘다. 그제야 그가 왔다는 것을 눈치챈 베르와 티에는 작게 놀라며 그를 돌아봤다. 유일하게 데미안만 담담했다.

"제물에겐 군주님의 힘이 있을 테니까요."

충분히 일리가 있는 말이었다. 힘을 흘렸을 때 정말 글자가 떠오른다면 그건 그들이 제물을 가지고 무슨 장난을 치고 있다는 명백한 증거가 될 테니 한번 확인해보자는 생각으로 데미안은 쪽지에 힘을 흘려보냈다.

"뜬다!"

그러자 정말 종이에 글자가 떠올랐다. 처음 보는 희귀한 광경에 티에는 감탄하며 작게 소리를 질렀지만, 그게 무슨 의미인지 아는 베르와 마몬은 얼굴을 딱딱하게 굳혔다. 데미안 역시 마찬가지였다.

마르스에겐 연인이 있었습니다.

어렵게 발견한 쪽지의 내용은 참으로 간단했다. 아무것도 모르는 상황에서 봤다면 단순히 누군가 장난을 치는 거라고 생각했을 것이다.

'장난일 리가 없지.'

가브리엘이 아무리 심심하다고 해도 제 종족의 치부가 드러날지도 모르는 이런 장난을 치진 않았을 것이다. 그러니 특별한 무언가가 있다고 생각한 데미안은 가브리엘이 적어둔 문장에 대해 고민했다.

"마르스에겐 연인이 있었습니다?"

뒤에서 몰래 쪽지의 내용을 훔쳐본 티에가 의아하다는 듯 고개를 갸웃거렸다.

"이거 꽤나 오래전에 돌았던 소문인데, 아직도 돌고 있나요?"

"무슨 소리지? 오래전에 돌았던 소문이라니?"

"어, 그러니까 마르스가 신으로 부임한 직후에 돈 소문이에요. 마르스에게 피앙세가 있다는 소문이 돌았었죠."

"전 처음 듣는데요."

베르는 혹시 마몬은 들어봤나 싶어 그를 돌아봤지만 마몬 역시 들어본 적이 없는지 고개를 저었다.

"그야 모르는 게 당연하죠. 아주 크게 난 소문이 아니라 암암리에 퍼진 소문이었으니까요. 하물며 연인 후보까지 여럿 거론됐지만 그중 자신이 진짜 연인이라고 나서는 이가 없어 금방 잠잠해졌어요."

부인을 여러 명 둘 수 있는 마계와 달리 천계는 부인도 반려도 모두 단 한 명만 둘 수가 있었다.

그러니 정말 신의 연인이 존재한다면 한 번쯤 나설 법도 한데 그러지 않았다는 건 소문이 헛소문이라는 의미이니 금방 잠잠해졌던 것이다.

"근데 가브리엘은 그 이야기를 갑자기 왜 꺼낸 거지?"

그것도 이렇게 쪽지까지 남기면서. 그녀가 죽은 후에 택배가 온 것도 그렇고, 가브리엘이 취한 행동은 마치 그녀가 죽을 걸 예상하고 있었던 것 같았다. 그렇다는 건 이 쪽지의 내용이 그녀의 죽음과 관련이 있을지도 모른다는 의미였다.

"그 소문에 대해 더 기억하는 거 없나?"

"그리 말씀하셔도 딱히……."

"사소한 거라도 좋아. 조금이라도 이상한 점이 있었다면 뭐든 말해라."

"음…… 아!"

티에는 뭔가 생각났는지 박수를 치며 말했다.

"사실인지는 모르겠지만 이상한 것이 하나 있긴 했어요."

"그게 뭐지?"

"마르스의 연인 후보로 거론된 여자들 중에서 마족이 있었거든요."

신과 마족이 연인이라고? 터무니없는 소리였다.

만약 맞다면 마르스는 신이 될 수 없었을 것이며, 신의 자리에 올랐다고 해도 그 자리를 박탈당했을 것이다.

신은 그 무엇보다 깨끗하고 청렴한 존재이어야만 했으니까. 마족과 정을 통한 자가 신의 자리에 앉는 걸 다른 천족들이 허락할 리가 없었다.

'그러니 분명 헛소문일 텐데…….'

아니 땐 굴뚝에 연기가 날 리는 없으니 그런 소문이 난 것에는 반드시 이유가 있을 것이다.

거기에 가브리엘의 죽음과 그녀가 이런 의미심장한 쪽지를 남긴 것을 봤을 때 뭔가 있다고 생각한 데미안은 쪽지를 마몬에게 건네주며 말했다.

"마르스의 소문과 티에가 말한 마족에 대해서 조사해봐."

가온과 어처구니없는 대화를 끝낸 뒤 시연은 몸이 안 좋다는 핑계를 대고 서둘러 자리를 빠져나왔다.

약속 시간보다 일찍 집에 돌아가니 데리러 올 필요가 없다고 데미안에게 말하려고 했지만 여전히 그는 전화를 받지 않았다.

'무슨 일이라도 있는 걸까?'

걱정이 된 시연은 서둘러 택시를 타고 집으로 향했다.

집으로 가는 길은 천 리 길처럼 멀게만 느껴졌다. 눈시울이 뜨뜻해지는 걸 애써 참으며 집에 도착한 시연은 4층이 아닌 5층으로 곧장 향했다.

비밀번호를 누르려는데 안쪽에서부터 문이 벌컥 열렸다.

"시연?"

문을 연 건 데미안이었다. 시연을 데리러 가려던 데미안은 그녀가 문 앞에 서 있다는 사실에 작게 놀라며 그녀를 바라봤다.

"흐아아앙!"

그를 보니 참았던 눈물이 왈칵 쏟아졌다. 시연은 데미안의 품에 안겨 눈물을 쏟아냈다.

그런 시연의 모습에 그녀를 발견했을 때보다 더 놀라며 주춤하던 데미안은 곧 두 팔 가득 시연을 끌어안고 토닥여주었다.

뒤에서 베르와 티에, 그리고 더미들은 이게 무슨 일인가 싶어 옹기종기 모여 그들의 모습을 구경했다.

"괜찮다."

"흐으윽……."

"괜찮으니까 울고 싶은 만큼 울어."

울지 말라는 것이 아니라 울라니. 아이러니한 말이었지만 이상하게도 힘이 났다. 시연의 울음소리는 조금씩 잦아들었다.

이윽고 완전히 울음을 그친 시연은 얼굴을 붉히며 한 발 뒤로 물러섰다.

"미안해요. 제가 추태를 부렸죠."

"그다지."

데미안은 짤막하게 대답하며 여전히 뒤에 서 있는 베르와 티에에게 어서 가라는 손짓을 했다.

베르는 바로 물러났지만 티에는 가지 않고 버티고 있었다. 그의 명령을 들을 까닭이 없을 뿐더러, 앞으로 자신이 모셔야 할 주인이 펑펑 울었기에 떠나고 싶지 않았다.

"반려님."

그래서 한 발 앞으로 나서며 인사하자 그제야 티에를 발견한 시연이 놀란 듯 눈을 조금 크게 뜨며 쳐다봤다. 반면 데미안은 못마땅하다는 듯 눈살을 찌푸렸다.
"누구……?"
"제 이름은 티에."
티에는 가슴에 손을 올리고 정중하게 무릎을 굽혔다.
"앞으로 반려님을 모시게 됐습니다."
"아, 당신이 티에군요."
"편안하게 말 놓으시면 됩니다, 반려님."
"천천히 할게요. 아직 이런 건 익숙하지 않아서."
"알겠습니다."
시연이 부드럽게 거절하자 티에는 대꾸하지 않고 바로 수긍했다. 데미안이나 다른 이들을 대할 때와는 사뭇 다른 행동이었다.
"현관에서 이야기할 게 아니라 안으로 들어오시죠."
티에는 그곳이 마치 자신의 집인 것처럼 자연스레 시연을 안내했다.
"그럼 화장실부터 다녀올게요."
그렇게 울었으니 화장이 다 번졌을 거라고 생각했는데 예상은 정확하게 적중했다.
"미쳤어."
거울에 비친 팬더를 본 시연은 기겁하며 황급히 화장을 지웠다.
"자, 이리로 오세요. 반려님."
화장을 말끔히 지우고 화장실을 나오는데 티에가 잡아끌었다. 티에가 시연을 데리고 간 곳은 데미안의 침실이었다.
"뭐 하시게요?"
"반려님 피부 관리해드리려고요."
뜬금없이 웬 피부 관리?
"곧 반려식을 치를 텐데 피부 관리는 필수적으로 해야죠. 자, 자, 눈 감으세요."

"아니, 잠깐만……."

피부 관리를 하는 건 좋지만 왜 이곳에서 해야 한단 말인가. 여긴 데미안의 침실인데!

이건 좀 아닌 것 같아 하지 말라고 말하고 싶었지만 말을 꺼내기도 전에 얼굴에 마스크 팩 같은 것이 올라왔다.

그 때문에 말을 할 수 없게 된 시연은 입을 다물고 유일하게 움직일 수 있는 눈동자만 데굴데굴 굴렸다.

"아아, 요즘은 참 편리한 물건들이 많이 나와서 좋아요."

티에는 콧노래를 부르며 시연의 얼굴에 이것저것 발랐다. 차갑고 따뜻한 것이 번갈아 얼굴 위에 올라오는 것 같더니 나중엔 아예 감각이 느껴지지 않았다.

"으악, 이게 뭐예요!"

"쯧."

거울을 보지 못해 자신의 상태가 어떤지 알 수 없었지만 베르가 기겁하며 소리치는 거나 데미안이 혀를 내차는 소리를 들어봤을 때 상태가 그다지 정상적이진 않은 모양이었다.

'뭐, 아무래도 상관없나?'

티에가 자신을 해칠 것 같지는 않으니까. 하물며 티에가 정신없게 만들어 준 덕분에 가온에 대해서 잊고 웃을 수 있었다. 언제 울었느냐는 듯 시연은 어색함 없이 유쾌한 대화 속에 녹아들어갔다.

티에가 계획해 온 반려 교육 과정은 실로 어마어마했다. 반려식을 치르기

전에 이걸 다 할 수 있을지 깊은 의문이 들 정도였다.

도저히 해낼 자신이 없어 시연은 베르에게 도와달라고 요청했지만 돌아온 대답은 죄송하다는 말뿐이었다. 데미안조차 고개를 저었다.

그 말은 할 수밖에 없다는 의미. 시연은 눈물을 머금고 티에의 교육 과정을 따랐다.

"반려님, 젓가락질은 이렇게……."

티에는 젓가락질을 하는 법부터 시작해서 앉는 자세, 물을 마실 때 자세 등 일일이 지적했다. 밥 먹을 때도 이렇게 많은 예절이 필요한지 오늘 처음 알았다.

마음 편히 밥을 먹을 수 없게 된 시연은 얼마 먹지 못하고 젓가락을 내려놓았다. 식욕이 뚝 떨어졌다.

"저 먼저 일어설……."

"반려님! 군주님의 식사가 끝나기 전에 일어서는 건 예의가 아닙니다!"

"적당히 해, 티에."

티에의 행동이 점점 도를 넘어서자 더는 가만히 있을 수가 없어 데미안은 입을 뗐다.

"시연은 평범한 인간이야. 하루아침에 예절을 다 배우는 게 가능할 리가 없잖아."

"그러니까 지금부터 제대로 알려드려야지요. 이대로 있다간 다른 마족들에게 비웃음을 살 겁니다."

"누가 감히 비웃는다는 거지?"

데미안의 입가에 싸늘한 미소가 걸렸다. 일순, 주변의 온도가 떨어졌다.

"그런 놈이 있다면 얼굴을 한번 보고 싶군."

그제야 자신이 말실수를 했다는 걸 깨달은 티에는 황급히 말을 덧붙였다.

"그런 의미로 말한 게 아닙니다. 감히 반려님을 누가 비웃는단 말입니까."

"그렇겠지. 그러니 조급하게 그녀를 가르칠 필요는 없어. 앞으로 평생 나와 함께할 테니까 천천히 배우면 돼."

뜻하지 않은 고백이었다. 평생을 함께한다는 말에 볼이 붉어진 시연은 수줍게 붉어진 볼을 감싼 채 고개를 숙였다.

"그럼 오늘은 이만 쉬도록 해, 시연. 피곤할 테니까."

"아, 네."

"그럼 저도……."

"티에는 저랑 같이 반려식을 준비해야지요."

티에가 시연을 따라나서려고 하자 베르가 그녀의 옷깃을 잡으며 은근슬쩍 시연을 향해 윙크를 날렸다.

베르가 티에를 왜 붙잡았는지 알게 된 시연은 눈짓으로 그에게 고마움을 표현했다.

집으로 돌아온 시연은 깊은 한숨을 내쉬었다.

"하아."

티에가 싫은 건 아니었다. 아니, 그녀가 하는 행동들이 전부 자신을 위한 행동임을 아는데 싫어할 리가 없었다. 그저 너무 엄격한 학생 주임 선생님을 보는 것 같아 조금 긴장이 될 뿐이었다.

그리고 오늘은 여러모로 마음이 복잡해서 다른 걸 할 마음이 전혀 들지 않았다.

'엄마가 실종된 게 나 때문이라…….'

쓰러지듯 침대에 누운 시연은 가온이 했던 말에 대해서 생각했다.

'무슨 의미지? 내가 음력 보름마다 변하는 거랑 관련이 있는 건가?'

아니면, 또 다른 비밀이 숨겨져 있는 걸까? 궁금했다. 궁금해서 미칠 것 같았다. 가온의 전화가 기다려질 정도였다.

지이잉, 달칵—.

그런 시연의 마음을 알아챈 것일까.

[전화 빨리 받네요?]

가온에게서 전화가 왔다. 휴대폰을 쥔 손에 힘이 들어갔다. 심장이 울렁거린다. 시연은 크게 심호흡하며 울렁이는 심장을 진정시켰다.

"무슨 일이죠?"

[아하하, 꼭 무슨 일이 있어야만 전화해야 하는 겁니까?]

"그걸 말이라고 해요? 볼일 없으면 끊어요."

[성급하긴. 당신의 모친에 대해 알려주려고 전화했습니다.]

모친에 관한 것. 그 말은 시연이 다시 전화를 붙잡을 마음이 들도록 만들기에 충분했다.

시연은 휴대폰을 고쳐 잡으며 그와의 대화에 귀를 기울였다.

"엄마에 관해서 뭘 알고 있죠?"

[아깐 바로 끊을 것처럼 굴더니 이번엔 매달리시는 건가요?]

개소리 하지 말라고 한마디 해주고 싶었지만 그랬다가 가온이 빈정 상해 전화라도 끊으면 큰일이니 말을 삼켜야 했다.

실종된 엄마를 찾아다닌 게 무려 7년이었다. 7년 동안 엄마를 찾기 위해 수없이 노력했지만 실마리 하나 잡지 못했다.

한데 엄마에 대해서 알고 있는 이가 나타났으니 아니 반가울 수가 없었다. 비록 상대가 제 목숨을 노리는 나쁜 놈일지라도.

"질질 끌지 말고 어서 말해요!"

[아아, 그렇게 재촉하지 않아도 말해줄 생각이었습니다. 당신이 제 부탁을 들어준다면요.]

"부탁? 아까는 그런 말 없었잖아요?"

[그럼 제가 공짜로 말해줄 거라고 생각했습니까? 'give and take'가 거래의 기본이잖아요?]

비아냥거리는 음성이 거슬렸다. 시연은 차오르는 화를 꾹꾹 누르며 퉁명스럽게 물었다.

"뭘 원하죠?"

[제가 원하는 건 다 들어주실 겁니까?]

"들어보고요. 미리 말해두지만 데미안 씨에 관한 건 안 돼요."

그건 절대 양보해줄 수 없는 불가침의 영역이었다. 엄마에 대해서 궁금하긴 하나 데미안에게 폐를 끼칠 순 없었으니까.

만약 가온이 데미안에게 영향을 끼치는 걸 원한다면 그게 무엇이든 간에 거절할 생각이었다. 설령 엄마에 관해서 듣지 못한다고 해도.

[하하, 그런 거 아닙니다. 뭐, 까마귀 놈들이 싫긴 하지만 어둠이 없으면 빛도 없는 법이니 그들을 없애거나 할 생각은 없어요.]

차라리 팥으로 메주를 쑨다는 말이 더 신빙성이 있어 보였다.

"설마 당신이 엄마한테 무슨 짓을 한 건 아니죠?"

[하하, 제가 그렇게 나쁜 놈으로 보였습니까?]

"그럼 아니라는 건가요?"

[아닙니다. 전 당신의 모친에게 아무 짓도 하지 않았어요.]

믿기지는 않았지만 거짓이라는 걸 증명할 방법도 없으니 할 말은 없었다.

"그래서 저한테 부탁할 게 뭐죠?"

[어려운 건 아니고 전부 다 알려드릴 수 없음을 양해해달라고 부탁드리고 싶군요.]

"전부 다 알려드릴 수 없다니요?"

[제가 처음부터 끝까지 다 알려드리면 재미가 없잖아요. 그러니까 전 힌트만 드릴 테니 스스로 한번 알아보라고 말하는 겁니다.]

어쩜 처음부터 끝까지 개소리의 향연인지 모르겠다. 저것도 능력이라면 능력이었다.

그래도 나쁘지 않은 조건이었다. 이상하긴 했지만 딱히 데미안에게 피해를 줄 것 같지도 않았고, 순전히 가온의 말만 믿는 것도 의심스러웠으니까.

그가 준 힌트를 듣고 직접 알아보며 판단하는 것이 더 현명하고 마음이 편했다.

"무슨 힌트를 줄 건데요?"

[제 제안을 받아들이시는 겁니까?]

"받아들이고 말고 할 것도 없잖아요? 강요했으면서."

그러고 보니 이것에 대해서도 할 말이 있었다.

"미리 말해두는데 더는 재희에 관한 걸로 저를 협박할 생각하지 마세요. 빠른 시일 내에 그녀에게 모든 걸 밝힐 생각이니까."

[말할 용기가 생겼나 보군요.]

"용기와 관계없이 꼭 해야 하는 말이니까요."

[그게 아니라 당신이 그 남자를 죽인 것이 아니라는 게 확정됐으니 그러는 거 아닙니까?]

"아니라고 부정하진 않을게요."

솔직 담백한 대답에 가온이 소리 내서 웃었다.

[역시 전 당신이 마음에 듭니다.]

그러곤 이상한 소리를 지껄이기 시작했다.

[당신이 그쪽이 아닌 이쪽 편을 들었다면 좀 더 수월했을 텐데요.]

"무슨 헛소리를 하는 거죠?"

[아니, 아무것도 아닙니다. 그럼 모친에 대한 힌트를 드려야죠.]

가온은 긴장감을 조성하려는 듯 잠시 뜸을 들인 뒤 입을 열었다.

[내일 밤 10시 이후, 그 남자의 서재를 뒤져보세요. 그럼 원하는 걸 얻을 수 있을 겁니다.]

그 남자의 서재라면 데미안의 서재를 이야기하는 것일 터.

“그게 무슨 소리죠? 어째서 데미안 씨의 서재에 엄마에 관한 단서가 있다는 건가요?”

[있는지 없는지는 당신 눈으로 직접 확인해보면 될 것 같습니다. 아, 물론 이번 일도 그 남자 모르게 해야 한다는 거, 아시죠?]

여전히 이해가 되지 않아 물어보려고 했지만 그러기도 전에 전화가 끊겨 버렸다.

시연은 가온에게 다시 전화를 걸려고 했지만 발신 번호 제한으로 걸려온 전화이기 때문에 다시 걸 수가 없었다.

‘내일 밤 10시 이후, 데미안의 서재.’

지금 바로가 아닌 내일 밤 10시 이후에 가보라는 건 그때 힌트가 생긴다는 말인 것 같은데, 없던 힌트가 그 시간 이후 갑자기 생기는 까닭을 알 수가 없었다.

‘설마 데미안 씨가 지금 조사하는 것들과 관련이 있는 건가?’

가능성은 충분히 있었다.

시연은 데미안이 현재 조사하고 있는 것이 뭐가 있는지 생각했다.

기억하기론 재혁을 죽인 연쇄 살인범에 대한 것과 자신을 공격한 의문의 적에 대한 것 정도가 있었다. 그중 엄마와 관련되어 있을 거라고 생각되는 건 없었다.

‘뭐가 더 있는 걸까?’

궁금증이 확 일었다. 그렇다면 그에게 물어보면 될 일.

“아직도 많이 바쁜가 봐요?”

시연이 그 이야기를 꺼낸 건 다음 날, 아침 식사 때였다. 괜한 의심을 받지 않기 위해 시연은 적당하게 말을 돌려 물었다.

“요즘 얼굴 보기 힘드네요.”

“회사 일을 다 정리하지 못했거든.”

"예? 왜요?"

"생각보다 인수인계해야 할 것이 많아서. 아마 반려식 후에도 인간계에 자주 와야 할 것 같아. 원탁회 일도 있고."

"아, 원탁회 일은 마계로 가도 계속하는 건가요?"

"적임자가 나타날 때까지는 아마 그렇겠지."

마몬은 원탁회 수장으로 어울리지 않았고, 그렇다고 가온에게 넘겨줄 수도 없으니 억지로 떠맡는 거나 다름없었지만 그 사실을 모르는 시연은 고개를 끄덕였다.

"그럼 그것 말고는 거의 다 정리가 된 건가요?"

"연쇄 살인범을 잡는 일을 말하는 거라면 그건 거의 정리가 됐다. 전부 죽은 걸로."

예상했던 일인지라 그다지 실망하진 않았다. 그리고 이걸로 김한성에게 제물을 처리하는 방법에 대해 들을 수 있게 됐으니 손해 볼 건 없었다.

"마저 정리되는 대로 그 옷에 묻은 피가 그 남자의 건지 알아봐주지."

"부탁드릴게요."

재혁이 언급되자 마음이 무거워진 시연은 한층 가라앉은 목소리로 대답했다.

"그것 말고 달리 바쁜 건 없죠?"

"딱히 없는 것 같은데."

"그래요?"

역시 그가 하는 일 중에서 엄마와 관련된 일은 없었다. 그렇다면 가온이 했던 말은 도대체 무슨 의미였을까.

시연은 문득 고개를 돌려 굳게 닫힌 서재를 바라봤다. 서재를 보니 가온이 했던 말이 새삼 떠올랐다.

여전히 가온을 믿진 않았지만 확인해봐서 나쁠 건 없었다. 되레 의심을 지울 수 있다면 더 좋으니 꼭 확인해봐야겠다고 생각하며 시연은 물끄러미 서재를 바라봤다.

⚜

원래대로라면 아침을 먹은 뒤엔 티에에게 교육을 받아야 했지만 오늘은 달리 할 일이 있었다. 반려식 준비로 원탁회 일원들을 만나야 했기 때문이었다.

만나는 장소는 오피스텔 3층. 데미안의 오피스텔에 산 지 꽤 오래됐지만 다른 층에 가보는 것은 이번이 처음이었다.

"와아."

3층에 도착한 시연은 감탄을 금치 못했다. 바닥에는 붉은 융단이 깔려 있었고 벽을 따라 쭉 늘어진 꽃의 향연에 눈이 호강했다.

한쪽 벽면을 차지한 거대한 창으로 햇살이 유감없이 내리쬐고 있었고, 정중앙에는 손님을 맞이할 준비가 완벽하게 되어 있었다.

"자, 그럼 일정을 알려드리겠습니다."

안전상의 문제 때문에 한 번에 모든 일족들을 다 만나는 것이 아니라 순차적으로 한두 명씩 만나기로 되어 있었다. 가장 먼저 보는 건 드레스를 담당한 리사였다.

"하이, 반려님."

특유의 유쾌 발랄한 목소리가 경쾌하게 울려 퍼졌다. 리사는 오늘도 역시 중세 고딕풍의 드레스를 입고 등장했다.

"뭐죠, 이 남자는?"

리사를 본 티에가 깐깐하게 눈살을 찌푸렸다.

"남자면서 왜 드레스를 입고 있는 거죠?"

그 말은 리사가 남자라는 걸 바로 알아봤다는 의미였다. 겉보기엔 영락없는 소녀인데 어떻게 알아본 건지 신기했다.

"남자가 드레스를 입으면 안 된다는 법이라도 있습니까?"

"법은 없지만 보기 추하군요."

"하, 뭐라고요?"

티에의 독설에 리사는 혀를 찼다.

"지금 제가 너무 잘 어울리니까 질투하는 거죠?"

"질투? 불쾌한 소리 하지 마시죠. 보기 역겨워서 한 말이니까."

"뭐? 진짜 보자 보자 하니까 이게……!"

"둘 다 그만하세요."

분위기가 점점 험악해지자 말려야 할 것 같아 시연은 나섰다. 덕분에 싸움이 크게 번지는 건 막을 수 있었지만 티에와 리사의 사이는 좋아지지 않았다.

"그럼 드레스를 입어보세요, 반려님. 혹시 이상한 곳이 있으면 수정해야 하니까요."

"네, 그럴게요."

시연은 티에와 함께 리사가 가지고 온 드레스를 입으러 안쪽 탈의실로 들어갔다. 안쪽 옷걸이엔 리사가 미리 가져다둔 드레스가 있었다.

"진짜 예쁘다……."

천사나 입을 법한 우아하고 아름다운 드레스였다. 시연은 드레스를 보자마자 감탄했지만 티에는 작게 얼굴을 구겼다.

"왜 그래요, 티에?"

설마 드레스가 마음에 들지 않는다며 리사에게 달려가 태클을 거는 건 아니겠지.

조금 불안해서 걱정스레 물었는데 다행히도 그건 아닌지 티에가 구겨진 얼굴을 펴며 작게 한숨을 내쉬었다.

"……인정하고 싶진 않지만 그 남자, 솜씨는 좋네요."

"그래요?"

시연은 그제야 안심하며 웃었다.

그냥 보는 것과 입는 건 느낌이 다르니 시연은 티에의 도움을 받아 드레스를 입었다.

무엇으로 만든 건지는 알 수 없지만 몸에 감기는 감촉이 너무나도 좋았다. 움직이는데도 전혀 불편하지 않았다.

그래도 드레스의 긴 자락 때문에 발을 내딛는 건 조금 불편했다. 티에의 도움을 받아 탈의실을 나오니 처음 보는 이들과 이야기를 나누고 있는 베르와 리사가 보였다.

남자와 여자, 각각 한 명이었다. 날개가 있는 걸로 보아 남자는 요정 일족인 듯했으나, 그 옆에 있는 여자는 종족을 알 수 없었다.

"나오셨군요, 반려님."

그들 중 가장 먼저 시연이 나온 것을 발견한 리사가 반갑게 그녀를 불렀다. 그제야 시연이 나온 걸 눈치챈 두 남녀는 그녀를 향해 공손히 허리를 숙였다.

"처음 뵙겠습니다, 반려님. 전 요정 일족의 디안이라고 합니다."

"전 거미 일족의 아스미라고 합니다."

예상했던 대로 남자는 요정 일족이었고, 여자는 나오랑 같은 거미 일족이었다.

"이 드레스는 이분의 작품인가요?"

"역시 소문대로 마녀 일족답군요. 솜씨가 아주 뛰어나요."

"과찬입니다."

정겨운 칭찬 릴레이가 이어지는 가운데 아스미는 가지고 온 보석 상자를 꺼냈다.

"마침 반려님께서 드레스를 입고 계시니 이 액세서리들을 착용해보면 좋을 것 같네요."

보석 상자를 여니 목걸이와 귀걸이 등 아름다운 액세서리들이 화려하고 우아한 자태를 뽐내며 시연을 유혹했다.

"예쁘죠?"

"네, 정말 예쁘네요."

"보석들은 모두 저희 요정 일족이 제공한 겁니다, 반려님. 최고급 중에서도 가장 좋은 보석들만 선별했습니다."

아스미에게 선수를 빼앗기는 것이 싫다는 듯 디안이 불쑥 대화에 끼어들었다.

"이 보석들을 세공한 것이 우리 거미 일족입니다. 아무리 아름다운 보석이라도 세공하지 않고 그대로 내버려두면 예쁜 돌멩이일 뿐, 아무 짝에 쓸모없으니까요."

"그 말, 무슨 의미입니까?"

"글쎄요. 무슨 의미일까나?"

두 사람의 모습에서 티에와 리사의 모습이 보이는 것 같았다.

"저 빨리 이거 착용해보고 싶네요."

이번에도 싸움이 크게 번질 것 같자 시연은 중재하고 나섰다.

그제야 그녀의 앞에서 추태를 보였다는 걸 깨달은 건지 그들은 작게 헛기침하며 죄송하다고 말했다.

"뭐부터 착용해보시겠습니까, 반려님?"

"글쎄요."

시연은 보석 상자에 있는 액세서리들을 전부 훑어봤다. 하나였다면 고르기 쉬웠을 텐데 종류가 다양했다. 시연의 취향을 모르니 이것저것 만들어온 듯했다.

한참을 살펴보던 시연이 집어 든 건 푸른색 보석이 박힌 목걸이였다. 바다를 담은 것 같은 푸른 보석은 그녀가 가지고 있는 보석을 연상시켰다.

소피아의 보석. 목걸이에 있는 이 보석도 아름다웠지만 그녀의 눈에는 소피아의 보석이 더 아름다웠다.

'세공하면 분명 더 아름다워지겠지.'

보고 싶었다. 그 보석이 얼마나 더 아름다워질지.

"아스미 씨, 혹시 실례가 안 된다면 부탁 하나만 해도 될까요?"

"뭐든 말씀하세요, 반려님."

"제가 보석을 하나 가지고 있는데 그 보석도 이렇게 세공해주실 수 있으세요?"

"물론이죠. 원하시는 장신구가 있으면 맞게 세공해드리겠습니다."

"아, 정말요? 그럼 지금 가져올 테니…… 아!"

바로 움직이려고 했던 시연은 드레스 자락을 밟고 크게 휘청거렸다.

옆에 있던 티에가 바로 잡아줘서 망정이지, 아니었으면 꼴사납게 넘어졌을 것이다.

"보석이 어디 있는지 알려주신다면 제가 가져오겠습니다."

"아, 부탁드릴게요."

직접 가지러 가고 싶었지만 이 옷을 입고 움직이는 건 무리였다. 하물며 밖에 나갔다가 괜히 드레스가 더러워지면 큰일이었다.

시연은 티에에게 부탁했고, 티에는 곧장 4층으로 향했다.

"여기 있습니다, 반려님."

잠시 후, 시연이 말한 보석을 가지고 온 티에는 그녀에게 보석을 내밀었다.

"……!"

"저, 저 보석은……!"

보석을 본 아스미와 디안의 눈이 커졌다. 베르 역시 살짝 놀라며 시연을 바라봤다.

그들이 왜 그러는 건지 영문을 모르는 리사와 시연, 그리고 티에는 어리둥절해하며 그들을 바라봤다. 어색한 침묵이 흐르는 가운데 가장 먼저 입을 연 건 아스미였다.

"설마 반려님이……."

흔들리는 눈동자만큼이나 아스미의 목소리 역시 떨렸다. 아스미는 티에가 내민 보석을 손가락으로 가리키며 말했다.

"가브리엘 님을 죽인 범인이십니까?"

김한성은 아침부터 기자들을 모아두고 기자 회견을 열었다. 연쇄 살인범을 잡은 것에 대한 기자 회견이었다.

"우리 라오스는 언제나 이종족 간의 화합을 위해 최선을 다하고 있으며……."

순전히 데미안 덕분에 범인들을 잡을 수 있었으면서 김한성은 기자 회견 내내 데미안에 대해선 한마디도 언급하지 않았다. 모두 라오스의 노력이라며 자화자찬했다.

데미안은 이에 기분 나빠하지 않았다. 원래 그러기로 약속하고 한 일이었으니까. 대중들의 관심과 극찬 따위는 그에게 중요하지 않았다. 그에게 중요한 건 제물들이 어떻게 처리되고 있는지에 대한 정보였다.

기자 회견이 끝나고, 김한성이 라오스로 돌아오자 데미안은 그를 찾았다. 그 누구에게도 알리지 않은 은밀한 방문이었다.

"어서 오십시오, 수장님."

"부탁한 건?"

"준비해두었습니다."

데미안은 자리에 앉자마자 김한성이 내민 서류를 확인했다.

"지금 장난하는 건가?"

서류의 내용을 전부 확인한 데미안은 작게 눈살을 찌푸리며 김한성에게 물었다.

"내가 이딴 정보나 얻자고 너를 도와준 것이 아닐 텐데?"

"하지만 이게 제가 할 수 있는 최선이었습니다. 제물을 처리하는 건 전적으로 미국에 있는 라오스 본사의 역할이니까요. 그것도 벤 님이 직접 담당하신다고 들었습니다. 제 역할은 제물이 된 자들 중 육신이 남은 자들을 전부 미국으로 보내는 것뿐입니다."

데미안의 제물이 된 자들 대부분은 육신이 산산조각 나서 흔적도 남지 않았지만, 간혹 육신이 남는 자들이 있었다.

더불어 데미안의 비서로 일했던 자들은 전부 살아남았으니 어떤 방법을 써서든 그들을 벤이 있는 미국으로 보내는 것이 김한성의 역할이었다.

"그 이상의 정보를 보려면 벤 님의 허락을 받아야 합니다."

"쓸모없군."

데미안의 거침없는 언사에도 김한성은 한마디도 하지 못했다.

'이럴 줄 알았다면 도와주지 않는 건데.'

재혁의 일도 있고 하니 어차피 도와줬겠지만 그래도 조금 후회가 돼서 데미안은 가볍게 혀를 내찼다.

"지금까지 미국으로 보낸 제물이 몇이나 되지?"

"총 사용된 43명의 제물 중 17명이 미국으로 보내졌습니다. 그중 생존한 제물은 6명. 4명은 데미안 님의 비서로 일했던 자들이며, 한 명은 곧 데미안 님의 반려가 되실 분, 나머지 한 명은 설현주로, 그녀는 제물이었긴 하나 제물로 사용된 적이 없었기에…… 아, 잠시 실례하겠습니다."

전화가 오자 김한성은 말을 끊고 전화를 받았다.

"네? 설현주를요?"

그동안 다시 한 번 서류를 살피던 데미안은 김한성의 입에서 설현주의 이름이 나오자 그를 쳐다봤다.

"아, 아무것도 아닙니다. 네, 네. 알겠습니다. 바로 준비해서 보내도록 하겠습니다."

"누구에게서 전화가 온 거지?"

"미국 지사입니다. 설현주를 보내달라는 요청이 왔습니다."

제물로 사용한 적이 없는 설현주를?

의문이 의심으로 바뀌는 데는 얼마 걸리지 않았다. 가온이 설현주에게 접근했다는 마몬의 보고를 떠올렸기 때문이다.

"언제 보내달라고 했지?"

"되도록 빨리 보내달라곤 했지만 살아 있는 제물을 보내는 만큼 시간이 조금 걸릴 것 같습니다. 그래도 내일모레까진 준비가 끝날 겁니다."

"준비되는 대로 보내기 전에 나한테 연락을 줘."

제물로 쓰이지도 않은 설현주를 보내달라는 데는 필시 이유가 있을 터. 그러니 그녀에게 미행을 붙이면 의심에 대한 해답을 얻을 수 있을 것이다.

이것으로 이곳의 볼일은 끝이 났다.

생각보다 일찍 끝나서 집으로 갈지, 아니면 다음 스케줄 장소로 갈지 고민하고 있는데 전화가 울렸다.

베르였다.

'여보세요.'라는 말을 하기도 전에 다급한 베르의 음성이 터져 나왔다.

[크, 큰일 났습니다, 데미안 님! 시연 님께서 가브리엘을 죽인 용의자로 지목됐습니다!]

끼이익—.

거친 굉음과 함께 스포츠카가 오피스텔 정문 앞에 멈춰 섰다. 데미안의 차였다.

오피스텔 앞에는 이미 여러 대의 차가 서 있었고, 차 번호를 본 데미안의 눈매는 여지없이 일그러졌다.

'라오스 놈들이 왔군.'

다른 땐 굼벵이처럼 느리면서 이럴 땐 토끼보다 빨랐다.

일이 더 성가시게 돌아가기 전에 해결해야 할 것 같아 데미안은 곧장 오피스텔로 들어갔다.

3층은 유례없이 북적거렸다. 입구를 지키고 있던 라오스 직원들은 데미안을 보자 꾸벅 허리를 숙였다.

"오셨습니까, 수장님."

"본 적이 있는 얼굴이군."

전에 벤의 곁에 있는 걸 본 기억이 있어 말했더니 상대는 더욱 정중히 고개를 숙이며 대답했다.

"라오스 본부, 행동 제 1팀장 아델이라고 합니다."

"그 말은 미국이 활동 지역이라는 건데, 그런 네가 여긴 무슨 일이지?"

"가브리엘 님이 살해된 사건을 맡고 있었습니다."

벤이 두고 간 잔재라는 의미였다. 성가신 걸 두고 갔다는 사실에 데미안은 짜증스레 혀를 내찼다.

"비켜."

만약 비키지 않으면 무력을 행사하려고 했는데 뜻밖에도 그들은 순순히 비켜섰다.

데미안은 바로 응접실로 들어갔고 그 뒤를 아델이 따랐다.

"데미안 씨."

데미안을 본 시연이 한걸음에 그에게로 달려왔다. 드레스는 이미 갈아입은 후였다.

"어떻게 된 일이지?"

"그게요……."

시연은 데미안에게 자초지종을 설명했다.

처음 그들을 만났을 때부터 소피아의 보석을 예쁘게 세공하고 싶어 가지고 오라고 했는데 그것을 본 그들이 갑자기 자신을 가브리엘을 죽인 범인이라고 지목했다는 것까지 전부.

'그 보석 때문인가.'

그제야 어떻게 된 상황인지 알게 된 데미안은 지끈거리는 머리를 손으로 짚었다.

원탁회에서 마르스가 가브리엘의 보석을 들고 있는 놈이 범인일 거라고 말한 것이 여기서 걸린 것이다.

시연이 소피아의 보석을 가지고 있다는 사실을 잠시 잊고 있었던 결과였다. 그녀에게 이 사실을 미리 언질해주었다면 이런 일은 일어나지 않았을 것이다.

"전 어떻게 하면 좋죠, 데미안 씨?"

"네가 걱정할 건 아무것도 없다."

데미안은 시연을 토닥여준 뒤 제 뒤에 서 있는 아델을 쳐다봤다.

"그녀가 가지고 있는 천사의 보석은 가브리엘의 것이 아니야."

"그걸 증명하실 수 있으십니까?"

증명할 수 있을 리가 없었다. 천족의 보석은 겉보기엔 누구의 것인지 알 수가 없으니까. 중급 천사든 대천사든 죽은 뒤 생기는 보석은 다 똑같았다.

"그럼 네놈들은 시연이 가브리엘을 죽였다고 믿는 건가?"

"아직 믿는 건 아니지만 정황상 가능성이 높긴 하지요."

"말도 안 되는 소리. 시연은 인간이다. 가브리엘을 죽일 수 있을 리가 없잖아."

"반려님은 안 될지라도 수장님은 가능하지 않습니까."

"무슨 그런 말도 안 되는……!"

터무니없는 소리에 베르가 버럭 소리를 지르자, 데미안이 가볍게 손을 들어 그를 막았다. 나서지 말라는 의미였다.

"네놈은 가브리엘을 죽인 범인이 나라고 말하고 싶은 건가?"

"아니라곤 말씀 드리지 않겠습니다."

뻔뻔한 것이 어째 벤을 쏙 닮았다. 그놈의 수하다웠다.

"난 가브리엘을 죽이지 않았어."

"증거가 없으니 믿을 수 없지요."

그는 똑같은 말만 되풀이했다. 보석이 나오기 전이라면 쓸데없는 말 하지 말라고 밀고 나갈 수 있었겠지만 보석이 나온 이상 불가능했다. 저 보석이 가브리엘이 아닌 소피아의 것이라는 걸 증명하기 전까지.

"……아까부터 자꾸 증거, 증거 하는데요."

그래서 곤란해하며 입을 다문 데미안을 대신해서 시연이 불쑥 나섰다.

"그렇게 증거가 중요하다면 당신들이야말로 데미안 씨가 범인이라는 증거를 가지고 와야 하는 거 아닌가요?"

"그 증거라면 반려님께서 가지고 있던 보석이……."

"그 보석이 그 여자, 가브리엘의 것이라는 증거는요?"

있을 리가 없었다. 이번에 말문이 막힌 건 아델이었다.

"그럼 더 이상 나눌 대화는 없는 것 같은데요. 제가 저 보석이 소피아의 것이라는 걸 증명할 길이 없듯 당신들도 가브리엘의 것이라는 걸 증명하지 못했으니까.”

싸늘하게 굳은 눈매가 그녀답지 않아 보였다.

“그러니까 나가주시죠.”

시연은 문을 손으로 가리키며 차갑게 웃었다.

“거슬리게 더 이상 내 눈앞에 서 있지 말고.”

시연이 나서면서 전세는 역전됐다. 데미안을 비롯해서 리사와 베르, 티에까지 나서서 이 보석이 가브리엘의 것이라는 증거를 가지고 오라고 윽박을 지른 덕분이기도 했다.

그래도 상대가 평범한 이종족이나 인간이었다면 강제 연행을 했을 텐데 상대는 무려 원탁회의 수장이자 마계의 군주였으며, 다른 한 명은 그 반려였다.

정확한 증거도 없이 그들을 연행할 수 있을 리가 없었다. 결국 라오스는 체면만 구긴 채 물러섰다.

라오스에 시연이 가브리엘을 죽인 범인 같다고 고발을 했던 디안은 지레 겁을 먹고 도망쳤다.

고발하진 않았지만 마찬가지로 의심을 하고 있었던 아스미는 스스로 죄인을 자처하며 용서를 구했다.

“괜찮아요.”

시연은 기꺼이 아스미를 용서했다. 솔직히 용서하고 말 것도 없었다. 그 상황에서는 누구나 의심할 만했으니까.

단지 기다렸다는 듯이 라오스에 바로 고발한 디안은 용서할 수가 없었다.

“티타아니아를 한번 봐야겠군.”

그건 데미안도 마찬가지였다. 데미안은 티타아니아에게 요정 일족의 이름을 원탁회에서 지우고 싶지 않으면 디안을 일족에서 추방하라고 말할 생각이었다.

그리하면 티타아니아는 친동생을 일족에서 추방해야겠지만 그건 그가 알 바가 아니었다. 감히 시연을 건드린 죄는 목숨으로 갚아도 모자랐다. 죽이지 않는 것만으로 다행으로 여겨야 할 것이다.

"반려님 완전 멋졌어요."

리사가 배시시 웃으며 시연을 향해 엄지를 치켜세웠다. 티에도 군주의 반려 자질이 보인다며 흡족해했다. 점잖던 베르마저 멋졌다고 박수를 쳤다.

"그만하세요."

칭찬을 받으려고 한 행동은 아닌데 뜻하지 않게 칭찬을 받으니 부끄러워 시연이 볼을 붉힌 채 어쩔 줄 몰라 하자 다들 유쾌하게 웃었다. 단 한 명, 데미안만 빼고.

그의 표정이 좋지 않으니 웃음소리는 점차 줄어들었다. 화기애애했던 분위기가 순식간에 얼어붙었다. 다들 그의 눈치를 살피며 어쩔 줄 몰라 했고, 이에 총대를 멘 건 시연이었다.

"왜 그래요?"

시연은 서슴없이 데미안에게 다가가 그의 팔을 잡았다. 그가 자신을 해치지 않을 거라는 확신이 있었기 때문에 가능한 행동이었다.

"왜 화가 났어요? 설마 나 때문인가요? 내가 멋대로 나서서?"

"……그럴 리가 없잖아."

데미안은 깊은 한숨을 내쉬며 고개를 저었다.

"그냥 내가 한심해 보여서 그래."

그러더니 시연의 시선을 피하며 고개를 숙인다.

"널 지켜주겠다고 해놓고 몇 번이나 위험에 빠뜨리는 내가 바보 같아서,

너무나도 한심해서 화가 났던 거다."

그 때문에 위험에 빠진 것도 아닌데 그가 이런 생각을 한다는 건 그만큼 자신을 생각해준다는 것이니 기쁘면서도 한편으로는 조금 슬펐다.

"오히려 제가 미안해요."

시연은 고개 숙인 데미안의 뺨을 부드럽게 쓸었다.

"제가 너무 약해서 매번 당신에게 폐를 끼치네요."

그제야 데미안이 고개를 들었다. 무슨 말이라도 하려는 듯, 그가 입술을 달싹이자 시연은 그 위로 검지를 가져갔다.

"쉿. 당신이 무슨 말을 할지 알아요. 이런 생각 하지 말라는 거겠죠."

시연의 눈동자가 유쾌하게 휘었다.

"마찬가지예요. 제가 위험에 처하더라도 그건 당신 때문이 아니에요. 절 위험하게 만든 그놈들이 나쁜 거지."

"시연……."

"그러니까 데미안 씨가 죄책감 가지지 말아요. 알았죠?"

부드럽고 다정한 목소리였지만 그 안에는 거부할 수 없는 신비한 힘이 들어 있었다.

데미안은 말 잘 듣는 어린아이처럼 고개를 끄덕였다. 시연은 잘했다고 칭찬하며 그의 이마에 가볍게 입을 맞췄다.

겨울처럼 싸늘했던 분위기는 봄처럼 다시 훈훈해졌다. 시연과 데미안을 중심으로 봄바람이 살랑거렸다.

"거기 말고."

"네? 무슨……!"

시연이 그의 이마에서 입술을 떼자마자 데미안이 그 입술을 강탈했다. 쪽, 가벼운 버드 키스였다.

민망하다는 듯 시연의 얼굴은 순식간에 홍당무처럼 붉게 달아올랐다.

그런 시연을 바라보는 데미안의 눈동자에선 꿀이 떨어질 것 같았다. 누가 봐도 사랑에 빠진 남자의 모습이었다.

가볍게 입을 맞추는 것으론 성이 안 차는 데미안은 좀 더 깊이 입을 맞추기 위해 시연 쪽으로 다가갔다. 거부할 생각이 없는지 시연은 순순히 눈을 감았다.

숨결이 섞일 정도로 가까운 거리.

두 입술이 한 치의 오차도 없이 맞물리려는 순간…….

"어흠."

낮게 헛기침하는 소리가 들렸다. 베르였다. 티에 역시 민망한지 고개를 돌리고 있었다.

눈을 반짝이며 좋아하는 건 리사뿐이었다. 분위기를 깬 베르가 못마땅한 리사는 베르를 향해 눈을 흘겼다.

"……."

그제야 다른 사람들도 있다는 걸 자각한 시연은 아까보다 좀 더 얼굴을 붉히며 후다닥, 데미안의 품에서 떨어졌다. 그것이 못마땅한 데미안은 작게 눈살을 찌푸리며 시연의 팔을 잡았다.

"가자."

"네? 어딜……."

"못 한 거 마저 하러."

이게 무슨 소리란 말인가. 모두가 놀라며 데미안을 바라봤다. 시선은 제각각이었지만 의미는 하나였다.

방금 그 말을 한 것이 과연 데미안이 맞는 것일까. 그들이 아는 데미안은 그렇게 느끼한 말을 할 줄 아는 남자가 아니었다.

주변에서 그를 어떤 시선으로 보든 개의치 않고 데미안은 제 갈 길을 갔다. 그의 손에는 시연이 딸려 있었다.

잠시 넋을 놓고 있는 순간 시연과 데미안이 사라졌다.

뒤늦게 그 사실을 알게 된 베르는 허망하게 웃었다. 그건 티에 역시 마찬가지였다. 단 한 명, 리사를 제외하고.

"역시."

리사는 납득했다는 듯 눈을 반짝이며 고개를 끄덕였다. 그가 왜 그러는지 궁금한 베르가 곁에 와 물었다.

"뭐가 역시라는 거죠?"

"약은 약사에게."

"네?"

뜬금없이 약은 약사에게라니? 이해 못 할 말에 베르가 갸우뚱하며 묻자 리사가 씩 웃으며 명언을 남겼다.

"병은 의사에게, 그리고 군주님은 반려님에게 맡겨야 할 것 같네."

EPISODE 18

의심과 불안

데미안은 그 일 이후에 잡혀 있던 시연의 일정 중 티에의 반려 교육을 제외하고 모두 취소시켰다.

그 때문에 그녀를 만나러 온 원탁회 일원들을 접대하는 건 순전히 베르의 몫이 되었다.

갑자기 일이 늘어나 힘들긴 했지만 데미안이 그런 결정을 내리는 것도 당연했기 때문에 베르는 기꺼이 데미안의 명을 따랐다.

베르의 부재로 그의 일까지 맡게 된 데미안 역시 예정에 없던 일까지 처리하느라 밤 9시가 넘어서야 겨우 집에 올 수 있었다.

"오셨습니까, 데미안 님."

그런 데미안을 맞이한 건 미리 집에 와 있던 베르였다.

"마몬은?"

"아직 돌아오지 않았습니다."

마몬은 현재 데미안의 명을 받아 오래전, 마르스에게 있었던 열애설과 티에가 말한 마족에 대해 조사하고 있었다.

한데 아직까지 돌아오지 않은 걸 보면 생각보다 조사하기가 어려운 모양이었다.

"내가 자고 있더라도 마몬이 돌아오면 깨우도록 해."

"알겠습니다."

"그럴 필요 없습니다, 군주님."

호랑이도 제 말 하면 나타난다고 하더니, 마몬이 등장했다. 새벽부터 돌아다닌 탓인지 그의 얼굴엔 피곤함이 가득했다.

"생각보다 늦었군."

"이상한 놈들이 꼬여서요."

마몬은 조사해 온 자료들이 담긴 파일을 책상 위에 내려놓았다.

데미안은 파일을 뒤적이며 마몬에게 물었다.

"이상한 놈들이라니?"

"아마 마르스, 그 자식이 보낸 놈들인 것 같습니다. 제가 가는 곳마다 나타나 방해를 해대는 통에 제대로 조사하기가 힘들었습니다."

"뭔가 있는 게 분명하군."

그것이 아니고서야 그들이 방해할 이유가 없었다. 단순히 헛소문을 조사하는데 뭐하러 직접 나서서 방해를 하겠는가.

"알았다. 피곤할 테니 이만 가서 쉬어라."

모두가 나가자 데미안은 마몬이 가지고 온 자료를 정독했다. 마몬은 티에가 말한 마족뿐만 아니라 소문 속의 다른 여자들에 대해서도 조사했고, 사진까지 첨부했다.

똑똑—.

자료를 거의 절반쯤 읽었을 무렵, 노크 소리가 들렸다. 베르였다.

"데미안 님, 김한성에게서 전화가 왔습니다."

"이 시간에?"

밤 10시. 결코 이른 시간은 아니었음에도 전화가 왔다는 건 무슨 일이 있다는 의미였다. 데미안은 바로 전화를 받았다.

"나다."

[아, 안녕하십니까. 수장님, 늦은 밤 갑작스럽게 연락드려서 죄송합니다.]

"무슨 일이 있는 건가?"

[다름이 아니고 설현주를 미국에 보낼 준비가 다 돼서 연락드렸습니다.]

"이렇게 빨리? 시간이 제법 걸린다고 하더니."

[그게, 알고 봤더니 제가 준비하지 않아도 그 여자, 오늘 미국으로 갈 티켓을 끊었더라고요. 밤 11시 30분 비행기입니다. 본사에는 이미 연락을 넣어 두었습니다.]

설현주가 무슨 목적으로 미국에 가는 건지는 모르겠지만 아마 그녀는 원하는 것을 이루지 못할 것이다. 미국 땅을 밟는 순간, 라오스 본사에서 마중을 올 테니까. 하물며 그녀가 타고 가는 건 라오스에서 운영하는 비행기라고 김한성은 말했다.

'11시 30분이라.'

생각보다 시간이 촉박했다.

그녀가 입국 수속을 밟기 전에 만나야 미행을 붙일 수 있는데 여기서 인천 공항까지는 아무리 빨라도 30분은 더 걸렸다.

지금 당장 출발해야 아슬아슬하게 그녀를 만날 수 있을 터였다.

"당장 나오를 데리고 와."

서류는 다녀와서도 볼 수 있지만, 설현주는 놓치면 끝이었다.

데미안은 나오가 오자마자 베르와 함께 곧장 인천 공항으로 향했다.

모두가 나간 집은 고요했고, 정적만이 감돌았다.

달칵―.

그 정적이 깨진 건 얼마 지나지 않아서였다. 자동 잠금 장치가 돌아가는 소리가 고요한 집 안에 유난스럽게 크게 울려 퍼졌다.

현관문을 열고 들어온 건 시연이었다. 티에게 들어 이미 집에 아무도 없다는 건 알고 있었지만 혹시 몰라 고양이처럼 살금살금 들어왔다.

'아무도 없지?'

다시 한 번 확인한 후에야 마음을 놓은 시연은 곧장 서재로 향했다.

서재 문을 열고 안으로 들어가는 내내 심장이 쿵쾅쿵쾅 뛰었다. 입이 바짝바짝 마르고 머리가 지끈거렸다.

'정말 이곳에 엄마에 대한 자료가 있는 것일까.'

시연은 책상 앞에 서서 서재를 크게 둘러봤다. 베르가 항상 정리해두는 서재는 누가 사용한 흔적 없이 반듯하고 깨끗했다. 책상 위도 마찬가지였다.

'근데 어디서부터 조사하지? 이 서재를 다 조사하기엔 무리가 있는데.'

데미안이 언제 돌아올지 몰라 불안한 것도 있지만 티에게 서재에 가서 책을 가져온다고 핑계를 대고 온 터라 시간이 그다지 많지 않았다.

일단 눈에 보이는 것부터 조사하자는 생각에 시연은 책상 위에 있는 파일을 집어 들었다. 그러자 파일 안에 있던 것이 우수수 쏟아졌다.

"아아, 큰일이다."

시연은 당황하며 땅에 떨어진 것을 주웠다. 안 그래도 시간이 없는데 이런 일까지 벌어지다니.

역시 지금은 그냥 돌아가고 나중에 다시 와야 하나 고민하며 주운 것들을 차곡차곡 파일에 담던 시연의 눈에 불현듯 무언가가 들어왔다.

그건 한 여자의 사진이었다. 아름다운 보랏빛 머리칼에 붉은 눈을 가진 여자는 매우 아름다웠지만 시연이 눈을 떼지 못한 건 그 때문이 아니었다.

"……엄마?"

이유는 바로 사진 속 인물이 엄마와 똑같이 닮았기 때문이었다. 머리 색과 눈동자 색이 다른 것만 빼면 완전히 똑같았다.

그러나 그 여자가 엄마라고 생각할 수가 없는 건, 아무리 봐도 인간처럼 보이지 않았기 때문이었다. 그렇다고 엄마가 아니라고 생각하기엔 공장에서 찍어낸 것처럼 똑같은 얼굴이 마음에 걸렸다.

'혹시 이 사진이 가온이 말한 엄마에 관한 단서인가?'

가능성은 충분히 있었다. 만약 이 사진 속의 여자가 진짜 엄마라면 이 세상에 남은 유일한 엄마의 사진이 될 테니까.

유난히도 사진을 찍기 싫어하는 엄마여서 앨범에는 엄마의 사진이 얼마 없었다.

한데 그 얼마 없는 사진조차 7년 전, 엄마가 실종되면서 같이 사라졌다. 마치 누군가 엄마의 흔적을 전부 지우려 한 것처럼.

'사진을 가지고 가고 싶긴 하지만…….'

그랬다간 데미안에게 바로 들키고 말 것이다.

그러니 시연은 사진을 가져가는 대신 휴대폰으로 찍었다.

"뭐 하세요, 반려님?"

"……!"

사진을 다 찍고 휴대폰을 주머니에 넣는 순간, 뒤에서 티에의 목소리가 들렸다. 시연은 화들짝 놀라며 티에를 돌아봤다.

"뭘 하고 계셨길래 그렇게 놀라요?"

"아, 그냥 갑자기 목소리가 들려서…… 티에는 여기 어쩐 일이에요?"

"책 가지러 가신 반려님이 하도 안 오셔서 와봤죠. 원하시는 책은 찾으셨어요?"

"아, 아직이요! 실수로 서류를 쏟아서……."

새빨간 거짓말을 하면 들킬 가능성이 있으니 거짓말과 진실을 적절하게 섞어 변명했다.

"아, 저런. 제가 도와드릴게요."

그 덕분인지 티에는 별 의심 없이 넘어갔다. 시연은 금방이라도 갈비뼈를 뚫고 나올 것 같은 심장 소리를 애써 삼키며 태연하게 웃었다.

밤이 깊었음에도 불구하고 인천 공항은 사람들로 북적였다. 그들은 저마다 각자의 목적을 가지고 입국 수속을 밟았다.

그건 설현주 역시 마찬가지였다. 비행기 표를 받아 든 설현주의 뺨이 발그레 물들었다.

"좋겠다."

그녀를 배웅하러 따라온 친구가 매우 부럽다는 어조로 말했다.

"기간을 다 채우지 못했는데 1억이나 받다니."

"처음부터 그러기로 약속한 일이었으니까. 안 그랬으면 내가 그런 이상한 짓을 했을 리가 없잖아? 아, 내가 이 이야기한 거 어디 가서 말하면 안 된다. 절대 말하지 말라고 그 남자가 그랬거든."

"안 해, 계집애야. 대신 돌아올 때 선물 좋은 거 사 와."

"이 언니가 좋아하는 브랜드 가방으로 거하게 사 오지!"

설현주는 친구와 깔깔 웃으며 입국장으로 향했다.

탁—.

"악!"

가는 길에 설현주는 누군가와 세게 부딪혀 넘어졌고, 그녀가 메고 있던 핸드백의 물건이 우수수 떨어졌다.

"괜찮으십니까?"

설현주와 부딪친 이는 검은 원피스를 입은 여자였다. 어찌나 키가 큰지

하이힐을 신고 있음에도 불구하고 한참을 올려다봐야 했다. 설현주는 여자가 내민 손을 잡고 일어섰다.

"어디 다친 곳은 없으세요?"

"네, 없어요."

"다행이네요. 아, 여기 먼지가 붙었습니다."

여자는 설현주의 어깨를 가볍게 툭툭 털었다. 바닥에 떨어진 물건도 직접 주워줬다. 부딪힌 건 기분 나빴지만 매너 좋은 여자의 행동에 기분이 다시 괜찮아졌다.

"그럼 이만."

그래서 설현주는 미련을 두지 않고 바로 떠났지만 여자는 아닌지 떠나가는 설현주의 뒷모습을 물끄러미 바라봤다.

여자가 돌아선 건 설현주가 입국장으로 들어간 후였다. 곧장 인천 공항을 빠져나온 여자는 한편에 정차된 차로 다가갔다.

똑똑—.

가볍게 유리창을 두드리자 차창이 내려가면서 데미안이 모습을 드러냈다.

"미행용 거미 부착했습니다."

"수고했다."

설현주와 부딪쳤던 여자는 바로 나오였다. 거미 일족의 특수 능력 중 하나인 미행용 거미를 붙이기 위해 설현주와 고의로 부딪쳤던 것이다.

미행용 거미는 부착된 자의 체내로 흡수돼서 그자의 위치를 수시로 알려주었다. 만약 그자가 잘못된다고 해도 어떻게 잘못된 건지 거미를 통해 알 수 있으니 유용했다. 그들이 설현주에게 무슨 짓을 하려고 한다면 바로 알 수 있을 테니까.

단점이 있다면 거미의 생존 시간이 일주일밖에 되지 않는다는 것.

"미국에 있는 거미 일족에게 연락을 넣어라."

"알겠습니다."

나오를 미국으로 보낼 수는 없으니 지속적으로 거미를 심으려면 이 방법을 쓰는 수밖에 없었다. 거미 일족은 대대로 천족이 아닌 마족의 편에 섰으니 믿을 만했다.

공항에서 집으로 돌아가는 건 얼마 걸리지 않았다. 밤이 깊어 도로에 차가 얼마 없는 덕분이었다.

"시연은?"

집에 도착하자마자 데미안은 시연의 행방부터 물었다.

"주무십니다."

"그래?"

시간이 늦었으니 자는 것이 당연했지만 얼굴을 보지 못한 것이 아쉬웠다.

서재로 들어온 데미안은 책상 앞에서 멈칫했다.

"왜 그러십니까?"

"내가 나간 뒤 누가 서재에 들어왔나?"

"네?"

"파일의 위치가 바뀌어 있군."

"그런가요?"

마찬가지로 책상을 살폈지만 딱히 그런 기색을 느끼지 못한 베르는 고개를 갸웃거렸다.

"시연 님이 들어오지 않았을까요? 책을 찾아보러 자주 오시니까요."

"그건 알지만 여태까지 책상을 건드린 적은 없는데."

책은 책장에 있으니 굳이 책상을 건드릴 필요가 없었던 것이었다.

한데 책상 위에 있던 서류의 위치가 바뀌어 있으니 의아했다.

"혹시 어젯밤에 서재에 들어왔어?"

그래도 혹시 모르니 데미안은 다음 날, 아침 식사 시간에 시연에게 물었다. 그러자 시연이 깜짝 놀라며 눈을 동그랗게 떴다.

"왜, 왜요?"

"……들어왔군."

시연은 대답 없이 시선을 피했다. 확실히 들어왔다는 증거였다.

"근데 왜 그렇게 놀라는 거지? 서재에 들어온 것이 잘못된 건 아닌데. 혹시 서류를 건드린 것 때문에 그런 건가?"

시연의 어깨가 또 한 번 작게 움찔거렸다. 어쩜 이렇게도 거짓말을 못하는 건지.

'뭐, 이건 이거 나름대로 귀여워서 좋지만.'

고작 서류 하나 건드렸다고 우물쭈물하는 모습이 너무 귀엽고 사랑스러웠다. 그래서 데미안은 괜찮다고 바로 말하는 대신 느긋하게 시연의 반응을 살폈다.

그런 데미안의 마음을 전혀 모르는 시연은 안절부절못하며 예쁜 입술이 망가지는 것도 개의치 않고 잘근잘근 깨물었다.

"예쁜 입술 깨물지 말라니까."

보아하니 놀리는 건 여기서 그만둬야 할 것 같았다.

"그냥 장난 한번 쳐본 거니 걱정하지 마라."

"장난……이요?"

"그래. 내가 고작 이런 걸로 너한테 화를 낼 이유가 없잖아. 물건이 사라진 것도 아니고."

설령 그랬더라도 화낼 생각은 없었다.

"그러니까 걱정하지 마."

"……네."

너무 심하게 놀렸던 것일까. 이리 말했는데도 시연의 상태는 영 심상치 않았다. 다른 일이 있는 것 같기도 했다.

그래서 물어보려는데 시연이 자리에서 일어섰다.
"잠시 전화 좀 받고 올게요."
도망치듯 화장실로 들어온 시연은 주머니에서 휴대폰을 꺼냈다.
발신자 제한.
가온에게서 온 전화가 분명했다. 시연은 화장실 밖에 아무도 없는 걸 확인한 뒤 전화를 받았다.
"여보세요?"
[목소리가 조심스러운 걸 보니 곁에 그 남자가 있는 모양이죠?]
"그건 당신이 알 바 아니잖아요?"
신경이 곤두서 있는 탓에 목소리가 평소보다 퉁명스럽게 나왔다.
"서재에서 엄마랑 똑같이 생긴 여자의 사진을 찾았어요."
그와 시답지 않은 이야기를 나눌 생각이 없어 시연은 본론부터 꺼냈다.
"그 여자가 우리 엄마라는 건가요?"
[글쎄요. 어떨까요.]
"지금 장난해요? 똑바로 말해요."
[분명 처음에 말했잖아요. 전 힌트만 줄 뿐 정확한 건 말해주지 않겠다고.]
쓸데없는 배려였다. 이딴 배려는 왜 하는 건지. 짜증과 함께 욕지기가 차올랐지만 꾹꾹 참았다. 시연은 크게 숨을 들이마셨다가 내쉬었다.
"그래서 이제 뭘 어떻게 하라는 거죠? 제가 얻은 건 그 사진뿐이에요."
[사진에 대한 정보도 있었을 텐데요?]
"그것까진 못 봤어요."
[그래요? 흐음, 이제 보니 시연 씨는 떠먹여줘도 잘 못 먹는 타입이군요?]
"쓸데없는 말 하지 말고 이제부터 내가 뭘 해야 하는지 말해요."
저딴 말이나 지껄이는 그가 짜증 나기도 했고 혹 데미안이나 다른 사람이 올까 봐 불안한 시연은 성급하게 물었다.

그러자 가온이 낮게 웃었다. 비웃는 것 같진 않은데 묘하게 기분 나쁜 웃음이었다.

[뭐, 좋아요. 조금은 알려드리도록 하죠. 그걸 보지 않으면 다음 이야기가 진행되지 않으니까.]

가온은 크게 인심 썼다는 어조로 말을 이었다.

[그 여자의 이름은 레아. 종족은 마족이죠.]

"마족? 그럼 이 여자가 우리 엄마일 리는 없군요. 그렇죠?"

[그런지 아닌지는 직접 알아보시죠. 제가 알려드리는 건 여기까지입니다.]

무슨 의미인지 묻고 싶었지만 전화는 이미 끊긴 후였다. 전과 마찬가지로 발신 번호 제한이었기 때문에 다시 전화를 걸 순 없었다.

"하아, 진짜. 사람 간 보는 것도 아니고, 이게 뭐 하는 건지."

답답한 마음에 나오는 건 한숨밖에 없었다. 연거푸 한숨을 내쉬며 벽에 기대선 시연은 주머니에서 휴대폰을 꺼냈다.

'아무리 봐도 엄마랑 똑같이 생겼는데.'

하지만 이름도 다르고 종족도 달랐다. 물론 가온의 말이 사실이라는 가정하에서 말하는 것이었다.

'우선 이 여자가 레아라는 마족이 맞는지 확인해봐야겠어. 그런데 어떻게 확인을 해보지?'

고민하며 화장실을 나와 주방으로 향하는데 막 식사를 마친 데미안이 자리에서 일어서며 물었다.

"누구한테서 전화가 온 거지?"

"네? 그러니까…… 흥신소요!"

가온에게 전화가 왔다고 말할 순 없으니 가장 만만한 흥신소 이야기를 꺼냈다.

"흥신소에서 전화가 왔어요! 엄마를 찾아달라고 부탁을 해놨는데……."

잠시만, 홍신소?

'그들에게 부탁하면 돼!'

사진도 있으니 홍신소에 부탁하면 이 여자가 누구인지 정확하게 알아봐 줄 수 있을 것이다.

"저 잠시 밖에 나갔다가 와도 될까요?"

거기까지 생각이 미치니 가만히 있을 수가 없었다. 당장이라도 홍신소로 달려가고 싶었다.

"상관은 없는데, 어디 가게?"

"홍신소에요."

"모친에 대한 정보를 찾으러?"

혹시 데미안이 의심할까 봐 시연은 크게 고개를 주억거렸다.

"가도 좋지만 귀고리를 끼도록 해. 티에와 리사도 데리고 가고."

"둘 다 데리고 가라고요?"

"라오스 놈들의 동태가 심상치 않으니까. 하물며 반려식도 얼마 안 남았으니 그놈들도 뭔가 술수를 부리려고 하겠지. 사실 밖에 나가는 것도 추천하지 않아."

반려식까진 앞으로 일주일도 채 남지 않았다.

인간계에 남은 건 가온밖에 없었고, 마르스가 부리는 수족으로 생각되는 연쇄 살인범들은 전부 죽어 크게 걱정하지 않지만 혹시 모르는 일이었다.

그래서 그녀를 밖에 보내고 싶지 않았지만 그건 그녀가 싫어할 테니 호위를 붙이는 것이다. 티에와 리사라면 무슨 일이 있어도 목숨을 걸고 시연을 지켜줄 것이다.

"알겠어요."

그런 데미안의 마음을 모를 리가 없는 시연은 순순히 고개를 끄덕였다. 누구를 데려가든 홍신소에 가기만 한다면 상관없다고 생각하면서.

데미안의 호출을 받은 리사가 도착한 건 약 한 시간 후였다. 거리를 생각하면 꽤나 빨랐지만 티에는 그렇게 생각하지 않는지 그를 보자마자 시비조로 말했다.

"부른 지가 언젠데 이제 오시는 거죠? 굼벵이처럼 느려선."

"뭐, 뭐라고?"

"자, 자, 그만하세요."

개와 고양이도 아니고 어쩜 이렇게 만나기만 하면 싸우는 건지 모르겠다. 시연은 서둘러 그들을 말렸다.

"싸우지 말고 어서 가요."

"아, 홍신소에 가신다고 했죠? 제가 운전하겠습니다. 어서 가시죠."

"아아, 저런 놈이 운전하는 차에 타야 하다니."

티에가 영 못 미덥다는 듯 말하며 뒷짐을 졌다. 이에 리사가 화를 냈다.

"그렇게 못 믿겠으면 타지 마!"

"어머, 지금 숙녀에게 성질을 내는 거야?"

"숙녀는 개뿔!"

리사와 티에는 홍신소로 가는 내내 계속 투닥거렸다. 시연이 뒷좌석이 아닌 조수석에 앉아 싸움을 말린 덕분에 크게 번지진 않았지만 싸움을 말리느라 진이 쫙 빠졌다.

우여곡절 끝에 홍신소에 도착한 시연은 차에서 내리기 전 리사와 티에를 쳐다봤다.

"죄송하지만 홍신소에는 저 혼자 들어갈게요."

"네? 하지만 군주님이 무슨 일이 있어도 반려님을 혼자 두지 말라고 부탁했는데요."

"잠깐이니까 괜찮을 거예요. 귀고리도 차고 있잖아요."
"하지만……."
"진짜 잠깐이에요. 30분, 아니 10분만요."
시연은 애교 섞인 목소리로 간절하게 부탁했다. 저리 부탁하는데 어떻게 단호하게 거절하겠는가. 하물며 이미 티에는 넘어간 상태이니 리사는 어쩔 수 없이 고개를 끄덕였다.
"알겠습니다. 대신 10분만이에요. 10분이 넘으면 바로 올라갈 겁니다."
"고마워요."
시연은 환하게 웃으며 흥신소로 들어갔다.
미리 연락을 해둔 덕분에 번거롭게 기다릴 필요는 없었다. 7년 가까이 본 흥신소 사장은 시연을 반갑게 맞이했다.
"이 여자에 대해서 조사해주셨으면 해요."
시간이 얼마 없는 만큼 시연은 바로 본론을 꺼냈다.
"이 여자는 누구지? 인간은 아닌 것 같은데."
"이름은 레아. 마족이라는데 확실한 정보인지는 저도 모르겠어요. 들은 거라."
"흐음, 마족이라. 근데 이 여자는 왜 찾으려고? 모친과 관련 있는 거야?"
"아마도요."
시연은 이 여자가 엄마와 똑같이 생겼다는 이야기는 일부러 숨겼다.
"그래? 그럼 알아봐줘야지. 바로 알아봐줄 테니 한 이틀만 기다려 봐."
"그렇게 빨리 돼요?"
"사진도 있고 이름이랑 종족도 아니까 이틀이면 충분할 거야."
역시 그동안 엄마가 실종된 것에 대해서 아무것도 알아내지 못한 건 모두 사진이 없기 때문이었을까?
"사진은 옮겨 담아야겠네. 잠시만 기다려줘."

"빨리 끝내주세요."

"알았어."

사장이 휴대폰을 가져가자 시연은 소파에 앉아 직원이 가지고 온 커피를 마셨다.

"아, 죽겠다. 더러운 놈은 꿈도 더럽게 꿔서 짜증난다니까."

얼마 지나지 않아 누군가 짜증을 팍팍 내며 들어왔다. 모양새를 보아하니 이곳의 직원인 모양이다. 그를 본 사장은 반색하며 손짓했다.

"너 마침 잘 왔다. 이리 와서 이것 좀 봐라."

"뭐예요? 또 뭐 시키려고요?"

"시키려는 게 아니라 그냥 보라는 거야. 너 6년 전까지 마계 주민이었잖아. 이 여자, 마족이라는데 혹시 본 적 있어?"

"제가 마계의 주민이었던 건 맞는데 그렇다고 마계에 있는 이들을 모두 아는 건…… 어? 이 여자는……."

투덜투덜거리던 남자는 사장이 내미는 사진을 보고 멈칫했다. 알고 있는 눈치였다.

설마 이렇게 빨리 알게 될 줄이야. 뜻밖의 행운이었다. 시연은 마시던 커피를 내려놓고 남자에게 다가갔다.

"이 여자에 대해서 알고 있으신가 봐요?"

"알다마다요. 마계에서도 유명한 여자거든요. 분명 이름이 레아였어요."

가온이 말한 이름과 똑같았다. 이걸로 이 여자의 이름이 레아인 건 확실해졌다.

'그럼 이 여자는 엄마가 아니야.'

엄마의 이름은 레아가 아니었으니까. 그러니 가온이 한 말은 저를 흔들기 위한 거짓말일 거라고 시연은 생각했다.

"애석하게도 7년 전에 죽었지만요."

그래, 그럴 거라고 생각했는데 뒤이은 남자의 말로 흔들렸다. 7년 전이라면 엄마가 실종된 해가 아니던가.

"혹시 정확하게 언제인지 기억하세요?"

"정확한 날짜까진 기억나지 않지만 대충 4월이었던 걸로 기억해요."

달까지 똑같았다. 엄마와 똑같이 생긴 여자가 비슷한 날짜에 죽은 것이 결코 우연이라곤 생각되지 않았다.

'진짜로 이 여자가 엄마인 건가? 하지만 이 여자는 마족인데.'

자신의 엄마는 인간이었다. 손등에 문신이 없었으니 확실했다.

—이종족의 지배층은 문신을 새기지 않아.

불현듯 과거 데미안이 했던 말이 떠올랐다. 마몬의 손등에 문신이 없는 것 역시.

"……한 가지만 물어볼게요."

설마 그럴 리가. 만약의 가능성에 시연의 눈동자가 크게 흔들렸다.

"이 여자, 마족 중에서도 직위가 높았나요?"

그럴 리가 없다고, 자신이 생각한 것이 절대 맞을 리가 없다고 생각했건만…….

"네. 고위 마족이었던 걸로 알아요. 원탁회 일원까지 했었는걸요."

그 바람은 무참하게 무너졌다.

반려식이 얼마 남지 않은 만큼 데미안은 일정 소화에 박차를 가했다. 이동하는 동안 서류를 살피는 건 물론 잠자는 시간까지 줄였다.

데미안이 보는 서류 중에는 '더 뉴'에 관한 서류도 있었고, 마계에 관한 서류도 있었지만 가장 많은 부분을 차지하는 건 반려식에 관한 것이었다.

반려식에 필요한 첫 번째, 두 번째 단계는 걱정하지 않았지만 문제는 세 번째 단계인 창조주의 계시로, 여기서 허락을 받지 못하면 모든 것이 물거품이 되는 것이었다.

'안느를 반려를 맞이하는 것도 허락을 받았으니 허락을 받지 못할 거라곤 생각지 않지만…….'

무엇 때문인지 마음이 불안했다. 뭔가 놓치고 있는 기분이 들었지만 알 수 없는 불안 때문에 반려식을 진행하지 않을 수는 없는 법이었다.

"돌아오는 금요일, 새벽 4시에 창조주의 계단에 오르도록 하지."

데미안은 조수석에 앉아 있는 베르에게 말한 뒤 다시 서류를 살폈다.

마르스의 소문에 관한 보고서였다. 마몬이 조사해 온 자료에 의하면 마르스의 피앙세일 거라고 소문이 났던 여자는 총 세 명으로, 한 명은 천족이었으며, 또 한 명은 요정 일족, 마지막 한 명은 마족이었다.

마족이 신과 연인 사이였을 가능성은 낮지만, 이런 소문이 났다는 건 그럴 만한 계기가 있었다는 의미였다.

천족과, 그것도 대천사였던 마르스와 연관이 있었던 마족이 도대체 누구일까 궁금했는데 설마 그녀일 거라곤 생각지도 못했다.

"레아……."

이름을 뱉는 목소리에 숨이 가득 섞여 있었다. 사진을 바라보는 데미안의 눈동자가 어둡게 가라앉았다.

"그녀에 대한 자료는 거의 남아 있지 않지?"

"네. 그래서 마몬 님도 그분에 대해선 알아보기가 힘들다고 말씀하셨습니다."

"그래, 그렇겠지."

데미안은 한참 동안이나 말없이 사진을 바라봤다.

내비게이션 소리도 들리지 않는 고요한 차 안의 정적을 깬 건 휴대폰 진동 소리였다. 데미안의 것이었다.

전화를 건 상대방이 누구인지 확인한 데미안은 바로 전화를 받았다.

"무슨 일이지, 티타아니아?"

[어제 말씀하신 것 때문에 전화 드렸습니다.]

"결정을 내렸나 보군."

[네, 내렸습니다. 그래서 말씀드리는 건데, 한번 뵐 수 있을까요?]

"굳이 볼 이유가 있을까. 그놈을 내쫓는다고 말하면 되는 것을."

[아니요. 저는 디안을 내쫓지 않을 겁니다.]

의외의 결정이었다. 예상을 벗어난 티타아니아의 행동에 데미안의 눈매가 여지없이 일그러졌다.

"요정 일족의 이름을 원탁회에서 없애고 싶은 모양이군. 토끼 일족처럼."

예를 들어 좀 더 구체적으로 말했더니 겁이라도 먹은 건지 티타아니아는 잠시 말이 없었다.

[……그래서 수장님에게 제안을 하고자 합니다.]

그것도 잠시, 티타아니아는 떨리는 목소리로 입을 열었다.

[레아에 대해 알아보고 계시지 않습니까? 그녀에 대한 정보를 알려드리겠습니다.]

그녀가 이 사실을 어떻게 아는 걸까? 데미안은 느슨하게 잡고 있던 휴대폰을 고쳐 잡았다.

"어떻게 그 사실을 알고 있는 거지?"

[그것에 대해선 말씀드리지 않겠습니다. 하지만 이 정보가 수장님에게 필요한 정보라는 건 확실하게 말씀드릴 수 있습니다.]

묘한 자신감이었다. 단순히 디안을 구하기 위한 패기로 보이진 않았다.

[이 정보를 알려드리는 대신, 디안을 내쫓으라는 명령은 철회해주셨으면 합니다.]

어떻게 할까. 데미안은 잠시 고민했다.

티타아니아가 뭘 알고 있는지 궁금하긴 했지만 디안이 한 행동은 용서할 수가 없었다. 감히 죄가 없는 시연을 라오스에 고발하다니. 아무리 생각해도 가만히 내버려둘 수가 없었다.

"……대신 원탁회 자리는 내놓아야 할 거다. 대표를 바꾸도록 해."

하지만 득과 실을 저울질했을 때 이쪽이 더 이득이었다. 티타아니아는 그러겠노라고 대답했다.

데미안은 티타아니아와 만날 약속을 한 뒤 전화를 끊었다.

접선 장소는 '더 뉴'의 대표실이었다.

'더 뉴'의 대표실에 도착한 지 얼마 지나지 않아 티타아니아가 나타났다. 전에 마몬이 그랬던 것처럼 그녀 역시 창문으로 등장했다. 그 누구의 눈에도 띄지 않고 은밀하게.

"오랜만에 뵙습니다, 수장님."

"앉도록 해."

티타아니아가 데미안의 맞은편에 앉자 베르가 차를 가지고 왔다.

"시간이 없으니 바로 본론을 이야기했으면 좋겠는데."

"그 전에 다시 한 번 약속해주십시오. 디안을 일족에서 내쫓지 않아도 괜찮다고."

"약속하지. 원탁회 대표 자리에서만 내보낸다면 말이야."

"……그럼 믿고 말씀드리겠습니다."

말하기 어려운 내용인지 티타아니아는 잠시 숨을 고르다가 이내 말을 이었다.

"저는 레아와 7년 전, 인간계에서 만난 적이 있습니다."

"무슨 헛소리지?"

데미안은 말도 안 된다는 듯 눈살을 작게 찌푸리며 그녀에게 물었다.

"7년 전에 그녀가 마계의 게이트를 통과한 기록은 없다. 근데 인간계에서 만났다고?"

"……역시 그렇습니까."

"역시 그렇다니?"

"저도 이상하게 생각했습니다. 레아처럼 고위 마족이 인간계에 넘어온다면 수장님께선 분명 원탁회에 말했을 텐데 그런 이야기는 전혀 없으셨으니까요. 하지만 전 확실히 레아를 만났습니다."

티타아니아는 한 치의 거짓도 묻지 않은 깨끗한 눈동자로, 그러나 이상할 만큼이나 두려움에 작게 떨고 있는 눈동자로 데미안을 바라보며 말했다.

"7년 전 4월, 그녀는 분명 저를 만나러 왔습니다. 그리고 저에게 가사 약을 요구했죠."

"잠시 가사 상태에 빠지게 만드는 약을 말하는 건가? 그건 분명 불법일 텐데?"

"네. 그래서 저는 주지 않으려고 했지만…… 주지 않으면 그 사실을 만천하에 공개하겠다고 하더군요. 30년 전, 제가 마르스와 연인 사이였다는 사실을요."

이미 알고 있는 사실이었기 때문에 데미안은 크게 놀라지 않았다.

"근데 왜 나서지 않은 거지? 당시 나섰으면 넌 신의 반려가 될 수 있었을 텐데."

"……나설 수 있을 리가 없잖아요."

티타아니아의 눈동자에 고인 눈물은 전부 보석이 되어 떨어졌다.

"마르스…… 그 자식이 사귀고 있었던 여자는 나 혼자가 아니었으니까."

"……뭐?"

"그 자식, 30년 전에 돌았던 소문에 있는 모든 여자들과 사귀고 있었습니다. 이리스와 저, 그리고 레아까지 전부……."

마르스가 양다리, 아니 여러 다리를 걸치고 있었다는 것도 놀라웠지만 그중 한 명이 마족인 레아라는 사실이 가장 놀라웠다.

티타아니아의 말을 도저히 믿을 수가 없어 데미안은 그녀에게 되물었다.

"정말로 그 녀석이 레아랑 사귀었다고?"

"믿기지 않으시겠지만 사실입니다."

"하지만 그녀가 마계를 빠져나간 기록은 단 한 번도 없는데……."

그런데 어떻게 그녀가 마르스와 연애를 할 수 있단 말인가.

마르스가 마계로 넘어왔을 리도 없고, 그런 기록도 없었다. 그런데 도대체 어떻게 레아와 만남을 가진 것일까.

"저도 그 이야기를 들었을 때 그게 의문이었습니다. 저와 달리 마계에 있는 레아는 인간계에 자유자재로 드나들 수 없으니까요. 그래서 정말 궁금했었는데…… 이번에 가브리엘이 살해당했다는 소식을 듣고 확신했습니다."

꽉 마주 잡은 두 손이 작게 떨렸다. 티타아니아는 불안한 기색을 감추지 못하고 예쁜 색으로 물든 입술을 잘근잘근 깨물며 천천히 말을 이었다.

"마르스에겐 아무도 모르는, 혼자만 알고 있는 게이트가 있는 것이 아닐까 하고요."

혼자만 알고 있는 게이트라니.

터무니없는 이야기였지만 만약 사실이라면 지금까지 일어난 일들이 모두 설명이 됐다.

그의 연인이었던 레아가 마계의 게이트에 기록을 남기지 않고 인간계를 드나들며 마르스와 연애를 했던 것부터, 가브리엘이 살해당했을 때 게이트에 그의 기록이 남아 있지 않은 것까지 전부.

'진짜로 마르스에겐 혼자만 알고 있는 게이트가 있는 건가?'

감당하기 힘든 사실에 머리가 지끈거렸다. 데미안은 깊은 한숨을 몰아 내쉬며 등받이 깊숙이 몸을 기댔다.

어느덧 울음을 그친 티타아니아는 매우 후련한 얼굴을 하고 있었다. 이 엄청난 비밀을 30년 가까이 혼자 끌어안고 있었으니 무리도 아니었다. 하물며 그 세 명의 연인 중 생존자는 그녀 혼자뿐이었으니까.

"용기를 내줘서 고맙다, 티타아니아."

디안을 구하기 위해 어쩔 수 없이 이야기를 꺼낸 것이겠지만 이런 이야기를 한다는 것 자체가 매우 용기 있는 행동이었다. 그래서 진심으로 칭찬했더니 티타아니아가 희미하게 웃으며 고개를 숙였다.

"그리 말씀해주셔서 정말 감사합니다, 수장님. 그럼 전 물러가겠습니다."

"그래."

"부디 약속을 지켜주세요."

데미안은 걱정하지 말라며 고개를 끄덕였다. 그제야 티타아니아는 좀 더 환하게 웃었다.

조용한 걸음으로 물러가는 티타아니아의 뒤에 대고 다음에 보자는 말을 했지만 돌아오는 대답은 없었다. 그저 듣지 못했거니 했건만 그것이 아니라는 건 얼마 지나지 않아, 티타아니아의 자살 소식을 듣고 알게 되었다.

전혀 예상치 못한 엄청난 정보를 들은 데다가 난데없는 티타아니아의 자살 소식까지, 하루가 참 다사다난했다. 피로가 평소보다 배로 쌓인 듯했다.

시연을 보면 이 피로가 풀릴 것 같아 데미안은 평소보다 일찍 집으로 향했다. 그녀를 품에 껴안고 한껏 입을 맞출 생각이었다.

"외출한 뒤부터 반려님의 상태가 조금 이상하십니다."

그럴 생각이었는데 그럴 수가 없었다.
"시연의 상태가 이상하다고?"
"네. 흥신소에 다녀오신 뒤 눈물을 왈칵 쏟아내더니 무슨 일이 있냐고 물어봐도 아무 말 하지 않고 혼자 방에 틀어박혀 나오시지 않습니다."
"그래?"
흥신소에서 모친에 관한 것으로 전화가 왔다더니, 모친의 죽음이라도 확인한 걸까. 가능성은 충분히 있는지라 걱정이 된 데미안은 한걸음에 시연이 있는 4층으로 향했다.
똑똑―.
"시연."
티에의 말대로 몇 번을 노크를 하며 불러도 시연은 대답이 없었다. 방문은 안에서부터 굳게 잠겨 있었다.
"가서 마스터키를 가지고 와."
혹시 울다가 탈진해서 쓰러진 건 아닌지 걱정이 돼서 억지로 문을 열려던 순간, 문이 열렸다.
울었다는 것을 증명하기라도 하듯 시연의 눈은 빨갛게 퉁퉁 부어 있었다.
"괜찮아?"
"……네, 괜찮아요."
"안 괜찮아 보이는데."
"정말 괜찮아요. 단지…… 조금 충격적인 사실을 들어서 그래요."
"그게 뭔지 물어봐도 될까?"
말해주긴 싫은지 시연은 입을 다물며 고개를 돌렸다. 붉은 눈시울에 다시 눈물이 차올랐다. 티타아니아의 눈물을 봤을 땐 전혀 아무렇지 않았는데 그녀의 눈물을 보니 마음이 아프고 신경이 쓰였다.
그래서 그녀를 안아주려고 했는데 시연이 고개를 숙이고 눈을 질끈 감은 채 두 팔을 뻗어 그의 가슴팍을 밀어냈다.

"……시연?"

그녀가 자신을 거부하다니. 조금 충격을 받은 데미안이 그녀를 부르자 시연은 여전히 고개를 숙인 채 말했다.

"미안하지만…… 혼자 있고 싶어요."

"……."

"지금은 혼자 있게 해주세요……."

그녀가 걱정되긴 했지만 그녀의 말을 무시할 수가 없어 데미안은 고개를 끄덕였다.

"그래, 알았다. 대신 저녁은 챙겨 먹도록 해."

"……네."

데미안에게 허락을 받은 시연은 지체하지 않고 방으로 들어갔다. 굳게 닫힌 방문이 그녀와 자신 사이의 벽처럼 느껴져 마음이 무거워졌다. 당장이라도 부수고 들어가고 싶었다.

"시연을 잘 보살펴라."

하나 지금은 그래선 안 되는 것이었다. 그랬다간 시연에게 미움만 살 테니까.

그녀에게 필요한 건 시간인 것 같아 데미안은 티에에게 시연을 잘 부탁한다는 말을 남긴 뒤 돌아섰다.

티에 역시 걱정된다는 듯 방문을 쳐다보다가 돌아섰다.

새벽녘의 푸르스름한 기운이 올라왔다.

시연은 밤새도록 침대에 웅크려 앉아 레아의 사진을 쳐다봤다. 수백 번을 보고 또 봐도 사진 속의 인물은 엄마랑 똑같이 생겼다.

'하지만 이 여자는 엄마가 아니야.'

무조건 아니어야 했다. 만약 맞다면 데미안이 엄마를 죽인 게 될 테니까.

사진 속의 여자, 레아는 7년 전 승계 과정에 도전했다가 데미안에게 죽임을 당했다고 흥신소 직원은 말했다. 그러니 절대 엄마가 아닐 거라고 생각하면서도 너무 똑같아서, 여러 정황들이 이 여자가 엄마라고 말해주고 있어서 괴로웠다. 잠을 이룰 수 없을 정도였다.

'좀 더 확실한 증거가 필요해.'

지금까지 나온 증거들은 전부 가온이 시키는 대로 움직여서 나온 증거이니 완전히 믿을 수 없었다. 그러니 가온의 도움을 받지 않고 스스로 알아내야만 했다.

하나 어떻게 알아보면 좋을지 막막했다. 레아가 살아 있었다면 친자 확인을 해보면 되지만 그게 아니니 다른 방법을 찾아야 했다.

'아, 내가 태어난 산부인과에 가면 증거가 있을지도 몰라.'

지배층이라서 손등에 문신을 찍지 않아 인간인 척 속일 수 있지만 진료 기록까진 속일 수 없을 터.

그러니 산부인과에 찾아가서 진료 기록을 확인해보면 엄마가 무슨 종족이었는지 알 수 있을 것이다.

'근데 정말로 이 여자가 엄마라면 어떻게 하지? 그래서 데미안의 손에 죽은 거라면……?'

감당할 수 없는 사실에 머리가 지끈거렸다. 시연은 깊은 한숨을 내쉬며 무릎을 감싸안았다.

'그냥 확인하지 말고 이대로 묻어둘까?'

괜히 확인해서 절망을 맛보는 것보다 그냥 덮어두는 편이 나을지도 모른다. 고민하던 시연은 고개를 저었다.

"여기까지 온 이상 끝까지 가봐야지."

끝에 있는 것이 절망이든, 아니면 희망이든 두 눈으로 직접 확인해보고 싶었다. 그래야 혼란스러운 이 마음을 정리할 수 있을 것 같았으니까.

'정리는 어떻게 하겠다는 거야?'

무의식 속의 자아가 불쑥 나타나 물었다.

'만약 그 여자가 엄마라면, 그래서 그 여자를 죽인 것이 데미안이라면 그를 버릴 거야?'

천륜을 따진다면 그러는 것이 맞지만 선뜻 그러겠다고 할 수가 없었다. 그만큼 데미안을 좋아하기 때문이었다. 엄마를 죽인 살인자인 그를.

'지금 무슨 생각을 하는 거야, 차시연.'

아직 확실해진 건 아무것도 없는데 이런 생각을 하다니. 시연은 가볍게 고개를 저으며 불길한 생각을 떨쳐냈다.

머리가 복잡해서 잠이 오지 않는다고 생각했는데 전부 착각이었다. 언제 잠이 들었는지도 모를 만큼 시연은 순식간에 잠이 들었다.

똑똑—.

그런 그녀가 다시 잠에서 깨어난 건 노크 소리가 들렸을 때였다. 천천히 눈을 뜬 시연은 가장 먼저 시간을 확인했다.

오후 12시 30분.

잠깐 잤다고 생각했는데 생각보다 오래 잤다. 부스스 상체를 일으키는데 또 한 번 노크 소리가 울려 퍼졌다.

"들어오세요."

시연이 대답하자 문이 천천히 열렸다. 데미안이었다. 이 시간에 그가 집에 있는 건 이례적인 일인지라 시연은 살짝 놀라며 그를 바라봤다.

"오늘은 일정이 없으신 거예요?"

"아니, 있어."

"근데 왜 여태 계세요?"

"네가 걱정돼서."

그의 말에 가슴이 찌르르 울렸다. 눈물이 날 것 같았다. 아니, 이미 눈물을 흘리고 있었다. 그 사실을 자각했을 땐 어느덧 성큼성큼 다가온 데미안이 바로 앞에 있었다.

"울지 마."

데미안은 손을 뻗어 시연의 뺨을 타고 흐르는 눈물을 닦았다.

"네가 울면 어떻게 해야 할지 모르겠으니까."

손은 뺨을 타고 아래로 내려왔다. 하도 물어뜯어 부은 시연의 입술을 엄지로 가볍게 쓸어내리던 데미안은 시연의 입술에 자신의 입술을 가볍게 가져다댔다.

짙고 농익은 키스가 아닌 달콤하고 솜사탕 같은 부드러운 키스였다. 그가 자신을 얼마나 아끼는지 입맞춤에서 고스란히 알 수 있었다.

그래서 더 무서웠다. 이제 겨우 믿고 의지할 사람을 만났는데 그를 잃을지도 모른다는 사실이 너무 무서워서 견딜 수가 없었다.

'그러니 제발 아니길.'

엄마가 인간이 아닌 이종족이어도 상관없으니까, 이대로 엄마의 생사를 영영 몰라도 좋으니까, 부디 이 여자만큼은 엄마가 아니길 시연은 간절하게 빌고 또 빌었다.

태어난 산부인과를 기억하진 못했지만, 데미안이 알고 있었기에 쉽게 찾을 수 있었다.

시연은 제 앞에 있는 새하얀 건물을 올려다봤다.

사랑 산부인과

간판에 적힌 예쁜 이름만큼이나 새하얀 날개가 달린 빨간색 하트가 그려져 있었다. 이곳에 올 때까진 별 생각이 없었는데, 막상 오니 긴장이 됐다.

"이번에도 혼자 들어가실 건가요?"

"네."

홍신소와 달리 출입구도 다양하고 사람도 많은 병원에 시연을 혼자 보내는 건 걱정이 됐지만, 시연이 워낙 단호하게 대답해서 리사는 어쩔 수 없이 고개를 끄덕였다.

데미안에게 미리 언질을 받은 것이 있기 때문이기도 했다.

데미안은 시연이 모친의 죽음을 알게 돼서 굉장히 슬퍼하고 있으니 되도록 그녀의 의사를 존중해주라고 말했다.

물론 리사가 곁에 붙어 있지 않아도 안전할 수 있게 시연에겐 거미 귀고리뿐만 아니라 미행용 거미도 붙여두었다. 미행용 거미를 붙인 건 시연은 모르는 사실이었다.

"30분 내로 다녀오셔야 돼요."

"그럼요. 금방 다녀올게요."

시연은 환하게 웃으며 병원 안으로 들어갔다. 그 모습을 핸들에 기대서 물끄러미 지켜보던 리사는 곧 휴대폰을 열었다. 통화 상대는 나오였다.

"반려님의 위치를 실시간으로 파악해서 나한테 계속 보고해."

리사는 거기서 안심하지 않고 베르에게 빌려온 더미들을 풀어 모든 출입구를 감시했다.

이쯤 했으면 시연에게 무슨 일이 생겨도 즉각 대응할 수 있겠지만 그래도 안심이 되지 않는 건 시연의 행동이 이상했기 때문이었다.

"단순히 모친의 죽음 때문에 그러는 걸로 보이진 않는데……."

여자들은 결혼식 전날, 우울증 비슷한 증상을 겪는다고 하니 시연도 그럴 가능성이 있었다. 그런 상태에서 그토록 찾던 모친이 죽었다는 소식까지 들었으니 더욱 마음이 뒤숭숭했을 것이다. 그러니 시연이 저렇게 우울해하는 것도 무리는 아니었다.

자고로 이런 일은 특별한 약이 있는 것이 아닌 시간이 약이었다.

시간이 지나면 괜찮아질 거라고 생각하면서도 어쩐지 자꾸만 불안한 예감이 들어 리사는 시연이 사라진 자취를 계속 좇았다.

이 근방에서 가장 큰 산부인과라서 그런지 평일인데도 북적거렸다. 하물며 이종족과 인간의 아이를 모두 낳을 수 있는 곳이니 먼 곳에서도 많이 찾아왔다.

시연은 주변을 크게 둘러보다가 접수대로 다가갔다.

"실례합니다."

"접수하시려면 번호표를 뽑고 기다려주세요."

"아, 전 접수하려는 게 아니라 한 가지 묻고 싶은 것이 있어서요."

그제야 바쁘게 뭔가를 하고 있던 간호사가 고개를 들어 시연을 쳐다봤다.

"무슨 일이시죠?"

"혹시 27년 전, 이곳에서 아이를 낳은 산모의 기록을 볼 수 있을까요?"

"개인 정보는 본인의 동의 없이 볼 수가 없는데요."

예상했던 대답이었다. 시연은 물러서지 않고 말을 덧붙였다.

"보려는 산모가 저희 엄마예요. 지금은 실종되셨는데 혹시 관련이 있을까 싶어서 그러는데 잠시만 볼 수 없을까요?"

"하지만 개인 정보는……."

"부탁드려요. 다른 건 하지 않고 그냥 보기만 할게요."

간곡한 시연의 부탁에 난감하다는 듯 간호사가 길게 한숨을 뱉으며 말을 이었다.

"그런 일 때문이라면 보여주고 싶지만 죄송하게도 그럴 수가 없어요. 그때 자료는 전부 날아갔거든요."

"네? 그게 무슨 소리예요? 자료가 전부 날아갔다니요?"

"20년 전인가, 병원에 화재가 났대요. 큰 화재는 아닌지라 다행히도 인명 피해는 없었지만 그 전에 있었던 환자들의 기록이 전부 날아갔다고 전에 있던 간호사에게 들었어요."

"그럴 수가……."

설마 자료가 날아갔을 줄이야. 그야말로 마른하늘에 날벼락이었다. 시연은 비틀거리며 접수대에 기대섰다.

"어머, 괜찮으세요?"

"아, 괜찮아요. 그럼 실례했습니다."

걱정스레 자신을 바라보는 간호사를 뒤로한 채 시연은 황급히 접수대를 벗어났다.

머리가 복잡했다. 기껏 엄마에 대해 확실하게 알 수 있는 단서를 찾았다고 생각했는데 다시 원점으로 돌아왔다. 이제 어떻게 하면 좋을지 모르겠다.

'이제 어디서부터 다시 찾아봐야 하는 거지?'

아니, 그것보다 찾을 충분한 시간이 없다는 것이 더 큰 문제였다. 이틀 뒤면 반려식이 시작되니까.

시간으로 따지면 48시간도 채 남지 않았다. 그 안에 진실을 알아내는 건 아무리 생각해도 무리였다. 가온이 모든 것을 사실대로 말해주지 않는 이상은 말이다.

'아니, 그가 사실대로 말해준다고 해도 그 말을 믿을 순 없어.'

그의 말을 믿을 바엔 팥으로 메주를 쑨다는 말을 믿는 편이 더 신빙성이 있었다. 아니면 데미안에게 엄마에 대해 알아봐달라고 부탁하거나.

이런 일에 자신만만했던 그이니 부탁하면 바로 알아봐주겠지만 부탁할 자신이 없었다. 그렇다고 이대로 묻어둘 수도 없으니 여러모로 머리가 복잡해졌다.

"도대체 당신, 누구예요?"

시연은 레아의 사진을 보며 물었다.

"누구길래 엄마랑 똑같은 모습을 하고 있는 건데요."

그리고 왜 엄마와 비슷한 날에 죽은 걸까. 하필이면 왜 데미안의 손에 죽은 걸까. 데미안의 손에 죽지만 않았더라면 이렇게 고민하진 않았을 텐데. 복잡한 심정이 감정으로 변화해 울컥울컥 치솟았다.

그 탓인지 눈시울이 뜨끈해졌다. 이렇게 많은 사람들 앞에서 꼴사납게 울고 싶지 않아 시연은 애써 눈물을 삼켰다.

그사이 리사와 약속했던 시간은 얼마 남지 않았다.

"돌아가자."

리사가 걱정할 테니 일단 돌아가고 나중에 다시 생각하자고 다짐하며 몸을 돌린 시연은 미처 다가오는 사람을 보지 못하고 세게 부딪혔다. 들고 있던 휴대폰은 부딪힌 사람의 발 쪽으로 떨어졌다.

"어머, 죄송해요."

"아니에요. 제가 앞을 제대로 보지 못한 탓인데요, 뭘. 그보다 다친 곳은 없으세요?"

"저야 멀쩡하죠. 되레 인간인 아가씨가 걱정이 되네요."

그 말에 슬쩍 손등을 확인하니 선명한 문신이 보였다. 이종족이었다.

입고 있는 옷으로 보아 이곳의 직원인 모양이었다. 시연이 괜찮다고 말하자 여자는 다행이라고 웃으며 시연의 휴대폰을 주웠다.

"어라, 이 여자는……."

시연의 휴대폰 화면에는 여전히 레아의 사진이 띄워져 있었다. 레아의 사진을 본 여자가 멈칫했다. 뭔가 알고 있는 눈치였다.

"혹시 이 여자분에 대해서 알고 있으세요?"

"아, 그게……."

"알고 있는 것이 있다면 뭐든 말해주세요."

"당신은 누군데요? 누군데 이 여자에 대해 알려달라는 거죠?"

시연을 바라보는 여자의 눈동자에는 의심의 빛이 가득했다. 갑자기 나타나서 대뜸 레아에 대해 알려달라고 하니 의심하는 것도 당연했다. 일단 이 상황을 벗어나야 할 것 같아 시연은 거짓말을 했다.

"딸이에요."

"딸? 아, 그럼 설마 아가씨 이름이 차시연?"

처음 보는 여자가 자신의 이름을 알고 있다는 건 썩 좋은 징조가 아니었다. 레아와 관련되어 있다면 더더욱.

"네, 맞아요."

그래서 속이 메스껍고 불쾌했지만 시연은 애써 참으며 고개를 끄덕였다. 그래도 여전히 의심이 풀리지 않는지 여자가 묘한 눈으로 시연을 훑어봤다.

"그러고 보니 좀 닮은 것 같긴 한데…… 일단 이리 와요."

여자는 시연의 손을 잡고 가장 근처에 있는 문으로 들어갔다.

"여기면 괜찮겠지."

"뭐 하시는 거예요?"

"다른 사람들 눈에 띄지 않으려고요. 혹시 이상한 놈들이 있을 수도 있으니까."

이상한 놈들이라면 가온 같은 놈들을 말하는 걸까.

"자, 그럼 한번 불러봐요."

"뭘요?"

"정말로 딸이라면 엄마한테서 자주 들었던 노래가 있을 거 아니에요."

자주 들었던 노래라니. 전에 자선 파티에서 불렀던 노래를 말하는 건가 싶어 시연은 작은 목소리로 노래를 불렀다.

"κρό, νοςεποκή……"

"그만."

한 소절만 불렀을 뿐인데 확신했다는 듯 여자가 고개를 끄덕였다.

"아가씨, 정말로 레아 님의 딸이 맞네요."

"레아의…… 딸?"

"아, 아가씨에겐 그 이름보다 시숙이라는 이름이 더 익숙하려나요?"

뒤이은 여자의 말에 심장이 쿵, 하고 떨어졌다.

시숙. 그건 엄마의 이름이었다.

시연은 비틀거리며 벽에 기대섰다. 몸에 힘이 쭉 빠졌다. 낭떠러지 끝자락에 선 듯 눈앞이 아찔해졌다.

"역시 이 여자가……."

시연은 잘 나오지 않는 목소리를 애써 끌어내며 여자에게 물었다.

"이 여자가…… 정말로 우리 엄마가 맞는 건가요?"

"……보아하니 전혀 모르셨나 보네요. 하긴, 무리도 아닌가. 레아 님은 자신이 마족이라는 걸 숨기고 있었으니까."

설마 딸한테까지 숨겼을 줄은 몰랐지만. 여자는 조금 난감하다는 듯 머리를 긁적였다.

"이왕 이야기를 꺼내기도 했고, 7년 전 레아 님에게 들은 말도 있으니 다 말씀드리도록 하죠."

여자는 한 박자 쉰 뒤 말을 이었다.

"네, 맞아요. 당신이 알고 있는 시숙이라는 인간과 레아라는 마족은 동일

인물입니다."

"흐음, 늦네."

약속 시간까지 채 얼마 남지 않았다.

나오가 아직 시연이 병원에 있다고 했으니 크게 걱정하진 않았지만, 혹시 모르니 가봐야겠다고 생각하며 차에서 내린 리사는 저 멀리서 걸어오는 한 남자를 발견했다.

"구, 군주님?"

그 남자는 바로 데미안이었다. 그를 본 리사는 황급히 그에게 달려갔다.

"여긴 무슨 일이십니까."

"볼일이 있어서."

가볍게 대꾸한 데미안은 산부인과 건물을 쳐다봤다.

"시연은?"

오자마자 시연을 찾는 걸로 보아 볼일이라는 건 시연인 모양이다.

"시연 님은 아직 병원에 계십니다. 안 그래도 나오시지 않길래 찾으러 가려고 했습니다."

"같이 가지."

'역시 반려님 때문에 온 거군.'

리사는 앞서 걸어가는 데미안의 뒷모습을 바라보며 히죽히죽 웃었다.

나오에게 시연의 정확한 위치를 보내달라고 연락하려는데 그러기도 전에 시연이 출구 쪽에서 모습을 드러냈다. 비틀거리는 걸음걸이는 굉장히 위태로워 보였다. 당장이라도 달려가 부축해줘야 할 것만 같았다.

리사의 눈에도 그렇게 보이는데 데미안의 눈에는 오죽할까. 예상대로 데미안은 한걸음에 달려가 시연의 팔을 잡았다. 시연은 조금 놀라며 데미안을 쳐다봤다.

"당신이 왜 여기에……."

"볼일이 있어서."

씨알도 먹히지 않을 변명인데 데미안은 너무나도 뻔뻔하게 말했다.

"무슨 일이 있었던 건가?"

"……아니요."

시연은 옅게 웃으며 고개를 저었다.

"아무 일도 없었어요."

새빨간 거짓말이었다. 귀가 빨갛게 변한 것도 그렇고, 저렇게 서글픈 얼굴로 아무 일 없다고 말하면 믿을 사람은 아무도 없었지만 데미안은 굳이 그 점을 짚고 넘어가지 않았다.

"그래. 그럼 돌아가자."

"볼일이 있다고 하지 않으셨어요?"

"볼일은 너야."

직설적인 말에 시연의 표정이 미묘하게 변했다. 좋아하는 것 같으면서도 거북해하는 표정이었다.

"……저 좀 안아주실래요?"

그러더니 대뜸 저런 부탁을 한다.

"밖에서 이런 부탁을 하는 것이 민폐일지도 모르겠지만……."

"아니, 전혀."

안아달라는 것이 왜 민폐인가. 되레 환영해야 할 일이었다. 데미안은 시연을 꽉 안아주었다.

"이러면 될까?"

"음, 좀 부족한 거 같아요."

시연은 평소답지 않게 투정을 부렸다.

"차까지 안아서 옮겨주세요."

"그래."

이번에도 데미안은 기꺼이 시연의 부탁을 들어주었다. 지나가는 사람들이 이상하게 쳐다봐도 개의치 않았다.

개의치 않은 건 시연 역시 마찬가지였다. 평소였다면 먼저 안아달라고 하지도 않았을 뿐더러 안아준다 해도 부끄럽다고 내려달라고 앙탈을 부렸을 텐데 그대로 가만히 있었다. 그녀를 안은 데미안의 손에 힘이 들어갔다. 역시 무슨 일이 있었던 모양이다.

그걸 알면서도 데미안은 묻지 않고 시연을 안은 채 차로 향했다. 리사는 눈치 있게 데미안에게 열쇠를 건네준 뒤 자리를 비켰다.

시연을 조수석에 내려둔 뒤 운전석에 타려는데 시연이 뒤에서 옷자락을 잡았다.

"……데미안 씨."

그러더니 귀를 기울이지 않으면 잘 들리지 않을 정도의 작은 목소리로 그를 불렀다. 할 말이 있어 보이는 그녀의 행동에 데미안은 잠자코 기다렸다.

이름을 불러놓고 한참 동안이나 말이 없던 시연은 이내 굳은 의지가 서린 얼굴로 데미안을 바라보며 말했다.

"우리…… 드라이브 갈래요?"

갑자기 드라이브라니. 참으로 뜬금없었다. 그래서 대답하지 않고 그녀를 빤히 쳐다보자 시연이 머쓱하게 웃으며 잡고 있던 옷깃을 놨다.

"안 되나요? 바쁜 거예요?"

"아니, 하나도 안 바빠."

그녀가 원하는 건 뭐든 해주고 싶은데 고작 드라이브를 못 해줄까. 데미안은 그러자고 대답한 뒤 운전석에 올라탔다.

"어디로 가고 싶지?"

"바다요."

시연은 데미안이 아닌 창밖을 바라보며 말했다.

"조용하고 넓은 바다가 보고 싶어요."

"조용하고 넓은 바다라."

그 말에 떠오르는 건 강릉이었다.

전에 일 때문에 한 번 가봤는데 나쁘지 않았던 걸로 기억했다. 데미안은 인터넷에 주소를 검색한 뒤 내비게이션에 찍었다.

복잡한 시내를 지나 한적한 고속도로로 들어선 뒤에도 그들 사이에는 이렇다 할 대화가 오고 가지 않았다.

시연은 창밖만 보고 있었고, 데미안은 운전에만 집중했다. 간혹 시연을 흘겨보는 걸 보면 꼭 그런 것 같지는 않았지만.

—레아 님은 7년 전, 절 찾아오셨어요.

시연은 창밖을 바라보며 병원에서 만난 여자와 나눈 대화를 되새겼다.

—언제가 될진 모르겠지만 자신의 딸이 찾아올 거라고. 딸이라는 증거는 당신이 부른 그 노래였죠.

—노래?

—네. 좀 전에 당신이 부른 노래는 마계의 자장가. 그것도 고대의 자장가이기 때문에 고대어를 배우지 않은 마계 주민들도 잘 모르는 특별한 자장가입니다.

설마 그 노래에 이런 특별한 이유가 있을 줄은 생각지도 못했다.

—레아 님은 딸이 찾아오면 이 말을 전해달라고 했어요. 그동안 속여서 미안하다고, 다 너를 위해서 그런 거니까 부디 이해해달라고.

만약 여자가 여기서 말을 그쳤다면 가온에게 사주를 받은 것이 아닌지 반신반의했겠지만 그러지 않고 곧이곧대로 믿은 건 뒤이은 여자의 말 때문이었다.

—'사랑하는 내 딸, 할로나.'라고 말이죠.

할로나. 운이 좋은 아이.

엄마가 종종 시연을 부르던 애칭이었다. 다른 사람들 앞에선 절대 저 호칭으로 부르지 않고 오로지 단둘이 있을 때만 불렀었다.

한데 그 애칭을 알고 있다는 건 여자가 진짜로 엄마를 알고 있다는 의미이자 여자의 말이 전부 사실이라는 증거였다. 이보다 더 확실한 증거는 없었다.

'그 여자가 엄마였다니!'

계속 그럴지도 모른다고 생각해서 그런지 모든 사실을 알았을 때 충격은 그다지 크지 않았다. 단지 정말로 엄마를 죽인 것이 데미안이라는 사실이 참담할 정도로 뼈아프게 다가왔다.

물론 데미안이 일부러 엄마를 죽인 것이 아니라는 건 알고 있었다. 그녀가 승계 과정에 도전했기 때문에 어쩔 수 없이 그녀를 죽인 것이었다. 아니면 그가 죽었을 테니까.

그러니 따지고 보면 데미안의 잘못이 아닌 엄마의 잘못이었지만 사람 마음이라는 것이 참으로 간사해서 머리로 알고 있는 걸 쉬이 인정하려고 하지 않았다. 그러면서도 데미안을 향한 마음이 조금도 사그라지지 않으니 아이러니 했다.

'도대체 왜 그러신 거예요, 엄마.'

왜 난데없이 승계 과정 따위에 도전한 건지. 한 가지 의문이 풀리니 또 다른 의문이 꼬리를 물고 등장했다.

계속 생각을 했더니 머리가 지끈거려 시연은 낮게 한숨을 내쉬며 창문에 머리를 기댔다.

갑자기 바다를 보고 싶다고 말한 것도 이 답답한 마음 때문이었다. 뭔가 탁 트인 것을 보고 나면 조금이나마 답답한 마음이 뚫릴 것 같았으니까.

한참을 달리고 있는데 어디선가 진동 소리가 들렸다. 데미안의 것이었다. 누구인지 확인한 데미안은 받지 않고 휴대폰을 뒤집었다. 무음 모드로 만든 것이다.

"누구예요? 받아야 되는 거 아니에요?"

"괜찮아."

안 괜찮은 것 같은데. 무음 모드여도 반짝이는 불빛 때문에 전화가 계속 오는 것이 보였다. 운전하느라 안 받는 것 같은데, 대신 받아줘야 하나 고민하는 찰나 전화가 끊겼다.

대신 시연의 휴대폰이 울렸다. 베르였다.

줄곧 데미안에게 전화했던 것도 베르였던 것일까? 시연은 약간 의아해하며 전화를 받았다.

"여보세요?"

[시연 님!]

전화를 받자마자 베르가 절규하며 그녀를 불렀다.

[옆에 데미안 님 계시죠?!]

"있긴 한데……."

[근데 왜 전화를 안 받으시는 거죠? 아니, 그것보다 지금 어디시죠? 원탁

회의 들어가야 하는데!]

원탁회의라고? 처음 듣는 이야기였다.

시연은 깜짝 놀라며 데미안을 쳐다봤다. 스케줄이 있는 줄 알았더라면 그에게 드라이브를 가자고 안 했을 것이다.

"회의가 있었어요?"

"……응."

"근데 왜 말 안 했어요?"

"네가 드라이브 가자고 했으니까."

[드라이브요?]

그들의 대화를 들은 베르가 기겁하며 소리쳤다.

[지금 드라이브를 가신다고요? 회의가 있는데!]

"저, 그게 베르 씨……."

[아, 오늘 회의는 꼭 참석해야 하는데! 제발 돌아와주세요. 부탁드려요!]

"제발 돌아와달라는데요……?"

시연은 데미안의 눈치를 살피며 조심스레 베르의 의견을 전했다.

못마땅한지 데미안이 손을 내밀었다. 휴대폰을 달라는 의미였다. 중간에 곤란하게 끼어 있는 것보다 둘이 알아서 해결하는 편이 좋을 것 같아 시연은 냉큼 휴대폰을 넘겼다.

데미안은 전화를 받는 대신 종료 버튼을 눌렀다. 처절한 베르의 절규 소리가 메아리처럼 사라졌다. 데미안은 전화를 끊은 것뿐만 아니라 휴대폰 자체를 완전히 껐다.

"이건 나중에 돌려주지."

"네? 아니 그것보다 돌아가야 하는 거 아니에요?"

"괜찮아. 원래 난 회의에 잘 참석 안 해."

"그걸 지금 자랑이라고 말해요?"

시연의 눈매가 사납게 올라갔다. 시연은 내비게이션의 목적지를 집으로 바꿨다.

"어서 돌아가요!"

"바다 보고 싶다더니."

"지금 그게 중요해요? 회의가 중요하지! 자, 빨리 가요! 어서 가서 회의에 참석해야죠."

"벌써부터 잔소리하는 건가."

"이건 잔소리가 아니라……."

그에게 매섭게 한 소리 하려고 했는데 그러지 못한 건 그가 웃고 있었기 때문이었다. 그것도 매우 유쾌하다는 듯 어깨까지 들썩이며 웃고 있었다.

나눈 대화 중에 저렇게 웃을 만한 부분은 없는데 왜 저리 웃는 건지 이해가 되지 않았다.

"아, 미안."

그녀가 빤히 쳐다보자 데미안이 여전히 입가에 미소를 띤 채 말했다.

"네가 원래대로 돌아온 것 같아 안심돼서 그만."

저렇게 말하는데 어떻게 더 말할 수 있을까. 시연은 하려던 말을 삼켰다.

"……미안해요."

그리고 사과를 했다.

"걱정시키려고 한 건 아닌데."

"알아. 그러니까 미안해할 필요는 없어."

데미안은 가볍게 대답하며 가져갔던 휴대폰을 돌려주었다.

휴대폰을 물끄러미 바라보던 시연은 이내 용기를 내서 그에게 물었다.

"무슨 일이 있냐고 안 물어보세요?"

그가 물어봤으면 하는 마음과 물어보지 않았으면 하는 마음이 교차했다.

그가 물어봐주면 속 시원하게 털어놓을 수 있을 테고, 물어봐주지 않으면

이 엄청난 비밀을 숨길 수 있을 테니까.

내비게이션이 과속 단속 카메라가 있다는 것을 알려주자 데미안은 천천히 속도를 줄였다. 그만큼 여유로운 목소리로 그는 시연에게 물었다.

"내가 물어봐줬으면 좋겠어?"

"그건……."

"만약 그런 거라면 지금 질문에 바로 대답했겠지. 한데 바로 대답하지 않는다는 건 고민하고 있다는 거군."

정곡을 찔린 시연은 입을 다물었다. 늘 느끼는 거지만 이 남자는 어쩜 이렇게 자신의 마음을 잘 아는 건지 모르겠다.

"조급해할 필요는 없어."

데미안은 시연의 무릎 위에 가지런히 놓인 그녀의 손을 꽉 잡아주었다.

"앞으로 너와 내가 함께할 날은 우리가 만난 날에 비해 몇백 배는 길 테니까."

"……."

"그러니까 조급해하지 말고 천천히 생각하다가 말하고 싶을 때 말하면 돼. 난 언제나 네 옆에서 기다릴 테니까."

마주 잡은 손은 차가웠지만 이상하게도 따뜻하게 느껴졌다. 그의 마음의 온도인 것 같았다.

평소라면 좋았을 그 온도가 거북하게 느껴지는 건 그를 향한 자신의 마음에 이물질이 생겼기 때문일 것이다. 아직 고민 중이었으니까. 이대로 그의 옆에 계속 있어도 될지 말지.

"알았지?"

"……네."

차마 아니라곤 하지 못하고 그러겠다고 대답하며 시연은 눈을 감았다.

데미안과 더 이야기를 나누는 것이 껄끄러워 자는 척을 하려고 한 것인데 어쩌다보니 진짜 잠이 들었다.

"돌아오셨군요!"

시연이 잠에서 깬 건 격한 베르의 환영 인사가 들렸을 때였다. 어찌나 쩌렁쩌렁한 목소리로 말하는지 문이 닫혀 있는 차 안까지 다 들렸다.

"자, 자, 기다리고 있었습니다. 어서 라오스 지사로 가시지요."

"내가 없어도 되는 회의잖아."

"무슨 소리이십니까! 반려식을 위한 회의인데 데미안 님이 없으면 어떡합니까!"

데미안을 책망하며 시간을 확인한 베르의 눈이 휘둥그레졌다.

"아악! 회의 시작까지 30분밖에 안 남았습니다! 더 미룰 수 없으니 어서 가시죠!"

"아, 전 그럼 이만 내릴게요."

"죄송합니다, 시연 님. 나중에 봐요."

"나중에 보지, 시연."

조금은 요란스러운 배웅이었다. 시연은 그들이 떠나는 걸 끝까지 지켜본 뒤에야 집으로 돌아갔다.

"어서 오세요, 반려님."

집에서 기다리고 있던 티에가 시연을 반갑게 맞이했다.

"저기, 오늘도 바로 방에 들어가실 건가요?"

어제부터 오늘 아침까지 시연의 상태가 이상했으니 그걸 염려한 티에가 시연의 눈치를 살피며 조심스럽게 물었다.

'나 진짜 뭐 하는 거지.'

혼자만의 문제로 괜한 사람을 걱정시키고. 이래선 안 된다는 걸 드디어 깨달은 시연은 좀 더 씩씩하게 웃으며 고개를 저었다.

"아니요. 오늘은 그동안 못 받은 교육을 받을게요."

"괜찮으시겠습니까?"

"네, 그럼요. 걱정하지 마세요."

간만에 훈훈한 대화가 오고 갔다.

시연의 결심이 무색하지 않게 티에는 빡세게 교육을 했고 덕분에 시연은 잠시나마 엄마에 대한 걸 잊을 수가 있었다.

"아, 이 자료는 서재에 있는데."

그래, 잊고 있었는데 서재라는 말에 다시 기억이 났다. 정확히는 데미안의 서재에 있는 엄마의 자료가 떠오른 것이다.

"잠시 서재에 다녀올게요."

"제가 갈게요. 다른 것도 찾아볼 것이 있어서요."

"그러시겠어요?"

"네. 티에는 그동안 반려식에서 입을 드레스 좀 봐주시겠어요? 아까 얼핏 보니 뭐가 묻은 것 같던데."

"어머머, 진짜요? 그럼 안 되죠!"

시연은 허겁지겁 옷 방으로 달려가는 티에를 물끄러미 바라보다가 걸음을 옮겼다.

5층으로 가니 더미들이 그녀를 반겼다. 그녀는 저마다 만져달라며 애교를 부리는 더미들을 가볍게 쓰다듬어준 뒤 곧장 서재로 향했다.

달칵—.

더미도 없이 혼자 서재로 들어온 시연은 전에 봤던 파일을 꺼내 서류를 살폈다.

"레아 크림스."

엄마의 풀네임이었다. '차시숙'이라는 이름에 대해선 전혀 거론이 없는 걸 보면 그 이름은 완벽하게 숨긴 가명이었던 모양이다.

생일과 나이 역시 알고 있던 것과 달랐다. 친딸이면서 여태껏 엄마에 대해 제대로 알지 못했다는 것이 이렇게 부끄러울 수가 없었다.

"나이는 334세. 마몬이 원탁회의 일원이 되기 전 일원으로서, 그녀가 일원의 자리를 내려놓고 물러난 건 약 100년 전이다."

서두의 내용은 딱히 쓸데없었지만 혹시 모르니 한 문장도 놓치지 않고 정독했다.

"약 30년 전, 그녀는 마르스의 연인으로 거론되었지만…… 잠시만, 마르스라고?"

어디서 들어본 이름인데. 잘 기억이 나지 않아 시연은 인터넷을 검색했다. '마르스'라고 치자 신의 강림부터 시작해서 온갖 화려한 미사여구를 단 기사들이 주르륵 나왔다.

"신의 이름이 마르스였구나. 아, 지금은 이걸 볼 때가 아닌데."

어서 레아의 자료를 읽고 나가야 했다. 또 티에가 찾아오면 큰일이니까.

"레아는 마르스의 연인으로 거론되었지만 딱히 그런 기색은 발견되지 않았으며 왜 그런 소문이 돈 건지 이해가 되지 않음."

한 마디로 근거 없는 헛소문이라는 건가. 물론 그럴 것이다. 레아는 마족이었고 마르스는 천족이었으니까.

과거 데미안이 천족인 안느를 반려로 맞이한 걸 보면 천족과 마족의 결혼이 아예 허용되지 않는 것 같진 않았지만 그래도 깨끗하고 순결의 상징인 신이 마족과 연애를 한다는 건 조금 이상했다.

지이잉—.

"아, 깜짝이야."

몰래 자료를 훔쳐보고 있는데 난데없이 휴대폰이 울리자 시연은 화들짝 놀라며 휴대폰을 확인했다.

"뭐야?"

처음 보는 번호였다. 시연은 잠시 호흡을 가다듬은 뒤 전화를 받았다.

"여보세요?"

[다행히도 전화를 받네요.]

"이 목소리는…… 가온?"

[네. 맞아요.]

발신자 제한 번호가 아니라서 그가 아닌 줄 알았는데 그였다니. 실수로 발신자 제한을 하지 않은 건지, 아니면 뭔가 다른 이유가 있는 건지는 알 수가 없었다.

[그래서, 뭔가 좀 알아내셨어요?]

"뭘 물어요? 내가 어디 갔는지 이미 알고 있잖아요?"

[왜 그렇게 생각하시죠?]

"이유는 없고 그냥 직감이에요. 아니에요?"

[뭐, 거짓말은 하지 않겠습니다. 그래요, 알고 있습니다. 사랑 산부인과에 가셨죠?]

역시. 한번 떠본 건데 그가 제 행적을 알고 있다는 사실이 소름 끼쳤다. 도대체 어디서 정보가 샌 건지 의아했다.

"그럼 제가 거기서 뭘 했는지도 아시나요?"

[거기까진 모르겠는데, 말해줄 생각이 있으신가요?]

"제가 미쳤다고 당신에게 말하겠어요?"

그렇다는 건 적어도 그 여자는 안전하다는 말이니 안심이 됐다.

"덕분에 확실히 알았어요. 우리 엄마가 인간이 아니라 마족이고, 7년 전 승계 과정에 도전한 탓에 데미안 씨의 손에 죽었다는 걸."

[와우, 거의 다 알았네요?]

"거의 다? 뭔가 더 있다는 말인가요?"

[글쎄요?]

또 저딴 반응인가. 가온의 그런 행동에는 이미 익숙해져서 화도 나지 않았다.

“도대체 무슨 목적인지는 모르겠지만 혹시 이 일로 날 데미안 씨의 곁에서 떼어놓으려고 하는 거라면 실수예요. 난 떨어질 마음이 없으니까.”

[그럼 모친을 죽인 살인자의 곁에 머물겠다는 건가요?]

저렇게 적나라하게 콕 집어 말하니 차마 그러겠다는 말은 선뜻 나오지 않았다. 아직 마음의 결정을 완전히 내리지 못한 탓이었다.

[흔들리는 거군요. 계속 그 남자의 곁에 있을지, 아니면 떠나야 할지.]

그래서 아무 말도 하지 않았더니 그것 보라는 듯 가온이 낮게 웃었다.

[뭐, 이제 곧 반려식이 다가오기도 하고 이대로 있으면 당신이 너무 불쌍하니 당신이 쉽게 결론을 내릴 수 있게 도움을 드리도록 하죠.]

“제가 불쌍하다고요?”

[네. 오르지 못할 나무에 꾸역꾸역 오르려는 당신이 너무나도 불쌍하고 가엽네요.]

“무슨 의미죠? 오르지 못할 나무라는 게?”

[당신은 절대 그 남자의 반려가 될 수가 없어. 왜냐하면…….]

줄곧 다정하고 온화했던 그의 목소리가 한순간 차가워졌다.

동시에 창밖에서 우르르 쾅, 하고 천둥 번개가 내리쳤다. 소나기가 시작되었다. 조금씩 흐려지던 하늘은 순식간에 먹구름이 드리워지며 완전히 어두워졌다.

[……니까.]

바닥에 주저앉은 시연의 눈동자가 완전한 절망으로 물들었다.

“비가 많이 오는군.”

원탁회의를 끝내고 나온 데미안은 창밖을 바라봤다. 엄청나게 쏟아지고 있었다. 갑자기 이렇게 쏟아지는 걸 보면 단순한 자연현상은 아닌 모양이었다.

"어디 용이 또 승천하는 건가?"

"아무래도요."

용이 죽어 하늘로 승천할 때마다 이렇게 비가 내리고 천둥 번개가 쳤다. 그래서 용족들에겐 이날이 축제와 다름없었다.

"적당한 축하 선물을 보내도록 해."

"알겠습니다. 그리고 이거."

데미안은 베르가 내민 상자를 받아 내용물을 확인했다.

상자 안에는 푸른 보석이 박힌 반지가 들어 있었다.

소피아의 보석이었다.

시연이 이 보석을 아름답게 꾸미고 싶었다는 걸 안 데미안은 그녀의 의견을 존중해서 소피아의 보석을 프러포즈 반지로 쓰기로 결심한 것이다.

"준비는 완벽하게 되고 있겠지?"

"물론입니다. 멋지게 프러포즈를 하실 수 있도록 완벽하게 준비를 해놓았습니다."

베르가 자신만만하게 웃는 걸 보면 그건 걱정할 필요가 없을 듯했다.

반지를 바라보는 데미안의 눈동자에선 금방이라도 꿀이 떨어질 것만 같았다.

"그녀가 좋아했으면 좋겠군."

데미안은 굉장히 행복하게 웃으며 반지를 품에 갈무리했다.

EPISODE 19

금단의 아이

반려식 전날.

반려식 당일에는 새벽부터 일어나서 움직여야 해서 데미안은 평소보다 일찍 귀가했다. 그래도 저녁 8시가 훌쩍 넘어 있었다.

시연은 이미 잠자리에 들었다고 티에가 보고했다.

“오늘도 그녀는 우울해하던가?”

“조금요.”

사실 많이 우울해했지만 시연이 말하지 말라고 신신당부했던 터라 사실대로 말할 수가 없었다.

“데미안 님도 어서 잠자리에 드시지요.”

“그 전에 시연을 보고 가지.”

“하지만 반려님은 지금 주무시는 중이신데…….”

“깨우겠다는 것이 아니야. 잠든 얼굴만 보고 가겠다는 거다.”

데미안은 말리는 티에를 뒤로한 채 4층으로 향했다. 빨랐던 발걸음이 방

안으로 들어가는 순간 느려졌다. 시연이 깰까 봐 걱정한 것이다.
그는 푹신한 카펫 위를 고양이처럼 살금살금 걸었다.
"……데미안 씨?"
그래도 시연의 잠을 깨웠다. 깨어 있는 그녀를 볼 수 있어서 좋긴 했지만 그녀를 깨웠다는 것이 못내 마음에 걸렸다.
"미안."
데미안이 사과하자 시연이 부스스 상체를 일으키며 제 옆자리를 팡팡 두드렸다.
"이리로 와요."
"자야 하지 않나."
"잠 깨워놓고 무슨."
나지막하게 웃는 소리가 참 듣기 좋았다.
데미안은 냉큼 시연의 옆자리에 가서 앉았다. 그러자 시연이 그의 어깨에 머리를 기대왔다.
"……새벽 4시에 창조주에게 허락을 받기 위해 계단에 오른다고 했죠?"
시연이 웃음기가 가신 목소리로 물었다. 약간 고개를 숙이고 있는 터라 그녀의 표정이 어떤지는 알 수가 없었다.
"허락은 어떻게 받는 거예요? 뭔가 특별한 일이 일어나나요?"
"깜짝 놀랄 만큼 특별한 일은 일어나지 않아. 그저 창조주께서 우리의 결혼을 축하한다고 말해줄 뿐이다."
"……만약 허락하지 않으면요?"
"그런 일이 일어날 리가 없잖아."
그리고 절대 일어나선 안 되는 일이기도 했다. 그래서 딱 잘라 말했는데 뭐가 불안한지 시연이 데미안을 쳐다보며 말을 덧붙였다.
"그래서 만약이라고 했잖아요. 만약에, 아주 만약에 창조주께서 허락하지 않으면 어떻게 되는 거예요?"

"글쎄. 한 번도 창조주께서 허락하지 않은 일이 없어서 잘 모르겠는데."

"여태껏 단 한 번도 없었다고요? 그럼 천족이었던 안느 씨를 반려로 맞이할 때도 문제가 전혀 없었나요?"

설마 시연이 먼저 안느에 대한 얘기를 꺼낼 줄이야.

"……그래."

조금 놀라긴 했지만 그녀의 입장에서 생각해보면 궁금해할 만도 했다.

"전에도 말했다시피 내가 특이 체질이라서 어쩔 수가 없었어. 내 기운을 받아낼 수 있는 건 인간과 천족뿐인데 당시 난 군주가 아니었기 때문에 인간을 반려로 맞이해도 그 인간이 마계에서 견딜 수가 없었거든."

그게 바로 군주와 일반 마족의 차이였다.

그래서 데미안이 인간계로 나가서 사는 방법을 고려하던 와중에 천계에서 먼저 제안을 한 것이다. 천족과 마족의 화합이라는 얼토당토않은 이유를 들먹이며.

"꿍꿍이가 있을 거라곤 생각했지만 내 입장에선 받아들일 수밖에 없었다. 단지 천족을 맞이하려면 한 가지 문제가 있기 때문에 그걸 해결하기…… 여기까지 하지. 이만 자야 하잖아?"

"뭘 했는지 알고 있으니까 계속 말해도 돼요."

전부 다 말하는 건 별로 좋은 생각이 아닌 것 같아 일어서려는데 시연이 입을 열었다.

"천족과 마족 사이에선 절대 아이가 태어나면 안 되기 때문에 안느 씨에게 아이를 가질 수 없게 하는 약을 먹였다는 거잖아요."

"……누가 너에게 그런 걸 알려준 거지?"

대답해줄 생각이 없는지 시연은 옅게 웃었다.

"제가 알면 안 되는 내용이었나요?"

"안 되는 건 아니지만 알 필요도 없는 내용이지. 이미 지나간 과거니까."

"그래도 알고 싶은걸요. 데미안 씨가 연관된 일이라면 모두 다."

참으로 사랑스러운 말이 아닐 수가 없었다. 약간 화가 났었는데 그 말에 그의 마음이 눈 녹듯이 풀렸다.

"네 마음은 잘 알겠지만 시간이 늦었으니 이만 자도록 해. 일찍 일어나야 하니까."

데미안은 시연의 이마에 가볍게 입을 맞추며 말했다.

"네가 궁금해하는 건 반려식이 끝나면 알려주도록 하지. 그때는 시간이 많으니까."

"그럼 마지막으로, 정말 마지막으로 간단하게 하나만 물어볼게요!"

더 지체하면 티에가 달려올 것 같아 서둘러 일어서려는데 시연이 옷깃을 잡으며 물었다.

"만약…… 천족과 마족의 혼혈이 태어났다면, 데미안 씨는 어떻게 하실 거예요?"

갑작스러운 질문이었다. 왜 그런 걸 궁금해하는지 의아했지만 시연이 간절하게 알고 싶어해 대답해주었다.

"죽여야겠지."

옷깃을 잡은 시연의 손이 맥없이 떨어졌다. 그녀의 두 눈동자가 부질없이 흔들린다. 하나 데미안은 그걸 보지 못하고 말을 이었다.

"천족과 마족의 혼혈은 절대 존재해선 안 되니까."

"반려님."

새벽 2시. 준비할 시간이 되자 티에는 시연의 방문을 두드렸다.

다행히도 일어나 있었는지 시연은 바로 나왔다. 샤워도 끝마친 상태였다.

"바로 드레스 입을까요?"

"네."

시연은 티에의 도움을 받아 미니 드레스로 갈아입었다. 결혼식이 아닌 창조주에게 허락을 받으러 가는 것이니 파티에 참여하는 것처럼 아주 화려하게 꾸밀 필요는 없었지만 어느 정도 격식은 갖춰야 했다.

드레스의 색은 마족의 상징인 검은색이었다. 눈에 띄는 장식은 많이 없지만 깔끔한 것이 오히려 이 드레스의 매력이었다. 면사포 색 역시 검은색이었다.

이쯤 되니 허락을 받으러 가는 것이 아니라 장례식장에 참여하러 가는 것 같은 느낌이 들었다.

"역시 반려님과 잘 어울리는군요."

시연이 드레스를 입고 나오자 리사가 박수를 짝 치며 아이처럼 좋아했다.

"그러게요."

티에 역시 동감하며 고개를 끄덕였다. 처음으로 둘의 의견이 맞은 것이다. 그들도 어색한지 서로를 한 번 흘겨봤다.

드레스와 액세서리는 리사가 담당했지만 헤어와 메이크업은 티에가 담당했다. 티에가 시연의 메이크업을 할 동안 리사는 가지고 온 보석함을 늘어놓았다.

"드레스가 검은색이니까 액세서리는 다이아로 하는 것이 좋을 것 같아 전부 다이아로 가지고 왔어요. 이 반지, 한번 껴보시겠어요?"

리사는 직접 끼워주겠다며 손을 내밀었다.

그 위에 살포시 손을 올리는 순간 묘한 느낌이 들었다. 하나 리사는 그런 느낌을 전혀 받지 못했는지 해맑게 웃으며 손가락에 반지를 끼워주었다.

"음, 이 반지보단 다른 반지가 나을 것 같은데. 보자. 뭐가 있으…… 윽!"

"리사!"

시연의 손을 잡고 보석함을 이리저리 살펴보던 리사가 바닥에 주저앉았다.

"괜찮아요, 리사?"

"아, 네. 괜찮아요. 갑자기 몸에서 힘이 빠졌을 뿐이에요."

"몸에…… 힘이 빠져요?"

"네. 잠을 제대로 못 자서 그런 것뿐이니 크게 걱정하지 마세요."

"고작 그런 걸로 반려님을 걱정시키다니. 쯧쯧."

티에가 여지없이 핀잔을 줬지만 대꾸할 힘도 없는지 리사는 그에 대해선 아무 말도 하지 않고 다시 시연에게 손을 내밀었다.

"자, 다른 반지도 껴봐야 하니 손 주세요."

"……제가 할게요."

"네? 하지만……."

"됐으니까, 제가 할게요!"

시연은 빼앗다시피 리사의 손에서 반지를 가져가 손에 꼈다. 성난 목소리와 달리 덜덜 떨리는 손이 이상했다.

"이 반지로 할게요."

"아, 그러지 말고 다른 반지도 껴보시는 것이……."

"그냥 이걸로 할게요."

다른 게 더 예쁜 것 같아 아쉬웠지만 시연의 취향이 그쪽이라면 그리 해주는 것이 맞는 것 같아 원하는 대로 해주었다.

시연은 반지뿐만 아니라 다른 액세서리들도 금방 골랐다. 시간적으로 여유가 그렇게 많은 건 아니지만 아예 없는 것도 아닌데 뭐에 쫓기는 사람처럼 서둘렀다.

덕분에 예상보다 준비가 일찍 끝났다. 이제 창조주의 계단으로 연결되는 게이트가 있는 라오스에 가기만 하면 됐다.

"군주님 쪽은 아직 20분 정도 더 있어야 된대요."

데미안의 상황을 보고 온 리사가 상황을 알려주었다. 데미안의 준비도 그렇고 다른 상황들까지 다 고려했을 때 걸리는 시간이었다.

20분을 그냥 기다리는 데 쓰기엔 아까워 메이크업과 헤어도 한 번 더 손보고 혹시 액세서리를 바꿀 마음은 없는지 물어보려는데 그보다 먼저 시연이 입을 열었다.

"둘 다 가서 데미안 씨랑 다른 분들 준비하는 거 도와주세요."

"네? 하지만……."

"메이크업과 헤어 수정은 라오스 가는 길에 해도 되는데 준비가 안 끝나면 출발을 못 하잖아요. 그러니까 가서 도와줘요."

틀린 말은 아니었다. 하물며 손이 부족하다고 여기저기서 난리인 걸 알기에 티에와 리사는 그러기로 결정했다.

"그럼 다녀오겠습니다."

"다녀와요."

시연의 입가에 그려진 미소는 그들이 나가자마자 사그라졌다. 입매를 딱딱하게 굳힌 시연은 두 손을 꽉 마주 쥐며 눈을 질끈 감았다.

"……전부 사실이었어."

그 사이로 눈물이 쉴 새 없이 흘러내렸다. 기껏 공들여 한 화장이 엉망진창으로 번졌다.

한참 울던 시연은 휴대폰을 집어 들었다. 휴대폰을 쥔 손이 알코올 의존증에 걸린 사람처럼 부질없이 떨렸다.

몇 번 심호흡을 한 뒤 통화 목록의 가장 위에 있는 번호를 꾹 누른 시연은 상대가 전화를 받자 천천히 입을 열었다.

"당신이 이겼어요. 당신의 말대로 할게요".

꽉 다문 입술 사이에서 피가 흘러나왔다. 눈물에 섞인 피는 피눈물처럼 뚝뚝 떨어졌다.

"이제 내가 어떻게 하면 되죠……?"

겨우 시연에게 할 프러포즈 준비가 끝이 났다.

프러포즈 장소는 연회장이었다. 반려식을 도와주기 위해 마계에서 온 시종들과 시녀들은 자신들이 만든 결과물을 보며 흐뭇하게 웃었다.

마지막 점검을 위해 온 데미안 역시 흡족하게 웃으며 고개를 끄덕였다.

이제 남은 건 프러포즈의 주인공을 데리고 오는 것이었다.

신이 난 얼굴로 시연을 데리러 간 티에는 잠시 후 퍽이나 당황한 얼굴로 돌아왔다.

"바, 반려님이 안 계십니다!"

"뭐?"

티에의 보고에 데미안을 비롯한 모두가 당황했다. 티에가 거짓말을 할 리는 없지만 믿을 수가 없어 데미안은 직접 그녀의 집으로 향했다.

시연은 정말로 집에 없었다. 화장실부터 시작해서 옷장까지 다 뒤져봤지만 그 어디에도 보이지 않았다. 혹시 다른 층에 있나 싶어 전부 찾아봐도 마찬가지였다.

"도대체 어딜 가신 거지?"

"설마 무슨 일이 생기신 건……?"

시종들과 시녀들은 저마다 쑥덕거렸다. 데미안의 오피스텔에서 시연에게 무슨 일이 생길 가능성은 지구가 멸망할 만큼 적었지만 혹시 모를 일이었다.

"당장 나오를 불러라."

아직 시연의 몸엔 미행용 거미가 있으니 나오라면 시연이 어디 있는지 알 수 있을 것이었다.

하지만 나오는 지금 마몬과 함께 마르스에 대해서 조사하러 간 터라 집에 없었고, 베르가 나오와 연락할 동안 밖을 살펴보려는데 누군가 그의 앞을 막아섰다.

"가시면 안 됩니다."

마몬이었다. 언제 돌아온 건지 알 수 없는 그는 사뭇 진지한 얼굴로 데미안의 앞을 막았다.

"이상한 소리 하지 말고 비켜."

"그분은 인간이 아닙니다!"

저를 스쳐 지나가려는 데미안을 보며 마몬이 소리를 질렀다. 걸음을 멈춘 데미안이 돌아봤다.

"시연이 인간이 아니라니. 무슨 근거로 그런 말을 하는 거지?"

"시연 님의 모친 성함은 차시숙. 다른 이름은 레아."

뜻밖의 이름이 언급되자 데미안은 매우 놀라며 눈을 크게 떴다. 그건 뒤따라오던 베르 역시 마찬가지였다.

마몬은 뚫어질 듯 그를 바라보는 둘의 시선을 차마 똑바로 마주하지 못해 눈을 질끈 감고 말을 이었다.

"시연 님은 천족과 마족의 혼혈인 금단의 아이입니다."

"그럴 리가 없다."

데미안은 바로 마몬의 말을 부정했다.

"시연이 금단의 아이라니! 그게 말이 된다고 생각하는 건가, 마몬?"

"저도 믿고 싶지 않지만 사실입니다."

마몬은 무척이나 괴롭다는 듯 얼굴을 일그러뜨리며 말했다.

"시연 님은 확실히 금단의 아이입니다. 제 이름을 걸고 맹세하겠습니다."

"……아니야."

마몬이 제 이름까지 걸고 맹세하는 걸 보면 확실했지만 도저히 믿을 수가 없어, 데미안은 격하게 부정하며 뒤로 물러섰다.

"시연이 금단의 아이일 리가 없어……."

—그리고 깨달았죠. 그날, 난 괴물이 된다는 걸.

불현듯 시연이 했던 말들이 떠올랐다.

—……그래서 당신도 저랑 같은 능력을 가지고 있다고 생각했어요. 그게 아니고서야 당신에게만 제 능력이 안 통하는 것이 이해가 되지 않았으니까.

음력 보름마다 정신을 잃고 이상한 괴물이 될 뿐더러 인간이면서 다른 사람들의 힘을 빼앗는 시연.

—만약…… 천족과 마족의 혼혈이 태어났다면, 데미안 씨는 어떻게 하실 거예요?

천족과 마족의 혼혈이 태어나면 어떻게 할지 궁금해하던 그녀. 그리고 비정상적으로 시연에게 집착하는 마르스와 가온.

지금 생각해보면 마르스가 단순히 저주를 내렸기 때문에 시연을 어떻게 하려고 한다고 보긴 어려웠다. 저주는 풀면 되는 일이었으니까.

"하……."

여전히 인정하고 싶지 않았지만 그러기엔 퍼즐 조각들이 너무 딱딱 들어맞았다.

"정말로……."

말을 꺼내는 데미안의 목소리가 작게 흔들렸다. 마몬을 바라보는 눈빛 역시 마찬가지였다.

"레아가 시연의 모친인 건가?"

"……저 역시 믿기 힘들어 친자 감정을 해봤습니다. 레아는 이미 죽었으니 그녀의 여동생의 유전자를 가지고 확인했지요. 그리고 결과는……."

"……혈연관계로 나왔겠지."

굳이 말을 끝까지 듣지 않아도 알 것 같았다. 데미안이 선수를 쳐서 말하자 마몬은 말없이 고개를 끄덕였다.

시연이 정말로 레아의 딸일 줄이야. 금단의 아이일 줄이야.

상상도 하지 못했다. 아니, 상상할 수 있을 리가 없었다. 이런 엄청난 비밀이 숨겨져 있을 거라고 어떻게 상상을 했겠는가.

"그, 그럼 시연 님이 스스로 오피스텔을 나간 것도 자신이 금단의 아이라는 것을 알았기 때문에……?"

베르가 조심스럽게 묻자 마몬이 의외라는 듯 그를 돌아봤다.

"시연 님이 스스로 오피스텔을 나간 건가?"

"예. 방금 CCTV를 확인해봤는데 시연 님은 자의로 오피스텔을 나가셨습니다."

"그래? 이상하네. 난 분명히 가온이 움직였을 거라고 생각했는데."

"그게 무슨 소리지?"

난데없는 말에 데미안은 날카롭게 마몬을 쏘아보며 물었다.

"가온이 움직였다고?"

"네. 조금 전, 가온이 호텔에서 나선 것이 포착됐습니다. 처음에는 라오스 지사로 가는 건가 싶었는데 전혀 다른 방향으로 가길래 드디어 움직이는 건가, 하고 생각했습니다. 뭐, 시연 님에게 모든 사실을 알려준 것도 가온일 테지만요."

정확히는 마르스의 명령을 받은 가온일 것이다. 금단의 아이인 시연이 창조주의 계단에 오른다면 그녀가 금단의 아이라는 것이, 마르스의 딸이라는 것이 만천하에 드러날 테니 그 전에 손을 쓴 것이다.

시연에게 모든 사실을 알려줌으로써 그녀가 스스로 데미안의 손을 벗어나 자신들의 손아귀에 들어올 수 있도록.

"그 새끼의 손아귀에서 놀아난 것 같아 기분은 썩 유쾌하지 않지만 이번 일은 잘됐습니다. 덕분에 우리 손은 더럽히지 않아도 되니까……."

쿵—.

"그 입 닥쳐."

무시무시한 기운이 어깨를 짓누른 탓에 마몬은 그대로 자리에 주저앉았다. 그보다 더 약한 베르는 몸을 바닥에 납작 붙이고 있었다.

"누가 누구를 해친다고?"

"구, 군주님."

"내가 그렇게 둘 것 같아?"

심연의 어둠이 깃든 눈동자가 살기로 날카롭게 빛났다.

"마몬, 지금 당장 나오에게 시연의 위치를 추적하라고 말해."

"……그럴 순 없습니다."

"그럴 수 없다?"

데미안의 입매가 비스듬하게 올라갔다. 어깨를 짓누르는 기운이 좀 더 강해져 마몬의 상체는 좀 더 앞으로 숙여졌다.

"시연 님에 대한 군주님의 마음은 잘 알겠지만 이번 일은 이성적으로 생각하셔야 합니다."

그러나 마몬은 굴하지 않고 계속 제 의견을 펼쳤다.

"상대는 무려 금단의 아이입니다. 창조주께서 태초부터 금기시킨 금단의 아이요! 한데 죽이지는 못할망정 구하시겠다니요! 이 일을 창조주께서 아시게 된다면 날벼락이 떨어질 겁니다!"

"……."

"그뿐이겠습니까. 군주님이 밉보이신 것으로 저희 마계 전체가 피해를 입을 수도 있습니다. 그러니 제발 이성적으로……."

"요컨대, 나 혼자 다 뒤집어쓰면 문제가 없다는 거군."

"군……주님?"

마몬을 뒤로한 채 데미안은 외투를 벗고 목을 조이고 있던 넥타이를 느슨하게 풀었다. 그리고 꽉 잠그고 있던 단추 역시 몇 개 풀었다.

데미안의 입가에 그려진 미소는 굉장히 의미심장했다.

"오늘부터 군주의 자리를 내려놓도록 하지."

"……!"

이 무슨 해괴망측한 소리란 말인가. 너무 놀란 마몬과 베르는 말을 잇지 못했다.

"다음 군주는 네놈들이 알아서 정하도록 해. 난 오늘부터 마계와 관련 없는 놈이니까."

"왜 그렇게까지 그분을 지키려고 하시는 겁니까!"

도저히 이해가 안 된다는 듯 마몬은 버럭 소리를 질렀다

"과거 그랬던 것처럼 이 마음 역시 시간이 지나면 없어질 텐데요!"

"지켜주기로 약속했다."

데미안은 시퍼런 힘줄이 설 정도로 주먹을 꽉 움켜쥐었다.

"무슨 일이 있어도 지켜주기로 약속했다. 그건 지금도 변하지 않아. 설령 그녀가 금단의 아이일지라도 말이야."

시연이 금단의 아이라는 건 충격적이었지만 그렇다고 해서 그녀를 향한 마음이 사그라진 건 아니었다.

여전히 그녀를 사랑했다. 그녀가 금단의 아이라는 것이 상관없을 정도로.

"그러니 말릴 생각은 하지 마. 네놈이 협조하지 않겠다면 나 혼자 해결하도록 하지."

데미안이 돌아서자 온몸을 짓누르던 기운들이 사그라졌다.

그제야 숨통이 트인 마몬은 점점 멀어져 가는 데미안의 모습을 물끄러미 바라봤다. 그건 베르 역시 마찬가지였다.

망부석처럼 가만히 서서 점점 멀어지는 데미안을 바라보던 두 악마 중 먼저 움직인 것은 베르였다.

"저, 저도 함께하겠습니다!"

그 말에 데미안은 내딛던 걸음을 멈췄다. 베르는 여전히 돌아서 있는 그의 등을 바라보며 말을 이었다.

"이 목숨이 다하는 그날까지 데미안 님을 모시기로 약속을 했으니 끝까지 함께하겠습니다."

그게 설령 창조주의 뜻에 반하는 행동일지라도.

다급하게 외치는 목소리와 달리 얼굴에는 굳은 결심이 서려 있었다.

그제야 데미안은 베르를 돌아봤다. 복잡한 심정이 담겨 있는 눈빛이었다.

베르는 데미안을 똑바로 바라보며 그를 향해 걸어갔고, 그의 걸음이 데미안의 곁에 거의 닿을 무렵 가만히 있던 마몬이 입을 열었다.

"……하아, 진짜. 하는 수 없지요."

두 악마의 시선을 받으며 마몬은 한숨을 푹 내쉰 뒤 머리를 긁적였다.

"군주님의 뜻이 그러시다면야 따를 수밖에요. 전 군주님을 지키는 7인의 검이니까요."

"마몬 님……."

"단, 군주님이 안전하다는 전제하에서입니다."

마몬은 결심으로 다부진 눈을 매섭게 빛내며 말했다.

“조금이라도 군주님에게 위험하다고 판단되면, 전 상대를 벨 수밖에 없습니다.”

“……그 전에 내 손에 죽을지도.”

“하하, 길고 짧은 건 대봐야 알지요.”

작은 농담에 한껏 굳어 있던 분위기가 조금이나마 풀렸다. 그제야 약간 웃을 수 있게 된 데미안은 구름으로 얼룩진 새벽하늘을 바라봤다.

“……고맙다.”

그의 눈가가 순간 반짝인 것처럼 보인 건 착각일까. 데미안은 크게 숨을 토해내며 말을 이었다.

“정말로 고맙다.”

“……윽.”

정신을 차렸을 때 가장 먼저 느낀 건 지독한 두통이었다. 그리고 온몸이 무언가에 맞은 듯이 아파 신음이 절로 흘러나왔다.

막 정신을 차린 탓인지 눈앞이 흐릿했다. 몇 번 눈을 깜빡이는 것으로 시야를 회복한 시연은 주변을 둘러봤다.

‘창고……인가.’

이런 곳에 기절해 있다는 사실은 결코 평범하지 않았다. 시연은 어떻게 된 건지 알기 위해 천천히 기억을 되짚었다.

‘리사의 생명 에너지를 빼앗는 것으로 내가 금단의 아이라는 걸, 그 남자의 말이 맞다는 걸 확인했어.’

전날, 가온이 말하길, 천족과 마족의 혼혈인 금단의 아이는 접촉하는 이성의 에너지를 빼앗아 결국은 죽음에 이르게 만든다고 했다. 한마디로, 자신이 그런 이상한 능력을 가지고 있었던 건 금단의 아이이기 때문이었다.

하나 그 이상한 능력은 이미 사라진 지 오래였다. 그래서 헛소리하지 말라고 했더니 가온은 웃으며 이렇게 말했다.

—당신의 능력이 일시적으로 사라진 건 그 남자, 데미안의 힘을 많이 삼켰기 때문입니다. 이미 배불리 먹었는데 굳이 더 먹을 필요가 없으니까요. 하지만 그게 되레 그 남자를 죽이는 독이 될 겁니다.

—독……이라고요?

—네. 금단의 아이인 당신이 그 남자의 반려가 되는 걸 창조주께서 허락할 리도 없지만, 만약 허락한다면 당신은 그 남자의 곁에 평생 머물며 그의 힘을 계속 빨아들이겠죠. 그 행위는 결국 그 남자를 죽음으로 이끌 겁니다.

실로 무서운 말이었다. 이 말도 안 되는 능력 때문에, 자신 때문에 그가 죽게 된다니.

상상해본 적도 없었고, 상상하고 싶지도 않았다.

그래서 가온의 말을 믿지 않고 부정했지만 리사의 생명 에너지를 빼앗는 순간, 그의 말이 모두 사실이라는 걸 확실하게 알게 됐다.

그래서 시연은 도망쳤다. 데미안을 죽이지 않기 위해서, 자신이 금단의 아이라는 것이 모두 밝혀진 뒤 그의 손에 죽지 않기 위해서.

자신이 정말 금단의 아이라서, 그래서 이 세상에서 사라져야 한다면 데미안이 아닌 다른 사람의 손에 죽고 싶었다.

사랑하는 사람의 손에 죽는 비참한 최후 같은 건 맞이하고 싶지 않았다.

가온은 오피스텔 앞에 대기하고 있는 차에 타라고 했지만 그렇게까지 그 남자를 믿는 건 아닌지라 차 대신 택시에 탔다.

목적지는 재희의 집.

달리 갈 곳이 없기도 하고 가온을 남자 친구로 두고 있는 그녀라면 뭔가 이야기를 들었을 테니까. 그것이 아니더라도 재희에게 모든 것을 사실대로 말하고 가온과 당장 헤어지라고 말할 생각이었다. 재희가 자신의 말을 믿어 줄지 의문이었지만 그것까지 고민할 시간은 없었다.

혹시 오피스텔 앞에 서 있는 차가 쫓아오면 어쩌나 걱정했는데 다행히도 그런 일은 없었다.

무사히 재희의 집에 도착한 시연이 때마침 집을 나서는 재희를 발견하고 서둘러 택시에서 내리는 순간…….

퍽―.

누군가 뒤에서 머리를 후려쳤다. 고통에 뒷골이 세게 울렸다. 비명을 지를 틈도 없을 정도로 눈앞이 새카맣게 변했고, 정신을 잃었다.

그리고 다시 정신을 차리니 이 낡아 빠진 창고에 버려져 있었다.

'납치당한 거구나.'

올해만 벌써 두 번째인가. 올해는 재수가 없어도 단단히 없을 모양인가 보다. 아니, 데미안을 만난 것으로 모든 운을 다한 것일 수도 있었다.

전에도 비슷한 일이 있었지만 처한 상황은 완전히 달랐다. 지금은 데미안의 도움을 받을 수도 없었다. 하물며 자신을 위기에서 구해준다는 거미 귀고리도 차고 있지 않았다. 즉, 완벽하게 위험에 노출된 것이다.

'가온이 노린 게 이거겠지.'

자신이 데미안의 보호를 벗어나 완벽하게 무방비한 상태가 되는 것을 노렸던 것이다. 그래야 자신을 없앨 수 있을 테니까.

금단의 아이라는 것에 충격 받아 미처 거기까지 생각하지 못했던 것이 실수였다. 처음부터 끝까지 가온의 손에 놀아난 것 같아 썩 기분이 유쾌하지 않았다.

달칵—.

문이 열리는 소리가 들렸다. 뒤쪽이었다.

창고 안에 고즈넉하게 울려 퍼진 발걸음 소리는 시연의 바로 앞에서 멈췄다. 먼지로 뒤덮인 창고와 달리 먼지 하나 묻지 않은 구두코가 인상적이었다.

"깨어났군요."

익숙한 음성이었다. 자신의 눈높이에 맞춰 무릎을 굽히는 상대의 얼굴 역시 익숙했다.

"역시 당신이었어."

시연은 제 앞에서 싱글벙글 웃고 있는 가온을 차갑게 쏘아보며 말했다.

"날 없애기 위해 이렇게까지 머리를 썼을 거라곤 생각지도 못했어요. 똑똑하다고 칭찬해줘야 하는 건가요?"

"당신에게 칭찬받기 위해 한 일은 아니니 그건 받지 않겠습니다."

"왜 그렇게 날 없애려고 하는 거죠? 내가 금단의 아이이기 때문인가요?"

"그 이유가 가장 크긴 하지만 꼭 그것 때문만은 아닙니다. 만약 그 이유 때문이라면 번거롭게 제 손으로 당신을 죽이려고 하지 않고 세상에 당신이 금단의 아이라는 걸 공표했을 테니까요."

"그럼 도대체 왜…… 설마 내 아버지가 신이기 때문이야?"

데미안의 자료에 의하면 레아는 마르스의 연인이었다고 했다. 그것도 약 30년 전에. 몇 년의 오차가 있긴 하지만 대충 시기를 따져보면 부친이 마르스라는 건 어렵지 않게 짐작할 수 있었다.

"그래서 날 쥐도 새도 모르게 없애려는 거야? 자신의 오점을 남기지 않기 위해서?"

"딩동댕!"

박수를 짝 치며 잘했다고 칭찬하는 모습이 짜증났다. 한 대, 아니 열 대 쥐어박고 싶었지만 그러지 못하는 현실이 안타까웠다. 시연은 이를 악물었다.

"그러고도 그 새끼가 아버지야?"

그러면서 단 한 번도 직접적으로 얼굴을 본 적이 없는 부친을 향해 화를 쏟아냈다.

"자신의 오점을 남기지 않기 위해서 딸을 죽이려고 하다니!"

"그분은 당신의 아버지이기 전에 신이니까요."

가온은 뭘 그리 당연한 걸 묻느냐는 듯 대답했다.

"신에게 그런 오점은 치명적이거든요. 하물며 당신은 금단의 아이이지 않습니까?"

"……."

"그러니까 창조주의 예언에 따라 당신을 죽이려는 겁니다. 그 방법이 조금 은밀할 뿐이죠."

말이나 못하면 밉지나 않지, 번지르르하게 늘어놓는 말 때문에 더욱 화가 치밀어 올랐다.

"아직 시간이 남았으니 이야기를 좀 더 하도록 하죠."

무슨 시간이 남았다는 거지? 영문 모를 말에 그를 다시 돌아보자 가온이 씩 웃었다.

"어떤 이야기를 하는 게 좋을까요. 아, 당신 모친 이야기를 해볼까요?"

"엄마…… 이야기?"

"네. 레아의 이야기를 해보도록 하죠. 어디서부터 하는 것이 좋을까요."

허공으로 시선을 돌린 채 잠시 생각에 잠긴 가온은 잠시 후 천천히 이야기를 시작했다.

"오래전, 당시 신이 아니었던 마르스 님께선 신이 되기 위해 세 명의 연인을 만들었습니다. 그중 한 명이 바로 당신의 어머니인 레아였죠."

마르스가 자칫 오명이 될 수도 있는 고위 마족인 레아를 연인으로 삼은 건 마계에 관한 정보를 얻기 위함이었다. 그래야 공을 세워 신의 자리에 오를 수 있을 테니까. 다른 일족의 여자들을 연인으로 삼은 것도 같은 이유에서였다.

"덕분에 마르스 님은 신의 후보로 발탁되셨습니다. 더 이상 레아와 관계를 유지하는 건 위험하니 바로 관계를 끊으려고 했지만……."

그런데 오류가 생기고 말았다. 레아가 임신을 한 것이다. 이를 안 마르스는 불같이 화를 내며 아이를 지우라고 했지만 레아는 그 뜻을 따르지 않고 잠적했다.

"그 후 마르스 님께선 신의 자리에 오르셨고, 자신의 오점이 될 수 있는 금단의 아이를 없애기 위해 레아와 아이를 찾아다녔지만 좀처럼 찾을 수가 없었죠."

그래도 포기하지 않고 끊임없이 찾아다녔는데 7년 전, 돌연 레아의 소식이 들려왔다.

"그것도 무려 승계 과정에 도전했다는 소식이 말입니다."

레아가 승계 과정에 도전하다니. 뜻밖의 소식이었지만 덕분에 그녀가 마계에서 나가지 않았다는 것을 알게 된 마르스는 곧장 마계를 뒤지며 레아의 딸을 찾아다녔다.

"마계의 눈을 피해 열심히 찾아다녔지만 그 어디에서도 찾을 수 없었죠. 하물며 레아가 사랑하는 아이를 두고 죽는 길을 선택했을 리는 없다고 생각한 마르스 님께선 레아가 아이를 낳지 못했다고 판단을 내렸습니다."

하지만 그게 아니었다. 레아는 아이를 낳았던 것이다. 그것도 마계가 아닌 인간계에서.

"어떻게 레아가 기록 없이 인간계와 마계를 오고 간 건지는 모르겠지만 금단의 아이가 인간계에서 태어났다는 사실을 알게 된 마르스 님께선 당장 레아의 아이를 찾아다녔습니다."

그 결과 마르스는 레아가 사랑 산부인과에서 출산을 했다는 것까지 알아냈다.

거기에 금단의 아이에 대한 정보를 더해 마르스는 레아의 아이, 시연을 찾아다닌 것이다. 그동안 연쇄 살인이 일어난 것도 그 때문이었다.

"그럼 그들은 왜 죽인 거죠? 금단의 아이가 아니라는 걸 알게 됐으면 그냥 살려서 돌려보내도 되는 거잖아요!"

"그들이 죽은 건 저 역시 무척이나 가슴 아픕니다만 제가 내린 명령은 아닙니다. 저는 그저 금단의 아이가 아니라면 제게 보고할 필요 없이 알아서 처리하라고 했을 뿐이죠."

"그게 그 말이잖아요!"

"음? 어딜 봐서요?"

전혀 모르겠다는 듯 눈을 깜빡이는 모습이 가증스러웠다. 구역질이 나올 정도였다.

"아, 이야기가 다른 곳으로 새어버렸군요."

하려던 이야기는 이게 아닌데. 가온은 가볍게 혀를 내찼다.

"레아가 그 남자, 마계의 군주 손에 죽은 건 알고 있죠?"

시연은 대답 대신 가온을 물끄러미 쳐다봤다.

설마 확인 사살을 시켜주려는 건 아닐 테고, 그 이야기를 또 꺼내는 그의 의도를 알고 싶었기 때문이다.

"그러면 그거는 알고 있습니까? 그녀가 죽은 건 승계 과정 전이라는 사실을요."

"그게…… 무슨 말이죠?"

"아, 역시 이건 모르셨군요."

시연의 눈동자가 크게 요동치는 것을 본 가온의 입가에 미소가 깊어졌다.

"도전자가 승계 과정에 도전하기 위해 결투장에 오르면 마계 전체에 종이 울리게 되어 있습니다. 하지만 그날, 종이 울리진 않았어요. 그게 뭘 의미하는 건지 아십니까? 레아가 결투장에 오르지 않았다는 겁니다. 즉, 그 남자의 손에 죽을 이유가 없다는 거죠."

더는 가온의 말을 들어선 안 될 것 같은 기분이 들었다. 그러니 그의 입을 막고 싶었지만 손과 발이 묶인 상태에선 불가능했다.

"한데도 그 남자는 레아를 죽였습니다. 얄팍한 자존심 때문에. 감히 제게 도전한 그녀가 마음에 들지 않았던 거죠."

그러니까 가온의 말을 요약하자면 레아는 승계 과정에 도전장을 냈지만 어떤 이유로 결투장에 오르지 않았다. 그러니 그녀가 죽을 필요는 없었는데 자존심이 상한 데미안이 그녀를 죽였다는 건가.

'뭐야, 그게.'

도저히 믿기지 않았다. 아니, 믿을 수가 없었다. 만약 그게 사실이라면 데미안을 절대 용서할 수 없을 것 같았으니까. 그러니 믿고 싶지 않았다.

저 말이 사실이면 어떡해야 할까. 정말로 그가 죽지 않아도 되는 엄마를 고작 자존심 때문에 죽인 거라면 어떡해야 할까.

실타래가 엉킨 듯 머릿속이 엉망진창으로 변했다.

덜컹—.

"아, 드디어 왔군요."

가온은 반색하며 문 쪽을 바라봤다. 누군가 온 모양이었다.

발소리는 하나가 아닌 여럿이었다. 몇 명이 온 건지는 알 수가 없었다.

누가 왔던 간에 제게 도움되는 사람은 아닐 테니 시연은 바짝 긴장하며 경계했다.

가온에게 다가온 소년은 그에게 검을 넘겨주었다. 손끝을 살짝만 가져다 대도 베일 것 같은 날카로운 날은 요상한 붉은 빛으로 빛나고 있었다.

"그거 아십니까? 금단의 아이는 평범한 방법으로 죽일 수 없습니다. 마계의 군주와 신의 힘이 융합된 특수한 금속으로 만든 검으로만 죽일 수 있지요. 그래서 지금까지 계속 기다렸습니다. 이 검이 오기를."

"그 말은……."

"네."

가온의 눈동자가 유쾌하게 휘었다. 그 안에 반짝이고 있는 기운은 살기였다. 가온은 검을 시연 쪽으로 겨누며 말했다.

"이제 당신을 죽일 수 있다는 의미입니다."

반려식은 일시적으로 중지됐다.

인간인 줄 알았던 시연이 사실은 금단의 아이이고 그 때문에 그녀가 도망쳐서 일시적으로 중지한다곤 말할 수 없으니 데미안은 갑작스레 주기가 와서 그런 거라고 대충 둘러댔다.

말도 안 되는 핑계였지만 데미안의 말에 감히 토를 달 이종족은 없었다. 가온이 없어서 더욱 그랬다.

"서울을 벗어나신 것 같습니다."

나오는 시연의 체내에 심어둔 미행용 거미를 통해 금방 시연을 찾아냈다. 그녀가 의식이 없다는 것까지 전부.

"역시 납치를 당한 건가."

"가온이 이 좋은 기회를 놓칠 이유는 없으니까요."

상황이 영 좋지 않았다. 그나마 나오를 통해 시연의 상태를 지속적으로 확인할 수 있는 것이 위안이 됐다.

그들이 타고 있는 차는 나오가 안내해주는 방향으로 향했다. 운전은 더미가 했다. 베르는 함께 오지 않고 데미안이 시킨 다른 일을 하고 있었다.

"이쪽으로 가면 가평인데."

표지판을 발견한 데미안이 살짝 놀라며 나오를 돌아봤다.

"설마 시연이 가평에 있는 건가?"

"그런 것 같습니다."

가평이라니. 그곳은 죽은 가브리엘과 한재혁이 발견된 장소였다.

한데 시연이 그곳에 있다는 건 단순히 우연이라고 보기엔 너무나도 절묘했다. 뭔가 있는 것이 분명했다.

—마르스에겐 아무도 모르는, 혼자만 알고 있는 게이트가 있는 것이 아닐까 하고요.

도대체 무슨 연관 관계가 있을지 생각하고 또 생각하던 데미안은 불현듯 전에 티타아니아가 했던 말을 떠올렸다.

'혹시 그 게이트가 가평에 있는 건가?'

가능성은 충분히 있었다. 거기까지 생각이 미친 데미안은 제 옆에 앉아 있는 마몬에게 명을 내렸다.

"지금 당장 가평 일대를 수색해라."

"네?"

갑작스러운 말에 마몬은 의아하다는 얼굴로 데미안을 돌아봤다.

"시연 님을 찾으시는 거라면 지금 나오가……."

"시연을 찾는 게 아니야. 마르스가 개인적으로 사용했을지도 모르는 게이트를 찾는 거다."

"개인적으로 사용하는 게이트요?"

마몬은 적지 않게 당황하며 되물었다. 당황한 건 조수석에 앉아 있던 나오 역시 마찬가지였다. 만약 베르도 있었다면 그 역시 당황했을 것이다.

"아무리 신이라곤 하지만 등록되지 않은 개인적인 게이트를 가지고 있을 리가…….”

“가능성이 있다는 건 너도 어렴풋이 눈치채고 있었을 텐데?”

정곡을 찔렸는지 마몬은 입을 다물었다. 그동안 이것저것 알아보고 다닌 마몬이 이걸 눈치채지 못했을 리는 없었다.

한데 여태 말하지 않았던 건 그만큼 개인적인 게이트를 가지고 있는 것이 말이 되지 않았기 때문이다. 말은 이렇게 하고 있지만 데미안 역시 아직 반신반의하고 있는 중이었다.

“정황상 가평에 있을 가능성이 높아. 그러니까 일대를 수색해봐라.”

“알겠습니다.”

차가 멈추지도 않았는데 마몬은 문을 열고 뛰어내렸다. 그러나 그 누구도 놀라지 않았다.

새벽이라 도로엔 차가 많지 않았다. 거기에 더미의 뛰어난 운전 실력까지 더해지니 차는 한 번의 멈춤 없이 계속 달렸다.

덜컹—.

“앗!”

그 순간 운전석에 검은 어둠이 모여들더니 더미를 집어삼켰다. 운전자를 잃은 차가 흔들렸다.

나오는 재빠르게 숨겨둔 팔을 뻗어 핸들을 고정했다. 운전석에 모인 검은 어둠은 더미를 집어삼키고 베르를 뱉어냈다. 베르는 창백한 얼굴로 희미하게 웃었다.

“제때 도착한 것 같아 다행이네요.”

베르가 가지고 있는 능력 중 하나로 그는 더미와 자신의 위치를 바꿀 수 있었다.

차원을 넘나드는 것도 가능한 아주 유용한 능력이었지만 문제는 힘을 많이 소모하기 때문에 자주 사용할 수가 없었다.

"여기 말씀하신 책 가지고 왔습니다."

데미안은 베르가 넘겨주는 책을 건네받았다. 굉장히 낡은 책이었다. 제목이 없어서 겉보기엔 무슨 책인지 알 수가 없었다.

앞부분에는 원하는 것이 없는지 설렁설렁 책장을 넘기던 데미안의 손이 멈췄다. 그는 진지하게 책을 정독했다.

뭘 저렇게 진지하게 읽는지 궁금했던 나오는 작은 입 모양으로 베르에게 물어보았다. 베르는 똑같이 입 모양으로 '금단의 아이에 관한 책'이라고 대답해주었다.

"하."

책을 읽던 데미안의 입에서 깊은 탄식이 터져 나왔다. 안 그래도 새카만 눈동자가 더욱 어둡게 가라앉았다.

"이런 방법이 있을 줄이야……."

긴 한숨을 연거푸 내쉬며 책을 덮은 데미안은 창밖을 바라봤다. 생각이 많은 얼굴이었다. 감히 말을 붙이기가 어려울 정도였다.

"군주님, 시연 님이 깨어나셨습니다."

그래도 이 소식은 전해야 할 것 같아 나오는 조심스럽게 말을 꺼냈다.

데미안은 그제야 나오를 돌아봤다. 시연이 깨어났다는 소식을 들어서인지 그의 얼굴은 한층 차분했다. 뭔가 대단한 결심을 한 것처럼 보이기도 했다.

"시연의 상태는?"

"긴장한 것처럼 보이긴 하나 다치거나 하진 않았습니다."

불행 중 다행이었다. 만약 시연에게 무슨 일이 생겼다면 바로 능력을 사용해서 그녀에게 날아갔을 테니까.

마음 같아선 지금 당장 사용하고 싶었지만 앞으로 어떤 일이 있을지 모르니 웬만하면 힘을 사용하는 건 자제하는 편이 좋았다. 괜히 폭주라도 하면 그땐 돌이킬 수 없을 테니까.

나오의 안내에 따라 새벽의 안개가 내려앉은 도로를 내달리던 차는 어느덧 시연이 있는 곳으로 추정되는 장소에 도착했다.

주변은 온통 새카맸고 아무것도 보이지 않았다. 이런 곳에 시연이 있을 리가 없었다.

나오는 자신이 잘못 추적한 건가 싶어 다시 확인해봤지만 확실했다. 근처에서 미행용 거미의 반응이 느껴졌다.

한데 왜 아무것도 보이지 않는 걸까, 의아해하고 있는데 데미안이 덜컥 차에서 내렸다. 그 뒤를 따라 베르까지 내렸다.

다들 내리는데 가만히 있을 수 없어 나오 역시 내리려는 순간…….

쿵—.

데미안이 허공에 주먹질을 했다. 그러자 거대한 파동과 함께 그가 내려찍은 공간이 일그러졌다. 결계가 있었던 것이다. 미행용 거미의 반응은 있는데 아무것도 보이지 않은 이유였다.

얼마나 견고한지 결계는 몇 번을 내리쳐도 좀처럼 부서지지 않았다.

그렇다면 좀 더 강한 힘으로 내리치는 수밖에. 여기서 더 힘을 사용하면 힘이 요동치겠지만 어쩔 수가 없었다.

"둘 다 물러나 있어."

"구, 군주님…… 반려님의 상태가……!"

쨍그랑—.

나오의 다급한 외침이 채 맺어지기도 전에 결계가 완전히 깨졌다. 데미안이 깬 것이 아니었다. 다른 강력한 기운이 결계를 깬 것이었다. 데미안이 순간 당황하며 뒤로 물러설 만큼 아주 강력하고 이질적인 기운이.

태어나서 처음 느껴보는 기운이었다. 천족의 것도, 마족의 것도 아닌 오묘한 기운.

"군주님, 이 기운은 설마……."

"……깨어난 모양이군."

대답을 뒤로한 채 데미안은 성큼성큼 결계 안쪽으로 들어갔다.

데미안도 긴장할 만큼 강력한 기운에 한 발, 한 발 내딛는 것이 무섭고 두려웠다. 하지만 데미안을 혼자 보낼 수는 없어 베르는 용기를 내서 뒤를 따라갔다. 일개 이종족인 나오는 한 발짝도 떼지 못했지만.

결계 안에는 낡은 건물 하나가 숨겨져 있었다. 정체를 알 수 없는 힘은 건물 안에서 흘러나왔다.

건물과 점점 가까워질수록 힘의 기운이 또렷하게 느껴졌다. 그 위로 짙은 피 냄새가 났다. 설마, 시연이 다친 걸까?

불길한 예감이 들어 데미안은 황급히 문을 열었지만 들어갈 수가 없었다. 어떻게 들어가겠는가. 이 참혹한 현장 속으로.

마족인 그가 보기에도 창고 안은 엉망진창이었다. 사방에 피가 튀어 있었고, 바닥에는 사지가 분리된 시체들이 즐비했다. 그 사이로 흘러나온 내장들은 볼 때마다 구역질이 났다.

"……."

그 잔혹한 주변의 풍경보다 먼저 데미안의 눈을 사로잡는 것이 있었다.

피로 샤워한 듯 온몸에 피를 묻히고 있는 여자였다. 마치 아수라장에서 피어난 한 떨기의 꽃처럼 여자는 꼿꼿이 서 있었다.

그녀가 들고 있는 붉은 칼에선 그보다 더 붉은 핏물이 줄줄 흘러내렸다. 이 사달을 낸 범인이 저 여자인 모양이다.

가브리엘이나 가온처럼 화사한 금발을 가지고 있는 여자의 등 뒤에는 날개가 곧게 뻗어 있었다.

오른쪽은 새하얀 천사 날개였고, 왼쪽은 새카만 악마 날개였다. 누가 봐도 천족과 마족의 혼혈이라는 증거였다.

그렇다는 건 저 여자가 시연이라는 의미. 입고 있는 옷만 봐도 그녀가 시연이라는 건 확실히 알 수 있었다.

"……시연."

데미안이 작은 목소리로 그녀를 불렀지만 듣지 못했는지 그녀는 대답이 없었다. 그저 물끄러미 바닥을 응시하고 있을 뿐이었다.

좀 더 가까이 다가가서, 좀 더 명확하게 그녀를 불러야 할 것 같아 다가서려는데 뭔가 쓰러지는 소리가 들렸다. 뒤를 돌아보니 베르가 바닥에 쓰러져 있었다.

"으윽……."

베르의 몸이 조금씩 쭈글쭈글하게 변했다. 마치 힘을 빨린 것처럼.

'설마, 금단의 아이가 깨어났기 때문인가.'

문헌에 따르면 금단의 아이는 존재 자체만으로 주변 생명체의 생명 에너지를 빼앗아간다고 했다.

그동안 시연이 접촉한 상대의 힘을 빼앗아간 것도 그 때문이었다. 단지 완전히 각성하지 않아 접촉한 상대에 그쳤을 뿐, 지금은 완전히 각성했으니 주변에 있는 이들의 기운까지 무자비하게 빼앗아간 것이었다.

그래서 창조주는 금단의 아이의 존재를 부정하며 없애라고 예언을 했던 것이다.

'근데 왜 난 괜찮은 거지?'

데미안은 제 손을 물끄러미 쳐다봤다. 누군가 제 힘을 빨아당긴다는 느낌은 있었지만 전혀 괴롭지 않았다. 되레 개운했다. 구정물에서 뒹굴다가 막 샤워를 하고 나온 느낌이라고나 할까.

'설마 그 이유 때문인가.'

문득 머릿속을 스치는 생각에 데미안의 입꼬리가 유쾌하게 올라갔다. 상황과 전혀 어울리지 않는 웃음이었다.

데미안은 주먹을 가볍게 쥐었다가 펴며 베르에게 말했다.

"베르, 멀리 떨어져 있어라."

"하오나 데미안 님……."

"명령이다."

데미안에게 무슨 일이 생길지 몰라 그의 곁에 있었지만 몸이 견디지 못했다. 베르는 어쩔 수 없이 물러났다. 창고에서 멀리 떨어지면서도 베르는 몇 번이고 넘어졌다.

베르가 나간 창고는 고요한 정적만이 감돌았다. 시연은 여전히 반응이 없었다. 마치 그녀의 탈을 쓴 인형 같았다.

"시연."

데미안이 창고 안으로 발을 내디디며 그녀의 이름을 부르자 그제야 데미안이 온 걸 눈치챈 시연은 그를 돌아봤다.

살짝 놀란 듯 눈동자가 크게 뜨였다. 푸른색과 붉은색으로 빛나는 오드아이엔 눈물이 가득 차 있었다.

"내가…… 한 거 아니에요."

검을 쥔 손이 불안하게 떨렸다. 몇 걸음 뒤로 물러선 시연은 결국 검을 떨어뜨렸다. 시연은 두 손으로 얼굴을 가리며 고개를 저었다.

"아니, 내가 한 게 맞을지도요…… 전혀 기억나지 않지만……."

변명으로 들릴지 모르겠지만 시연은 아무것도 기억하지 못했다. 가온이 검을 휘두르는 순간 퓨즈가 나간 듯 머릿속이 캄캄해졌으니까. 그러다가 코를 찌르는 피비린내를 맡고 다시 정신을 차렸을 땐 이미 상황은 종료된 후였다. 주변은 아수라장이 되어 있었고, 자신은 그 중심에 가온의 검을 들고 서 있었다. 이상한 모습으로 변한 채.

'본 적이 있어.'

아주 옛날에 이 모습을 한 번 본 적이 있었다. 엄마를 죽이려고 했을 때였다. 한데 여태 잊고 있었던 건 모두 엄마가 한 말 때문이었다.

―할로나, 이 모든 건 꿈이란다. 그러니까 전부 잊으렴. 네가 잘못한 건 아무것도 없어. 모든 건 엄마가 잘못한 것이니까.

그땐 너무 어려서 엄마가 한 말을 이해하지 못했었다. 하물며 그토록 사랑하는 엄마가 한 말이니 그 말을 철썩같이 믿으며 그때의 일은 완전히 기억 저편에 묻어두었는데 전부 기억이 나버렸다. 하나도 빠짐없이 전부.

"나 이제 죽는 건가요?"

시연의 뺨을 타고 눈물이 끊임없이 흘러내렸다.

"금단의 아이니까, 이제 죽게 되는 건가요? 창조주의 예언에 따라서?"

여기서 죽지 않는다고 하더라도 완전히 금단의 아이로 각성해버렸으니 그녀의 존재가 들키는 건 시간문제였다. 그러니 곧 죽임을 당할 것이었다.

그 사실이 너무 무서워 견딜 수가 없었다. 시연은 두 손으로 얼굴을 가린 채 눈물을 펑펑 흘렸다. 데미안은 그런 시연을 말없이 쳐다봤다. 무표정한 얼굴은 무슨 생각을 하는지 알 수가 없었다.

"……그래."

데미안은 짤막하게 말을 뱉으며 손을 앞으로 뻗었다. 그의 손에 어둠이 몰려들더니 어둠은 곧 한 자루의 날카로운 검이 됐다. 데미안은 그 검을 시연 쪽으로 겨누며 말했다.

"창조주의 예언에 따라 금단의 아이인 넌 죽어야겠지."

평소 들었던 다정한 음색이 아니었다. 차갑고 시린, 처음 그를 만났을 때보다 더 차갑게 가라앉아 있었다.

"……엄마도 그렇게 죽인 건가요?"

그 음색을 들으니 가온이 했던 말이 떠올랐다. 아직도 믿기지 않는 아니, 절대로 믿고 싶지 않은 말이.

“당신이 엄마를 죽였다는 거 알고 있어요. 엄마가 승계 과정에 도전했기 때문이죠. 한데 그 남자가 이상한 말을 하더라고요. 비록 엄마가 승계 과정에 도전하긴 했지만 결투장에 오르진 않았다고, 그래서 죽이지 않아도 됐는데 당신이 얄팍한 자존심 때문에 죽였다고.”

“…….”

“아니죠? 그 남자의 말이 거짓말이죠?”

“……사실이다.”

줄곧 말이 없던 데미안은 좀 전보다 더 차갑게 가라앉은 목소리로 대답했다.

“그 남자가 한 말, 전부 사실이다.”

“거짓말!”

시연은 거세게 소리를 지르며 부정했다. 그 안에는 온갖 감정이 복합되어 있었지만 절망과 배신감이 가장 컸다.

“거짓말이라고 해줘요! 사실이 아니어도 좋으니까, 제발 거짓말이라고 해줘요……!”

“……레아가 어떻게 죽었는지 듣고 싶은 모양이군.”

“아니야, 듣고 싶지 않아.”

시연은 귀를 틀어막으며 부정했지만 데미안은 말하는 걸 멈추지 않았다.

“이 검으로 베었다. 도전장을 던져놓고 이제 와서 목숨이 아까우니 살려달라고 애원하는 레아의 목을 내가 베었어.”

데미안이 말한 것이 고스란히 머릿속에 그려졌다. 그의 바지 자락을 잡고 살려달라고 애원하는 엄마의 모습이 너무나도 생생하게 그려져 괴로웠다.

“네 말대로 그녀는 살 수 있었다. 내가 그대로 보내줬다면 말이야. 하지만 내가 그걸 허용해줬을 것 같아?"

가소롭다는 듯 데미안은 입매를 비틀며 말했다.

"감히 내 자존심에 스크래치를 낸 애송이를 내가 살려둘 리가 없잖아."

전부 사실이었다니. 거짓이길 바랐던 것들이 전부 사실이었다니. 누군가 해머로 뒤통수를 내려친 듯 머리가 어질어질했다.

다리에 힘이 풀린 시연은 자리에 그대로 주저앉았다.

"……당신을 미워하지 않으려고 했어요."

눈물이 시야를 가려 앞이 잘 보이지 않았다.

"당신이 엄마를 죽였다고 해도…… 어쩔 수 없는 거니까…… 당신이 살려면 그래야만 했을 거라고 생각하면서 당신을 미워하지 않으려고 했어요……."

한데 그게 아니었다. 진실은 좀 더 참혹하고 잔인했다. 차라리 몰랐으면 했던 진실을 실제로 마주하는 건 정말로 끔찍했다.

"당신 자존심이 그렇게 대단한가요? 얼마나 대단한 자존심이면 고작 자존심에 스크래치를 냈다고 살려달라고 애원하는 상대를 죽일 수가 있어요? 도대체 얼마나 대단하면!"

"너 같은 미물은 이해 못할 만큼 대단하지."

데미안은 뭘 그리 당연한 걸 묻느냐는 듯 대답했다.

"난 마계의 군주니까."

욕지기가 저절로 차올랐다. 그를 믿었기 때문에, 자신의 치부를 모두 공개했을 만큼 그를 믿었기 때문에 돌아오는 배신감은 너무나도 컸다. 더 화가 나는 건 이 와중에도 그를 향한 마음이 식지 않았다는 것이다. 여전히 그를 사랑했다. 그래서 더욱 그가 미웠다. 사랑이 애증이 되어버린 것이다.

시연은 바닥에 떨어뜨린 검을 움켜쥐었다. 그러자 데미안이 시연 쪽으로 다가갔다.

"다가오지 마요!"

시연은 날카로운 검의 날을 데미안 쪽으로 겨누며 말했다.

"다가오면 찌를 거예요!"

"내가 널 찌르는 게 빠를까, 아니면 네가 날 찌르는 것이 빠를까."

굳이 생각하지 않아도 답은 정해져 있었다. 당연히 데미안이 찌르는 것이 더 빠를 것이다.

'하지만 죽진 않겠지.'

가온이 분명 금단의 아이를 죽일 땐 신과 마계의 군주 힘이 융합된 검을 사용해야 한다고 했으니까. 데미안이 휘두른 검에 다칠 순 있어도 결코 죽진 않을 것이다. 데미안은 그 사실을 전혀 모르는 것 같았지만.

그러니 확실히 도박을 해볼 만했지만 그러기엔 그를 너무 좋아해서, 저런 소리를 듣고도 멍청하게 그를 좋아하기 때문에 망설여졌다.

"답은 이미 알고 있겠지, 시연?"

하지만 데미안은 그렇게 생각하지 않는지 망설임 없이 시연 쪽으로 걸음을 옮겼다. 조금도 고민하지 않는 발걸음이었다.

"날…… 좋아한다고 했잖아요."

시연은 그런 데미안을 물끄러미 바라보며 물었다. 울고 싶지 않았는데 참지 못한 눈물이 폭포수처럼 떨어졌다.

"나를 향한 당신의 마음은…… 정말 이렇게 단호하게 끊어낼 수 있는 거였나요?"

"내가 전에 분명히 말했었지. 그 누구도 믿지 말라고. 지인도, 연인도, 가족도."

"……."

"한데 나를 믿었던 건가? 악마인, 마족인, 마계의 군주인 나를?"

가소롭다는 듯 웃는 얼굴이 퍽이나 재수 없으면서도 심장이 두근거리니 아이러니했다.

"이제 작별을 고할 시간이군."

사랑한다고 다정하게 속삭여주던 남자는 더 이상 없었다. 모든 건 한여름 밤의 꿈처럼 산산조각 났다.

'그렇다면 나도 마음을 단단히 먹어야지.'

언제까지 지나간 과거에 매달릴 수는 없으니까. 마음을 단단히 먹자고 생각한 시연은 검 손잡이를 꽉 움켜쥐며 자리에서 일어섰다.

쨍그랑—.

검과 바닥이 부딪치는 소리가 요란스럽게 울려 퍼졌다. 시연이 검을 데미안의 앞으로 던진 것이다.

"뭐 하는 짓이지?"

이해되지 않는 시연의 행동에 데미안이 작게 눈살을 찌푸리며 그녀를 바라봤다.

"이 검을 왜 나한테 주는 거지?"

"모르시는 것 같아서요. 금단의 아이를 죽이려면 천족과 마족의 힘이 융합된 그 검으로만 죽일 수 있다는 걸요."

"뭐?"

그 말은 마치 자신을 죽여달라는 말 같지 않은가.

"내가 널 죽이지 못할 거라고 생각하는 건가?"

"아니요. 되레 할 수 있을 것 같아 주는 거예요."

"……."

"하지만 난 할 수 없어요. 아무리 생각해도 난 당신을 찌르지 못할 것 같으니까."

어느덧 눈물이 멈췄다. 마음을 굳게 먹은 덕분인 것 같았다.

시연은 한층 차분하게 가라앉은, 그러나 그 어느 때보다 서글픈 눈으로 데미안을 바라보며 말했다.

"사랑하는 사람을 내 손으로 찌를 수 있을 리가 없잖아요."

데미안의 마음이 변했다고 해도 자신의 마음까지 변한 건 아니었다. 그를 향한 자신의 마음은 여전히 견고했다. 엄마를 죽인 살인자를 사랑해버린 패륜아라고, 천하의 몹쓸 년이라고 주변에서 손가락질한다고 해도 소용없었다. 뿌리 깊게 박힌 이 마음은 어떻게 하고 싶다고 해서 할 수가 없었으니까.

"그러니까 날 죽여요."

지금 와서 생각해보면 사랑하는 사람의 손에 죽는 것도 그다지 나쁘지 않을 것 같았다. 적어도 가온의 손에 죽는 것보단 나을 것이다.

"당신의 손에 죽는 거라면, 기꺼이 죽어줄게요. 대신 한 가지만 부탁해도 돼요?"

데미안은 대답하지 않았지만 제멋대로 허락으로 받아들인 시연은 그에게 다가섰다. 그러자 데미안이 혼란스럽다는 듯 그녀를 바라봤다. 시연은 그 시선을 똑바로 마주하며 천천히 말을 이었다.

"마지막으로…… 입 맞춰봐도 돼요?"

데미안의 눈이 일순간 커졌다. 놀란 것 같기도 하고 어이없어 하는 것 같기도 했다. 어느 쪽인지는 모르겠지만 확실한 건 그다지 달가워하는 것처럼 보이진 않는다는 것이었다. 그래도 시연은 개의치 않고 그의 입술에 제 입술을 가볍게 가져다 댔다.

짠맛이 났다. 자신이 흘린 눈물 때문인 것 같았다. 그만큼 서글펐지만 한편으로는 좋아서 더 슬펐다. 그의 옆에 오래오래 있고 싶었는데. 그럴 수 없는 현실이 너무나도 원망스럽고 안타까웠다. 하지만 더 욕심내면 안 된다. 가온의 말에 의하면 자신은 이미 오래전에 죽었어야 할, 아니 아예 태어나지도 말았어야 할 존재였으니까.

그러니 이만큼 살아서 행복을 느낀 것에 만족하자고 스스로를 위로하며 입술을 떼려는 순간, 강한 힘이 시연의 허리를 옭아매면서 짠맛 나는 입술이 거칠게 파고 들어왔다.

"……!"

밀어내지 않으면 다행이라고 생각했건만 설마 그가 이럴 줄이야.

놀라 눈을 크게 뜬 시연도 이내 눈을 감고 데미안의 목을 끌어안았다.

그의 키스는 평소보다 난폭하면서도 서글펐다. 마치 자신들의 상황을 반영하고 있는 것 같았다. 이 키스가 끝나면 똑같이 끝날 자신들의 상황을 말이다.

그만큼 애절하고 슬펐지만 그녀는 애써 눈물을 삼켰다. 한데도 계속 짠맛이 느껴졌다. 자신의 입술에서 나는 맛은 아닌 것 같았다. 그럼 도대체 어디서 나는 거지. 의아해서 살짝 눈을 뜨니 눈물 젖은 그의 뺨이 보였다. 그가 울고 있었던 것이다.

'왜 우는 거지? 울어도 내가 울어야지 왜 당신이 우는 거야. 나한테 마음이 없다고 해놓고, 그렇게 비웃었으면서 어째서 왜.'

이해가 안 됐지만 오래 생각할 여유는 없었다. 그만큼 그의 입맞춤이 깊어졌기 때문이다.

동시에 텅텅 비어 있던 무언가가 조금씩 채워지는 느낌이 들었다. 전에 실수로 한 남자의 생명 에너지를 거의 다 흡수했을 때와 비슷했다.

무언가 거의 다 채워졌을 무렵 어디선가 탕, 하는 거친 쇳소리가 들렸다. 그 소리에 감았던 눈을 뜬 시연은 곧 일그러진 데미안의 얼굴을 발견했다.

"무슨……."

털썩─.

"데, 데미안 씨!?"

데미안이 쓰러지자 시연은 당황하며 그를 붙잡았다. 그러자 손에 축축한 무언가가 묻어났다.

붉은색의 비릿한 향. 피였다. 그가 입던 있는 셔츠는 배를 중심으로 점점 붉게 물들었다.

"데미안 씨, 데미안 씨!"

그제야 데미안이 다쳤다는 걸 알게 된 시연은 아연실색하며 그를 불렀지만 그는 대답이 없었다.

"설마 이런 공격이 통할 줄이야."

뒤쪽에서 익숙한 목소리가 들리자 시연은 휙, 소리가 날 정도로 격하게 고개를 돌렸다.

그러자 벽에 기대서서 웃고 있는 가온이 보였다. 여유는 그다지 없어 보였지만 여전히 재수 없는 얼굴이었다.

"그 남자에게 감사해야겠군요. 덕분에 몸을 자유롭게 움직일 수 있게 됐으니까."

가온은 시연을 향해 총구를 겨눴다.

"그럼 안녕히 가시길."

말이 떨어지기 무섭게 탕, 하는 소리가 울려 퍼졌다.

총알을 피하는 재주는 없으니 이대로 죽는 건가 싶어 반사적으로 눈을 감은 시연은 시간이 지나도 아무 고통이 느껴지지 않자 슬그머니 눈을 떴다.

"이건……."

제 앞을 가로막은 검은 날개가 보였다. 악마의 날개였다. 날개가 무의식적으로 총알을 막아준 것이다.

'근데 왜 데미안 씨는 안 막아준 거지? 그도 날개가 있을 텐데?'

그것도 한 장이 아니라 두 장씩이나. 한데 어째서 그의 날개는 아무런 반응이 없었던 것일까.

"잠시 잊고 있었군. 마족에게 저런 거지 같은 능력이 있다는 걸."

설마 이것도 금단의 아이의 능력인가 싶었지만 뒤이은 가온의 말로 보아 그건 아닌 듯했다. 그래서 더 의아했다. 도대체 왜 그의 날개는 발동되지 않은 걸까.

'설마 내가 생명 에너지를 흡수해서?'

순간 머릿속을 스치는 가능성에 시연은 눈을 질끈 감았다.

충분히 가능성이 있는지라 더 절망적이었다. 데미안이 자신 때문에 당하다니. 역시 자신은 사라져주는 편이 더 나았을지도 모른다.

"하지만 당신의 능력은 아직 완전하지 않죠."

총알을 다시 장전한 가온이 총구를 그들 쪽으로 겨누었다.

"그 볼품없는 날개가 몇 발까지 견딜 수 있는지 시험해볼까요?"

말이 끝나기 무섭게 가온은 또 총을 쐈다.

이번에도 날개가 막아주었지만 그의 말처럼 성능이 조금씩 저하되는지 총알 파편까지 완벽하게 막아주진 못했다.

튄 파편이 뺨을 스치고 지나가 길고 가는 선혈을 그렸다. 그가 총을 쏘면 쏠수록 파편은 더 많이 튀었다. 총알이 날개를 뚫는 건 시간문제였다.

두려움에 도망치고 싶은 마음은 굴뚝같았지만 데미안을 버리고 갈 순 없었다. 시연은 가온의 시야로부터 데미안을 보호했다. 차마 그를 만지진 못하고 날개와 온몸을 이용해서 막아섰다. 한 손에는 가온의 검을 꽉 쥔 채.

"왜 도망치지 않죠? 설마, 그 남자가 걱정돼서 도망가지 못하는 겁니까?"

시연은 대답하지 않았지만 그건 긍정이었다. 가온은 퍽이나 어이없다는 듯 웃으며 총알을 재장전했다.

"당신의 모친을 죽인 살인자를 여전히 사랑하시는 건가요? 그의 죄를 용서하는 겁니까?"

"용서하는 것과 사랑하는 건 별개의 문제예요."

두려운 듯 목소리를 덜덜 떨면서도 시연은 제 할 말을 했다.

"아직, 아니 앞으로도 영원히 그를 용서하지 못할 것 같지만 그렇다고 그가 나 때문에 죽는 걸 바라는 건 아니에요. 되레 나와 엄마가 살지 못한 몫까지 오래오래 살아줬으면 해요."

"불행히도 당신의 바람은 안 이뤄질 것 같습니다. 당신과 그 남자, 모두 이곳에서 죽을 테니까."

장전을 마친 가온이 픽 웃으며 총구를 겨눴다.

"다 된 밥에 재를 뿌리기 전에 어서 당신을 죽여야겠군요."

견딜 수 있을까. 긴장감 때문에 손 안이 축축해졌다. 시연은 땀이 차오른 두 손을 꽉 마주 잡으며 입술을 지그시 깨물었다.

"그럼 이만 안녕히 가시길."

탕—.

총이 발사되는 소리가 유독 크게 울려 퍼졌다. 동시에 뒤에서 누군가 팔을 잡아당겼다. 데미안이었다.

비명을 지를 새도 없이 그의 품에 안긴 시연은 눈을 동그랗게 뜨고 데미안을 쳐다봤다. 그의 뒤로 크고 새카만 날개가 보였다. 총 소리가 들리는데도 파편이 튀거나 총알이 파고들지 않는 걸 보면 그의 날개가 굳건하게 막아주는 모양이었다.

"잘 들어, 시연."

데미안은 한 손으로는 시연의 팔을, 다른 손으로는 자신의 상처를 움켜쥐며 거친 숨을 몰아쉬었다.

"이제 곧 마몬이나 다른 이들이 올 거다. 그때까지는 어떻게든 내가 견뎌줄 테니까, 그들이 오면 이 검으로 내 심장을 찔러서 날 완전히 죽여."

"뭐……라고요?"

이게 무슨 얼토당토않은 소리란 말인가.

"내, 내가 어떻게 그런 짓을 해요……!"

"해야만 해."

"나, 난 못 해요! 그런 짓은……!"

"어차피 이대로 있으면 난 죽어!"

버럭 내지르는 소리에 말문이 막혔다.

"그러니 너라도 살려면 해야 돼. 지금뿐 아니라, 앞으로도 네가 살려면."

무슨 소리인지 하나도 이해되지 않았지만 확실한 건 할 수 없다는 것이었다. 시연은 질색하며 고개를 저었지만 데미안은 단호했다.

"아프게 해서 미안하다."

눈물 젖은 눈 위에 그의 메마르고 거친 입술이 닿았다.

"이제라도 행복하길 바랄게."

조금 전까지 차가운 말을 뱉으며 저를 죽이겠다고 말한 사람처럼 보이지 않았다. 겉모습은 똑같은데 안에 들어앉아 있는 건 다른 사람인 것 같았다. 어느 쪽이 그의 진심인 걸까. 알 수가 없어 혼란스러웠다.

"윽……."

움직이면서 상처가 더 커진 건지 피가 흥건히 흘러나왔다. 그는 그 와중에도 그녀의 팔을 굳건히 잡고 있었다.

"어서 이거 놔요, 데미안 씨."

이대로 있다간 상처 때문이 아니라 자신이 그의 에너지를 전부 흡수해서 그가 죽을 것 같아 불안해졌다.

"제발 놔요."

그래서 애원했지만 데미안은 놓지 않았다. 그동안 에너지는 계속 흘러들어왔다. 그의 힘을 흡수하면 흡수할수록 안 좋았던 몸 상태는 급속도로 좋아졌다. 시연은 전혀 눈치채지 못했지만 그녀의 새하얀 날개는 끝부분부터 조금씩 검게 물들고 있었다.

"……이제 됐어."

그걸 본 데미안의 눈매가 만족스럽게 휘었다. 정말 행복해 보이는 웃음이었다.

"군주님!"

저 멀리서 마몬의 목소리가 들렸다. 마몬을 본 가온은 성가시다는 듯 혀를 내차며 총을 품에 갈무리한 뒤 도망쳤다. 그제야 데미안은 날개를 거뒀다. 시연의 팔을 잡고 있던 손에도 힘이 풀렸다. 스르르 눈을 감은 데미안의 몸이 맥없이 옆으로 쓰러졌다.

"군주……!"

기겁하며 달려오던 마몬은 시연의 모습을 보고 멈칫했다.

"군주님을 이리 주시죠."

그것도 잠시, 매섭게 시연을 바라보며 손을 내밀었다. 그가 그러는 이유가 이해되었기에 시연은 군소리 없이 데미안을 그에게 넘겨주었다.

"이런."

겉옷을 벗어 그의 상처를 지혈하고 이리저리 살피던 마몬이 낭패라는 듯 혀를 내찼다.

"군주님의 몸속에 천족의 기운이 섞여 들어갔잖아."

"그, 그거 위험한가요?"

"당연히 위험합니다. 빨리 빼내지 않으면 목숨을 잃을 수도 있어요. 그러니 어서 빼내야 하는데 무슨 수로……."

데미안을 살피고 있던 마몬의 시선이 불현듯 시연에게 닿았다. 시연은 그때까지도 금단의 아이로 각성한 상태였다.

시연을 전체적으로 훑어본 마몬은 묘하게 눈을 반짝이며 말했다.

"……당신이라면 군주님을 살릴 수 있겠군요."

무슨 말인지 몰라 시연은 멍하니 마몬을 바라봤다. 마몬은 그런 시연의 시선을 피하며 말을 이었다.

"하고 싶은 말은 많지만 시간이 없으니 바로 당신이 해야 할 일을 알려드리겠습니다. 지금부터 당신은 군주님과 접촉해서 군주님의 몸속에 있는 천족의 기운만 흡수하시면 됩니다."

"천족의 기운만? 그게 가능한가요?"

"이론적으론 가능할 뿐더러 꼭 그렇게 하셔야 합니다. 소량은 상관없지만 여기서 군주님의 힘을 더 많이 가져간다면 군주님의 생명이 위태로울 테니까요."

"……그럼 전, 못 해요."

한 번도 안 해본 걸 어떻게 한단 말인가. 하물며 그의 목숨이 달린 일이니 더더욱 할 자신이 없었다.

"당신이 하지 않는다면 군주님은 죽게 될 겁니다."

"……."

"그리고 당신 역시 제 손에 죽겠지요."

어느덧 검을 쥔 마몬이 그 끝을 시연의 목에 가져다 대며 말했다.

"제가 금단의 아이인 당신을 죽이지 않는 이유는 전부 군주님 때문입니다. 군주님이 당신을 지키겠다고 말하지 않았다면 당장 당신의 목을 베었을 겁니다."

"데미안 씨가…… 날 지키겠다고 했다고요?"

믿을 수 없었다. 금단의 아이이니 죽여야겠다고 제게 검을 들이대던 데미안이 그런 말을 했다니. 믿을 수가 없었다.

"왜 믿지 못하는지는 모르겠지만, 사실입니다."

마몬이 콧잔등을 찌푸리며 말했다.

"군주님은 분명 그렇게 말씀하셨습니다. 그러니 제가 당신을 죽이지 못하는 거지요."

분명 그렇긴 하지만 선뜻 그의 말을 믿을 수가 없는 건 데미안이 보였던 행동 때문이었다. 제게 검을 들이대는 그의 모습에서 거짓은 찾아볼 수가 없었다. 그는 정말로 검을 휘두를 것처럼 보였다.

"……."

멍하니 마몬을 바라보고 있던 시연의 눈에 불현듯 그가 들고 있는 검이 보였다. 가온이 만든 검이었다.

'설마.'

순간 떠오르는 생각에 시연의 눈동자가 크게 흔들렸다.

"……한 가지만 물어봐도 돼요?"

자신의 생각이 맞는지 확인하기 위해 시연은 떨리는 목소리로 마몬에게 물었다. 그러자 귀찮다는 듯 마몬이 눈매를 구기며 대답했다.

"하아, 뭡니까."

"왜 그 검으로 날 베려는 거예요……?"

"이 검 말고는 금단의 아이인 당신을 죽일 수 있는 방법이 없으니까요."

마몬은 뭘 그리 당연한 걸 묻느냐는 듯 대답했다.

"이건 기본 상식 중에서도 기본입니다."

"그 말은…… 데미안 씨도 알고 있었다는 건가요?"

"당연하죠."

그러니까 마몬의 말을 요약하자면 데미안은 어둠으로 만든 검으로 자신을 죽일 수 없다는 것을 알면서도 그 검을 들고 자신을 죽이겠다고 말했다는 의미였다.

"말도 안 돼……."

지금 와서 생각해보면 그가 갑자기 레아의 이야기를 늘어놓은 게 이상했다. 자신을 죽일 생각이었다면 그런 쓸데없는 말을 늘어놓는 것이 아니라 바로 검을 휘둘렀으면 되는 일이었으니까.

자신이 입을 맞췄을 때도 그는 얼마든지 그럴 수 있었다. 한데 그는 그러지 않고 되레 그녀를 꽉 끌어안아주었다. 강렬하고 정열적이었던 그 입맞춤은 결코 거짓이 아니었다. 그 말인즉, 그 역시 여전히 시연을 좋아하고 있다는 의미였다.

그런데 어째서 그런 못된 말과 행동을 한 건지 시연은 도저히 이해할 수가 없었다.

"이제 정말 시간이 없습니다."

데미안의 상태를 재차 살핀 마몬이 가볍게 혀를 내차며 말했다.

"그러니 어서 선택하시죠. 군주님을 살리는 도전을 할 것인지, 아니면 그냥 지금 제 손에 죽을 것인지."

"……만약 실패하더라도 죽게 되는 거 아닌가요?"

"당연하죠."

즉, 이러나저러나 죽을 가능성은 있다는 뜻이었다.

"……한번 해볼게요."

그렇다면 도전하는 편이 나았다. 운이 좋으면 그를 살릴 수도 있으니까.

'아니, 반드시 살려야 돼.'

그에게 묻고 싶은 것이 너무 많았다. 대답을 듣기 위해서라도 반드시 그를 살려야 했다.

"잘 생각하셨습니다."

마몬은 시연의 목에 드리웠던 검을 치웠다. 그러면서도 검을 손에서 놓진 않았다.

"천족의 기운만 가져오려면 어떻게 하면 돼요?"

"제가 그걸 어떻게 알겠습니까. 전 금단의 아이도 아닌데."

"아, 네."

틀린 말은 아니었지만 얄미웠다. 시연은 입을 삐죽이며 데미안을 쳐다봤다. 하겠다고 말하긴 했지만 막상 하려니 엄두가 나지 않았다. 실패해서 데미안이 죽기라도 하면 큰일이니까.

그렇다고 이대로 내버려둘 수도 없으니 시연은 용기를 내서 손을 뻗었다. 만약 실패한다면 그땐 마몬이 자신을 죽이지 않더라도 스스로 제 심장에 칼을 꽂아 죽겠노라고 다짐하면서.

'그러니까 제발 성공하자.'

그게 자신을 위해서도, 데미안을 위해서도 좋은 일이었다.

그의 팔을 잡는 순간, 그와 입을 맞췄을 때와 마찬가지로 몸에 무언가가 차올랐다. 이질적이면서도 어딘지 모르게 익숙한 기운. 그리고 한없이 음침하고 암울한 기운. 그 사이로 미세하지만 청량한 기운이 느껴졌다.

'이게 천족의 기운인가 보네.'

시연은 다른 기운은 제외하고 그 기운만 흡수하려고 무던히 노력했지만 좀처럼 마음대로 되지 않았다. 그 사이 데미안의 기운은 착실히 흡수되고 있었다. 이대로는 안 될 것 같아 손을 떼는 순간, 누군가 뒤에서 불쑥 나타나 시연의 손을 잡았다.

"하실 수 있어요, 반려님."

"티에……."

언제 온 걸까. 시연은 살짝 놀라며 그녀를 바라봤다.

"제가 도와드릴게요. 서큐버스랑 금단의 아이가 같지는 않겠지만 저 역시 이성의 생명 에너지를 흡수하는 종족이니 제가 할 수 있는 건 전부 도와드릴게요."

"……."

"그러니까 이대로 포기하지 마세요. 반려님은 반드시 해내실 수 있어요."

당찬 목소리와 달리 그녀의 손은 작게 떨렸다. 시연이 창조주가 예언으로 금지한 금단의 아이라는 걸 두 눈으로 직접 확인했기 때문일 것이다.

그런데도 물러서지 않고 도와주려고 하는 티에의 말과 행동에 마음이 찡

해져 시연은 말없이 고개를 끄덕였다.

"지금부터 제가 흘려보내는 기운에 몸을 맡기세요, 반려님."

시연은 가만히 눈을 감고 티에가 시키는 대로 했다. 그러자 몸 안에 이질적인 기운이 흘러들어왔다.

티에의 기운인 모양이었다. 썩 유쾌하지는 않았다.

"이제 다시 군주님의 손을 잡아보세요."

이번에도 군말 없이 티에가 시키는 대로 했다. 손을 잡자마자 어김없이 데미안의 기운이 흘러들어왔다.

시연이 그랬던 것처럼 그 속에서 귀신같이 천족의 기운을 찾아낸 티에는 천족의 기운을 잡으려고 했지만 워낙 적은 양인지라 잡힐 듯하면서도 잡히지 않았다.

"아, 좀 더 정밀하게 조종이 가능하면 잡을 수 있을 것 같은데!"

이에 티에는 답답하다는 듯 분통을 터뜨렸다. 내심 기대하며 그들을 바라보고 있던 마몬은 역시, 하고 한숨을 내쉬었다.

"한 번쯤 더 시도할 수 있겠군요."

그 와중에도 면밀히 데미안의 상태를 살피던 마몬이 작게 인상을 쓰며 말했다.

"그 이상 시도한다면 그땐 군주님은 확실히 죽게 되실 겁니다."

즉, 마지막 시도라는 의미였다. 그나마 이 정도까지 할 수 있었던 건 데미안이 다른 이종족들에 비해 힘이 월등히 강한 덕분이었다. 만약 아니었다면 그는 진작 죽었을 것이다.

"마지막 도전, 하실 겁니까?"

"당연하죠."

여기까지 왔는데 물러설 순 없었다. 시연은 단호하게 고개를 끄덕인 뒤 티에를 돌아봤다.

"티에, 좀 더 정밀하게 조종하려면 어떻게 하면 되는 건가요?"

"좀 더 은밀한 접촉이 필요해요."

"은밀한 접촉?"

"네. 저희 서큐버스들이 상대방의 생명 에너지를 흡수할 때 되도록 관계를 가지는 것도 그 이유 때문이에요. 은밀한 접촉일수록 원하는 에너지를 가져올 확률이 높으니까."

티에가 말하는 관계가 뭘 의미하는지 모를 만큼 어리지는 않았기 때문에 시연의 볼은 확 붉어졌다. 티에도 좀 민망한지 헛기침을 했다. 티에가 말한 관계를 가지는 건 지금 이곳에선 하기 어려웠다.

"……그럼 입을 맞추는 건요?"

하지만 이 정도는 할 수 있었다. 이 역시 그들의 앞에서 하긴 부끄러웠지만 관계를 가지는 것보단 나았다.

"입 맞추는 것도 괜찮을까요?"

"관계를 가지는 것보단 확률이 낮지만 단순히 손을 잡는 것보단 몇 배 더 낫죠. 하지만 그렇게 하신다면 저는 더 도와드릴 수가 없어요."

은밀한 접촉은 단둘이서 이뤄져야 하는 신성한 행위. 그건 입을 맞추는 것 역시 마찬가지였다. 그러니 제3자는 끼어들 수가 없었다.

"그래도 괜찮으시겠어요?"

"……네, 괜찮아요."

사실 불안했지만 다른 방법이 없으니 어쩔 수가 없었다. 아까 티에가 했던 방법을 머릿속으로 곱씹으며 시연은 그의 옷깃을 잡고 천천히 데미안의 입술 위로 제 입술을 가져갔다.

그의 입술은 여전히 차갑고 건조했다. 아니, 더 건조한 것 같았다. 그만큼 여그의 상태가 좋지 않다는 의미였기에 가슴이 아팠다.

입을 맞추니 손을 잡았을 때보다 좀 더 많은 양의 기운이 몸 안으로 흘러들어왔다. 천족의 기운 역시 아까보다 훨씬 많이 느껴졌다.

'잡아야 돼.'

어떻게든 천족의 기운만 잡아서 저것만 흡수해야 했다. 시연은 티에가 쓴 방법에 충실하며 천족의 기운을 잡으려고 했지만 좀처럼 쉽지 않았다.

천족의 기운이 많이 흘러들어오는 만큼 데미안의 기운 역시 많이 흘러들어왔기 때문이다. 마치 거친 해일 위를 부유하는 통나무를 잡는 것 같았다.

이 해일만 진정되면 쉬울 것 같은데, 진정되기는커녕 더욱 거세지니 여러모로 어려웠다.

'제발 도와줘요, 데미안 씨.'

의식 없는 그가 대답을 줄 리가 만무했지만 지푸라기라도 잡고 싶은 심정에 시연은 그에게 부탁했다.

'난 아직 당신을 보낼 준비가 안 됐단 말이에요. 그러니까 제발…….'

답답한 마음에 눈가에 눈물이 맺혔다. 데미안의 옷깃을 잡은 손에 힘이 들어갔다. 그녀가 흘린 눈물은 까슬까슬한 그의 뺨을 타고 흘러내렸다.

'제발 부탁이에요! 날 좀 도와줘요!'

그 눈물이 그가 그린 피 웅덩이에 스며드는 순간…….

쿵―.

무언가 움직이는 소리가 들렸다. 귀로 들리는 소리가 아닌 몸 안 깊숙한 곳에서 들리는 소리였다. 동시에 데미안의 힘이 천족의 기운을 중심으로 양옆으로 쫙, 갈라졌다. 마치 모세의 기적 같았다.

덕분에 손쉽게 천족의 기운을 옭아맬 수가 있었다. 시연은 천족의 기운을 옭아매자마자 망설이지 않고 흡수했다. 천족의 기운을 흡수할 때 그의 힘이 묻어나긴 했지만 아까 전과 비교하면 새 발의 피였다.

"잘되고 있는 걸까요?"

시연이 어떤 상황인지 전혀 모르는 티에는 그들을 바라보며 염려스레 말했다. 그러자 줄곧 가만히 있던 마몬이 툭, 말을 던졌다.

"……성공했군."

"네? 어떻게 아시는 거죠?"

마몬은 대답 대신 어딘가로 시선을 던졌다. 그 시선을 따라가 보니 다시 검게 물들어가고 있었던 시연의 날개가 보였다.

날개는 더 이상 검게 물들지 않고 조금씩 원래의 색을 되찾고 있었다.

하지만 완전히 되찾지는 못했다. 끝부분이 아직 검게 물들었지만 날개는 새하얀 깃털을 흩날리며 부서졌다. 검은 날개 역시 마찬가지였다.

동시에 금색이었던 시연의 머리 색은 원래의 색을 되찾았고, 그녀의 눈동자 역시 원래대로 돌아왔다.

"쿨럭."

"반려님!"

그 모습을 멍하니 바라보고 있던 티에는 시연이 마른기침을 하자 황급히 그녀를 붙잡았다. 입을 틀어막은 시연의 손에는 검붉은 피가 묻어 있었다.

"괜찮으십니까, 반려님?"

"단순히 중화 작용이 일어난 것뿐이니 그리 호들갑을 떨 건 없어, 티에."

마몬이 퉁명스럽게 대꾸하자 티에는 매섭게 그를 노려봤다.

"데미안 씨는……."

시연은 맥없이 티에에게 기대며 물었다.

"데미안 씨는 이제 괜찮은 거예요……?"

"네. 덕분에 괜찮습니다."

마몬의 말대로 데미안의 안색은 한결 편안해 보였다. 여전히 상처에서 피가 흘러나오긴 했지만 마족, 그것도 마계의 군주인 그에겐 이 정도 상처는 아무것도 아니었다.

"그러니 약속한 대로 당신에겐 손을 대지 않겠습니다."

"뭐야, 그 말은. 그러니까 군주님이 돌아가시면 반려님을 죽이려고 했다는 거예요? 그래서 그 칼을 들고 있었던 거고? 어머머, 세상에."

뒤늦게 사건의 전말을 눈치챈 티에가 호들갑을 떨며 마몬을 나무랐다.

"군주님이 그토록 지키려고 한 반려님을 죽이려고 하다니. 당신, 제정신이에요?"

"이봐……."

"아니, 그건 둘째치고 여자에게 칼을 들이대다니. 남자로서 최악이군요. 꼴불견이야, 정말."

"그 입 닥치고 내 말 좀 들어!"

"와, 이젠 화까지 낸다. 이거 무서워서 같이 일하겠나."

정말 강적이었다. 무슨 말을 해도 통하지 않을 것 같자 마몬은 깊은 한숨을 내쉬며 지끈거리는 머리를 붙잡았다. 그 와중에도 티에의 깐죽거림은 계속되었다.

결국 화가 머리끝까지 난 마몬이 어떻게 할 것처럼 티에 쪽으로 손을 뻗자 시연이 황급히 그의 팔을 잡았다.

"……!"

그러자 마몬은 소스라치게 놀라며 뒤로 물러섰다. 그의 행동에 뻘쭘해진 시연은 머쓱하게 웃으며 손을 등 뒤로 가져갔다.

"……일단 군주님을 옮기죠."

마몬 역시 뻘쭘한지 헛기침을 하며 주제를 돌렸다. 티에 역시 그러는 편이 낫다고 생각했는지 더는 아무 말도 하지 않고 고개를 끄덕였다.

잠시 후, 마몬의 연락을 받은 나오가 그곳까지 차를 끌고 왔다. 차에는 이미 베르가 타고 있었다. 그의 상태는 썩 좋지 못했다. 그 이유가 왠지 자신 때문인 것 같아 시연은 고개를 들지 못했다.

"난 알아서 돌아갈 수 있으니 군주님이 가장 안쪽에 타고 중간에 티에,

그리고 마지막에 당신이 타시면 될 것 같습니다."

마몬이 데미안과 시연의 사이에 티에를 두려는 이유가 명백하게 보여 씁쓸했다.

'역시 난 이들과 함께 가면 안 될 것 같아.'

아직 데미안에게 듣고 싶은 대답도 있었고, 이들과 함께 하고 싶은 마음은 굴뚝같았지만 그건 전부 제 욕심이었다.

자신은 언제 터질지 모르는 시한폭탄이니까, 괜히 그들의 곁에 있다가 그들에게 피해를 주고 싶지 않았다. 그러니 여기서 물러서는 것이 좋을 것 같았다.

"전 안 탈게요."

"반려님?"

티에가 의아해하며 그녀를 쳐다봤다. 마몬 역시 의외라는 듯 그녀를 쳐다봤다.

"저희랑 같이 가시지 않을 생각이십니까?"

"……네."

"왜죠? 설마 죽으실 생각이십니까?"

아니라고 선뜻 대답하지 못한 건 내심 그럴 생각도 있기 때문이었다. 이대로 죽어버리는 편이 그들에게 민폐를 끼치지 않을 테니까.

"웃기는 소리 하지 마시죠."

시연이 아무 말도 하지 않고 고개를 숙이고 있자 마몬은 짜증스레 혀를 내차며 시연의 팔을 잡았다. 맨살이 닿자 저주받은 몸은 어김없이 그의 힘을 흡수했다.

"놔, 놔요!"

이에 시연은 깜짝 놀라며 그의 손을 뿌리치려고 했지만 마몬은 놔주지 않았다. 되레 그녀가 벗어나려고 하면 할수록 더욱 강하게 시연의 팔을 잡앉았다.

"마몬 씨……!"

"제가 봐주길 원한다면 다른 말 하지 말고 차에 타시죠."

"하지만 난 금단의 아이인데……."

"압니다. 말하지 않아도 너무나도 잘 알아요! 하지만 어쩌겠어! 내 주군이, 우리들의 왕이 당신을 선택해버린 것을!"

마몬이 내지르는 소리가 숲속을 가득 채웠다. 새들이 놀라 푸드덕, 날아가는 소리가 들렸다. 바람을 타고 스산하게 울리던 목소리는 이윽고 메아리가 되어 저 멀리 사라졌다.

오래 잡고 있었던 만큼 힘이 많이 빠져나간 것인지 마몬은 작게 인상을 썼다.

"군주님이 눈을 떴을 때 당신이 없으면 군주님은 또 당신을 찾으려고 하겠지. 만약 당신이 죽었다는 소식을 들으면 미쳐버릴지도 몰라."

"……."

"그러니까 도망칠 생각도, 죽을 생각도 하지 마. 만약 그러려거든 그 전에 군주님을 먼저 설득시켜. 만약 당신이 군주님을 설득시키는 것에 성공한다면……."

마몬의 입가에 스산한 미소가 그려졌다. 마몬은 어둡게 가라앉은 눈동자 속에 시연의 모습을 가득 담으며 말했다.

"그땐 내가 당신을 죽여줄 테니까."

차갑게 뱉는 말과 달리 시연을 바라보는 마몬의 눈동자에는 슬픔이 가득했다. 그 슬픔을 애써 억누르며 말하고 있는 것이 너무나도 잘 보여서 가슴이 쓰렸다.

시연은 눈을 지그시 감았다가 다시 떴다.

"꼭 그래줘요."

그리고 입가에 옅은 미소를 그리며 마몬을 향해 말했다.

"꼭 그때가 되면, 당신의 손으로 날 죽여줘요. 당신들에게 더 이상 민폐를 끼치지 않도록."

"걱정 마시죠, 반려님."

마몬 역시 그제야 옅게 웃었다. 하나 그의 눈빛은 여전히 슬픈 빛에 잠식되어 있었다.

"그때가 온다면 조금도 망설이지 않고 당신의 심장에 검을 박아드릴 테니까요."

마몬은 그리 말하며 한 발 뒤로 물러섰다. 어서 차에 올라타라는 의미였다. 더 이상 마몬의 뜻을 거역할 생각이 없는 시연은 군말 없이 차에 올라탔다.

마몬이 데미안에 대해선 이제 걱정할 필요 없다고 했는데 그 말은 사실이었다. 천족의 기운을 제거했을 뿐인데 눈 깜짝할 새에 데미안의 상처는 말끔하게 나았다. 피가 덕지덕지 묻어 있지 않았다면 그곳에 상처가 있었다는 것조차 전혀 몰랐을 것이다.

"근데 왜 아직 정신을 차리지 못하는 걸까요?"

"천족의 기운은 제거했지만 그 여파가 아직 몸에 남아 있기 때문이에요. 정신적인 충격이 남아 있는 거죠. 하물며 기운을 많이 빼앗겼으니……."

티에는 말을 하다 말고 시연의 눈치를 살폈다. 그녀와 관련 있는 일이었기 때문에 눈치를 보는 것이다.

"괜찮아요, 티에. 편하게 말해요."

"죄송합니다, 반려님."

"티에가 죄송할 것이 뭐가 있어요. 그냥……."

쿵—.

"뭐, 뭐죠?"

갑자기 차가 크게 흔들리자 시연은 당황하며 나오를 바라봤다. 그건 티에 역시 마찬가지였고, 나오 역시 당황한 것처럼 보였다.

"사고가 난 건가요, 나오?"

"아니요. 그건 아닌 것 같은데 갑자기 왜……."

쿵—.

또 한 번 차가 크게 흔들렸다. 이번엔 흔들리는 것뿐만 아니라 차가 아예 멈춰섰다.

"우음……."

그 충격에 깨어난 건지 베르가 천천히 눈을 떴다. 눈을 몇 번 깜빡이며 자신의 상황을 파악하던 베르는 곧 피투성이인 채로 기절해 있는 데미안을 보고 깜짝 놀라며 소리를 질렀다.

"데, 데미안 님! 이게 무슨……!"

"군주님은 멀쩡하니까 그 입 닥쳐요!"

티에가 단호하게 베르의 입을 막았다. 마몬이었다면 미쳤느냐고 한소리 했겠지만 그럴 배짱이 없는 베르는 깨갱하고 있었다.

"그래서 나오, 차는 움직이나요?"

"아니요. 아예 맛이 간 것 같습니다."

"허어? 멀쩡하던 차가 갑자기 왜?"

"군주님의 힘 때문인 것 같아요."

베르의 말에 모두가 그를 쳐다봤다.

"차가 멈춘 것이 데미안 씨의 힘 때문이라고요?"

"네에. 상처 입은 군주님의 몸을 치료하기 위해 힘이 요동치는 거예요. 다들 인간이 아니니……."

인간이 아니라는 말을 하는 부분에서 베르는 잠시 시연의 눈치를 살폈다가 말을 이었다.

"……이 정도엔 영향을 받지 않지만 자동차 부품은 예민한 데다가 지속적으로 압박을 받으니 반응이 온 거죠."

설마 그런 이유 때문일 줄이야. 데미안의 상처가 치료된 것까진 좋았는데 뜻하지 않은 곳에서 문제가 생긴 것이다.

"그럼 집에 전화해서 차 가지고 오라고 해요. 아님 택시라도 부르든가."

"지금 이 상태로 택시를 타는 건 무리예요."

"……그건 그렇네."

자신들의 상황을 확인한 티에는 바로 납득하며 고개를 끄덕였다. 다른 건 몰라도 데미안이 의식을 잃은 상태라는 건 알려져서 좋을 것이 하나도 없었다.

"그럼 집에 전화해서 차를 가지고 오라고 해요."

"……전 휴대폰 안 가져왔는데요. 티에는 있어요?"

"아니요. 나도 없는데…… 반려님은요?"

"저도 없어요."

"나오는요?"

"없습니다."

그야말로 엎친 데 덮친 격이었다. 이로써 연락할 수단조차 없어진 그들은 깊은 한숨을 내쉬며 이 상황을 어떻게 할지 곰곰이 생각했다.

"아, 그 방법이 있었지."

뭔가 좋은 방법이 생각났는지 티에가 박수를 짝 치며 말했다.

"베르, 집에 더미 한두 마리 있죠?"

"그렇긴 한데…… 아, 설마 더미랑 몸을 바꿔서 차를 가지고 오라고요?"

“정답!”

“무리예요.”

베르는 고개를 절레절레 저었다.

“물론 몸을 바꿀 수는 있지만 지금 상태로 몸을 바꾸면 바꾸자마자 기절했다가 한참 뒤에 깨어날걸요?”

확실히 더미와 몸을 바꾸는 건 많은 힘을 필요로 하는 데다가 베르는 이미 마계에서 책을 가지고 오느라 능력을 썼다. 거기다 시연에게 힘을 빼앗겼으니 또 능력을 사용하면 그의 말처럼 될 것이 분명했다.

“그럼 어떻게 해요? 이대로 가만히 있자고요?”

“음, 그건 아닌데…….”

“저기서 전화를 빌리면 어떨까요?”

그들이 대화를 나누는 동안 창밖을 살피고 있던 시연이 인근에 보이는 무인 모텔을 가리키며 물었다.

“저기 가면 전화 있는 사람이 한 명쯤은 있지 않을까요?”

“괜찮은 생각인 것 같네요.”

“……아, 근데요.”

베르가 문득 떠올랐다는 듯 말했다.

“저희, 집 전화가 없는데요?”

“…….”

“시종들이나 시녀들도 막 인간계에 온 터라 휴대폰은 안 들고 있을 것 같은데…….”

이것으로 무인 모텔에 가서 전화를 빌리자는 계획은 깔끔하게 무산이 됐다. 다른 좋은 방법이 있을까, 곰곰이 생각하고 또 생각해봤지만 딱히 떠오르는 건 없었다.

“어쩔 수 없죠. 일단 베르가 가는 수밖에.”

티에는 체념했다는 듯 등받이에 몸을 기대며 말했다.

"그동안 우리는 저 무인 모텔에서 쉬고 있을게요. 무인 모텔이니 보는 사람도 없을 거고, 그래도 괜찮겠죠."

"그렇긴 한데……."

"뭘 그리 망설여요? 달리 방법이 없잖아요."

퉁명스러운 핀잔에 베르는 멋쩍게 웃으며 고개를 끄덕였다. 확실히 지금은 티에가 말한 방법이 가장 좋았다.

"근데 돈은 있나요?"

이렇게 문제가 하나 해결되나 싶었는데 시연이 툭 던진 말이 잔잔한 호수 위에 떨어지는 돌멩이처럼 작은 파문을 일으켰다.

"……베르, 있어요?"

"아니요……."

"나오는요?"

"……없습니다."

시연은 물어보나 마나 없을 터.

"악, 그럼 베르가 올 때까지 이 차에 있어야 되는 거야?"

티에는 절망하며 머리를 움켜쥐었다. 나오 역시 그건 싫은지 작게 눈살을 찌푸렸다.

"아, 그러고 보니……."

문득 생각난 것이 있는지 베르가 조수석 서랍을 열었다.

"있다! 법카!"

"오오!"

베르가 꺼낸 건 '더 뉴'의 법인 카드. 회사 업무를 보다가 필요하면 사용하려고 넣어둔 것이었다.

"이걸 사용하면 되겠네."

그제야 티에는 환하게 웃으며 냉큼 카드를 가져갔다.

"베르는 그럼 깨어나는 대로 곧장 차 가지고 이곳으로 와요."

"알겠습니다. 그럼 군주님과 시연 님을 잘 부탁드립니다."

"어련히 알아서 잘할 테니까 그건 걱정하지 마세요."

티에는 여전히 퉁명스럽게 대답했다.

조수석에 검은 어둠이 몰려들더니 베르가 사라지고 더미가 등장했다. 아무런 이야기도 듣지 못하고 갑작스레 끌려온 더미는 어리둥절하며 주변을 살폈다.

"주인 닮아서 더미도 멍청하긴."

그런 더미가 못마땅하다는 듯 티에는 혀를 내차며 더미를 집어 들었다.

"왔으면 일을 해야지? 네가 할 일은 군주님을 업는 거야. 그 정돈 할 수 있지?"

이렇게 작은 더미가 그보다 몇 배는 더 큰 데미안을 업는다고?

믿기지가 않았지만 더미는 당연하다는 듯 고개를 끄덕였다. 곧이어 차에서 내린 더미는 몸집을 부풀렸다. 크기는 대충 데미안 정도 되는 것 같았다. 저 크기면 충분히 데미안을 업고도 남았다.

"조심해서 업어. 떨어뜨리면 안 돼."

나오와 티에는 합심해서 더미가 데미안을 업을 수 있게 도와주었다. 이윽고 더미가 안정적으로 데미안을 업자 시연 일행은 무인 모텔 쪽으로 걸음을 옮겼다.

"우선 저희가 먼저 들어가서 상황을 보고 올게요."

티에와 나오는 함께 모텔 안으로 들어갔다. 시연은 그 난리 속에서도 정신을 차리지 못하고 더미에게 업혀 있는 데미안을 곁눈으로 흘겨봤다.

'다행히도 얼굴빛은 좋네. 몸이 회복되고 있다는 증거겠지.'

조금은 마음이 놓였다.

솔직히 창고에서 그가 총에 맞았을 땐 잘못되는 줄 알고 크게 절망했었다. 마몬에게 이대론 위험하다는 말을 들었을 땐 하늘이 무너지는 것 같았다.

그가 무사히 회복해서 다행이지, 잘못됐으면 그땐 정말로 스스로 목숨을 끊었을 것이다. 그러니 그를 살린 건 순전히 그를 위해서가 아닌 자신을 위해서라고 시연은 스스로를 위로했다.

'그러니까 엄마, 용서해줘요.'

엄마를 죽인 살인자를 사랑해버린 자신을, 그 살인자를 마음에서 놓아주지는 못할망정 살려버린 멍청한 자신을 용서해달라고 간곡하게 빌고 또 빌었다.

EPISODE 20

너는 내 심장

"이걸 어쩌죠, 반려님?"

모텔에 들어갔다 나온 티에가 어색하게 웃으며 말했다.

"룸이 다 예약되고 두 개밖에 안 남았네요."

"아니, 세…… 컥!"

티에의 높은 굽에 발등을 찍힌 나오는 하고픈 말을 다 하지 못하고 몸을 숙였다. 티에는 그런 나오를 바라보며 입 모양으로 말했다.

'그 입 닥치고 있어요.'

"그럼 데미안 씨에게 방 하나를 주고 남은 방을 저희가 쓰면 되겠네요."

그 사실을 전혀 모르는 시연은 순진무구하게 대답했다. 그러자 티에는 마치 걱정이 있다는 듯 손으로 턱을 괴며 말했다.

"저도 그러고 싶지만 그랬다가 기물이 파손되면 어쩌죠?"

"기물이 파손……된다고요?"

"네에. 군주님의 힘에 자동차도 망가졌는데 더 약한 가구는 쉽게 망가지지 않을까요?"

확실히. 시연은 티에의 말에 동감하며 고개를 끄덕였다.

"뭐, 방법이 아예 없는 건 아니지만……."

"무슨 좋은 방법이 있어요?"

"네. 반려님만 할 수 있는 방법이에요."

어디서 들어본 말이라고 생각했는데 창고에서 마몬이 한 말과 비슷했다.

설마……. 불길한 예감이 등골을 치고 올라왔다.

"반려님이 군주님과 한방을 쓰면서 일정한 시간마다 군주님의 손을 잡아 주는 거예요!"

늘 생각하지만 불길한 예감은 항상 적중했다. 시연은 기함하며 고개를 저었다.

"마, 말도 안 돼요! 그럼 또 데미안 씨의 힘을 빼앗고 말 거예요!"

"군주님의 몸은 거의 회복기에 들어섰으니 조금씩 흡수하는 건 괜찮아요. 되레 주변에 피해를 주지 않을 테니 더 좋다고요."

"아니, 그래도……."

그와 한 침대에서 자본 적도 있고 이상한 짓을 하려는 것이 아닌 단순히 주변에 피해를 주지 않기 위해 손만 잡는 것이지만 데미안과 한방을 쓰는 건 부끄러웠다. '모텔'이라는 이름만 들어도 얼굴이 후끈 달아오르는 특수한 공간에 있어야 돼서 더 그런지도 모르겠다.

"아, 싫으시면 어쩔 수가 없지요."

그래서 선뜻 대답하지 못하고 망설이고 있는데 티에가 유감이라는 듯 어깨를 으쓱였다.

"군주님은 차에 두고 저도 차에 있는 수밖에. 무슨 일이라도 일어나면 큰일이잖아요?"

"……."

"아휴, 허리야. 팔다리야. 안 그래도 군주님을 쫓아오느라 힘들었는데 여기서도 이 고생을……."

"아, 하면 되잖아요!"

시연이 대답하자 티에는 의기양양하게 웃으며 시연의 손에 카드 키를 넘겨주었다.

"그럼 잘 부탁드려요. 음, 대충 예상하건대 10분에 한 번씩 잡아주면 좋을 것 같아요. 아예 처음부터 잡고 있어도 되고요."

"……하아."

"한숨은. 자, 자, 얼른 가세요."

티에는 선뜻 발걸음을 내딛지 못하는 시연의 등을 떠밀어 모텔 안으로 집어넣었다. 그 뒤를 데미안을 업은 더미가 따라갔다.

"……무슨 생각이에요?"

조용히 상황을 지켜보던 나오가 사라지는 시연과 데미안의 모습을 보며 흐뭇하게 웃고 있는 티에의 옆으로 다가와 물었다.

"방을 세 개 예약해놓고 두 개라고 거짓말을 하다니. 설마 두 분을 다시 이어주고 싶으신 건가요?"

"그렇다면?"

"괜찮겠어요? 저분은 금단의 아이인데……."

"나에게 중요한 건 그게 아니야, 나오."

한순간에 티에의 얼굴에서 웃음기가 사라졌다. 티에는 진지한 얼굴로 말했다.

"중요한 건 저분이 군주님이 선택한 반려라는 거지. 난 그 반려를 모시는 락슈이고."

"……."

"그러니 난 군주님이 저분을 반려로 맞이하지 않겠다고 선언할 때까지 최선을 다해서 반려님을 모실 의무가 있어. 단지 그것뿐이야."

그 이유만 있는 것처럼 보이진 않았지만 티에가 보기 드문 진지한 얼굴로 말해서 더 할 말이 없어진 나오는 말없이 고개를 끄덕였다.

티에는 단둘이라고 했지만 더미가 있으니 사실상 셋이었다.

"어?"

그러니 다행이라고 생각했는데 그 생각은 침대 위에 데미안을 내려둔 더미가 돌아서면서 달라졌다.

"나가게?"

꾸잉—.

더미가 몸을 끄덕였다. 긍정이라는 의미였다.

"그냥 여기 있으면 안 돼?"

이번엔 몸을 절레절레 저었다. 안된다는 의미였다. 이에 시연의 얼굴은 울상이 됐다.

"네가 나간 뒤에 데미안 씨에게 무슨 일이 생기기라도 하면 큰일이잖아."

데미안과 완벽하게 단둘이 있게 되는 상황만큼은 피하고 싶었다.

"나 혼자선 데미안 씨를 옮길 수도 없고, 아픈 데미안 씨를 두고 티에나 나오 씨를 불러올 수도 없으니 곁에 있어줘."

그래서 갖은 변명을 대며 간곡하게 부탁했건만 더미는 단호했다. 더미는 미끈한 특성을 이용해서 닫힌 문틈 사이로 유연하게 빠져나갔다.

"앗!"

당황한 시연은 황급히 문을 열고 더미의 뒤를 좇았지만 그새 어디로 간건지 보이지 않았다. 일단 다른 사람들의 눈에 띄면 안 되니 시연은 방으로 다시 들어왔다.

데미안은 여전히 정신을 차리지 못했다. 그를 보니 온갖 생각이 들었다.

금단의 아이인 자신이 그의 곁에 있어도 되는 걸까. 엄마를 죽인 살인범을 이대로 용서해도 괜찮은 걸까. 아니, 그것보다 정말 데미안은 금단의 아이인 것과 상관없이 자신을 지키겠다고 말했을까.

티에나 베르의 행동도 그렇고 데미안이 보여주었던 행동들을 봤을 때 마몬이 거짓말을 하는 것처럼 보이진 않았지만 선뜻 믿기진 않았다. 아마도 그의 입으로 직접 듣기 전까진 믿기 힘들 것이다. 그래서 그가 빨리 일어났으면 하는 마음과, 적어도 여기선 일어나지 않았으면 하는 마음이 교차해서 머릿속이 혼란스러워졌다.

시연은 깊은 한숨을 내쉬며 고개를 돌렸다. 그러자 화장대 거울에 비친 볼품없는 자신의 모습이 보였다. 머리끝부터 발끝까지 피가 묻지 않은 곳이 없었다. 예뻤던 드레스는 엉망진창으로 찢겨져 있었다. 그 난장판에 있었으니 당연했다.

'근데 소름이 돋는 건, 크게 다치지 않았다는 거지.'

자신이 평범한 인간이 아니라는 것이 확 와닿아 몸에 닭살이 돋았다. 시연은 깊은 한숨을 내쉬며 화장실로 들어갔다. 머리와 손발에 묻은 피를 씻어낼 생각이었다.

욕실은 작지만 갖춰질 건 다 갖춰져 있었다. 욕조에 디지털 온도 조절기랑 해바라기 샤워기도 있었다.

시연은 온도 조절기로 물의 온도를 따뜻하게 맞춘 뒤 한 손에 일반 샤워기를 들고 수도꼭지를 틀었다.

"앗!"

그러자 해바라기 샤워기에서 물이 쏟아졌다. 당황한 시연은 황급히 수도꼭지를 잠갔지만 이미 물에 흠뻑 젖은 후였다. 완전 물에 빠진 생쥐 꼴이 되고, 물에 젖은 드레스는 축 늘어졌다.

"하아, 진짜."

일이 한 번 안 풀리기 시작하면 계속 안 풀린다더니 그 말이 딱 맞았다. 물이 어디로 나오는지 확인하지 않고 무작정 튼 자신의 실수이기도 했다.

물에 흠뻑 젖은 드레스는 너무 불편해서 더 이상 입고 있을 수가 없었다. 수건으로 물기를 닦아내고 드라이어로 말리려고 해도 역부족이었다.

시연은 어쩔 수 없이 드레스를 벗었다. 불행 중 다행인 건 속옷은 많이 젖지 않았다는 것이다. 이 정도는 드라이어로 말릴 수 있을 것 같았다.

'이왕 이렇게 된 거 샤워할까?'

샤워한 뒤에 입을 옷이 없다는 것이 마음에 걸려 그냥 대충 보이는 곳만 씻어낼 생각이었는데, 말끔하게 샤워를 하는 것이 좋을 것 같았다. 시연은 속옷까지 훌훌 벗어 던지고 해바라기 샤워기 아래에 섰다.

시간이 많이 지난 만큼 피가 굳어서 잘 지워지지 않았지만 못 지울 정도는 아니었다. 때밀이 수건이라도 있었다면 좀 더 쉬웠겠지만, 없으니 일일이 손으로 지워야 했다.

쿵—.

한참 몸에 묻은 핏자국을 지우는 데 집중하고 있는데 밖에서 이상한 소리가 들렸다. 무언가 부서지는 소리 같았다.

'설마 가구가 부서진 건가?'

시간이 많이 지났으니 가능성은 충분히 있었다. 정말 그런 거라면 큰일이니 시연은 허둥지둥 마무리를 한 뒤 밖으로 나갔다.

그러자 반쯤 부서진 테이블 기둥이 보였다. 그 옆에 있는 옷장도 조금씩 금이 가고 있었다.

"안 돼!"

여기서 더 부서지는 건 막아야 했다. 시연은 티에가 조언한 대로 서둘러 데미안의 손을 잡았다. 다행히도 효과가 있는지 더 금이 가진 않았다.

"하아."

시연은 그제야 안도하며 깊은 한숨을 내쉬었다. 이 소란에도 데미안은 미동도 없이 자고 있었다. 참으로 다행이라고 생각되면서도 꼭 감긴 눈이 야속했다.

시연은 데미안 쪽으로 눈을 흘긴 뒤 벌어진 앞섶을 추슬렀다. 정신을 잃은 데미안이 제 옷차림을 볼 리가 없다는 걸 알면서도 괜히 신경이 쓰였다.

'티에가 10분에 한 번씩 잡아주면 된다고 했지?'

물론 계속 잡아주는 것이 더 좋다고 말하긴 했지만.

시계가 없어 정확하게 시간을 잴 순 없었지만 시연은 마음속으로 대충 시간을 가늠한 뒤 10분에 한 번씩 데미안의 손을 잡아주었다.

그동안 머리도 말리고 젖은 속옷도 말렸다. 드레스도 말리려고 노력했지만 역시 드레스까지 말리는 건 역부족이었다.

'계속 샤워 가운을 입고 있는 것도 좀 그런데. 무슨 방법이 없을까?'

곰곰이 생각해봐도 좋은 방법이 떠오르지 않았다. 그저 베르나 다른 사람들이 올 때까지 데미안이 깨지 않기를 간절히 바랄 뿐이었다. 이 차림새로 그를 마주하는 건 퍽이나 민망했으니까.

그러면서도 드레스를 말리는 걸 포기하지 않았다. 완전히 말리는 건 바라지도 않았다. 입을 수 있을 정도만 마르면 되는 것이다.

"아, 10분 다 됐……."

"……."

드레스를 말리다 말고 허겁지겁 밖으로 나온 시연은 저를 바라보고 있는 새카만 눈동자를 마주하고 그대로 굳었다.

언제 정신을 차린 건지 알 수 없는 데미안은 시연을 빤히 바라보고 있었다. 그들 사이에는 고요한 정적이 흘렀다.

"……죽은 건가?"

그 정적을 먼저 깬 건 데미안이었다.

"내가 죽은 건가?"

죽었느냐니. 참으로 뜬금없는 말이었다. 뭔가 단단히 오해를 하고 있는 모양이었다.

"무슨 이상한 소리를 하는 거예요? 당신이 죽었을 리가 없잖아요."

그제야 정신을 차린 시연은 볼멘소리로 대답했다. 그러자 데미안의 눈동자가 작게 흔들렸다. 이해할 수 없다는 표정이었다.

"근데 왜 네가 여기 있는 거지?"

"있으면 안 되는 건가요?"

"도망치려고 했잖아?"

"하지만 당신이 붙잡았죠."

정확히는 마몬이 붙잡은 거지만 마몬이 붙잡은 이유도 모두 데미안 때문이었으니 그게 그거였다. 그 역시 찔리는 것이 있는지 데미안은 입을 다물었다. 그제야 마몬이 한 말에 좀 더 믿음이 갔다.

그가 눈을 뜨면 옷차림새 때문에 굉장히 민망할 거라고 생각했는데 예상외로 전혀 그렇지 않았다. 다른 생각들이 머릿속을 가득 채웠기 때문이다.

그에게 묻고 싶은 말들이 두서없이 머릿속을 떠돌아다녔다.

"마몬 씨에게 들었어요. 당신이 무슨 일이 있어도 저를 지키겠다고 말했다고."

가장 묻고 싶은 건 다른 것이었지만 처음부터 단도직입적으로 물을 용기가 나지 않아 시연은 가장 만만한 것부터 물었다.

"그래서 제가 금단의 아이라는 걸 알면서도 절 죽이지 못한다고."

"……마몬이 잘못 알아들은 거다. 난 그런 적 없어. 너도 알고 있다시피 난 널 죽이려고 했다."

"날 베지도 못하는 검으로?"

"……."

"알고 있었잖아요? 나를 죽이려면 가온이 만든 그 검으로 날 베어야 한다는 걸."

정곡을 찔렸는지 데미안은 아무 말도 하지 않았다. 예상이 맞았다. 그는 다 알고 있으면서도 일부러 그런 쇼를 벌인 것이었다.

마치 그의 말에 도발당한 자신이 그를 죽이길 바라는 사람처럼.

"도대체 왜 그런 거예요?"

그런 데미안의 행동이 도무지 이해가 되지 않아 시연은 단도직입적으로 물었다.

"왜 그런 되도 않은 짓을 벌인 거예요? 제가 정말로 당신을 죽이려고 했으면 어쩌려고!"

"……."

"꿀 먹은 벙어리예요? 아까는 그렇게 말을 잘하더니 왜 한 마디도 안 하는 건데요! 도대체 왜……!"

소리까지 내지르며 물었지만 여전히 그는 대답이 없었다. 대답해줄 생각이 없는 것 같았다.

"……그럼 이거라도 대답해주세요."

대답을 들을 가능성이 없는 질문에 계속 매달릴 만큼 미련하진 않은 시연은 다른 걸 물었다.

"정말로…… 절 좋아하지 않으세요?"

전혀 예상하지 못했던 질문이었는지 데미안의 눈동자가 아까와는 비교도 할 수 없을 만큼 크게 흔들렸다.

"저에 대한 마음, 전부 거짓이었던 거예요? 아니면 제가 금단의 아이라서 싫어진 건가요?"

그게 아니라는 것을 어렴풋이 알고 있긴 했지만 직접 확인하고 싶었다. 데미안의 마음을, 그가 어떤 생각을 하고 있는지를 그의 입으로 말하는 걸 두 귀로 직접 듣고 싶었다.

그래서 두려움을 비롯해서 온갖 감정들을 무릅쓰고 물었건만 그는 말이 없었다. 그저 아까처럼 입을 꾹 다물고 있을 뿐이었다.

보아하니 이것도 대답해주지 않을 모양인가 보다. 도대체 숨기고 있는 것이 왜 이렇게 많은 건지. 자신 역시 그에게 많은 것을 숨겼었지만 그래도 야속한 마음이 드는 건 어쩔 수가 없었다.

시연이 깊은 한숨을 내쉬며 고개를 돌리려는 순간…….

"……싫어할 리가 없잖아."

날벼락처럼 그의 대답이 떨어졌다. 다시 고개를 돌리니 자신을 똑바로 바라보고 있는 데미안이 보였다.

"좋아한다."

거짓말을 하면 귀가 빨개지는 시연과 달리 데미안은 거짓말을 할 때 이렇다 할 특징이 없었다. 그러니 지금 한 말이 거짓인지 진실인지 겉보기엔 알 수 없었지만 거짓말을 하는 것처럼 느껴지진 않았다. 아니, 그렇게 믿고 싶었다.

"금단의 아이이든 말든 상관없이…… 난 여전히 널 사랑해."

허스키하고 다정한 음색에 섞여 나온 달콤한 단어에, 품고 있던 모든 의문들이 사라졌다. 딱딱하게 얼어 있던 마음이 눈 녹듯이 녹아내린다.

'나 정말 바보 같네.'

다른 건 그렇다 쳐도 그가 엄마를 죽인 살인자라는 사실은 변함이 없는데 이렇게 쉽게 마음을 허락하다니.

'근데 정말로 데미안 씨가 엄마를 죽인 것이 맞는 걸까?'

아니, 죽인 건 맞을 것이다. 엄마가 정말로 승계 과정에 도전했다면 말이다. 단지 의심이 되는 건 데미안의 말처럼 엄마를 그렇게 잔혹하게 죽인 것이 맞는지의 여부였다. 그가 단순히 저를 도발하기 위해 거짓말을 했을 가능성도 있으니 그게 맞는지 물어보고 싶었지만 그만큼의 용기는 나지 않았다.

다시 한 번 그것이 진실이라는 걸 확인하면 완전히 무너질 것 같았으니까. 그래서 차마 물어볼 수가 없는 것이다.

"울지 마라."

그런 자신이 너무 답답해서 눈물을 뚝뚝 흘리니 데미안이 자리에서 일어나 성큼 다가왔다.

"네가 울면 어떻게 해야 할지 모르겠으니까 울지 마."

그의 차갑고 다정한 손길이 뺨에 닿았다. 뺨을 적시는 눈물을 닦던 손길은 입술까지 내려왔다. 하도 물어뜯어서 엉망진창인 입술을 안타깝다는 듯 매만지던 데미안은 이내 천천히 고개를 숙여 입을 맞췄다.

약간 거칠면서도 부드러운 감촉에 시연의 눈이 저절로 감겼다. 지금까지 했던 키스 중에서 가장 상냥하고 정중한 키스였다. 그가 얼마나 자신을 배려해주고 있는지 확실히 알 수가 있었다.

시연은 그의 입맞춤에 정신없이 빠져들었다. 호흡을 빼앗아가는 움직임에 정신이 아득해졌다. 아무 생각도 들지 않았다. 몸에 점점 힘이 차오르는 것도 느끼지 못했다.

"……윽."

"……!"

그것도 잠시, 그가 흘린 신음에 정신이 번쩍 든 시연은 다급하게 데미안을 밀어냈다. 평소였다면 이 정도에 꿈쩍도 하지 않았을 그인데 이번엔 너무나도 손쉽게 밀려났다. 그만큼 그의 몸 상태가 좋지 않다는 걸 의미했다.

가슴 쪽에 통증이 온 건지 데미안은 가슴을 움켜쥔 채 상체를 숙였다. 작게 일그러진 얼굴이 괴로워 보였다. 식은땀이 날카로운 턱 선을 타고 뚝 떨어졌다.

“아, 아…….”

그가 저렇게 고통스러워하는 까닭이 자신의 접촉 때문임을, 그의 힘을 가져갔기 때문임을 잘 알고 있는 시연은 주춤 뒤로 물러섰다.

“역시…… 전 당신의 곁에 있으면 안 될 것 같아요.”

두려움에 잠식된 눈동자가 부질없이 요동쳤다.

“저 때문에 당신이 죽고 말 거예요.”

가온도 그러지 않았던가. 자신은 결국 데미안을 죽이는 독이 될 거라고.

다른 사람은 몰라도 데미안에겐 여태껏 자신의 이상한 능력이 통하지 않았었다. 그러니 이번에도 그럴 거라고, 그는 괜찮을 거라고 은연중에 위안을 삼고 있었지만 잘못된 생각이었다. 그 증거가 이렇게 눈앞에 있지 않은가.

그를 죽이고 싶지 않았다. 자신 때문에 그가 죽는 모습을 보고 싶지 않았다. 그러려면 그의 곁을 떠나는 수밖에 없었다. 역시 아까 마몬이 붙잡더라도 무시하고 떠났어야 했다. 그러지 않은 탓에 이런 일이 벌어진 것이다. 전혀 알고 싶지 않은 사실까지 두 눈으로 직접 확인하고 말았다.

그러니 어서 떠나자고, 더 여기 있으면 안 된다고 생각한 시연은 문 쪽으로 달려갔다. 샤워 가운만 입고 있다는 사실을 까맣게 잊은 채. 머릿속에 떠나야 한다는 생각밖에 없는 탓이었다.

그렇게 문을 여는 것까진 성공했지만 시연은 한 발짝도 밖으로 내디딜 수가 없었다.

“가지 마.”

어느새 정신을 차린 데미안이 덜컥 손목을 잡은 탓이었다.

또 접촉하고 말았다. 시연은 그 사실에 아연실색하며 데미안의 손을 뿌리치려고 했지만 아까와 달리 그는 쉽게 밀려나지 않았다.

“놔, 놔줘요!”

"못 놔."

"놓으란 말이에요! 이대로 있다간 당신의 목숨이 위험하단 말이에요!"

"정말 그렇게 생각해?"

좀 전과 비교했을 때 한층 안정된 목소리가 귓가를 사로잡았다.

"정말로 내 목숨이 위험해질 거라고 생각해?"

"그야 물론……!"

"내 얼굴 똑바로 보고 말해. 지금 내 얼굴을 보고도 그렇게 생각하는지."

턱을 붙잡는 손길에 시연은 자신의 의지와 상관없이 그를 똑바로 바라보게 됐다. 안정된 목소리에서 알 수 있듯이 그의 얼굴은 지극히 멀쩡했다. 어딘가 아파 보이진 않았다.

"정말…… 괜찮은 거예요?"

불과 몇 분 전만 해도 그렇게 아파하던 그가 단시간에 괜찮아졌다는 것을 도저히 믿을 수가 없었다.

"아픈데 안 아픈 척 연기하고 있는 거 아니에요?"

"난 지극히 멀쩡해. 아까도 멀쩡했었고."

"그럴 리가. 괴로워했었잖아요."

"매일같이 긴장하고 있던 몸과 심장이 긴장이 풀리면서 잠시 당황했을 뿐이야. 태어나서 처음 느끼는 감각이었으니까."

담담하게 말을 뱉는 얼굴은 확실히 거짓말을 하거나 연기를 하는 것처럼 보이진 않았다.

하지만 여전히 믿기지 않아 불안한 눈동자로 그를 하염없이 바라보자 데미안이 픽 웃으며 잡고 있는 시연의 손목 위로 가볍게 입을 맞췄다.

여전히 차갑고 메마른 감촉이었다. 그러면서도 눈동자는 시연에게 고정되어 있었다.

"걱정하지 마."

그가 뱉는 말이 살갗 위를 맴돌며 간질였다.

"지금 내 상태는 그 어느 때보다 좋으니까."

시연이 걱정할까 봐, 그녀가 떠나지 못하도록 붙잡기 위해 하는 거짓말이 아니라 사실이었다. 정말로 데미안의 상태는 그 어느 때보다 좋았다.

태어났을 때부터 지금까지 그의 몸과 심장은 언제 폭주할지 모르는 기운들 때문에 항상 긴장하고 있었다. 안느를 반려로 들였을 땐 그나마 괜찮아졌지만 그래도 상황은 비슷했다. 제물을 이용해서 주기를 해결했을 때도 마찬가지였다. 시연을 만났을 때도 역시.

한데 지금은 완전히 달랐다. 몸이 완전히 편해졌다. 아마 지금보다 더 편할 수는 없을 것이다. 태어나서 단 한 번도 겪어보지 못한 익숙하지 않은 감각에 처음에는 놀라서 잠시 주춤했지만 지금은 아니었다.

"이렇게 편해진 건 전부 네 덕분이겠지."

"그럴 리가 없어요."

시연은 즉각 데미안의 말을 부정했다.

"내 덕분에 몸이 괜찮아졌다니. 그런 일이 가능할 리가 없잖아요. 전 금단의 아이인데……."

"확실히 내가 평범한 놈이었다면 그런 일이 가능하지 않았겠지. 하지만 난 그런 평범한 놈들과 다르다."

"다르다……고요?"

"그래, 달라."

데미안은 시연 쪽으로 좀 더 다가가 다른 손으로 시연이 열어둔 문을 닫았다.

"난 이 세상에서 금단의 아이와 접촉해도 멀쩡한 유일한 남자니까."

급격하게 가까워지는 거리에 뒤로 물러서다보니 등이 문에 닿았다. 그와 문 사이에 갇힌 시연은 떨리는 눈동자로 데미안을 바라봤다.

"그리고 넌 이 세상에서 유일하게 내 힘을 받아들이고도 아무렇지 않은 여자지."

"……."

"이게 바로 운명이 아닐까."

운명. 듣기만 해도 설레는 단어가 가슴에 푹 꽂혀왔다. 그보다 더 가슴 뛰게 만드는 눈동자가 시선을 사로잡는다.

"내가 이런 저주받은 몸으로 태어난 것도, 네가 금단의 아이로 태어난 것도 서로를 만나기 위해서였던 거야."

둘 중 한 명이라도 정상이었다면 이 관계는 성립되지 않았을 것이다.

"그러니까 우리가 만난 건 운명적인 만남이지."

데미안은 시연의 뺨을 부드럽게 쓸어내렸다.

그녀가 금단의 아이라는 이야기를 들었을 땐 이런 생각은 아예 하지 못했었다. 창고에서 금단의 아이로 각성한 모습을 봤을 때도 마찬가지였다.

그래서 그녀를 지켜주려면 '그 방법'밖에 없다고 생각해서 그렇게 행동했었다. 한데 그게 아니었다. 그런 생각을 한 자신이 어리석었다.

이게 바로 운명이었으니까. 어느 한쪽이 사라지는 것이 아니라 둘 다 함께 공생하는 것이 자신들의 운명이었던 것이다.

그걸 방금 제 두 눈으로 똑똑히 확인한 데미안은 거침없이 행동했다.

'어쩜 좋아.'

자신을 바라보는 데미안의 시선과 뺨을 훑는 부드러운 행동, 그리고 심장을 저격하는 달콤한 말에 시연의 심장은 주체할 수 없을 정도로 쿵쾅거렸다. 얼굴이 붉어지는 건 말할 것도 없었다.

"……이기적이시네요."

그러면서 마음 한구석에는 그에 대한 원망이 생겼다. 시연은 길게 숨을 토해내며 원망의 말을 뱉었다.

"창고에서 그렇게 저한테 모질게 굴어놓고…… 이제 와서 이런 식으로 나오면 제가 쉽게 당신을 용서할 것 같나요?"

사실 그를 거의 용서했지만 그걸 그대로 내보일 순 없었다. 그렇게 한다면 그의 진심을 들을 수 없을 테니까.

"제가 용서하길 바란다면 말해주세요. 그때, 창고에서 도대체 왜 그런 행동을 한 건지. 어째서 그런 말로 나를 도발한 건지."

"……."

"제발, 제발 이유를 말해주세요. 더 이상 아무것도 모르는 바보가 되고 싶진 않아요."

시연은 데미안의 가슴팍에 매달려 간곡히 애원했다.

그런 시연을 바라보는 데미안의 눈동자가 불안하게 흔들렸다. 아예 보지 않겠다는 듯 그는 눈을 감았다.

"제발, 데미안 씨!"

이대로 데미안이 또 입을 다물까 봐 두려운 시연은 더 간절하게 애원했다.

눈을 감았던 데미안이 눈을 뜬 건 그때였다. 그의 입이 천천히 열렸다.

"……마계에서 가지고 온 금단의 아이에 관한 책에 이렇게 적혀 있었다."

말을 뱉는 목소리는 지독하게 낮고 허스키하며 진지했다. 덩달아 진지해진 시연은 마른침을 꿀꺽 삼키며 그를 응시했다.

"금단의 아이는 어느 종족에도 속하지 못한 특별한 존재이지만 한 가지 방법을 사용하면 천족 혹은 마족에 포함시킬 수 있다고."

"그게…… 뭐죠?"

"마계의 군주나 신을 죽이고 생명 에너지를 전부 집어삼키는 것. 군주의 생명 에너지를 흡수하면 마족이, 신의 생명 에너지를 흡수하면 천족이 된다고 하더군."

"……!"

그 말인즉, 데미안이 그런 못된 말과 행동을 하며 시연을 도발했던 건 모두 시연이 그를 죽여 생명 에너지를 흡수함으로써 그녀를 온전한 마족으로 만들기 위함이라는 의미였다. 그렇게 된다면 창조주의 예언에 더 이상 쫓기지 않을 테니까.

한마디로 처음부터 끝까지 그녀를 위한 행동이라는 의미였다.

그 사실이 감당할 수 없을 만큼 크게 다가와 머리가 어질어질했다. 금방이라도 구역질이 나올 것만 같았다. 숨조차 제대로 쉴 수가 없었다.

"당신…… 바보예요?"

그의 가슴팍을 움켜쥔 손에 힘이 들어갔다. 시연은 잡아 뜯을 것처럼 그의 옷깃을 꽉 움켜쥐며 소리쳤다.

"그런 짓을 하면 내가 기뻐할 거라고 생각했어요? 얼씨구나, 하고 춤이라도 출 거라고 생각했어요?"

"……."

"만약 그렇게 생각했다면 전부 착각이에요! 당신이 그렇게 죽어서, 그래서 내가 마족이 됐다고 하더라도…… 난 당신을 따라갔을 테니까!"

농담은 조금도 섞여 있지 않은 진심이었다. 만약 그런 끔찍한 일이 일어났다면, 정말로 시연은 그의 뒤를 따르는 쪽을 선택했을 것이다.

"장난이라도 두 번 다시 그런 생각 하지 마요."

다시 생각해봐도 그건 하늘이 무너지는 일이었다. 그를 잡아먹고 마족이 된다니. 생각만 해도 끔찍하고 화가 났다. 그런 행동을 한 그에게, 그리고 그걸 받아들일 뻔한 자신에게.

"설령 평생 쫓기는 몸이 될지라도, 죽는 한이 있더라도 당신을 죽이고 제가 마족이 되는 일은 없을 테니까."

너무 화가 난 나머지 세게 깨문 탓에 핏방울이 입술에서 툭 흘러내렸다. 그 핏방울을 엄지로 부드럽게 쓸어 올리며 데미안은 작게 고개를 끄덕였다.

"……그래."

목소리는 조금 전과 같은 듯하면서도 조금 달랐다. 미세하지만 울음기가 섞여 있었다. 기뻐하는 것 같기도 했다.

"네 말대로 할 테니…… 대신 내 곁을 떠나지 마."

"영원히?"

"그래, 영원히."

데미안은 단호하게 대답하며 시연에게 깍지를 꼈다. 마치 올가미 같았다.

"내가 지켜줄 테니까 영원히 내 곁에 있어."

"……창조주가 금단의 아이를 죽이라고 예언했다면서요. 그래도 날 곁에 두려는 건가요? 창조주를, 모두를 적으로 돌릴지도 모르는데?"

"모두는 아니지. 그 상황이 되더라도 넌 내 편을 들어줄 테니까."

당연한 말이었다. 그가 자신을 지켜주겠다고 했는데 어찌 그를 배신하겠는가.

"그러니까 떠나지 마. 네가 떠나면 난 어차피 죽어."

"그건 절 너무 좋아하기 때문인가요?"

이런 질문을 하는 스스로가 유치하다는 건 잘 알고 있었지만 확인해보고 싶었다. 그에 대한 믿음이 없기 때문이 아니었다. 좀 더 강하게 그를 믿고 싶었기 때문이었다.

"아니."

턱 주변을 맴돌던 그의 엄지가 시연의 입술을 꾹 눌렀다.

"너무 사랑하기 때문이지."

더할 나위 없이 완벽한 대답이었다. 잘했다는 의미로 시연은 그의 두 뺨을 부드럽게 감싸고 먼저 입을 맞췄다.

내심 그가 정말 자신과 접촉해도 괜찮은 건지 확인하고 싶은 마음도 있었다. 만약 조금이라도 그의 몸에 이상이 생긴다면 그땐 주저 없이 도망칠 생각이었다.

그러니 부디 그런 일이 일어나지 않길 간절히 바랐는데 웬일인지 간절한 바람이 통했다. 데미안은 아주 멀쩡했다. 그제야 시연은 남아 있던 일말의 불안감까지 완전히 털어낼 수가 있었다.

시작한 건 시연이었지만 키스를 주도하는 건 데미안이었다. 아까와는 다른 소유욕 가득한 입맞춤이 길게 이어졌다. 그녀를 완전히 집어삼킬 것처럼 집요하게 입술을 탐하던 그의 입술은 곧 턱 선을 타고 아래로 떨어졌다.

"아……!"

가운 사이로 드러난 쇄골에 그의 입술이 닿자 시연은 화들짝 놀라며 그를 밀어냈다.

"데미안 씨, 이건……."

"쉿."

데미안의 긴 손가락이 입술에 닿았다. 섹시하게 가라앉은 목소리는 위험했다. 적색 신호가 머릿속에 웅웅 울려 퍼졌다.

모텔 방에서 끈적끈적한 키스를 나누고 있는 두 남녀. 서로 마음에 있는 상황인 데다가 한쪽은 샤워 가운만 입고 있었다. 뒤에 무슨 일이 일어난다고 해도 이상하지 않을 상황이었다.

무슨 일이 일어날지 모를 만큼 어리지 않았기 때문에 지금 이 상황이 더 부끄럽고 창피했다.

조금 전까지만 해도 서로 칼을 겨누며 죽이니 살리니 했었는데 한순간에 분위기가 확 변하니 혼란스럽기도 했다. 그 감정은 침대에 등이 닿는 순간 확 증폭됐다.

툭, 툭—.

그는 거침없이 셔츠 단추를 풀었다. 잡아 뜯는다는 표현이 더 맞는 표현일 것이다. 다소 거칠고 야성적인 그의 행동에 시연의 목울대가 크게 너울

거렸다.

데미안이 침대 위로 올라오면서 그의 무게까지 더해지니 침대가 푹, 파였다. 데미안은 시연이 도망치지 못하게 두 팔을 꽉 잡고 제 아래에 두었다.

시연의 긴 머리가 침대 위에 어지럽게 퍼졌다. 시연은 다소 놀란 얼굴로 데미안을 바라봤다.

"무서워?"

"……아니요."

"그럼 내가 싫어진 건가?"

그건 더더욱 아니었다. 그래서 고개를 저었더니 데미안이 약간 의아하다는 듯 다시 물었다.

"그럼 왜 그렇게 두려운 눈으로 날 보고 있지?"

내가 그런 눈으로 데미안을 보고 있다고?

시연은 살짝 놀라며 눈을 더듬었다. 데미안의 말을 듣고 나니 그런 것도 같았다.

왜 그런 걸까. 그가 전혀 무섭거나 두렵지 않은데. 이해가 되지 않아 멍하니 그를 바라보고 있던 시연은 새카만 눈동자에 비친 제 모습을 보고 그 이유를 깨달았다.

'엄마.'

두려움의 정체는 바로 엄마에 대한 죄책감이었다. 그녀를 죽인 살인자를 용서하고 사랑해버린 것에 대한 죄책감.

그를 좋아하는 건 맞지만 그렇다고 죄의식까지 사라지는 건 아니었다. 그와 끝까지 가버리면 엄마를 볼 낯이 완전히 없어질 것 같아서 이 상황이 거북하고 두려웠던 것이다.

"레아 때문인가?"

그 마음을 또 귀신같이 읽은 데미안이 물었다. 아니라는 말이 나오지 않아 가만히 있었더니 데미안이 깊은 한숨을 내쉬며 다시 입을 열었다.

"레아는……."

벌컥—.

그때였다. 문이 예고도 없이 열린 것은.

"들어가시면 안 된다니까요!"

"안 되긴 뭘 안 돼! 한시라도 빨리 이곳을 벗어나…… 헉!"

곧, 문 쪽이 소란스러워지더니 숨 삼키는 소리가 들렸다.

하나가 아닌 둘, 아니 셋인 것 같았다. 꾸잉, 하는 이상한 소리도 들렸다.

데미안이 시야를 가로막고 있어 누가 온 건지 직접 눈으로 확인할 수는 없었지만 목소리를 듣는 것만으로도 충분했다.

티에와 마몬이 온 것이다. 숨을 삼키는 소리가 셋인 걸로 보아 나오도 온 듯했다. 마지막에 꾸잉, 하는 건 더미가 내는 소리가 분명했다.

"……."

"……."

그들 사이에는 잠깐의 정적이 흘렀다. 오해의 소지가 다분한 장면을 그들에게 보여주게 된 시연은 깜짝 놀라 그대로 굳었다. 그건 그들도 마찬가지였다.

여유가 있는 건 데미안뿐이었다. 조금 성가시다는 듯 데미안이 그들을 돌아보자 셋 중에서 가장 먼저 정신을 차린 티에가 황급히 허리를 숙이며 우렁차게 소리를 쳤다.

"바, 방해해서 죄송합니다!"

그러곤 여전히 정신을 차리지 못하는 마몬과 나오를 데리고 서둘러 사라졌다. 문을 닫는 것도 잊지 않았다.

쾅, 하는 소리와 함께 정신이 돌아온 시연은 황급히 데미안의 손을 뿌리치고 침대 밖으로 나왔다. 그런 시연의 행동에 데미안의 눈매가 좀 더 사납게 일그러졌다.

"도, 돌아갈 수 있게 됐나 봐요."

시연은 고의적으로 그런 데미안을 돌아보지 않고 말했다.

"어서 나가요. 이곳에 있다가 괜히 다른 사람들의 눈에 띄면 곤란하잖……."

말을 채 잇지 못한 건 데미안이 백허그를 해왔기 때문이었다.

"만약 마음이 바뀐다면 언제든지 이야기해."

데미안은 시연의 어깨에 얼굴을 묻으며 말했다.

"난 언제든지 네 손에 죽어줄 생각이 있으니까."

그럴 일은 절대로 없다고, 그런 생각은 전혀 하지 말라고 아까처럼 말해야 하는데 이상하게도 입이 떨어지지 않아 아무 말도 할 수가 없었다.

마몬은 센스 있게 자동차뿐만 아니라 갈아입을 옷도 가지고 왔다. 상표도 떼지 않은 새 옷이었다. 이 새벽에 옷을 어디서 구해 온 건지 조금 신기했다.

마몬이 구해 온 자동차를 타고 집으로 가는 내내 그들 사이엔 이렇다 할 말이 오고 가지 않았다. 그렇다고 분위기가 나쁜 건 아니었다. 약간 어색할 뿐이었다.

특히 데미안의 품에 거의 안기다시피 있던 시연은 간혹 정수리에 꽂히는 마몬의 시선이 너무 부담스러웠다. 그 때문에 가는 내내 제대로 고개를 들지 못했다.

시연이 붙어 있는 것이 효과가 있는 건지, 아니면 데미안이 정신을 차렸기 때문인지 아까처럼 자동차가 고장 나는 불상사는 일어나지 않았다.

그들이 타고 있는 차는 매끄럽게 도로 위를 질주했다.

"반려님!"

오피스텔에 도착한 시연을 가장 먼저 반긴 건 리사였다. 그는 데미안이 보이지 않는다는 듯 곧장 시연에게 달려왔다. 거침없이 손을 뻗는 걸로 보아 시연이 금단의 아이라는 소식을 듣지 못한 모양이었다. 데미안은 시연과 접촉해도 괜찮겠지만 리사는 아니었다.

"잡으면 안……."

탁―.

이에 당황한 마몬이 리사를 잡으려는데 그보다 앞서서 데미안이 시연 쪽으로 뻗어진 리사의 팔을 잡았다.

"건들지 마."

"예?"

"시연은 내 반려다. 아무리 너라도 외간 남자가 건드리는 걸 두고 볼 수는 없지."

이건 무슨 지나가던 개가 비웃을 법한 소리인지.

이보다 더한 것을 했을 때도 문제가 없었는데 갑자기 데미안이 이러는 까닭이 이해가 되지 않아 리사는 마몬을 쳐다봤다. 그러자 마몬은 어색하게 웃으며 리사의 시선을 피했다.

뭔가 있는 것이 분명했다. 티에라면 설명해줄까 싶어 그녀를 쳐다봤지만 티에의 반응도 별반 다르진 않았다.

"자, 피곤하실 테니 어서 올라가시죠, 반려님."

되레 한술 더 뜨며 시연을 데리고 총총 사라졌다. 데미안은 그 뒤를 따라갔다. 오피스텔의 주차장에 남은 건 마몬과 리사, 그리고 나오 뿐이었다.

"뭐야, 형님. 무슨 일이 있었던 거야?"

"아무 일도. 그리고 반려님이 아니라 시연 님이다."

마몬은 아까부터 마음에 들지 않았던 호칭을 정정했다.

"더 이상 시연 님을 반려님이라고 부르지 마."

"왜? 반려식이 취소되긴 했지만 군주님의 상태로 보아 시연 님을 반려로 들이실 것 같은데?"

"그럴 수 없게 됐으니까 부르지 말라는 거야."

"그럴 수 없게 되다니? 무슨 소리야?"

진심으로 궁금하다는 듯 돌아온 질문에 마몬은 대답하지 않았다. 그저 막 도착한 엘리베이터를 타고 위로 올라갈 뿐이었다.

"무슨 일이 있었던 거야?"

마몬이 알려주지 않는다면 나오에게 물어보면 되는 일이었다. 그들과 함께 있었을 나오도 무슨 일이 있었는지 알고 있을 테니까.

그래서 나오를 돌아보며 물어봤지만 돌아온 건 냉담한 고갯짓이었다.

"주인님이 말씀하지 않은 걸 제가 말할 수 있을 리가 없지 않습니까."

나오는 차갑게 대꾸한 뒤 마몬의 뒤를 따라갔다.

잠시 넋이 나간 채 넓은 주차장에 혼자 남은 리사는 이내 억울하다는 듯 빽 소리를 쳤다.

"왜 나만 왕따시키는 거야!"

반려식 준비로 한껏 시끌벅적했던 오피스텔은 조용했다. 무슨 일인지는 모르지만 눈치껏 안 좋은 일이 있다는 것을 예감한 리사가 미리 정리해준 덕분이었다.

시연은 4층에서 내리고 싶었지만 제 팔을 잡고 놔주지 않는 데미안 때문에 불가능했다.

“내가 없는 사이 또 도망치면 안 되니까.”

저렇게 말하는데 어떻게 가겠다고 말하겠는가. 시연은 군말 없이 데미안을 따라갔다. 집 안으로 들어서자 고요한 정적이 몸을 휘감았다.

‘그러고 보니 베르 씨는 괜찮은 건가?’

문득 베르가 걱정이 된 시연이 걸음을 멈추고 뒤를 돌아보자 덩달아 걸음을 멈춘 데미안이 그녀를 쳐다봤다.

“왜?”

“아, 베르 씨가 걱정돼서요.”

“뭐 때문에 베르를 걱정하는 건지는 모르겠지만, 괜찮으니 걱정하지 않아도 돼.”

“괜찮은지 어떻게 알아요?”

“더미들이 멀쩡하게 움직이고 있으니까.”

데미안의 시선이 어느덧 자신들의 주변을 둘러싸고 있는 더미들에게 향했다. 더미들은 굉장히 팔팔해 보였다. 데미안의 운반을 도와주었던 더미 역시.

“만약 베르에게 무슨 일이 있었다면 더미들은 더 이상 움직이지 못했을 거다.”

그런 거였구나. 처음 안 사실이었다.

데미안의 말이 사실이라면 베르는 확실히 무사하다는 얘기였다. 시연은 그제야 안심하며 가슴을 쓸어내렸다.

그러자 데미안이 못마땅한 듯 입매를 비틀며 시연의 팔을 잡았다.

“다른 놈 걱정 따위 하지 마.”

“……네?”

“오로지 나만 생각해.”

뜬금없는 말에 시연은 조금 당황하며 데미안을 쳐다봤다. 데미안은 흔들리는 시연의 눈동자에 오롯이 제 모습만 가득 비치는 걸 보고 만족스럽게 웃었다.

이대로 그녀를 끌어안고 아까 못다 한 걸 하고 싶었지만 시연이 싫어할 테니 꾹 참았다.

"그게…… 걱정하는 것도 안 돼요?"

"응, 안 돼."

"그건 아무 영향을 안 끼치는데?"

"영향을 안 끼치긴. 내가 싫어하잖아."

할 말을 잃게 만드는 대답이었다. 그들을 흐뭇하게 바라보고 있던 티에마저 혀를 내둘렀다.

"널 만질 수 있는 이성이 나밖에 없다는 걸 알았을 때 내 기분이 어땠는 줄 알아?"

하지만 데미안은 신경 쓰지 않고 시연의 머리카락을 매만졌다. 시연을 바라보는 시선은 그 어느 때보다 따뜻했다.

"말로 표현할 수 없을 만큼 기쁘고 좋았어. 네 곁에 나 말고 다른 그 누구도 있을 수 없다는 의미니까."

"……."

"그러니까 생각으로도 다른 놈을 담지 마. 네가 생각하는 그 이상으로 난 질투심이 많은 놈이거든."

이 남자, 원래 이런 이미지였던가.

시연이 작게 고개를 끄덕이자 데미안은 만족스럽게 웃으며 시연의 볼을 매만졌다. 그러면서 천천히 머리를 숙였다. 두 입술 사이가 점차 가까워지고, 거의 맞붙으려는 순간…….

"거기서 그만하시는 것이 어떻습니까?"

뒤에서 마몬이 불쑥 튀어나왔다. 이에 시연은 데미안을 세게 밀어냈다.

한 번도 아니고 두 번씩이나 방해를 받다니. 불쑥불쑥 등장하는 마몬이 영 못마땅한 데미안은 여지없이 눈매를 찌푸렸다.

"군주님, 드릴 말씀이 있습니다."

"조금 이따가 하면 안 되는 건가?"

"명령하신 것에 관한 이야기인데도요?"

그 말에 데미안은 멈칫했다. 잠시 생각하던 그는 길게 숨을 뱉으며 티에를 돌아봤다.

"시연을 데리고 4층에 가 있도록 해."

"알겠습니다."

"금방 다시 부를 테니까 기다리고 있어."

시연의 뺨에 가볍게 입을 맞춘 데미안은 티에를 돌아봤다.

"만약 시연에게 무슨 일이 생긴다면 그땐 네 목이 날아갈 테니 주의하도록 해."

그냥 보기엔 티에에게 하는 말인 것 같았지만 그 화살은 명백하게 시연을 향하고 있었다. 그녀가 꼼짝달싹하지 못하게 올가미를 쳐둔 것이다.

그 사실을 모를 리가 없는 시연은 하얗게 질린 얼굴로 돌아섰다.

역시 도망칠 생각을 하고 있었던 건가. 데미안은 가볍게 혀를 내찼다. 시연을 이대로 보내주기 불안했지만 티에라는 올가미를 쳐뒀으니 마몬과 이야기를 나누는 동안은 문제가 없을 것이다.

"그래서."

시연이 나갈 때까지 그녀에게 시선을 집중하고 있던 데미안은 시연의 모습이 보이지 않게 된 후에야 비로소 마몬을 돌아봤다.

"내가 말한 건 찾은 건가?"

"두 눈으로 직접 보진 못했지만 찾은 것 같습니다."

"무슨 말이지?"

"결계가 있었습니다. 깨면 신이 눈치챌 것 같아 깨진 못했지만요."

"잘했다."

신이 눈치 못 채게 하는 건 그 역시 바라던 바였기 때문에 데미안은 마몬을 칭찬하며 고개를 끄덕였다.

마몬은 자신의 의견에 동의해주셔서 감사하다는 의미로 가볍게 고개를 숙였다.

"그래서 앞으로 어쩔 생각이십니까."

"뭘 말이지?"

"시연 님에 관한 겁니다. 정말로 곁에 두실 생각이십니까. 창조주의 분노를 사실지도 모르는데요?"

"우리 마족들이 언제부터 창조주의 분노를 그렇게 무서워했지?"

데미안의 눈동자가 호기롭게 빛났다.

"그런 건 신경 쓰지 않고 하고 싶은 걸 하며 제멋대로 구는 것이 우리 마족들의 특기가 아니었나?"

물론 그랬다. 천족은 융통성이라곤 조금도 없이 지독할 정도로 창조주가 정한 규칙을 따랐다.

하지만 그런 천족과 달리 마족은 크게 문제가 되지 않는 선에서 난동을 피우며 창조주와 천족들을 곤란하게 만드는 것이 특기였다.

그러니 데미안이 그런 말을 하는 것도 무리는 아니었지만 이번 일은 스케일이 너무 컸다.

"마계가 피해 입을 것이 걱정된다면 군주의 자리를 내려놓을 테니 걱정하지 마."

그래서 아무 말 하지 못했더니 또 저런 소리를 한다. 이에 나오는 건 깊은 한숨뿐이었다.

"저희에게 군주님이 얼마나 필요한 존재인지 잘 아시면서 그런 협박을 하십니까."

"알고 있는 건 활용해야지."

협박한 건 맞다는 의미였다.

'설마, 아까도 협박한 건 아니겠지. 에이, 설마. 고맙다는 말까지 했는걸.'

왠지 그에게 속은 것 같은 예감이 강하게 들었지만 애써 아닐 거라고 떨쳐내며 마몬은 고개를 저었다.

"일단 시연 님이 금단의 아이라는 걸 아는 사람이 별로 없다는 건 희소식입니다. 가온과 신이 알고 있는 것이 조금 마음에 걸리긴 하지만 그들이 저지른 죄가 있으니 선뜻 공개하진 못하겠지요."

"그렇겠지."

"하지만 시연 님을 반려로 들일 수는 없겠군요. 창조주의 계단에 오르실 수가 없으니까요."

시연이 창조주의 계단에 오르는 순간, 그녀가 금단의 아이라는 걸 모두가 알게 될 것이다. 그러니 데미안은 더 이상 시연을 반려로 들일 수가 없었다. 마몬이 리사에게 시연을 '반려님'이라고 부르지 말라고 말한 것도 그 때문이었다.

"부인으로 들이는 건 가능할 테니 그 방법을 강구해봐야겠습니다."

"내가 부인을 두려면 반드시 반려를 들여야 한다는 사실을 모르지 않을 텐데?"

일반 마족은 반려가 없어도 부인을 둘 수 있지만 군주는 달랐다. 반드시 반려가 있어야 부인을 둘 수가 있었다.

"내 옆자리에 있을 여자는 시연뿐이다. 다른 여자에게 줄 자리는 없어."

"하오나……."

"그 부분이라면 내가 알아서 할 테니 걱정하지 마."

"알아서 하시겠다니, 설마 창조주와 맞서 싸우실 생각이십니까?"

"필요하다면."

'필요하다면'이라니. 감히 세상을 창조한 창조주와 맞설 생각이란 말인가. 목숨이 백 개라도 부족할 만큼 무모한 짓이었다.

"하아."

너무 걱정이 된 마몬이 대놓고 한숨을 내쉬자 데미안은 말을 덧붙였다.

"너무 걱정하진 않아도 돼. 아무리 나라도 창조주와 대놓고 맞서 싸울 만큼 바보는 아니니까."

"그럼요?"

"다 생각이 있다."

데미안의 입술이 유쾌하게 호선을 그리며 올라갔다. 데미안은 자신을 걱정스럽게 바라보는 마몬을 똑바로 응시하며 말을 이었다.

"마몬, 신과의 만찬을 잡도록 해."

지금, 천족과 마족의 역사에 한 획을 그을 일이 일어나려 하고 있었다.

화려한 문양과 색상으로 장식된 스테인드글라스 창문을 통해 따스한 햇살이 내리쬈다.

그 햇살을 고스란히 받으며 한 남자가 소파에 앉아 있었다. 햇빛에 반짝이는 금색의 머리칼이 인상적이었다. 새하얀 대리석으로 꾸며진 방은 고풍스러우면서도 우아했다.

양피지를 읽고 있는 남자의 표정은 사뭇 진지했다. 한참 동안 말없이 양피지의 내용을 읽던 남자는 이내 고개를 끄덕이며 창틀에 앉아 있는 비둘기를 쳐다봤다.

"이런 거라면 어쩔 수 없지. 응한다고 전해라."

말이 끝나기 무섭게 비둘기는 새하얀 깃털을 휘날리며 밖으로 나갔다.

그 모습을 물끄러미 바라보던 남자는 탁자 위에 있던 종을 흔들었다. 그러자 티끌 하나 없이 새하얀 정복을 입고 있는 한 여자가 들어와 공손히 머리를 조아렸다.

"돌아오는 새벽 2시, 인간계로 간다."

남자, 마르스는 들고 있던 양피지를 여자에게 건네주며 말했다.

"마계의 군주가 날 만찬에 초대했거든. 그러니 한 치의 소홀함도 없이 준비해라."

"네, 알겠습니다."

마르스가 굳이 저렇게 말하지 않아도 그렇게 할 생각이었다. 군주, 그것도 마계의 군주와 함께하는 만찬 자리였으니까.

태초부터 앙숙 관계였던 천족과 마족은 아주 사소한 것이라도 흠이 있다면 헐뜯고 서로를 비교했다.

그러니 절대 사소한 흠이라도 있어선 안 됐다. 마계의 군주보다 뒤처지는 것 역시 용납할 수가 없었다. 신이 무시를 당하는 건 천족 전체가 무시를 당하는 것과 똑같았으니까.

그 누구도 입을 댈 수 없게 완벽하게 준비하겠노라 다짐하며 여자는 조용한 걸음으로 서둘러 물러났다.

암막 커튼이 쳐진 방 안에는 고요한 정적만 감돌았다. 짙은 어둠이 침대 위에 누운 두 개의 실루엣을 휘감았다.

얼핏 보면 하나처럼 보일 만큼 엉켜 있던 두 개의 실루엣 중 먼저 움직인 건 상대적으로 작은 실루엣이었다. 긴 속눈썹이 파르르 떨리며 천천히 말려

올라갔다.

막 잠에서 깬 탓에 초점이 흐린 듯 연신 깜빡이던 눈동자는 이내 제 옆에 있는 데미안을 발견하고 크게 확장이 됐다.

"데미…… 합!"

너무 놀라 순간 소리를 지를 뻔한 시연은 황급히 입을 틀어막았다. 다행히도 깨지 않은 건지 데미안은 반응이 없었다.

'그가 왜 내 옆에서 자고 있는 거지?'

소파가 아닌 침대에 누워 있는 것까진 이해됐다. 분명 데미안이 옮겼을 테니까. 그러나 그가 나란히 누워 자고 있는 것까진 이해가 되지 않았다.

시연은 멍하니 잠든 데미안의 얼굴을 쳐다봤다. 데미안의 잠든 얼굴을 보는 건 이번이 처음이 아니었지만 볼 때마다 새롭고 기분이 미묘했다.

평소엔 그렇게 예민하면서 잠을 잘 땐 전혀 아닌지 한참을 쳐다봐도 그는 반응이 없었다. 상당히 잠을 깊게 자는 타입인 모양이었다. 전혀 그렇게 보이진 않는데, 의외였다.

'그럼 조금 만진다고 해도 잠에서 깨거나 하진 않겠지.'

시연은 천천히 손을 뻗어 그의 이마를 덮고 있는 머리카락을 매만졌다. 어둠을 흡수한 듯 머리카락은 새카맸고 보드라웠다. 웬만한 여자보다 머릿결이 더 좋은 것 같았다. 피부 역시 굉장히 좋았다. 속눈썹은 어찌나 풍성하고 긴지 만지고 싶은 충동이 들었다.

새삼 느끼는 거지만 그의 외모는 참으로 뛰어났다. 지금까지 본 사람들 중에서 단연 최고인 것 같았다.

'이런 남자가 날 좋아하다니.'

그것도 제 목숨을 서슴없이 내어줄 만큼 자신을 좋아한다고 했다. 그 사실이 너무나 기쁘면서도 한편으로는 가슴이 시렸다.

차라리 그가 자신을 밀어냈다면 좋았을 것을.

만약 그런 일이 일어난다면 그땐 크게 절망했겠지만 지금은 아니었다. 사람이란 이토록 이기적인 동물이었다.

아무것도 안 하고 가만히 데미안의 얼굴만 보고 있으니 생각이 많아졌다. 머릿속이 복잡해졌다. 떠오르는 건 대부분 지금 당장 실현이 불가능한 것들이었다. 그나마 가능한 것이 있다면 재희를 만나는 것.

'만나서 모든 걸 알려줘야 돼.'

재혁의 죽음부터 시작해서 가온과 만나지 말라는 이야기까지 전부.

재희가 자신의 말을 믿어줄지가 약간 의문이었지만 그래도 가만히 지켜볼 수는 없었다.

계속 누워 있었더니 몸이 조금 쑤셨다. 그래서 일어나고 싶었지만 그러지 못한 건 허리를 휘감고 있는 그의 손 때문이었다. 어디도 가지 못하게 묶어두려는 심산인 듯 그는 단단하게 허리를 휘어잡고 있었다. 벗어나려고 하면 데미안이 깰까 봐 쉬이 움직일 수도 없었다.

똑똑—.

"군주님."

불현듯 노크 소리와 함께 데미안을 찾는 마몬의 목소리가 들렸다. 그제야 데미안은 눈을 떴다. 시연이 그의 머리카락을 만지거나 움직일 땐 미동도 하지 않더니 이상한 일이었다.

불시에 일어난 일인지라 저를 바라보는 데미안의 시선을 피할 틈이 없었다. 정면에서 그와 눈이 마주친 시연은 그대로 굳었다.

어둠이 깃든 새카만 눈동자는 마치 블랙홀처럼 시선을 사로잡고 놓아주지 않았다. 덫에 사로잡힌 짐승이 된 기분이었다.

똑똑—.

"군주님?"

"……무슨 일이지?"

마찬가지로 시연을 물끄러미 바라보고 있던 데미안은 재차 들리는 노크 소리에 그제야 대답했다. 들어오라는 말이 없었기 때문에 마몬은 그대로 말을 이었다.

"신이 제안을 받아들였습니다."

차분했던 눈동자에 순간 살기가 서렸다.

"그래."

데미안은 짤막하게 대답하며 몸을 일으켰다. 덕분에 허리를 휘감고 있던 그의 손이 사라졌다. 그 사실이 홀가분하면서도 한편으론 조금 허전한 마음이 들어 시연은 짧게 입을 다셨다. 왜 이런 기분이 드는 건지 알 수가 없었다.

"준비는?"

"이미 시작했으며 약속 시간까진 반드시 맞추겠습니다. 그래서 말씀드리는 건데, 이 문제뿐만 아니라 반려식 문제도 있어 원탁회의에 출석하셔야 할 것 같습니다."

아직 데미안은 갑자기 반려식을 멈춘 것에 대한 공식적인 입장을 발표하지 않고 일방적인 통보만 했다. 그러니 그에 대한 공식적인 해명을 하라는 것이었다.

"알았다. 회의는 언제 열리지?"

"지금부터 약 한 시간 반 후입니다."

"곧 나가지."

그러니 이만 물러가라는 의미였다. 기다리겠다는 대답을 끝으로 마몬의 목소리는 더 이상 들리지 않았다. 물러난 모양이었다.

"나갔다 올 테니 내가 없는 사이 무슨 일이 있어도 절대 나가지 마라. 외출은 일절 금지다."

그의 말투와 시선에서 지독한 소유욕이 묻어났다. 아까 그가 티에를 보며 했던 말이 떠올라 약간 소름이 돋았다.

"필요한 것이 있다면 말해. 다 구해다 줄 테니까."

"아, 저 휴대폰이 필요해요."

"베르에게 새 휴대폰을 사 오라고 말해두지. 다른 건 없나?"

"글쎄요……."

필요한 게 뭐가 있을지 곰곰이 생각하던 시연의 머릿속에 문득 한 가지가 스치고 지나갔다.

"……문헌."

"음?"

"아까 분명 금단의 아이에 관한 문헌을 봤다고 하셨죠? 저도 보고 싶은데 볼 수 있을까요?"

금단의 아이에 관해서 아는 거라곤 귀동냥으로 들은 것이 전부였다. 정확하게 알고 있는 건 거의 없었다. 그러니 확실하게 알고 싶었다. 자신이 어떤 존재인지, 얼마나 위험한 존재인지 알고 싶었다. 그래서 부탁했는데 난감한지 데미안이 작게 눈살을 찌푸렸다.

"보여주는 건 어렵지 않지만…… 읽지 못할 텐데."

"네? 어째서요?"

"마계의 언어로 적혀 있거든. 배운 적 없지?"

마계의 언어라니. 배운 적이 있을 리가 없었다.

"아, 티에 씨나 베르 씨는 읽을 수 있잖아요? 옆에서 해독해달라고 하면 안 될까요?"

"좋을 대로. 그것도 베르에게 이야기를 해두지. 다른 건?"

"다른 건 없어요."

하나 더 있긴 했다. 엄마에 관한 것.

정말로 데미안이 엄마를 그렇게 잔혹하게 죽인 것이 맞는지 묻고 싶었지만 여전히 입이 떨어지지 않았다. 머릿속에서 몇 번이고 물어봐야겠다고 생각하고 또 생각해도 마찬가지였다.

막상 그의 앞에 서면 아무 말도 할 수가 없었다. 그 사실이 너무 답답했다. 무언가 속을 콱 쥐고 놓아주지 않는 것처럼 느껴질 정도였다. 시연은 이렇게 우물쭈물하고 있는 스스로가 한심하게 느껴졌다.

"뭐 때문에 그렇게 우울한 생각을 하는 건지 모르겠지만 다 잘될 테니 걱정하지 마."

그녀가 약간 우울한 표정을 하고 있자 그걸 또 귀신같이 눈치챈 데미안이 머리를 부드럽게 쓰다듬어주며 말했다.

"내가 알아서 다 해결할 테니까."

"……전부?"

"그래, 전부. 네가 금단의 아이인 것도, 내 곁에 있는 것도 아무 문제가 없게 다 해결해줄게."

뭘 어떻게 해결해주겠다는 건지는 모르겠지만 저리도 확신에 찬 얼굴로 말하니 일단 고개를 끄덕였다.

"그럼 다녀오지."

"네, 다녀오세요."

시연은 데미안을 현관까지 배웅했다. 더 나가려고 했지만 데미안이 그러지 않아도 된다고 만류한 탓에 그럴 수가 없었다.

쾅—.

현관문이 닫혔다. 곧이어 자동 잠금장치가 돌아가는 소리가 들렸다.

데미안이 나간 뒤에도 시연은 멍하니 그 자리에 서 있었다. 흡사 넋을 놓은 사람 같았다. 그런 시연을 물끄러미 바라보던 티에는 짧게 혀를 내차며 시연의 팔을 잡아끌었다.

"저 배고파요, 반려님."

그리고 애교스럽게 웃으며 말했다.

"우리 어제 저녁부터 아무것도 안 먹었잖아요. 반려님은 배고프지 않으세요?"

"전 그다지……."

그러고 보니 이상했다. 어제 저녁, 그것도 해가 지기 전에 밥을 먹고 지금까지 아무것도 먹지 않았는데 전혀 배가 고프지 않았다.

"그래도 제가 배고프니까 같이 먹어요. 제가 맛있는 샌드위치 만들어드릴게요."

티에가 만든 샌드위치라. 그걸 생각하니 약간 허기가 지는 것 같기도 했다. 시연이 고개를 끄덕이자 티에는 콧노래를 부르며 주방으로 들어갔다.

베르가 올 때까진 달리 할 일이 없어, 시연은 자진해서 그녀를 돕겠다고 나섰다. 다른 날이었다면 혼자 할 수 있다고 말했을 티에였지만, 오늘은 어째서인지 별말이 없었다.

샌드위치에 들어갈 속을 만드는데 한창 집중하고 있는데 초인종 소리가 들렸다.

"베르인가 봐요."

데미안이 보내겠다고 했으니까 당연히 베르일 거라고 생각하며 문을 열었는데 뜻밖에도 현관문 앞엔 데미안이 서 있었다.

그가 올 거라고 전혀 예상하지 못했던 시연은 살짝 놀라며 데미안을 쳐다봤다. 그러자 조금 머쓱하다는 듯 데미안이 헛기침을 하며 가지고 온 책을 내밀었다.

"금단의 아이에 관한 책이다."

"아, 고마워요."

책 표지는 굉장히 낡고 오래됐다. 조금이라도 힘을 주면 바스라질 것 같아 시연은 조심스럽게 책을 건네받았다.

"근데 회의에 가야 하는 거 아니었어요?"

"이것만 주고 가려고. 오늘 좀 늦을 것 같거든."

"늦는다면 얼마나……?"

"내일 아침은 되어야 들어올 것 같은데."

일찍 오고 싶은 마음은 굴뚝같았지만 마르스와의 만찬을 잡아놨기 때문에 어쩔 수가 없었다.

"그래서 그 전에 얼굴 좀 더 보고 가려고."

"아하하, 그게 뭐예요."

능글능글한 그의 말에 웃음이 저절로 나왔다. 시연은 자신이 금단의 아이라는 것을 깨달은 뒤 처음으로 환하게 웃었다.

"예쁘네."

그러자 데미안의 눈매가 보기 좋게 접혔다.

"그렇게 웃으니까 너무 예쁘네."

이젠 웃기다 못해 조금 부끄러웠다. 데미안의 뒤에서 한심하게 자신들을 바라보고 있는 마몬의 시선을 느꼈기 때문인지도 모른다.

"혹시나 하는 마음에 다시 한 번 말하지만 절대 밖에 나가면 안 돼. 만약 네게 무슨 일이 생긴다면……."

"티에나 베르 씨한테 뭐라고 할 생각이죠?"

차마 목이 날아간다는 말은 못 하고 둘러말했다. 굳이 그런 건 말하지 않아도 안다는 걸 알려주기 위해 그의 말을 자른 거였는데 데미안이 고개를 저었다.

"그럼요?"

"내가 죽어."

죽는다는 섬뜩한 단어에 소름이 돋았다. 데미안은 작게 떨리는 시연의 눈동자를 똑바로 응시하며 말을 이었다.

“네가 쥐고 있는 건 티에의 목숨도, 베르의 목숨도 아닌 내 목숨이니까. 그러니까 부디 내 곁에 있어.”

“…….”

“설령 마족이라도 심장을 떼어놓곤 살 수가 없으니까.”

넌 내 심장이야.

데미안은 암묵적으로 그렇게 말하고 있었다.

EPISODE 21

키스할 생각이니까

데미안이 소집한 원탁회의에 모든 일원들이 모였다. 가온도 예외는 아니었다.

가온의 얼굴은 평소보다 초췌해 보였다. 여기저기 상처가 보이기도 했다. 그 모습을 본 다른 원탁회 일원들이 수군거리기 시작했다.

"수장님이 갑자기 반려식을 중단한 건 천족과 관련이 있는 걸까요?"

"확실히 그 때문일 거예요. 갑자기 신과 만찬 약속을 잡은 것만 봐도 알 수 있잖아요?"

원탁회 일원 중 그 누구도 주기가 와서 반려식을 중지한다는 데미안의 말을 믿지 않았다. 만약 그 때문이라면 라오스에 제물을 요청했어야 했는데 그러지 않았으니 믿을 리가 없었다.

다들 천족과 관련이 있을 거라고 추측했다. 그 추측에 신빙성을 더해준 건 데미안과 신의 만찬 약속이었다.

거기에 가온이 초췌한 모습으로 나타났으니 천족 때문이라는 쪽으로 서서히 의견이 모아졌다.

덜컹—.

웅성거리던 목소리가 사라진 건 데미안이 등장했을 때였다. 뒤따라 마몬이 등장했다. 항상 같이 등장하던 베르가 보이지 않는 것이 조금 의아했지만 이상할 건 없었다.

오히려 원탁회 일원이 아닌 베르가 항상 원탁회의에 참석하는 것이 이상한 일이었다. 한데도 여태까지 봐준 건 단순히 그가 수장인 데미안의 시종이기 때문이었다.

초췌한 가온과 달리 데미안의 상태는 상당히 산뜻해 보였다. 오히려 평소보다 기분이 좋은 것 같았다.

일이 데미안에게 유리하게 풀린 걸까. 그럴지도 모른다고 원탁회 일원들은 예상했다.

"그럼 회의를 시작하겠습니다."

데미안과 마몬이 자리에 앉자, 벤이 나서서 회의를 주도했다. 데미안의 특별한 지시가 없는 이상 대체로 회의는 벤이 주도했다.

"이번 회의는 정기적인 회의가 아닌 수장님이 갑작스럽게 반려식을 중지한 것에 대한 회의입니다. 반려식을 갑자기 중지하신 정확한 이유를 알려주시길 바랍니다."

벤의 말에 마몬과 가온을 제외한 모두가 기대에 찬 눈으로 데미안을 쳐다봤다. 그들은 데미안이 뭐라고 대답할지 무척이나 궁금한 상태였다.

"내가 왜 그걸 말해야 하는지 모르겠군."

데미안은 이보다 더 거만할 수 없다는 것을 보여주기라도 하듯 의자 등받이에 기대며 좌중을 둘러봤다.

"내 반려식 하나 내 마음대로 중지하지 못하는 건가?"

어처구니없는 대답이었지만 틀린 말은 아니었다. 다들 아무 말도 하지 못하고 있는데 줄곧 침묵을 유지하고 있던 가온이 픽하고 웃으며 데미안을 쳐다봤다.

"물론 문제는 되지 않습니다만, 지금 수장께서 한 말은 반려식을 열심히 준비한 수많은 이들의 노력을 한순간 물거품으로 만드는 것입니다."

"……."

"하물며 당신과 반려가 올라오기를 기다리고 있던 창조주의 기대도 저버리는 것이지요. 그러니 확실하게 이유를 말씀해주시는 것이 좋을 것 같습니다. 괜한 오해를 사고 싶지 않다면요."

저 새끼가 미쳤나. 마몬은 어처구니없는 눈으로 가온을 쳐다봤다.

반려식을 중단한 이유를 사실대로 말하면 데미안도 난감하겠지만 천족의 입장도 난감해질 것이다. 특히 마르스의 입장이 굉장히 난처해질 텐데 저렇게 파고드는 까닭을 이해할 수가 없었다.

데미안 역시 그렇게 생각하는지 가온을 물끄러미 응시했다.

"……어쩔 수 없지."

그러더니 손으로 얼굴을 가리며 길게 한숨을 내쉬었다. 꽤나 난감해하는 얼굴이었다.

"그렇게 말한다면 솔직하게 말하는 수밖에."

'진짜 솔직하게 말할 생각인 건가?'

마몬은 크게 당황하며 데미안을 쳐다봤다. 가온 역시 당황한 기색이었다. 그 외 다른 원탁회 일원들은 더욱 눈을 빛내며 데미안을 쳐다봤다.

"사실……."

꿀꺽—.

"……싸웠어."

그래, 싸웠겠지. 천족이랑…….

"반려랑 싸웠다."

"네?"

이건 무슨 소리지? 반려랑 싸웠다고?

당연히 천족과 싸웠다고 말할 줄 알았는데 뜻밖의 이야기가 나오자 다들 어리둥절해하며 데미안을 쳐다봤다. 그건 마몬과 가온 역시 마찬가지였다.

회의실에서 심각한 건 데미안 혼자였다.

"말다툼이 조금 있었는데 갑자기 홱 토라지더니 자꾸 그러면 나랑 결혼을 안 하겠다고 말하더군. 나 역시 그땐 조금 화가 난 상태라서 하고 싶은 대로 하라고 했지."

다른 사람들이 저를 어떻게 쳐다보든 상관없이 데미안은 더할 나위 없이 진중한 얼굴로 어처구니없는 이야기를 쏟아냈다.

"뒤늦게 내 잘못을 깨닫고 사과를 했지만 그녀는 이미 화가 많이 난 상태였다. 그 화를 풀어주기 전까진 반려식이 진행되지 않을 것 같아 잠시 중지한 거다. 곧 다시 재개할 생각이니 준비한 건 그대로 내버려둬도 괜찮아."

데미안의 이야기는 끝이 났지만 그 누구도 입을 열지 않았다. 아니, 열 수 있을 리가 없었다. 반려식을 갑자기 중지한 이유가 고작 그런 것 때문이라니. 설령 사실일지라도 선뜻 믿기 힘든 변명이었다.

"고작 그런 것 때문에 반려식을…… 합."

생각하고 있던 것을 무심코 입 밖으로 뱉은 한 일원은 저를 쳐다보는 데미안의 시선을 느끼고 황급히 입을 막았다.

그러나 이미 새어나간 말을 주워 담을 수는 없었다. 데미안의 심기를 거스른 건 아닌지 심히 걱정이 된 일원은 입을 틀어막은 채 데미안의 심기를 살폈다.

"믿기 어려운 것도 무리는 아니지."

다행히도 화가 난 건 아닌지 데미안은 가벼운 어조로 대답했다.

"나도 그런 결정을 한 내가 믿기 어려우니까. 하지만 그 당시엔 어쩔 도리가 없었다. 그만큼 반려가 많이 화난 상태였거든."

"그럼요."

눈치 빠른 마몬이 데미안의 말에 맞장구를 치며 지원 사격에 나섰다.

"반려님께서 화를 내시는 건 당연하죠. 군주님이 아직 프러포즈를 안 했거든요."

"어머, 정말요?"

"네. 어떻게 결혼식 당일까지 프러포즈를 안 할 수 있냐고 반려님께서 불같이 화를 내셨죠. 군주님은 그걸 이해하지 못하셨고요."

"그럴 수가."

"그럼 반려님께서 그러신 것도 이해가 되네요."

분위기는 한순간에 시연을 이해한다는 쪽으로 흘러갔다. 특히 여자 일원들이 크게 공감하며 고개를 끄덕였다.

"지금은 괜찮은 건가요?"

"어쩌겠어요. 원래 사랑싸움은 칼로 물 베기라고 하잖아요."

"하긴요."

어떻게 잘 넘긴 건가? 그제야 안도하며 가슴을 쓸어내린 마몬은 찌를 듯한 데미안의 시선을 느끼고 어색하게 웃었다.

잘 해결하긴 했지만 졸지에 여자 마음을 모르는 바보가 됐으니 데미안의 기분이 좋을 리가 없었다.

"그럼 다음 안건으로 넘어가겠습니다."

"또 안건이 있는 건가?"

"수장님이 회의에 참석하신 김에 전부 하는 것이 좋을 것 같아서요."

평소 회의에 잘 참석하지 않는 데미안의 행동을 비꼬는 것이 분명했다. 못마땅했지만 이런 걸로 속 좁게 화를 낼 수도 없는 터라 데미안은 입매를 비틀며 벤을 쏘아봤다.

"다음 안건은……."

그러나 벤은 아랑곳하지 않고 회의를 계속 진행했다. 아무 반응이 없는 상대를 괴롭히는 건 지루했다. 곧 흥미를 잃은 데미안은 가온을 쳐다봤다.

호기롭게 말했던 조금 전과 달리 그는 고개를 푹 숙인 채 아무 말도 하지 않고 있었다. 그 때문에 무슨 표정을 하고 있는 건지는 알 수가 없었지만 썩 좋은 표정은 아닐 것이라 짐작했다.

'유쾌하군.'

회의에 오기 싫은데도 온 건 피할 수 없는 문제였기 때문이기도 했고 가온이 어떻게 나올지 궁금했기 때문이기도 했다. 그의 행동이 예상을 크게 벗어나지 않은 건 아쉬웠지만 이건 이거대로 재미있었다.

'그놈의 표정도 저렇게 변하겠지.'

가온처럼 풀이 죽을 마르스를 생각하니 안 그래도 유쾌했던 기분이 더 좋아졌다.

마르스와의 만찬이 진심으로 기대됐다.

베르가 온 건 데미안이 떠나고 약 한 시간이 지난 뒤였다.

"여기요."

데미안에게 벌써 이야기를 들은 건지 베르는 시연에게 새로운 휴대폰을 내밀었다. 휴대폰을 받기 위해 손을 뻗었는데 베르의 몸이 살짝 떨렸다.

본능적인 두려움. 금단의 아이인 시연과 접촉할까 봐 두려운 것이다.

그런 베르의 모습을 본 시연은 얼굴을 약간 딱딱하게 굳히며 뻗었던 손을 거뒀다. 그러자 베르가 퍽이나 당황하며 손을 휘휘 내저었다.

"아, 이건 제가 그러려고 한 것이 아니라……!"

"알아요. 의도한 게 아니라는 거."

"시연 님……."

"괜찮아요. 무서워하는 게 당연하죠. 베르 씨 탓은 하지 않아요."

시연은 정말 괜찮다는 걸 보여주기 위해 웃었지만 그 웃음은 너무 처연했다. 이에 베르의 표정은 더욱 울상이 됐고, 티에는 혀를 끌끌 내차며 베르의 손에서 휴대폰을 빼앗듯이 가져와 시연에게 주었다.

"여기요, 반려님."

"고마워요, 티에."

처음 쓰는 기종인지라 적응하는 데 시간이 약간 필요했지만 기본적인 조작은 다 비슷비슷해서 사용하는 데는 큰 무리가 없었다.

"참, 예전 번호가 아니라 새로운 번호를 부여했어요. 괜찮죠?"

"네."

베르의 말에 시연은 고개를 끄덕이며 전화번호부를 확인했다. 전화번호부는 텅 비어 있었다. 이동을 하지 않았으니 당연했다.

그 때문에 재희의 번호는 알 수 없었지만 연락할 방법이 아예 없는 건 아니었다. 메신저 어플을 깔고 아이디와 비밀번호를 입력하니 저장되어 있던 친구 목록이 주르륵 나왔다. 그중에는 재희도 있었다. 그것도 즐겨찾기에 떡하니.

뭐 해?

뭐 하긴. 일하지.

재희에게 메시지를 보내자마자 즉답이 왔다. 시연은 재희에게 휴대폰을 바꿨으니 여기로 연락 달라고 메시지를 보냈다.

[휴대폰뿐만 아니라 번호까지 바꿨네?]

이번에도 재희는 즉각 반응을 보였다.

[번호는 왜 바꾼 거야?]

"그럴 일이 있었어."

베르와 티에가 듣는 곳에서 통화를 하고 싶지 않아, 시연은 방으로 들어갔다. 티에와 베르는 그런 시연을 붙잡지 않았다.

"지금 카페야?"

[얘는, 아까 내가 보낸 메시지 안 읽었어? 일하는 중이라고 했잖아.]

"그 남자는?"

[응?]

"네…… 남자 친구 말이야. 같이 있어?"

남자 친구라는 말이 어색했다. 가온을 재희의 남자 친구라고 지칭하고 싶진 않았지만 아무 설명도 없이 대뜸 이놈 저놈 할 수는 없고 다르게 부를 호칭이 마땅히 없어 어쩔 수가 없었다.

[아니, 오늘은 아직 안 만났어. 왜?]

"그게……."

어디서부터 이야기를 해야 하는 걸까. 머릿속으로 대충 정리한 시나리오가 있긴 했지만 그대로 이야기를 해도 좋을지 고민이 됐다.

아니, 그것보다 이 중요한 이야기를 단순히 전화로 해도 될지 의문이었다. 만나서 하는 것이 좋을 것 같은데 외출이 불가하니 그럴 수도 없었다.

[무슨 일인데 그렇게 뜸을 들여?]

"……재희야."

그러니 어쩔 수 없이 전화로 이야기를 해야 했다. 다른 건 몰라도 가온의 이야기만큼은 빨리 말해야 했다. 그래야 일이 커지기 전에 막을 수 있을 테니까. 원래 재혁의 이야기부터 하려고 했지만 그 이야기는 다음으로 미뤄야 할 것 같았다.

"그 남자, 만나지 마."

[뜬금없이 무슨 소리야? 오빠를 만나지 말라니?]

"그 남자가 인간이 아닌 이종족이라는 건 알고 있어?"

[뭐?]

당황하며 되묻는 걸 보니 역시 몰랐던 모양이다. 하긴 가온이 사실대로 말했을 리도 없고 그의 손등에 문신이 없으니 더더욱 눈치채기 어려웠을 것이다.

[혹시 모르는 것 같아 말하는데 오빠의 손등엔 문신이 없어.]

"알고 있어."

[그런데도 그런 이야기를 한다는 건…….]

말이 채 이어지지 못하고 흩어졌다. 재희가 쉬이 말하지 못하는 건 아마 이종족 중에서 지배층은 문신을 찍지 않는다는 것을 알고 있기 때문일 것이다.

[……농담이지?]

잠깐의 침묵 끝에 재희가 다시 입을 열었다.

[가온 오빠가 이종족의 지배층이라니. 그럴 리가 없잖아.]

"믿기지 않겠지만 사실이야. 그러니까 그 남자 만나지 마. 그 남자, 네가 생각하는 것 만큼 좋은 사람 아니야. 아주 위험한 남자라고!"

[……네가 그렇게 말하는 데는 뭔가 이유가 있는 거겠지.]

영상 통화가 아닌 음성 통화였지만 시연은 저도 모르게 고개를 끄덕였다. 이제부터 그 이야기를 하려는데 그보다 먼저 재희가 말했다.

[만나자.]

"뭐?"

[설마 이런 이야기를 전화로 할 생각은 아니겠지? 만나서 이야기하자. 지금 당장 가게로 와.]

"그게……."

시연 역시 만나고 싶은 마음은 굴뚝같았지만 그러지 못하는 입장인지라 선뜻 말이 나오지 않았다. 그래서 머뭇거리자 재희가 불만스레 말을 이었다.

[뭐야, 왜 대답을 못 해? 설마 이제 와서 농담이라고 말하는 건 아니겠지?]

"아니야! 전부 사실이야!"

[그럼 만나자. 만나서 이야기해. 네 얼굴을 보고 이야기를 들어야겠어. 네가 오지 못하는 상황이라면 내가 갈 테니까, 어딘지 말해.]

그 말에 머릿속에 좋은 묘수가 떠올랐다. 확률은 반반. 아니, 그보다 더 적을 수도 있었지만 일단 도전해볼 만한 일이었다.

"10분, 10분만 있다가 이야기하자. 내가 다시 전화할게."

[뭐? 그게 무슨…….]

재희가 뭐라고 말했지만 무시하고 전화를 끊은 시연은 곧장 어딘가로 전화를 걸었다.

회의는 지루하게 늘어졌다. 원탁회 일원들은 무슨 할 말이 많은지 쉴 새 없이 떠들었고, 회의의 주제가 뭐든 전혀 관심이 없는 데미안은 시큰둥하게 앉아 있었다.

지이잉—.

그렇게 얼마나 지났을까. 휴대폰이 요란하게 울었다. 처음 보는 번호였다.

'누구지?'

이 휴대폰에 저장 안 된 사람 중 전화가 올 만한 이는 없었다. 대외적으로 알려진 번호가 아니었기 때문이다. 대외적으로 알려진 번호는 모두 베르의 휴대폰 번호였다. 베르가 전적으로 그의 스케줄을 관리하고 있었기 때문에 그렇게 해도 여태껏 불편한 건 하나도 없었다.

한데 모르는 번호로 전화가 왔다는 건 무작위로 거는 스팸일 가능성이 높았다. 안 받아도 되겠지만 왠지 받고 싶어지는 건 아마 이 회의가 너무 지루하기 때문일 것이다. 신선한 기분 전환이 필요했다. 이 핑계로 회의를 나갈 수 있으면 더 좋았다.

"여보세요."

전화를 받았더니 열심히 떠들던 일원들이 일제히 데미안을 쳐다봤다. 약간 당황한 얼굴이었다. 회의 중에 전화를 받았으니 당연했다. 마몬 역시 당황스럽다는 듯 데미안을 바라봤으니 그의 행동이 얼마나 어이없는 행동인지 단편적으로 알 수 있었다.

그러나 데미안은 개의치 않았다. 아니, 그럴 수 없다는 것이 더 정확한 표현일 것이다.

[통화 괜찮아요?]

전화를 건 상대가 시연이었으니까. 베르가 새로운 휴대폰을 가져다준 모양이었다.

"괜찮아."

'괜찮긴. 회의 중인데!'

일원들은 차마 그 말을 입 밖으로 꺼내지 못하고 시선으로 아우성을 질렀다.

"무슨 일이지?"

[재희를 집에 초대하고 싶어요.]

"재희라면 전에 카페에서 봤던 그 여우?"

[네. 재희를 만나서 꼭 할 말이 있거든요.]

자신이 나갈 수 없다면 재희를 집으로 부르자. 시연이 생각해낸 묘책이었다. 물론 데미안이 허락을 해야 할 수 있는 일이니 재희를 부르기 전에 그에게 전화를 건 것이었다.

[안 되나요?]

갑작스러운 그녀의 요구는 데미안을 당황시켰다.

이런 시기에 집에 외부인을 들이는 건 영 내키지 않았지만 시연이 이런 요구를 하는 건 그만한 이유가 있기 때문일 것이다. 그러니 무조건 안 된다고 말할 수가 없었다.

"이유가 뭔지 물어봐도 되나?"

[전에 재희의 남자 친구를 소개 받았어요.]

이유를 물어봤는데 갑자기 남자 친구 이야기가 왜 나오는 건가 싶었다. 그 이유는 뒤이은 말에서 들을 수가 있었다.

[그 남자 친구가 가온이더라고요.]

그 말에 데미안의 시선이 저절로 가온에게로 향했다.

모두가 데미안을 응시하고 있는 이 와중에도 가온은 여전히 고개를 숙이고 있었다.

[그래서 말리려고요. 그 남자가 얼마나 악독한지, 얼마나 못된 놈인지 알리고 만나지 못하게 하려고요.]

"괜한 오지랖일 수도 있다."

[알아요. 하지만 말리고 싶어요. 재희는 저한테 가족이나 다름없는걸요. 이상한 벌레가 꼬였다는 걸 알면서도 가만히 있을 수는 없어요.]

단호한 대답에 한숨이 나왔다. 여전히 내키지 않았지만 안 된다고 말하면 그녀는 자신에게 실망할 것이다.

"그래."

그럼 허락할 수밖에. 세상 모든 사람들의 미움을 받더라도 그녀에게만큼은 미움을 받고 싶지 않았다.

"대신 그 자리에 티에가 함께해야 된다."

[……알겠어요.]

썩 내키지 않는다는 대답이었다. 그럼에도 불구하고 그렇게 하겠다고 답한 건 데미안이 양보한 만큼 그녀 역시 양보한 것일 터였다.

통화는 그것으로 끝이었다. 오랜만에 걸려온 전화는 참으로 간단하게 끝이 났다. 그것이 조금 아쉬운 데미안은 전화가 끊긴 휴대폰을 물끄러미 쳐다봤다.

그녀의 목소리를 들어서 그런지 그녀가 보고 싶었다.

'보러 갈까.'

집까진 차를 타고 한 시간 가까이 걸렸지만 능력을 사용하면 1분도 채 걸리지 않았다.

예전이라면 능력을 사용하는 걸 꺼려 했겠지만 지금은 아니었다. 시연이 곁에 있는데 꺼릴 이유가 뭐가 있겠는가. 힘이 폭주할 기미를 보인다면 그 핑계로 시연을 맘껏 끌어안을 수 있으니 오히려 더 좋았다.

불현듯 마몬이 방해하는 바람에 미처 하지 못했던 일이 떠올라 아쉬움이 들었다. 아쉬운 마음은 그녀를 보고 싶다는 마음을 증폭시켰다.

얼른 회의를 끝내고 잠시 보고 와야겠다고 결론을 내린 데미안은 회의에 참석했을 때부터 지금까지 단 한 번도 눈길을 주지 않았던 서류를 집어 들었다.

"자, 얼른 회의를 끝내지."

데미안에게 허락을 받은 시연은 곧바로 재희에게 와도 좋다고 전했다. 마찬가지로 통화를 하고 있던 베르는 퍽이나 난감하다는 얼굴로 시연을 돌아봤다.

"저쪽에 문제가 생겨서 가봐야 할 것 같은데, 어쩌죠?"

"괜찮아요. 다녀오세요, 베르 씨."

"하지만……."

베르는 말을 채 잇지 못하고 시연의 눈치를 살폈다.

굳이 말하지 않아도 뭐 때문에 그런 건지 눈에 훤히 보였다.

"제가 도망칠까 봐 걱정돼서 그런 거라면 걱정하지 마세요. 그럴 생각 전혀 없으니까요."

"아, 아니에요!"

베르는 기겁하며 손을 붕붕 내저었다.

"그런 것 때문이 아니라 외부인이 오는 것 때문에 그래요. 시기가 안 좋으니까."

"농담이니까 그렇게 펄쩍 안 뛰셔도 돼요. 베르 씨가 이런 반응을 보이니까 제가 자꾸 놀리는 거예요."

"어, 어? 아이, 시연 님도 참……."

작지만 유쾌한 웃음소리가 잔잔히 퍼졌다. 약간 무거웠던 그들 사이의 분위기는 한결 가벼워졌다. 베르는 그만큼 밝은 얼굴로 자리를 떴다.

"안녕!"

그 뒤 얼마 지나지 않아 재희가 왔다. 와도 좋다는 말을 한 뒤 정확히 한 시간 뒤였다. 정말 바로 카페 마감을 하고 온 모양이었다.

넉살 좋게 티에와 인사까지 나눈 재희는 집을 크게 둘러보고 휘파람을 불었다.

"와, 이 집 진짜 좋다. 너 여기서 살아?"

"지금은."

"저 언니분이랑 같이?"

"아, 응."

솔직하게 말하기엔 여러모로 번거로워서 재희에겐 이 집이 티에의 집이라고 소개했다. 티에가 마족이라는 것도, 락슈의 지위를 가진 자신의 시녀라는 것도 모두 숨긴 채, 아는 언니라고 둘러말했다.

재희가 집 이곳저곳을 구경하는 사이 티에가 차와 쿠키를 가지고 왔다. 보기만 해도 혀가 달아질 것 같은 쿠키는 실제로도 엄청 달았다. 그렇지만 중독성이 있어 자꾸만 손이 갔다.

"후, 그래서."

집 구경을 마친 재희가 맞은편 소파에 앉으며 물었다.

"아까 못한 이야기를 계속 해볼까?"

그러면서 주방에 있는 티에의 눈치를 살폈다. 그녀가 듣는 걸 원치 않는 눈치였다. 그 마음이 충분히 이해가 되긴 하지만 약속한 것이 있으니 티에를 내보낼 순 없었다.

"바…… 아니, 시연 씨."

그러니 그냥 진행하려고 했는데 티에가 불쑥 다가왔다. 보는 눈이 있으니 반려님이 아닌 시연 씨로 불렀다.

"커피가 떨어졌네. 잠시 밖에 나가서 사 올게."

나중에 해도 되는 일을 구태여 지금 하겠다고 하는 건 자리를 비켜주려는 배려일 것이다. 그건 고마웠지만 데미안이 내린 명령이 있으니 바로 대답할 수가 없었다. 이 사실을 데미안이 알게 된다면 티에에게 불호령이 떨어질 테니까.

"전 반려님을 믿어요. 제가 잠시 자리를 비운 사이에 아무 일도 없을 거라는 걸."

티에를 빤히 쳐다보자, 티에는 시연에게만 들릴 만큼 작은 목소리로 속삭였다.

"그래도 오래는 못 비워요. 한 10분 정도면 되겠죠?"

물론이었다. 그 이상을 바라는 건 욕심이었다.

시연이 소리 내지 않고 입 모양으로 고맙다고 작게 말하자, 티에는 별것 아니라는 듯 가볍게 윙크를 날린 뒤 밖으로 나갔다.

"그럼 바로 이야기할게."

10분이라는 시간은 결코 넉넉하지 않았다. 간단하게 요약해서 말한다고 해도 시간이 충분할지 의문이었다.

하물며 재희를 납득시켜야 하니까 더욱 시간이 부족할 수 있었다. 그러니 뜸을 들이지 말고 어서 말해야겠다고 생각한 시연은 서둘러 말문을 열었다.

적극적으로 회의에 참여했는데도 회의가 끝난 건 그로부터 3시간 후였다.

쓸데없이 회의를 질질 끈 벤을 욕하며 데미안은 회의장을 나왔다.

"데미안 님."

그런 그를 기다리고 있는 건 베르였다.

"시연의 곁에 있으라고 했는데 왜 여기 있는 거지?"

"신이 갑자기 만찬 시간을 바꾼 탓에 그 준비를 하려고 왔습니다."

"만찬 시간을 바꿨다고?"

"네. 갑자기 밤 9시로 옮기자고 연락이 왔습니다. 그때가 아니면 시간을 내줄 수가 없다고요."

편지는 권유 형식으로 왔지만 이건 거의 일방적인 통보나 다름없었다. 그래서 연락을 받은 베르가 다급하게 온 것이다. 5시간이나 당겨진 만찬을 준비하기 위해서.

"왜 미리 나한테 보고를 하지 않은 거지?"

"보고를 하고 싶어도 원탁회의 중에 관련 없는 사람은 안으로 들어갈 수가 없는 걸요. 거기다 데미안 님께선 제 전화를 받지도 않으셨잖아요."

"전화를 했다고?"

"네. 5번이나 했습니다."

그 말에 그제야 휴대폰을 확인한 데미안은 부재중 전화가 5개나 떠 있는 것을 보고 가볍게 혀를 내찼다. 회의에 집중하느라 진동을 느끼지 못했다.

9시라면 지금부터 약 한 시간밖에 남지 않았다. 회의가 끝나는 대로 시연에게 다녀오려고 했는데 그럴 수가 없게 되어 마음에 들지 않는 데미안은 깊은 한숨을 내쉬며 통화 버튼을 눌렀다.

"시간이 얼마 남지 않았으니 우선 옷을 갈아입으러 가시죠."

데미안은 앞장서서 가는 베르의 뒤를 따랐다. 뭘 하고 있었던 건지 긴 통화음 끝에 수화기 너머에서 '여보세요'. 하는 말소리가 들렸다.

목소리를 듣는 순간 데미안의 입가에 잔잔한 미소가 그려졌다.

"친구는 만난 건가?"

[네, 좀 전에 갔어요.]

데미안이 전화를 건 상대는 시연이었다. 시간이 많이 지났고, 외부인을 집으로 초대한 데다가 베르까지 나와 있으니 무척이나 걱정이 됐다.

물론 전화를 한 이유는 그뿐만이 아니었다. 사실 가장 큰 이유는 그녀의 목소리가 듣고 싶었기 때문이었다. 직접 보고 싶었지만 그러지 못하니 목소리라도 들으려고 전화를 한 것이다.

"일은 잘 해결된 건가?"

[모르겠어요.]

"모른다고? 이야기를 못 한 거야?"

[그건 아닌데…… 재희의 반응이 시큰둥했거든요.]

시연은 자신이 금단의 아이라는 것을 제외한 대부분의 사실을 재희에게 털어놓았다. 데미안은 마족이고 가온은 천족이며, 소피아가 죽은 일부터 시작해서 납치를 당한 일까지 전부.

천족과 마족만 두고 보면 당연히 데미안이 나쁜 놈이고 가온이 좋은 놈이라는 편견이 생길 가능성이 높지만 최대한 정확한 사실을 전해주기 위해선 어쩔 수가 없었다.

가온이 시연을 납치한 건 그녀가 금단의 아이이기 때문이지만 그리 설명할 수는 없으니 데미안을 죽이기 위해서 그랬다고 둘러말했다. 실제로 가온은 데미안을 죽이려고 했으니 새빨간 거짓말은 아니었다.

"한데 내가 마족이라는 걸 밝혔다면 당연히 내가 나쁜 놈이라고 생각할 텐데."

[그럴 것 같아 약간 걱정했는데, 그런 반응도 전혀 없었어요.]

"그래?"

[네. 그냥 처음부터 끝까지 제 말을 묵묵히 듣다가 생각 좀 해보겠다고 나갔어요.]

그러니 일이 잘 해결됐느냐고 묻는 데미안의 질문에 모르겠다고 대답한 것이다.

[조금 답답하네요. 차라리 화를 내거나 어떤 반응을 보여줬으면 좋았을 텐데.]

"엄청난 이야기를 들었으니 머리가 복잡하겠지. 잘 해결될 테니까 걱정하지 마라."

[네. 그랬으면 좋겠어요.]

수화기 너머로 나지막하게 한숨을 내쉬는 소리가 들렸다. 걱정하지 말라고 해도 그러지 못하는 것이 당연했다.

'근데 그 이야기를 듣고도 무덤덤한 반응을 보였다니.'

인간이 아닌 이종족이니 악마에 대한 거부감이 크게 없어서 그럴 수도 있겠지만 그렇다고 해도 결코 평범한 반응은 아니었다. 그래서 약간 의아했지만 깊게 생각하진 않았다.

[데미안 씨는 일이 잘 해결됐어요?]

"이제 절반 정도."

앞서가던 베르는 가장 가까이 있는 문을 열었다. 그 안에는 수많은 옷이 진열되어 있었고, 베르가 데리고 온 시종들도 있었다.

"하나만 더 해결하면 돼."

데미안은 입고 있던 외투를 시종에게 건네주며 말했다.

"생각보다 금방 끝날 것 같으니까 기다리고 있어. 가자마자 키스할 생각이니까."

다소 노골적인 말에 부지런히 그의 치장을 돕던 시종들은 작게 놀라며 그를 쳐다봤다.

데미안의 그런 모습을 자주 본 베르는 이미 면역이 됐지만 이제 처음 보는 시종들은 아니었다. 그들은 눈짓으로 데미안의 상태가 좀 이상한 것 같다고 이야기를 나눴다.

[옆에 다른 사람들 없어요?]

"있는데."

[있는데도 그런 이야기를 막 하는 거예요?]

시연이 기가 차다는 듯 말하자 데미안은 픽하고 웃으며 대답했다.

"하면 안 되는 건가?"

[늘 생각하지만 당신은 너무 능글맞은 것 같아요.]

"그래서 싫다고?"

[아니, 뭐…… 그건 아닌데요.]

"그럼 됐잖아?"

말문이 막힌 건지 시연은 대답이 없었다. 잠시 우물쭈물하던 시연은 이만 끊어야겠다며 서둘러 통화를 종료했다.

그녀가 어떤 표정과 행동을 하고 있을지 눈에 훤해서 데미안은 작게 웃음을 터뜨렸다. 그 모습은 시종들을 또 한 번 놀라게 만들었다.

데미안이 통화를 끝내자 시종들은 본격적으로 그를 치장했다. 신과의 만찬이니 한 치의 소홀함도 있어선 안 됐다. 작은 흠이라도 발견된다면 상대쪽에서 사정없이 물어뜯을 테니까.

그들은 반려식을 준비할 때보다 더 열정적이었다. 그렇다보니 한 시간 내내 준비를 해도 모자랐다. 좀 더 하고 싶은 마음은 컸지만 시간을 더 지체할 수 없어 시종들은 아쉬운 손길을 떼어냈다.

그래도 이 정도면 절대 마르스에게 꿀리지 않을 거라고 생각하며 모두들 경외에 가득 찬 시선으로 데미안을 바라봤다.

올백 머리에 악마의 상징인 블랙으로 온몸을 휘감은 그는 그 어느 때보다 위풍당당하고 근사했다.

"이만 가실 시간입니다."

마찬가지로 준비를 마친 마몬이 데미안을 데리러 왔다. 데미안은 마몬을 따라 게이트가 있는 곳으로 향했다.

만찬은 미국에 있는 라오스 본사에서 이루어졌다. 게이트를 이용하면 한국에서 미국까지 가는 데는 단 몇 걸음이면 충분했다. 가벼이 게이트를 통과한 데미안 일행은 그들을 기다리고 있던 라오스 본사 직원의 안내를 받으며 만찬 장소로 향했다.

하늘이 가까이 보이는 옥상 테라스에 만찬이 준비되어 있었다. 아직 마르스는 오지 않은 건지 보이지 않았다. 먼저 자리에 앉은 데미안은 손목에 차고 있는 시계로 시간을 확인했다.

'8시 59분.'

9시까진 약 30초 정도 남아 있었다. 정각에 올까, 아니면 조금 늦을까. 만약 후자라면 처음부터 빌미를 잡고 들어갈 수 있었다.

그것도 꽤 재미있을 거라고 생각했는데 재미없게도 마르스는 9시 정각에 딱 맞춰 등장했다.

블랙으로 온몸을 휘감은 데미안과 상반되도록 마르스는 화이트를 몸에 휘감았다. 멀리서 봐도 천족이라는 것이 확 티가 났다. 깔끔하게 넘긴 금발은 조명에 반사되어 반짝거렸다.

"오랜만이군요."

데미안의 맞은편에 자리한 마르스가 먼저 말을 내뱉었다. 데미안은 가볍게 고갯짓을 하는 것으로 대답을 대신했다.

"갑자기 만찬에 초청해서 놀랐습니다."

"놀란 것치고 만반의 준비를 다 하고 왔군. 시간까지 제멋대로 당기고 말이야."

"뒤에 일이 있어서요. 어쩔 수가 없었습니다."

부디 양해를 해달라며 깍듯이 고개를 숙이는데 계속 빈정거릴 수는 없었다. 보는 눈도 있었으니까.

데미안의 뒤에는 마몬을 필두로 베르와 시종들이 서 있었다. 전부 중급 마족 이상의 실력자들이었다. 마르스의 뒤에는 가온을 필두로 천사들이 서 있었다. 마르스의 시종으로 따라온 자들이었다.

그들은 서로를 바라보며 기 싸움을 했다. 눈짓과 몸짓으로 할 수 있는 온갖 욕들이 오고 가고 있었다. 아마 데미안과 마르스가 없었다면 직접적으로 치고받고 싸웠을 것이다.

"……이더군요."

"그렇군."

마르스와 데미안 사이에서도 기 싸움은 벌어졌다. 겉으로 보기엔 평온하게 대화를 나누는 것처럼 보였지만 사실 대화 한마디 한마디에 날카로운 가시가 숨겨져 있었다.

대놓고 그러지 않은 건 보는 눈이 있기 때문이기도 하거니와 아직 만난 지 얼마 되지 않았기 때문이었다.

"쓸데없는 이야기는 여기까지 하지."

와인 병이 반쯤 비었을 때 데미안이 와인 잔을 내려놓으며 마몬을 돌아봤다. 그들의 시중을 들던 시종은 조용히 물러났다.

"마몬, 이제 그만 나가봐."

"가온도 나가 있는 게 좋겠군요."

축객령에 가온과 마몬이 시종들을 데리고 나가면서 그곳엔 데미안과 마르스, 단둘만 남았다. 모두를 내보냈다는 건 본격적으로 이야기를 한다는 의미인데 두 사람 모두 말이 없었다. 그저 묵묵히 와인을 마실 뿐이었다.

어두운 밤하늘만큼이나 낮고 고요한 정적이 그들 사이에 감돌았다.

"……재미있는 짓을 벌였더군."

그 침묵을 먼저 깬 건 데미안이었다. 마르스는 들고 있던 잔을 내려놓고 데미안을 똑바로 쳐다봤다.

"금단의 아이라니. 무슨 생각으로 그런 거지?"

"그건 제가 아니라 레아에게 물어봐야죠."

금단의 아이 이야기가 나왔음에도 불구하고 데미안이 이런 이야기를 할 줄 알았다는 듯 마르스는 담담하게 대답했다.

"전 분명 아이를 낳는 걸 반대했는데 레아가 멋대로 낳았으니까요."

"하지만 금단의 아이가 있다는 걸 여태까지 숨긴 건 너도 마찬가지지."

"괜한 분란을 일으키고 싶지 않아서 그랬습니다. 제 선에서 처리할 수 있다고 생각했거든요."

"그게 아니라 금단의 아이의 부친이라는 사실을 들키고 싶지 않았던 거겠지. 그 사실이 세상에 드러나는 순간 넌 신의 자리를 내놓아야 할 테니까."

데미안이 하는 말마다 족족 시비를 걸었지만 마르스는 조금도 동요하지 않았다. 역시 상대하기 까다로운 놈이었다.

"그래서 말하는 건데 이 일에서 완전히 손을 떼. 더 이상 관여하지 않는다면 나 역시 네가 저지른 일을 묻어두도록 하지."

"재미있는 제안을 하시는군요. 그 아이가 금단의 아이라는 것이 밝혀지게 된다면 당신 역시 더 이상 그 아이를 곁에 둘 수 없게 될 텐데 그런 제안이 통할 거라고 생각하셨습니까?"

"착각하고 있는 것 같아 말하는데 난 제안을 하고 있는 게 아니야."

"무슨……!"

쨍그랑—.

데미안이 손을 뻗어 마르스의 멱살을 움켜쥔 건 한순간이었다. 상 위에 있던 음식들이 어지럽게 바닥에 떨어졌다.

"협박을 하고 있는 거지."

"……."

"내가 그녀를 잃게 될 일은 절대 없으니까 그런 쓸데없는 걱정은 하지 말고 어떻게 할 건지 대답부터 하지 그래, 마르스?"

"이런 것도 협박에 속하는 겁니까?"

마르스는 여전히 평정심을 잃지 않았다. 되레 입가에 잔잔한 미소를 띠며 여유로운 모습을 보였다. 뭔가 믿는 구석이 있지 않고서야 그럴 수는 없었다. 설마, 자신이 어떤 계획을 세운 건지 다 알고 있는 건가? 그럴 리가 없다고 생각하면서도 마르스의 행동이 수상쩍어 혹시, 하는 생각이 들었다.

'그래도 달라질 건 없어.'

마르스가 이 계획을 꿰뚫어봤다고 해도 그가 할 수 있는 건 아무것도 없었다. 그만큼 완벽한 계획이었으니까. 데미안은 마르스가 무슨 말로 반격을 하든 이길 자신이 있었다. 그러니 이렇게 자신만만하게 그에게 만찬을 요청한 것이다.

"언제까지 예의 없게 제 멱살을 잡고 계실 생각이십니까?"

마르스는 그의 멱살을 잡고 있는 데미안의 손을 떼어냈다. 우악스럽게 잡았던 것과 달리 데미안은 순순히 떨어져나갔다. 마르스는 구겨진 셔츠를 툭툭 폈다.

"그래서 설명해주시겠습니까?"

구겨졌던 셔츠가 거의 제 모습을 찾을 때쯤 마르스가 입을 열었다.

"창조주의 예언에 따라 발각되는 즉시 모두의 표적이 되는 금단의 아이를 어떻게 계속 곁에 두실 생각이십니까?"

빙 둘러 말하지 말고 대놓고 속내를 드러내라는 의미인가.

원하던 바였다. 안 그래도 마르스와 이렇게 마주 보고 앉아 있는 것이 고역이던 참이었으니까. 한시라도 빨리 집으로 돌아가 시연을 보고 그 보드라운 입술에 입을 맞추고 싶었다. 시연을 떠올리니 우울했던 기분이 한순간에 좋아졌다.

"창조주께서 금단의 아이를 금지시킨 이유가 뭔지 알고 있나, 마르스?"

"주변 생명체의 생명 에너지를 무자비하게 빨아들이기 때문이지 않습니까. 이성에 한정된 것이긴 하지만요."

"맞아. 한데 그 능력은 나한텐 통하지 않지."

정확히 말해선 시연이 데미안의 생명 에너지를 가져가도 워낙 넘쳐나기 때문에 전혀 이상을 주지 않는 것이었다. 되레 시연이 폭주하는 힘을 가져가 준 덕분에 그의 몸은 태어나서 처음으로 안정기에 들어섰다.

"그러니 그녀가 내 곁에 있는 건 전혀 문제가 되지 않아."

"당신은 문제가 없겠지만 당신 주변에 있는 이들이 문제가 될 텐데요?"

"아니, 문제가 될 건 없다. 그녀가 내 곁에 계속 머문다면 금단의 아이로서 그녀의 능력은 발현되지 않을 테니까."

이것이 바로 이렇게 당당하게 그녀를 곁에 두겠다고 선언한 이유였다. 처음부터 이 사실을 깨달았더라면 좀 더 수월하게 일을 진행할 수 있었을 텐데 그러지 않아 괜히 고생만 했다.

그나마 이제라도 깨달아서 다행이었다. 만약 아직까지 이 사실을 깨닫지 못했다면 지금도 괜한 삽질만 하고 있었을 것이다.

"무슨 말씀을 하시는지 모르겠군요. 당신의 곁에 있는 것과 금단의 아이로서의 능력이 발현되는 것이 무슨 상관이 있습니까?"

"정말 몰라서 묻는 건가?"

"알고 있으면 물어볼 리가 없지 않습니까."

마르스가 눈매를 살포시 접으며 말했다. 표정이나 말하는 걸 봐선 정말로 모르는 것 같았지만 믿기지 않았다.

마르스가 정말 모른다면 가온 역시 모른다는 의미이니까. 만약 가온이 이 사실을 알고 있었다면 마르스에게 보고를 하지 않았을 리가 없었다.

"아무래도 모르는 것 같으니 친절하게 설명을 해주지."

그들이 이 사실을 모르고 있었다는 건 조금 의외였지만 손해 볼 건 없었다. 되레 이득이었다. 생각보다 일이 더 잘 풀릴 것 같은 좋은 예감이 들어 데미안은 빙그레 웃으며 말을 이었다.

"예전에 잠깐이지만 시연의 이상한 능력이 사라진 적이 있었다."

그 당시에는 왜 그런 건지 전혀 예상하지 못했는데 그녀가 금단의 아이라는 것을 알게 되고, 각성을 한 시연이 일정 이상의 기운을 흡수한 뒤 다시 원래대로 돌아가는 걸 보고 알게 되었다. 제아무리 금단의 아이일지라도 생명 에너지를 흡수하는 데 한계가 있다는 것을.

시연은 한계치에 도달하면 더 이상 타인의 생명 에너지를 흡수하지 않았다. 시연의 이상한 능력이 잠시 사라졌던 건 데미안의 힘을 지속적으로 받아 그 한계치를 채웠기 때문이었다. 그리고 그 능력이 다시 돌아온 건 그녀가 걱정이 된 데미안이 그녀에게 힘을 주는 것을 최소한으로 줄여서였다.

"그 말인즉, 내가 지속적으로 그녀에게 힘을 준다면 시연이 금단의 아이로서의 능력을 발현시킬 가능성은 현저하게 줄어들지."

"계속 한계치까지 유지해줄 수 있다고 장담할 수 없을 텐데요?"

"지금은 장담하지 못하지만 그녀를 반려로 들이면 장담할 수 있어."

와인 잔 주변을 매만지는 데미안의 눈매가 유쾌하게 휘었다.

"시연을 반려로 맞이한다면 그만큼 더 은밀하게 접촉할 수 있을 테니까. 한계치 이상으로 그녀의 몸 안에 내 것을 가득 채워 넣을 자신이 있어."

내 것으로 가득 채워 넣겠다니. 의도한 건지는 알 수가 없지만 듣는 사람이 어떤 생각을 하는가에 따라 굉장히 의미가 야릇해지는 말이었다.

"그래도 가능성이 아예 없는 건 아니죠. 고작 줄어드는 것 따위로 창조주의 예언을 무시할 수 있다고 생각하십니까?"

"무시하려는 게 아니야. 바꾸려는 거지. 창조주의 예언을 바꿀 생각이다. 오래전, 전대 마계의 군주이자 나의 부친이었던 루칸이 그랬던 것처럼."

약 300년 전, 데미안이 태어났을 당시 그가 폭주하면 모두가 위험해진다는 것을 예측한 창조주는 그를 죽이라고 예언을 내렸었다.

이에 당시 마계의 군주이자 데미안의 부친이었던 루칸은 가지고 있던 권한 중 한 가지를 사용하여 예언을 바꿔줄 것을 요청했다. 당시 후계자라곤 데미안 혼자였기 때문에 그를 잃으면 여러모로 곤란했기 때문이었다.

아무리 권한으로 한 요청이라고 할지라도 아무 대책 없이 무턱대고 요청했다면 고려해볼 필요도 없이 거절당했을 텐데 그걸 대비해서 루칸은 여러 대책을 세웠었다.

그 대책 중 하나가 인간계에 머무는 것이었고, 다른 하나는 천족을 반려로 맞이하는 것이었다.

천족을 반려로 맞이하는 건 신의 허락이 필요했는데 루칸이 무슨 술수를 쓴 건진 몰라도 그 당시 신은 루칸의 제안을 받아들였다. 그 결과가 혹

날 마계로 넘어온 데미안의 첫 번째 반려 천족 안느였다.

"창조주께선 아버지의 요청을 받아들였고, 그래서 예언이 바뀌었지. 만약 내가 폭주하려고 한다면 그땐 천족에게 나를 죽일 수 있는 힘과 권한을 부여하겠다고 말이야."

덕분에 데미안은 여태 목숨을 부지할 수가 있었다. 아슬아슬했던 적이 몇 번 있었긴 했지만 뭐 어떤가. 살아남았다는 것이 중요했다.

"시연이 내 곁에 있으면 난 주기가 올 걱정을 할 필요가 없고 시연은 금단의 아이로서의 능력이 발현될 걱정을 할 필요가 없지. 그러니 이번에도 내가 권한을 사용해서 요청한다면 창조주께선 받아주실 거다."

"잊고 있는 것 같은데 나에겐 당신이 행사하는 권한을 상쇄시킬 권한이 있습니다."

"그렇겠지. 단 두 개뿐이지만."

신과 군주에게 주어진 권한은 총 세 개.

데미안은 지금까지 그 권한을 단 한 번도 사용하지 않았지만 마르스는 과거 가브리엘을 죽인 범인을 찾기 위해 그 권한을 사용한 적이 있었다. 정확히는 시연을 재혁이라는 여우를 죽인 범인으로 몰고 가기 위해 쓴 것이었다.

그러니 데미안이 권한을 3개 다 사용한다면 권한이 2개밖에 없는 마르스는 데미안의 권한을 전부 상쇄시킬 수가 없었다.

"고작 이런 일에 모든 권한을 사용하실 생각이십니까?"

"고작이라니. 나에겐 그 무엇보다 중요한 일이다. 그녀를 곁에 둘 수 있다면 이보다 더한 짓도 할 수 있어."

거짓이라곤 조금도 묻어나지 않는 진심이었다.

"그러니까 섣불리 나서지 않는 것이 좋을 거다. 나와 전면전을 치르고 싶은 것이 아니라면 말이야."

"……."

"아니, 전면전을 치를 필요도 없지. 네가 한 짓들이 공개된다면 넌 자연스럽게 파멸할 테니까."

데미안은 일부러 마르스에게 자신이 많은 것을 알고 있다는 여지를 보여주었다. 그래야 마르스가 쓸데없는 생각을 하지 못할 테니까.

신념이 강하고 올곧은 천족이라면 이런 술수가 통하지 않았겠지만 마르스는 달랐다. 아니, 올곧은 천족이라면 애초에 이런 분란을 만들지 않았을 것이다.

여지를 보여준 것이 통한 건지 마르스의 얼굴이 미세하게 일그러졌다. 자세히 관찰하지 않았으면 모를 만큼 미세한 변화였지만 그걸 정확하게 읽은 데미안은 회심의 미소를 지었다. 그가 무슨 대답을 할지 듣지 않아도 알 것 같은 기분이었다.

"……하아, 어쩔 수 없지요."

잠시 침묵을 유지하던 마르스는 이내 깊은 한숨을 내쉬며 고개를 저었다.

"알겠습니다. 당신의 말대로 하지요."

"그 말은 더 이상 시연에게 손을 대지 않겠다는 건가?"

"네. 그 아이에게 해가 될 만한 짓은 하지 않겠습니다. 저도 사실 그 아이를 죽이는 것이 여러모로 꺼림칙했거든요. 아무리 원하지 않은 아이라고 할지라도 제 피를 나눈 딸이니까요."

지나가던 개도 웃을 법한 소리였다. 그런 개소리를 저리도 진지하게 하니 더 웃겨서 데미안은 실소를 터뜨렸다.

"그나저나 그 아이, 잘 지내고 있습니까?"

마르스의 개소리는 거기서 끝나지 않았다.

"사진으로 몇 번 보긴 했지만 실제론 한 번도 본 적이 없어서요. 그래서 말인데, 한 번 볼 수 있을까요?"

"거절한다."

"너무 단호하게 거절하시는군요. 그 아이의 의견을 물어보지도 않는 겁니까?"

"시연이 널 보고 싶어 할 것 같나? 자신을 죽이려고 한 아버지를?"

가당치도 않다는 듯 데미안이 입매를 비틀며 말하자 마르스는 순순히 고개를 끄덕였다.

"그래도 한번 물어봐주시죠. 딸이 어떻게 성장했는지 보고 싶거든요."

웃기지도 않는 개소리. 대답할 가치도 느끼지 못한 데미안은 말없이 입매를 비틀었다.

"그럼 이야기가 얼추 마무리된 것 같은데 먼저 일어서도 되겠습니까? 뒤에 일정이 있어서."

"마음대로."

"그럼 다음에는 좀 더 유쾌한 상황에서 봤으면 좋겠군요."

마르스는 전혀 가능하지 않을 헛소리를 지껄이며 유유히 옥상 테라스를 벗어났다.

밖에서 초조하게 대기하고 있던 마몬은 마르스가 나가자마자 데미안에게 달려왔다.

"괜찮으십니까?"

"괜찮다."

그래, 분명히 원하는 대답을 얻었으니 괜찮았다. 그럼에도 불구하고 좀처럼 찝찝한 기분을 떨쳐낼 수가 없어 데미안은 작게 인상을 쓴 채 자리에 가만히 앉아 있었다. 뭔가 아주 중요한 걸 놓친 기분이었다.

"군주님."

그러자 마몬이 걱정스레 그를 불렀다.

하아—.

그제야 데미안은 깊은 한숨을 내쉬며 자리에서 일어섰다.

"돌아가자."

"일이 잘 해결되지 않으신 겁니까?"

"아니, 일은 잘 해결됐다. 그냥 비둘기랑 오래 마주 보고 있었더니 기분이 언짢아졌을 뿐이야."

새빨간 거짓말은 아니었다. 기분이 언짢은 데 그 이유도 한몫하고 있었다. 그만큼 시연을 보고 싶은 마음이 커졌다.

얼른 가서 시연을 보고 그녀를 품에 가득 끌어안아야겠다고 생각하며 데미안은 서둘러 옥상 테라스를 빠져나왔다.

EPISODE 22

성인은 성인답게

밤이 깊었지만 잠은 오지 않았다. 낮에 이미 많이 잤기 때문이기도 하고 여러 생각들이 머릿속을 가득 채웠기 때문이기도 했다.

'어떻게 하면 좋지.'

지금 그녀의 최대 고민은 재희였다. 그렇게 헤어진 뒤 재희에게선 어떠한 소식도 없었다. 아직 몇 시간밖에 지나지 않았으니 이러는 것이 조금 성급한 감도 있었지만 그래도 걱정이 돼서 가만히 있을 수가 없었다.

몇 번이고 재희에게 전화를 했지만 그녀는 단 한 번도 전화를 받지 않았다. 그렇다 보니 걱정이 좀 더 깊어졌다.

재혁의 일은 아예 입도 벙긋하지 않았는데 이 상태라니.

이대로 재희를 영영 잃게 되면 어쩌나 하는 걱정이 앞서 좀처럼 잠을 잘 수가 없었다.

"하아."

"어머, 왜 그렇게 한숨을 내쉬세요?"

그녀가 깊은 한숨을 내쉬자 티에가 걱정스레 물었다.

"군주님이 걱정돼서 그러세요?"

왜 이야기가 그렇게 되는 건지. 딱히 그런 건 아니었지만 재희 때문이라고 설명하기엔 귀찮아서 대충 그렇다고 얼버무렸다.

"군주님이라면 걱정하지 마세요. 분명 다 해결하고 오실 테니까요."

그 말에 잠시 잊고 있었던 엄마에 관한 일이 생각났다. 여전히 엄마를 생각하면 가슴이 욱신욱신 아팠다. 아마 사건의 진상을 정확하게 알아내기 전까진 계속 이런 기분이 들 것이다.

'티에한테 한번 물어볼까?'

그녀에게 물어보는 거라면 괜찮을 것 같아 시연은 용기 내서 물어봤다.

"저기, 티에."

"네, 반려님."

"혹시 7년 전에 승계 과정에 도전한 마족에 대해서 알아요?"

"그럼요. 유명한 사건이었는걸요."

레아가 시연의 모친이라는 걸 모르는 티에는 가볍게 말을 이었다.

"군주님이 군주의 자리에 오르신 후 단 한 번도 승계 과정에 도전한 도전자가 없었는데 최초로 나온 도전자인 데다가 그 도전자가 데미안 님의 가정 교사였으니까요."

"……지금 뭐라고 하셨어요? 가정 교사?"

엄마가 데미안의 가정 교사였다니? 난생처음 듣는 사실에 시연의 눈이 휘둥그레졌다.

"그 마족이 데미안 씨의 가정 교사였다고요?"

"네. 거기다 제법 사이가 친하셨던 걸로 알고 있어요. 레아 님이 친엄마가 아니냐고 수군거릴 정도로 군주님께선 레아 님을 잘 따르셨거든요. 한데 갑자기 레아 님께서 승계 과정에 도전하신다고 하시니 이 사실을 아는 이들은 전부 놀라워하며 수군거렸죠."

티에가 거짓말을 할 리는 없으니 그녀가 한 말은 분명 사실일 것이다.

'엄마와 데미안 씨가 과거에 그런 사이였을 줄이야.'

놀라우면서도 머리가 복잡해졌다. 티에의 말이 정말 사실이라면 자존심이 상해서 엄마의 목을 베었다는 데미안의 말이 의심스러워졌다.

'역시 단순히 날 도발하기 위해서 그런 말을……?'

가능성이 충분히 있었기 때문에 심장이 두근거렸다. 어느 것이 진실인지 데미안의 입으로 직접 확인하고 싶었다. 시연은 그 어느 때보다 데미안이 돌아오는 것을 손꼽아 기다렸다.

달칵—.

그런 시연의 바람을 하늘이 알아준 것일까. 현관문이 열렸다가 닫히는 소리가 들렸다.

이 집의 비밀번호를 알고 있는 사람은 몇 되지 않았다. 그중 한 명인 티에는 집에 있었기에 스스로 문을 열고 들어올 만한 사람은 한 명밖에 없었다.

시연은 침대에 기대고 있던 몸을 일으켜 밖으로 나갔고, 빨래를 정리하고 있던 티에도 하던 것을 멈추고 시연의 곁에 섰다.

현관 복도가 그다지 길지 않았기 때문에 현관문을 열고 들어온 이가 거실로 들어서는 시간은 얼마 걸리지 않았다.

예상했던 대로 문을 열고 들어온 건 데미안이었다. 그 뒤로 베르와 마몬이 보였다.

"저기 물어보고……."

엄마에 관해서 물어보려던 시연은 돌연 데미안이 달려와 저를 꽉 끌어안는 탓에 아무것도 물어볼 수가 없었다. 거리가 확 가까워진 만큼 그의 체취가 물씬 느껴졌다.

당황해서 가만히 있던 시연은 이내 두 팔을 뻗어 데미안의 허리를 꽉 끌어안았다. 그러자 그 정도로는 부족하다는 듯 데미안은 시연의 턱을 잡고 그대로 입을 맞췄다.

"에휴."

'또 시작인가?'

여지없이 달라붙는 두 사람을 보며 마몬은 작게 한숨을 내쉬었다. 베르는 민망하다는 듯 두 손으로 얼굴을 가리면서도 손가락을 살짝 벌려 그들의 모습을 지켜봤다. 반면 티에는 아주 대놓고 눈앞에 펼쳐진 진한 키스신을 구경했다.

구경하는 이가 셋이나 있다는 걸 생각한 건지 오래 이어질 것 같은 키스는 뜻밖에도 빨리 끝났다. 뜨거운 주변의 시선에 얼굴을 붉히는 시연과 달리, 데미안은 아무렇지 않게 엄지로 시연의 입술을 닦으며 말했다.

"조만간 다시 창조주의 계단에 오를 생각이다."

"네?"

대답을 한 건 시연이 아니라 마몬이었다. 베르 역시 퍽이나 놀라며 데미안을 바라봤다.

"창조주의 계단에 오르시겠다니요. 그 말씀은 시연 님을 반려로 맞이하시겠다는 말씀이십니까?"

"그래."

"그럼 시연 님이 금단의 아이라는 것이 모두에게 다 들통날 텐데요?"

"들통나도 상관없어. 창조주의 예언을 바꿀 생각이니까."

창조주의 예언을 바꾸겠다니. 그게 정말 가능한 건지 의아해하는 시연과 달리 과거 데미안의 전례를 알고 있는 세 명은 짧게 감탄사를 터뜨리며 고개를 끄덕였다.

"그래서 신을 만난 거군요. 그에 관한 이야기를 하려고."

"그래."

"신? 그 남자를 만난 건가요?"

마르스가 부친이라는 것을 알면서도 시연은 그를 아버지라고 지칭하지 않았다. 마르스를 부친으로 인정하지 않겠다는 간접적인 의미였다.

"그래, 그 남자를 만났다. 그래서 말인데 그 남자가 널 만나고 싶다고 하더군."

물어볼 필요는 없을 것 같았지만 혹시나 해서 데미안은 시연에게 물어봤다. 그녀와 제 생각이 같다는 걸 확인하고 싶은 마음이기도 했다.

"넌 어떻지?"

바로 만나고 싶지 않다고 대답할 줄 알았는데 뜻밖에도 시연은 대답하지 않았다. 고민하는 듯 말이 없던 시연은 이내 천천히 말문을 열었다.

"만날래요. 그 남자, 만나보고 싶어요."

그 대답에 데미안뿐만 아니라 모두가 당황하며 시연을 쳐다봤다.

"하지만 데미안 씨가 원하지 않는다면 만나지 않겠어요."

병 주고 약 준다는 말은 이럴 때 쓰는 것일까? 철렁 내려앉았던 심장은 뒤이은 시연의 말로 다시 뛰었다. 처음보다 더 격렬하게.

그냥 만나지 않겠다고 말하는 것보다 만나고 싶은데 자신이 원하지 않으면 만나지 않는다는 말이 데미안의 가슴에 더 크게 와닿았다.

"당신은 제가 어떻게 했으면 좋겠어요?"

"만나지 않았으면 좋겠다."

물어보나 마나 한 질문이었다.

"언젠가 한번쯤은 보게 되겠지만 지금은 아니야."

대답은 정해져 있었기에 데미안은 조금도 고민하지 않고 즉각 대답했다. 그녀가 원하는 건 웬만하면 다 해주고 싶었지만 이것만큼은 예외였다. 아니, 이 일뿐만 아니라 그녀가 위험에 처할 수도 있는 일은 전부 예외였다. 그러니 절대 허락해줄 수가 없었다.

그러자 그럴 줄 알았다는 듯 시연이 웃었다.

"그럼 안 만날게요. 데미안 씨가 괜찮다고 말해줄 때까지."

"그래도 괜찮겠어? 보고 싶었던 거 아니었나?"

"한 번 보고 싶긴 하지만 지금 당장 보고 싶은 건 아니에요. 그냥 엄마가 사랑했던 남자가 어떤 놈인지 궁금한 것뿐이니까."

그래, 그것뿐이었다. 아무리 피를 나눈 가족이라고 할지라도 27년 동안 이름도 모르던 상대에게 갑자기 애틋한 감정이 생기거나 하진 않았다. 자신을 죽이려고 한 상대라면 더더욱.

"근데 그 남자도 참 뻔뻔하네요. 이제 와서 날 보고 싶다고 하다니. 날 해코지할 생각인 걸까요?"

"그건 아닐 거다. 만약 그럴 생각이었다면 나한테 대놓고 요구하지도 않았을 거고, 해치지 않는다는 확답도 받아왔으니까."

"그 말은, 그 남자가 절 해치지 않겠다고 말했다는 건가요?"

"그래. 그러니까 넌 이제 아무 걱정하지 않아도 된다."

얼굴에 붙은 시연의 머리카락을 떼어내 주는 데미안의 시선은 한없이 부드러웠다.

"다 잘될 테니까. 이제 남은 건 창조주의 예언을 바꾸는 것뿐이다. 예언만 바꾼다면 널 반려로 맞이할 수 있어."

아니, 해결해야 하는 문제는 하나 더 있었다. 엄마에 관한 것.

"저기……!"

"데미안 님."

엄마에 대해 물어보려는데 뒤에서 조용히 상황을 지켜보던 베르가 불쑥 앞으로 튀어나와 데미안을 불렀다.

전화를 받고 있는 그의 얼굴은 한껏 심각해 보였다. 마몬 역시 마찬가지였다. 그는 몹시 성가시게 됐다는 듯 인상을 찌푸리며 휴대폰을 보고 있었다.

"무슨 일이지?"

"저기 그게……."

"말로 설명하는 것보다 눈으로 직접 보시는 것이 낫겠죠."

마몬은 베르의 말을 자르며 자신이 보고 있던 것을 데미안에게 보여주었다. 어느 신문 기사였다. 옆에 있다가 얼떨결에 같이 보게 된 시연은 신문 기사의 헤드라인을 읽었다.

"세계 1위 제약 회사 '더 뉴'의 대표 이사는 악마……?"

헤드라인 밑에는 악마의 날개를 펼치고 있는 데미안의 모습이 적나라하게 찍힌 사진들이 있었다.

"이게 뭐죠?"

"뭐긴요. 대중들이 군주님이 악마라는 걸 알게 되어버린 거죠."

"제가 묻는 건 그게 아니잖아요! 이거 알려져도 되는 거예요?"

"당연히 안 됩니다. 되는 거였으면 처음부터 위장하지도 않았을 거예요."

무심하게 뱉는 말투와 달리 마몬의 얼굴에는 근심이 가득했다. 상황이 그만큼 심각하다는 의미였다.

데미안은 아예 마몬의 휴대폰을 빼앗아 기사를 확인했다.

마몬이 보고 있던 기사 외에 다른 기사들까지 확인한 데미안은 베르를 돌아봤다. 그 사이 통화를 끝낸 베르는 마찬가지로 기사를 살피고 있었다.

"라오스 측에선 뭐라고 하지?"

"보시다시피 사진이 너무 적나라하게 나와서 어쭙잖은 변명으로 넘기긴 힘들 것 같다고 합니다. 사진이 유포되는 것을 막기엔 이미 유포가 너무 많이 돼서 무리고요."

"최초 유포자는 확인한 건가?"

"익명 사이트에서 시작된 거라 알 수가 없다고 합니다. IP 추적을 해보긴 할 건데 시간이 걸릴 뿐더러, 우회해서 사용했거나 PC방 같은 곳의 컴퓨터를 이용한 거라면 누가 유포한 건지는 찾기 힘들 것 같습니다."

말은 길었지만 결론은 하나였다. 최초 유포자가 누군지 모를 뿐더러 사진이 퍼지는 걸 막을 수 없다.

참으로 쓸모없는 놈들이라고 생각하며 데미안은 다시 기사를 살폈다. 댓글을 비롯해서 대중들의 반응까지 전부.

사진이 유포된 지 한 시간도 되지 않았을 뿐더러 정확하게 사실 확인이 되지 않은 추측성 기사들밖에 없었지만 대중들의 관심은 뜨거웠다.

특히 인간들 사이에서 가장 논란이 됐다. 인간들은 잔인하고 극악무도하기로 유명한 악마가 자신들의 생명을 좌지우지하는 일을 한다는 것에 대단히 분노하며 이 일에 대한 라오스의 해명을 요구했다. 또한 인간들은 악마인 데미안이 마계로 가길 바랐다. 악마와 같은 공기를 마시며 사는 것이 불안해서 견딜 수 없다는 것이 그들의 의견이었다.

"요컨대 나만 마계로 돌아가면 문제가 없다는 거군."

데미안은 마몬에게 휴대폰을 돌려주며 무심한 목소리로 말했다. 시연을 만나기 전이었다면, 아니 시연을 반려로 들이기로 결정하기 전에 이 일이 터졌다면 곤란했겠지만 지금은 아니었다.

어차피 마계로 돌아갈 생각이었기 때문에 그들이 날뛰든 말든 자신과는 별 상관이 없었다. 그걸 처리하는 건 라오스의 몫이었으니까.

"내일 당장 창조주와 만나겠다."

"예? 내일 당장이요?"

베르가 깜짝 놀라며 되물었다.

"너무 일을 너무 성급하게 진행하시는 것이 아닌지……."

"너도 내가 빨리 마계로 돌아갔으면 하면서 그런 말을 하는군."

돌아온 일침에 베르는 입을 다물었다. 그야 일찍 마계로 돌아가면 좋긴 했다. 데미안이 마계로 돌아가야 자신 역시 돌아갈 수 있으니까. 토끼 혹은 여우 같은 부인들을 오랜만에 볼 수 있게 되는데 좋지 않을 리가 없었다.

그래도 이건 너무 성급한 것 같아 안 된다고 말하려는데 그보다 앞서 데미안이 입을 열었다.

"모든 일이 끝나고 마계로 돌아가면 휴가를 주지."

"휴……가요?"

"한 달 정도면 괜찮겠지."

휴가라니. 그의 시종으로 채택되고 지금까지 단 하루도 제대로 쉰 적이 없었다. 한데 휴가를, 그것도 한 달씩이나 준다고 하니 너무 설레어 입이 저절로 벌어졌다.

"당장 창조주님을 만날 준비를 하겠습니다."

"부탁하지."

"네!"

베르는 기합이 바짝 든 목소리로 대답한 뒤 서둘러 집을 나섰다. 굳이 지금 가지 않아도 되는데 저리 나가는 걸 보면 서둘러 일을 해결하고 싶은 모양이었다.

"근데 이렇게 갑자기 만나고 싶다고 해서 창조주께서 만나주실까요?"

"만나주실 거다. 반드시."

어디서 나오는 자신감인지 알 수가 없었지만 저리 자신하는 걸 보면 그만큼 믿는 구석이 있다는 의미였다.

마몬은 가볍게 고개를 끄덕이며 한 발 뒤로 물러섰다.

"그럼 전 라오스에 다녀오겠습니다. 이번 일이 어떻게 진행되고 있는지 직접 눈으로 봐야 할 것 같으니까요."

자신들의 체면이 달린 일이니 일을 처리하는 데 있어 소홀히 하진 않겠지만 그렇다고 믿고 맡길 수는 없었다. 그만큼 마몬은 라오스를 믿지 않았다. 그건 아마 원탁회 일원의 대부분이 그럴 것이다.

"부탁하지."

"그럼 다녀오겠습니다."

마몬까지 나간 집 안에는 시연과 데미안, 티에만 남았다. 데미안은 그제야 시연을 돌아봤다.

뭘 그리 심각하게 생각하는 건지 시연은 데미안이 쳐다보는 것도 모른 채 생각에 잠겨 있었다. 이따금 한숨을 내쉬는 걸로 보아 생각이 잘 안 풀리는 모양이었다. 그런 시연의 모습조차 예쁘긴 했지만 역시 그녀는 웃는 것이 가장 예뻤다.

"무슨 생각을 그리 하지?"

데미안은 시연의 어깨 위에 손을 올리며 물었다.

"아, 별건 아니고 혹시 이 일을 주도한 게 천족이 아닐까 하는 생각이 들어서요."

"가능성이 없는 건 아니지. 그들은 그 누구보다 내가 한시라도 빨리 마계로 돌아가길 원하니까."

"그럼 역시 그들의 짓일까요?"

시연의 표정이 좀 더 심각해졌다.

심각한 상대의 얼굴을 보고 참 행복하다고 생각하는 것이 조금 이상할지는 모르겠지만 그래도 그는 시연이 자신을 걱정해주는 것 같아 너무 좋았다. 계속 걱정하게 내버려두고 싶다는 생각이 들 정도로.

"그건 좀 더 알아봐야겠지만 이 일로 내가 피해 보는 건 전혀 없으니 심각하게 생각할 필요는 없어."

하지만 그래선 안 되겠지.

저를 걱정해주는 시연의 모습도 좋지만 역시 그녀는 환하게 웃는 것이 가장 예뻤다.

"그냥 흘러가는 대로 내버려두면 돼. 알아서 잘 해결될 테니까."

"그래요?"

알아서 잘 해결되지 않을 것 같다는 예감이 강하게 들었지만 구태여 입 밖으로 꺼내지 않았다. 정확하지도 않은 사실을 꺼내 괜히 그를 걱정시키고 싶진 않았기 때문이었다.

"그래. 그것보다 할 말이 있었던 것 같은데. 무슨 말을 하려던 거였지?"

"아무것도 아니에요."

엄마에 관한 진실이 심히 궁금하긴 했지만 이런 상황에서 꺼낼 만큼 눈치가 없진 않았다.

하물며 어떤 것이 진실이든 그의 곁을 떠날 생각은 없었다. 그러니 이 일이 마무리된 뒤에 엄마에 관해서 물어도 늦지 않았다.

"나중에 이야기해도 되는 일이니까 이 일이 끝나고 난 뒤에 이야기해요."

"그냥 지금 이야기해도……."

지이잉—.

"아, 잠시만요."

시연은 휴대폰을 꺼내 누가 전화를 한 건지 확인했다. 재희였다. 낮에 다녀간 이후로 깜깜무소식이더니 드디어 연락이 온 것이다.

"그 친구인 모양이군."

"네."

바로 전화를 받기엔 데미안의 눈치가 보였다. 그래서 망설이는 사이 전화가 끊겼다. 전화야 다시 걸면 되지만 데미안이 있는 것이 여전히 신경 쓰여 그를 슬쩍 쳐다보았다.

그녀의 마음을 알아챘다는 듯 데미안이 가볍게 어깨를 으쓱이며 한 발 뒤로 물러섰다.

"시간도 늦었으니 난 이만 가보지."

"죄송해요."

괜히 눈치를 줘서 내쫓는 것 같아 기분이 그래서 사과하자, 데미안이 고개를 저었다.

"이런 사소한 일로 일일이 미안해할 필요는 없어. 네게도 사생활은 있을 테니까."

당연한 배려였지만 그럼에도 심장이 이렇게 뛰는 건 그만큼 그를 좋아하기 때문일 것이다.

'역시 난 그의 곁을 떠날 수가 없어.'

설령 그가 엄마를 무자비하게 죽인 살인자라고 할지라도. 그 때문에 평생 가슴앓이하며 살지언정 그의 곁을 떠나는 건 상상조차 할 수 없었다.

"그럼 가기 전에."

데미안은 시연의 눈높이에 맞춰 허리를 숙이고 눈을 감았다. 뭔가 기대하는 얼굴이었다. 시연은 눈을 크게 깜빡이며 데미안을 의아하게 쳐다봤다.

"뭐하는 거예요?"

"굿나잇 키스 해줘야지."

"네에?"

갑자기 웬 굿나잇 키스?

"전에 분명 말했을 텐데. 못해도 하루에 10번은 입을 맞출 거라고. 그 말 아직 유효하니까, 해줘."

이 무슨 닭들이 털을 풀풀 날리며 뛰어다니는 소리인지.

그냥 들었어도 부끄러웠을 말인데 옆에 티에가 있어 더욱 부끄러웠다. 시연은 사과만큼이나 빨개지는 얼굴을 수습하지 못하고 손부채질을 했다.

"어휴, 잠시 5층에 좀 다녀올게요."

눈치 빠른 티에는 없는 이유를 만들어서 자리를 비켰다.

그런 티에를 보며 만족스럽게 웃는 데미안이 너무나도 얄미워서 시연은 눈을 흘겼다.

"자, 그럼 방해꾼도 없으니 진하게 해줘."

"가볍게 뽀뽀만 해도 되는 거 아니었어요?"

"뽀뽀만 하는 건 전체 이용가잖아."

그의 두 손은 어느덧 시연의 허리를 꽉 끌어안았다. 그의 품에 폭, 안기게 된 시연은 눈을 껌뻑이며 그를 올려다봤다.

"그리고 우리는 성인이지."

"그래서요?"

"성인은 성인답게 19세 이용가 이상으로 노는 것이 맞지 않을까?"

"……농담이시죠?"

"아니, 진담인데."

초승달처럼 휘는 눈매가 굉장히 아름다웠다. 그래서 잠시 넋을 놓고 있었던 시연은 곧 정신을 차리고 그를 밀어냈다. 그래봤자 주먹 하나 들어갈 정도밖에 밀어내지 못했지만.

"말도 안 되는 소리 하지 말고 얼른 가요."

"굿나잇 키스는 결국 안 해주는 건가?"

"아까 했는데 뭘 또 하자는……."

"네가 안 해주면 내가 해야지."

말이 끝나기 무섭게 데미안의 입술이 시연의 입술 위로 내려앉았다. 시연은 그를 밀어내거나 거부하지 않았다. 오히려 그의 옷깃을 꽉 잡고 데미안이 하는 대로 모두 받아주었다.

숨이 턱 끝까지 차오르면서 이대로 호흡 곤란으로 죽는 건 아닐까 하는 웃기지도 않은 생각이 들 때까지 계속.

"후아."

다행히도 호흡 곤란으로 죽일 생각은 없는지 그 전에 데미안은 떨어져나갔다. 숨이 차서 힘들어하는 시연과 달리 데미안의 얼굴에는 아쉬워하는 기색이 역력했다.

"자, 자. 어서 가세요."

또 달라붙을세라 시연은 서둘러 그를 내보낸 뒤 휴대폰을 꺼냈다. 곧장 재희에게 전화를 걸려는데 티에가 돌아왔다.

그녀가 들어서 좋을 것도 없어 시연은 방으로 들어와 방문까지 잠그고 재희에게 전화를 걸었다.

[여보세요.]

"아, 여보세요?"

혹시 안 받으면 어쩌나 걱정했는데, 걱정이 무색할 정도로 재희는 바로 전화를 받았다. 단지 약간 긴장한 것 같은 목소리에 덩달아 긴장이 된 시연은 마른침을 꼴깍 삼켰다.

휴대폰을 쥔 손에 땀이 조금씩 차올랐다. 무슨 말을 꺼내면 좋을지 몰라 입을 꾹 다물고 있는데 재희가 먼저 말문을 열었다.

[다른 건 아니고 확인하려고 전화했어.]

"확인?"

[그래. 아까 네가 한 말, 전부 사실이지?]

"물론이지!"

뜻하지 않게 약간 언성이 높아졌지만 시연은 전혀 목소리 조절을 하지 않고 말을 이었다.

"전부 사실이야! 맹세해!"

[그렇게 소리 지르지 않아도 다 알아들으니까 목소리 좀 낮춰.]

"아, 미안. 네가 믿어줬으면 해서, 나도 모르게……."

좀 전과는 상반되게 기어들어가는 목소리로 대답했더니 재희가 픽하고 웃었다.

[믿어. 네가 거짓말을 하지 않았다는 건 믿어.]

"정말?"

[그래. 말을 하는 내내 네 귀가 빨개지지 않았으니까.]

그 말에 시연은 무의식적으로 귀를 만졌다. 설마 재희도 그 사실을 알고 있을 줄이야. 자신은 27년 평생 모르던 사실인데 어떻게 주변 사람들은 이리도 잘 알고 있는 건지 조금은 신기했다.

[뭐, 그게 아니더라도 네가 그런 거짓말을 할 이유는 없으니 전부 사실이라고 생각했겠지만. 단지 일방적으로 한쪽 말만 듣긴 그러니 가온 오빠 말도 들어보려고.]

"혼자 만나려는 건 아니지?"

[혼자 만날 거야. 그리고 이제 곧 만나기로 했어.]

"뭐?"

또다시 언성이 높아졌다. 시연은 발까지 동동 구르며 말했다.

"무슨 말도 안 되는 소리야! 이 밤중에 그 남자를 혼자 만나다니! 절대로 위험해!"

[그래도 사실 확인을 하려면 만나야지.]

"그런 거라면 날이 밝은 뒤에 만나도 되잖아."

[이런 걸로 밤새 고민하고 싶지 않아. 빨리 훌훌 털어내고 싶어.]

"하지만……."

[걱정하지 마. 경찰서가 바로 옆에 있는 술집에서 만나니까. 무슨 일이 있으면 바로 경찰서로 달려갈게.]

그러니 걱정하지 말라고 재희는 말했지만 좀처럼 마음이 놓이지 않았다. 이미 가온에게 당한 전적이 있기 때문이었다.

아직 재희에겐 말하지 못한 그 일. 그러나 재희가 무조건 알아야 하는 그 일. 바로 재혁의 죽음에 관한 것이었다.

물론 계속 숨길 생각은 없었다. 이 일이 해결되는 대로 바로 재희에게 이야기할 생각이었다. 연달아 충격 받을 그녀가 걱정이 되긴 했지만, 가족과 관련된 일인 만큼 더 많은 충격을 받을 테지만 언제까지 숨길 순 없으니까.

다른 사람의 입을 빌려 전하기보다 제 입으로 전하는 것이 그나마 자신 때문에 하나뿐인 가족을 잃은 재희에 대한 속죄일 것이었다.

[아무튼 나중에 전화할게. 오빠 만날 시간 다 됐어.]

"끝나면 바로 연락해."

[끝나면? 그럼 시간이 너무 늦을 텐데 괜찮겠어?]

"괜찮아. 기다릴 테니까 꼭 연락해."

당장이라도 달려가 재희와 가온이 만나는 걸 지켜보고 싶었지만 그러지 못하는 입장이니 이렇게라도 해야 했다.

시연은 재희에게 그러겠노라는 확답을 얻은 뒤에야 전화를 끊었다.

'역시 걱정이 돼.'

그냥 내버려뒀다면 아무 일도 없었을 텐데 괜히 가르쳐준 건 아닐까? 아니, 그것보다 가온은 무슨 생각으로 재희에게 접근한 걸까? 단순히 자신과 연결 고리를 만들고 싶어서 그랬다고 생각하기엔 연결 고리를 만든 뒤에도 재희의 곁에 남아 있었으니 그건 아닌 것 같았다.

'도대체 뭐지.'

안 그래도 복잡한 머릿속이 더 복잡해졌다. 시연은 길게 한숨을 내쉬며 침대에 누웠다.

새벽의 여독이 다 풀리지 않은 만큼 몸은 피곤했지만 정신은 또렷했다. 재희가 연락을 주지 않겠다고 해도 아마 잠이 들지 못했을 것이다.

"한 시간 내로 연락 오겠지."

아무리 길게 이야기를 한다고 해도 한 시간 이상 할 리는 없으니까.

만약 한 시간 내로 연락을 주지 않는다면 재희를 찾아가보겠다고 다짐하며 시연은 간절하게 재희의 연락을 기다렸다.

지잉—.

기다림이 간절할수록 그 끝에 오는 열매는 달다고 했다. 한 시간이 채 되지 않아 재희에게서 연락이 오자 시연은 바로 전화를 받았다.

"이야기는 잘 끝났어?"

[이런.]

짧게 감탄사를 뱉는 목소리가 익숙했다. 재희의 목소리는 아니었다.

[이렇게 유쾌하게 전화를 받아주는 건 처음인 것 같네요.]

좀 더 낮고, 그러면서도 데미안보단 높은 경쾌한 목소리.

휴대폰을 쥔 손에 저절로 힘이 들어갔다. 바닥을 바라보는 시연의 눈동자가 부질없이 떨렸다.

"……가온."

등골을 치고 올라오는 불길한 예감을 애써 떨쳐내며 시연은 천천히 상대의 이름을 불렀다. 그러자 수화기 너머에서 울리는 웃음소리가 더 커졌다.

"당신이 왜 재희의 휴대폰을 가지고 있는 거죠? 설마 재희한테 무슨 짓을 한 건 아니죠?"

[하하, 걱정하지 마시죠, 아직은 아무 짓도 하지 않았으니까.]

"아직은?"

그 말은 재희에게 곧 무슨 짓을 할지도 모른다는 의미가 아니던가.

"재희에게 손가락 하나만 까딱해봐요."

역시 재희가 혼자서 가온을 만나러 가는 건 막았어야 했다. 아니, 애초에 재희에게 이 이야기를 꺼내지 않았어야 했다.

"절대로, 절대로 가만히 있지 않을 거예요."

[가만히 있지 않으면요? 그럼 그 남자에게 부탁해서 저를 죽여달라고 할 겁니까?]

"아니요. 제가 직접 할 거예요."

이를 악물고 섬뜩한 말을 뱉는 시연의 눈동자가 순간 푸른빛과 붉은빛으로 변했다가 다시 원래대로 돌아왔다.

"다른 사람의 손을 빌리지 않고 제 손으로 직접 죽일 거예요."

[모친을 죽인 살인자의 곁에 있는 당신이 그런 말을 하는 것이 웃기다고 생각되지 않습니까?]

정곡을 찌르는 말에 잠시 말문이 막혔지만, 곧 아무렇지 않은 듯 시연은 대답했다.

"그런 말로 대답을 회피할 생각하지 말고 똑바로 말해요. 재희한테 아무 일도 없는 거 맞죠?"

[대답을 회피하는 건 제가 아니라 그쪽인 것 같은데요?]

"이상한 소리 하지 말고 재희가 괜찮은지부터 말하라고!"

도돌이표 같은 대화에 결국 화를 참지 못한 시연은 언성을 높였다.

뒤늦게 티에의 반응이 걱정돼서 문 쪽을 돌아봤지만 다행히도 듣지 못했는지 아무런 반응이 없었다.

[사람 말을 참 못 믿으시는 군요.]

문을 향했던 시선은 이어진 가온의 말에 다시 바닥을 향했다.

[원래 그렇게 의심이 많습니까?]

"그게 아니라 당신 말만 못 믿는 거예요. 당신이 제 입장이라면 믿을 수 있겠어요?"

[믿든 안 믿든 당신의 자유지만 그녀는 확실히 무사합니다. 아마 지금쯤이면 집에 도착해서 신발도 제대로 벗지 못하고 그대로 쓰러졌을 겁니다. 전에 걸어둔 주술이 조건을 만족해서 발현됐으니까.]

"전에 걸어둔 주술? 그게 무슨 소리죠?"

[어라, 눈치채지 못하셨나요? 하긴. 주술을 건 이후로 재희와 그 남자가 만난 적이 없으니 모르는 것도 당연한 건가.]

위기가 한 번 있긴 했지만 그것도 잘 넘겨서 다행이라며 가온은 낮게 웃었다. 영문을 알 수 없는 말이었지만 확실한 건 그가 재희에게 무슨 이상한 짓을 해놨다는 것이었다.

[아무튼 그 주술이 발현된 덕분에 그녀는 오늘 있었던 일을 전부 잊어버리게 됐습니다.]

전부 잊어버리는 주술이라니. 전에 베르가 자신에게 걸려고 했던 것을 말하는 걸까.

[그리고 한 가지 더 말씀드리자면 이 주술이 지속되는 동안 저는 주술에 걸린 사람을 마음대로 조종할 수가 있습니다. 스스로 목숨을 끊게 하는 것도, 타인을 공격하게 하는 것도 가능하죠.]

"뭐……라고요?"

무슨 그런 말도 안 되는 주술이 있단 말인가.

시연은 기함하며 입을 쩍 벌렸다. 얼마나 당황했는지 하려고 했던 말도 나오지 않았다.

"……원하는 것이 뭐죠?"

곧 정신을 차린 시연은 차분하지만 화가 잔뜩 억눌린 목소리로 물었다.

"원하는 것이 있으니까 나한테 전화해서 그런 말을 하는 거 아닌가요?"

대충 짐작해서 말했는데 예상이 맞았는지 가온이 낮게 웃으며 말했다.

[역시 눈치가 빨라서 이야기를 나누기 좋군요. 그럼 거두절미하고 본론부터 말하겠습니다. 신께서 당신과 만나고 싶어 하십니다.]

"신이라면…… 마르스?"

[아무리 부친이라고 해도 신의 이름을 그리 함부로 부르시면 안 됩니다.]

개소리도 이 정도면 수준급이었다. 시연은 욕하고 싶은 걸 꾹꾹 억누르며 물었다.

"그래서요? 그 남자가 왜 날 보려고 하는 거죠?"

[거기까진 저도 잘 모르겠습니다만 감히 예상하자면 친딸이어서 보고 싶어 하시는 것이 아닐까요?]

"저 욕해도 돼요?"

개소리도 작작해야 그냥 넘어가지, 연속으로 계속되니 그냥 넘어갈 수가 없었다. 시연의 반응에 가온이 폭소했다. 꽤나 유쾌하게.

[아하하, 하고 싶으면 그냥 하면 되지 그런 것도 일일이 물어보는 겁니까?]

"그냥 했다가 당신이 빈정 상해서 재희에게 무슨 짓이라도 하면 큰일이잖아요?"

[이런, 저를 그렇게 속 좁은 놈으로 보시는 겁니까?]

"아니라고 부정하진 않을게요."

욕만 하지 않을 뿐 할 말은 다 했다. 그것이 그렇게도 웃긴지 그는 좀처럼 웃음을 그치지 못했다.

[그래서 어떻게 하시겠습니까?]

이윽고 웃음을 그친 가온이 여전히 웃음기 가득한 목소리로 물었다.

[그분을 만나보시겠습니까?]

"만나지 않겠다고 하면 재희에게 손을 댈 건가요?"

[아니라곤 부정하지 않겠습니다.]

가온은 시연이 했던 말을 고스란히 돌려주며 말했다. 역시 재수 없는 놈이었다.

"데미안 씨와 함께 만나는 건 아니겠죠?"

[당연한 걸 말씀하시는군요.]

그래, 그렇겠지.

이전까지는 그래도 한 번 볼까 하는 생각이 있었는데 가온의 대답에 마르스를 만나고 싶은 생각이 싹 사라졌다. 데미안도 없이 보자는 걸 보면 무슨 꿍꿍이가 있는 것이 분명하니까.

'하지만 만나지 않으면 재희가 위험해.'

그들이 재희에게 무슨 짓을 한다면 절대 가만히 있진 않겠지만 그렇다고 재희에게 있었던 일이 사라지는 건 아니었다.

재혁처럼 죽게 된다면 되돌릴 수도 없었다.

"……좋아요. 만날게요."

그러니 불안하더라도 마르스를 만날 수밖에. 금단의 아이로서 능력이 다시 돌아온 것이 그나마 다행이었다.

"대신 약속해요. 절대 재희에게 손을 대지 않기로."

[물론입니다. 물론 당신에게도 해가 될 만한 짓은 하지 않을 겁니다.]

"그건 두고 볼 일이죠."

데미안도 마르스에게 자신을 해치지 않겠다는 확답을 받아 왔다고 했지만 그 말을 곧이곧대로 믿을 순 없었다.

그건 확답을 받아 온 데미안 역시 마찬가지일 것이다. 그렇지 않고서야 시연이 마르스를 만나는 걸 그리 단호하게 반대할 리가 없었다.

"그래서 언제 어디서 보자는 거죠?"

[시간은 내일 오후 2시, 장소는 재희의 카페입니다. 데미안, 그 남자는 물론 다른 그 누구도 당신이 이곳에 오는 걸 몰라야 합니다.]

"그게 가능할 거라고 생각하나요? 감시하는 눈이 몇 개인데?"

[가능합니다. 제 말대로 한다면 말이죠.]

무엇 때문에 저리 자신만만해하는 건가 싶었는데 이어진 그의 말을 들은 시연은 저도 모르게 납득했다.

"당신이군요. 데미안 씨가 악마라는 걸 대중에게 알린 사람이."

동시에 이번 일의 원흉을 알 수 있었다.

"도대체 무슨 생각으로 그런 거죠? 설마 데미안 씨가 마계로 빨리 돌아가길 바라기 때문이라곤 말하지 않겠죠?"

[뭐, 그런 이유도 있긴 합니다만 궁극적으론 아닙니다.]

“그럼 뭔데요?”

[거기까진 말씀드릴 수 없습니다.]

비밀이라 이건가. 집요하게 물어봤자 알려주지 않을 것 같아 더 깊게 물어보지 않았다.

[그럼 이만 전화를 끊도록 하죠.]

“잠깐만요. 한 가지만 더 물어볼게요.”

[뭐죠?]

“당신, 재희랑 사귄 건 단순히 나 때문인 건가요?”

재희에게 가온이 어떤 놈인지 말하기가 계속 망설여졌던 건 가온에 대한 재희의 마음이 진심이었기 때문이었다. 진심이 아니었다면 애초에 가온과 사귀지도 않았을 것이다.

“정말로, 정말로 재희에겐 일말의 감정도 없었어요?”

그러니 가온 역시 재희에게 약간의 마음이 있었으면 했다. 단순히 자신 때문이라고 하면 그녀가 너무 불쌍하니까.

[네. 없습니다.]

단호하게 떨어진 대답은 그 바람을 무참하게 깨뜨렸다. 이에 차오르는 화를 주체할 수가 없어 시연은 입술을 세게 깨물며 휴대폰을 집어 던졌다.

전 세계가 데미안의 정체에 관심을 보이고 있는 만큼 벤이 직접 나서서 입장을 표명했다. 데미안이 마계에서 인간계로 온 건 10년 전이며, 그 이유는 인간계에 도는 병에 대한 치료제를 개발하기 위함이라고.

데미안이 인간계에 온 건 그보다 훨씬 전이었지만 리암 가의 이름을 빌려

본격적으로 활동한 건 '더 뉴'를 인수한 이후인 10년 전이었으니 그렇게 말해도 문제가 없었다.

하물며 그 이후로 데미안의 주도 아래 '더 뉴'에서 수많은 의약품을 개발해냈기 때문에 벤의 입장 표명은 확실히 신빙성이 있었다. 단순히 소란을 잠재우기 위한 것으로 보이진 않았다. 어디 봐도 흠잡을 곳 하나 없는 완벽한 입장이었지만 문제가 있다면 데미안이 악마라는 것이었다.

"악마가 한 짓을 믿을 것 같으냐!"

"약을 개발한 것도 필시 무슨 꿍꿍이가 있을 거다!"

단순히 악마라는 이유로 데미안이 지금까지 베푼 선행은 전부 부정당했다. 게다가 그들은 이 모든 분란을 만든 장본인인 데미안이 직접 나서서 입장 표명을 하길 바랐다.

"그래서 나보고 직접 입장 표명을 하라는 건가?"

정오가 되기 전인 늦은 오전. 데미안 집 3층 응접실.

자신을 데려가기 위해 찾아온 김한성을 바라보는 데미안의 시선은 싸늘했다.

"네놈들이 드디어 정신이 나간 모양이군."

얼음장처럼 차갑게 굳은 얼굴에 그보다 더 차가운 미소가 걸렸다. 눈빛으로 누군가를 죽일 수 있다면 몇 번이고 죽였을 법한 살벌한 시선을 정면에서 마주한 김한성은 감히 데미안을 똑바로 바라보지 못하고 고개를 숙였다.

"내가 직접 나서서 입장 표명을 하는 일은 없을 거다."

"허나……."

"단, 다른 해결책을 주도록 하지."

다른 해결책? 귀가 솔깃해지는 말에 김한성은 고개를 들어 데미안을 쳐다봤다. 데미안은 그런 김한성을 물끄러미 바라보며 뒤에 서 있는 베르에게 가까이 다가오라고 손짓했다.

"지금 당장 '더 뉴'에서 생산하는 모든 의약품들의 생산을 중단하고 가지고 있는 재고들도 시중에 내놓지 말고 전부 묶어두도록."

"네? 그렇게 하면 당장 환자들을 치료하는 데 문제가 생길 겁니다."

"그건 내 알 바가 아니지. 악마 새끼가 만든 약은 믿지 못한다며? 그런 약을 환자들에게 쓰게 할 순 없지."

삐딱하게 올라간 입꼬리와 더불어 썩 유쾌해 보이지 않는 눈동자.

빈정이 상한 것이 분명했다. 물론 그 이유만으로 저런 명령을 내리는 것 같지는 않았지만 그 이유가 90% 이상을 차지할 거라고 베르는 확신했다.

"알겠습니다."

그걸 잘 알면서도 베르는 데미안을 더 말리지 않았다.

"이제 돌아가면 될 거다."

명을 수행하기 위해 베르가 자리를 비우자, 데미안은 다시 김한성을 돌아보며 말했다.

"조금 있으면 베르의 말이 언론을 타고 전 세계에 퍼질 테니까."

"저기…… 제가 멍청해서 그런지 이게 왜 해결책인지 모르겠는데요."

"멍청한 거 맞아."

단호하게 돌아온 대답에 살짝 울컥했지만 상대는 무려 악마, 그것도 마계의 군주이자 원탁회의 수장이었다. 먹이 사슬 피라미드로 따지면 최상층에 고고하게 있는 존재이니 감히 뭐라고 할 수 없어 김한성은 울컥 차오르는 화를 애써 참았다.

"모르는 것 같으니 친절히 설명해주지."

도대체 어디가 친절한 건지 묻고 싶었지만 그러기엔 역시 제 목숨이 아까웠다.

"그들이 저 난리를 피우는 건 내 소중함을 모르기 때문이다. 10년이면 강산도 변한다는데, 내가 없었을 때의 불편함을 잊어버리는 것도 무리는 아닐 거다."

그러니 그들에게 자신이 없었을 때, 즉 10년 전의 불편함을 느끼게 해줄 생각이었다.

건강한 자들은 그때나 지금이나 마찬가지겠지만 약을 필요로 하는 자들은 다를 것이다.

"죽을 날이 가까운 자일수록, 병에 대한 고통이 깊을수록 간절함은 더할 나위 없이 크지. 그러니 그들을 이용하면 굳이 우리가 나서지 않아도 알아서 다른 놈들과 싸워줄 거다."

"과연! 이이제이 전술이군요!"

데미안을 바라보는 김한성의 눈동자가 반짝였다. 경외였다. 데미안을 두려워하면서도 존경하는 것이다.

"알겠습니다. 국장님에겐 그렇게 전해두도록 하겠습니다."

"좋을 대로."

"그럼 다음에는 기쁜 소식을 가지고 찾아뵙도록 하겠습니다."

김한성은 씩씩하게 인사한 뒤 서둘러 나갔다. 한시라도 빨리 이 소식을 벤에게 전해주고 싶은 모양이었다.

"다음이라."

글쎄, 과연 다음이 있을까.

묘한 미소를 띠며 자리에서 일어선 데미안은 5층으로 향했다. 더미들의 환영을 받으며 서재로 가니, 금단의 아이에 관한 책과 마계의 사전을 들고 고군분투하고 있는 티에와 시연이 보였다. 데미안은 곧장 들어가는 대신 문에 기대서서 부드러운 눈빛으로 그들, 정확히는 시연을 쳐다봤다.

"아, 왔어요?"

얼마 지나지 않아 데미안이 온 걸 눈치챈 시연이 그를 돌아보며 물었다. 그제야 데미안은 서재 안으로 들어갔다.

"진행은 순조롭나?"

"어렵네요. 티에도 고어는 잘 모르니까."

시연은 깊은 한숨을 내쉬며 고개를 저었다. 그건 티에 역시 마찬가지였다.

꽤나 오래전에 작성된 탓인지 금단의 아이에 관한 책에는 지금은 안 쓰는 고어가 제법 많이 쓰였다. 데미안과 베르는 고어까지 전부 알고 있었지만 티에는 아니었다.

고어를 무시하고 그냥 넘어가기엔 문장 해석이 안 되니 티에는 사전을 찾아가며 해석하려고 했지만 그래도 결코 쉬운 일은 아니었다.

"그냥 내가 다녀와서 해석해준다니까."

"할 수 있는 데까지 혼자서 해보고 정말 안 되는 것만 부탁할게요."

"뭐, 그러든지."

아무래도 좋을 일이었기 때문에 데미안은 고개를 끄덕였다.

"창조주를 언제 만나러 간다고 했죠?"

"오후 3시. 그래서 바로 나가봐야 돼. 준비도 해야 하고 계단도 올라가야 하니까."

"다행히도 만나는 걸 바로 허락해주셨네요."

"말했을 텐데. 분명 허락해주신다고."

"그러게요."

눈을 새초롬하게 접으며 웃는 시연의 모습은 분명 예뻤지만 어딘지 모르게 처연해 보였다. 무슨 걱정이 있는 것처럼 보이기도 했다.

"그 친구의 일이 잘 안 풀린 건가?"

그것 말고 시연이 걱정할 만한 일이 떠오르지 않아 대충 어림짐작하며 물었는데 정곡을 찔렀는지 웃고 있는 입꼬리가 살짝 떨렸다.

역시 그런 건가. 데미안은 속으로 낮게 한숨을 내쉬었다.

무슨 일이 어떻게 안 풀린 건지 궁금했지만 물어봤자 대답해주지 않을 것이 분명했고, 또 그녀가 곤란해하는 질문을 하고 싶진 않았다.

"너무 걱정하지 마. 다 잘될 테니까."

"네."

"그럼 다녀오지."

데미안은 시연의 이마에 가볍게 입을 맞춘 뒤 서재를 나갔다.

차가우면서도 따뜻한 아이러니한 느낌. 시연은 살짝 볼을 붉히며 데미안의 입술이 닿았던 이마를 손으로 매만졌다.

얼마 지나지 않아 현관문 닫히는 소리가 들렸다. 데미안이 완전히 밖으로 나간 모양이었다.

"목마르지 않으세요?"

기다렸다는 듯 자리에서 일어선 시연이 티에에게 물었다. 티에는 짧게 감탄사를 뱉으며 덩달아 자리에서 일어섰다.

"이런, 제가 눈치도 없이. 바로 마실 거 가져다드릴게요."

"아, 괜찮아요. 커피 마실 거라 제가 만들게요."

"하지만……."

"저 원래 바리스타 일했거든요. 오랜만에 솜씨 발휘해보고 싶어요."

시연은 티에를 만류한 뒤 서둘러 주방으로 향했다. 웬만한 전문 카페 뺨칠 정도로 모든 도구들이 있었기 때문에 커피를 만드는 건 별로 어렵지 않았다.

커피를 다 만든 뒤 시연은 주머니에서 작게 접힌 종이를 꺼냈다. 그 안에는 수면제가 들어 있었다. 불면증으로 잠을 못 잔다는 이유를 대고 베르에게 얻은 것이었다.

가온이 알려준 방법이 바로 수면제로 티에를 잠재우는 것이었다. 그는 베르에게서 수면제를 얻을 수 있다는 것까지 상세하게 알려주었다.

잠시 머뭇거리던 시연은 곧 티에의 몫으로 만든 커피에 수면제를 탔다.

새하얀 가루는 흔적도 없이 커피 안에 녹아들어갔다.
"자, 여기요."
"잘 마실게요, 반려님."
시연이 커피 안에 수면제를 탄 사실을 전혀 모르는 티에는 순진무구한 얼굴로 커피를 마셨다.
시연은 조마조마한 얼굴로 티에를 바라봤다.
"자, 그럼 다시 시작해볼까요."
금세 머그잔을 비운 티에가 돌아섰을 때였다.
쨍그랑—.
티에가 들고 있던 컵이 떨어지면서 요란스럽게 깨졌다. 그 위로 정신을 잃은 티에가 쓰러지려고 하자 시연은 황급히 티에의 팔을 잡아당겼다.
"윽."
그 때문에 같이 넘어졌지만 정신을 잃은 티에가 날카로운 유리 조각 위로 쓰러지는 것보다는 나았다.
그대로 티에를 소파에 눕힌 시연은 그녀의 손을 꼭 잡고 작게 속삭였다.
"미안해요, 티에."
금방, 그리고 무사히 돌아오겠노라고 약속이라도 하듯 몇 번 중얼거린 시연은 이내 외투와 휴대폰을 챙겨 들고 다급하게 서재를 벗어났다.

EPISODE 23

군주를 위해서

시연이 약속한 카페에 도착한 건 거의 2시가 다 됐을 무렵이었다.

오랜 시간 일했기도 하고 친구의 카페인 만큼 익숙한 장소였지만 오늘따라 낯설게 느껴지는 건 이곳에서 많은 일이 있을 것 같은 예감이 들었기 때문이었다.

'괜찮을 거야.'

여차하면 접촉해서 힘을 다 빼앗고 도망치면 되니까. 그러니 다 괜찮을 거라고 스스로를 다독이며 애써 울렁이는 마음을 다스리고 안으로 들어갔다.

아직 낮인데도 불구하고 어째서인지 조명들이 전부 환하게 켜져 있었다. 한데 카페 안은 쥐 죽은 것처럼 조용했다. 그것이 더욱 소름 끼쳐 시연은 닭살이 돋은 팔을 쓰다듬으며 한 발 더 앞으로 내딛었다.

드르륵, 쾅—.

"……!"

그 순간 카페 셔터 문이 내려가면서 창문엔 암막 커튼이 자동으로 내려왔다. 밖에선 안을 전혀 볼 수 없는 상황이 된 것이다.

미리 켜져 있던 조명 덕분에 칠흑 같은 암흑 속에 내던져지는 불상사는 면할 수 있었다.

깜짝 놀란 시연은 새하얗게 질린 얼굴로 중얼거렸다.

"이것 때문에 조명을 켜둔 건가……."

"네, 맞습니다."

난데없이 뒤에서 들리는 목소리에 시연은 카페 문이 닫혔을 때보다 더 크게 놀라며 뒤를 돌아봤다. 그러자 언제부터 있었는지 알 수 없는 가온이 유리문 앞에 서 있는 것이 보였다.

"재희는요?"

놀란 건 놀란 거고 볼일은 볼일이었다. 시연은 가온을 보자마자 재희의 안부부터 물었다.

"재희는 괜찮은 거죠?"

"네, 괜찮습니다. 집에 잘 있어요."

"제 눈으로 직접 확인해야겠어요."

가온의 말만 듣고 어떻게 믿겠는가. 절대 믿을 수 없었다.

타박—.

그러니 재희가 무사한지 확인하기 위해 다시 나가려는데 안쪽에서부터 누군가의 발소리가 들렸다. 재희는 집에 있다고 했고 가온은 눈앞에 있었다.

'그렇다는 건…….'

이 발소리의 주인으로 예상되는 이는 단 한 명밖에 떠오르지 않았다.

차오르는 긴장감에 시연은 마른침을 삼키며 천천히 발걸음 소리가 들리는 쪽을 돌아봤다. 화장실과 뒷문으로 향하는 복도 모퉁이 사이로 누군가의 실루엣이 길게 늘어졌다.

"아, 이런."

곧이어 실루엣의 주인이 등장하자 시연은 저도 모르게 주먹을 꽉 움켜쥐었다. 어느 순간부터 손 안에 땀이 가득했다.

"이렇게 보는 건 처음이구나."

부드럽게 흩날리는 금발과 굉장히 인자하고 자애로워 보이는 얼굴.

그리고 어딘지 모르게 닮은 듯한 두 사람.

"그동안 잘 지냈냐고 물어보면 실례일까?"

딸과 아버지의 첫 만남이었다.

창조주의 계단으로 향하는 게이트는 모든 차원을 통틀어서 딱 3개밖에 없었다. 하나는 마계, 하나는 천계, 그리고 마지막 하나는 인간계로, 그 게이트는 미국에 있는 라오스 본사가 관리했다.

그래서 데미안은 게이트를 이용하여 미국에 있는 라오스 본사로 향했다.

한국은 오후였지만 뉴욕은 밤이었다. 그것도 전날 밤.

라오스 본사 직원들의 입장에서 데미안은 아침에 왔다가 밤에 다시 온 손님이었다.

"의복은 미리 준비해두었습니다."

창조주를 만날 땐 정해진 의복을 입어야 했다. 기본적으로 디자인은 다 똑같았지만 종족에 따라 색이 조금씩 달랐다. 예를 들어 천족의 의복이 흰색 외투라면 마족은 검은색 외투였다.

"데미안 님, 마몬 님에게서 전화가 왔습니다."

의복으로 갈아입고 치장에 집중하고 있는데 베르가 넌지시 다가와 보고했다.

"인터넷에 퍼진 기사, 어떻게 된 거냐고 묻는데요."

"기사?"
"'더 뉴'에서 의약품 생산을 중지한다는 기사 말입니다."
"아아, 벌써 기사가 뜬 건가."
쓸데없이 발 빠른 놈들이었다. 이런 곳이 아니라 다른 곳에 재능을 썼으면 더 좋았을 텐데 안타까운 마음이 들었다.
"내가 말한 그대로 기사가 나갔나?"
"네. 여기."
말로 설명하는 것보다 직접 보여주는 것이 나을 것 같아 베르는 직접 기사를 보여주었다.
'더 뉴, 의약품 생산을 중단하다?'라는 헤드라인으로 시작된 기사에는 데미안이 이번 일에 매우 통감하며 자신을 믿지 못하는 대중들의 마음을 백분 헤아려 의약품 생산을 중단했다고 적혀 있었다. 다른 기사들도 마찬가지였다. 전부 데미안의 예상대로 흘러가고 있었다.
"응?"
데미안과 함께 그 기사들을 보며 만족해하던 베르는 티에에게서 전화가 오자 의아해하며 전화를 받았다.
"여보세요?"
[크, 큰일 났어요!]
꽤나 다급해 보이는 티에의 목소리는 베르의 마음도 불안하게 만들었다.
"무슨 일이 있는 겁니까, 티에?"
그래서 조급하게 물어봤더니 데미안이 그를 쳐다봤다. 정확히는 '티에'라는 이름에 반응한 것이다.
[글쎄, 반려님이……!]
티에의 말이 갑자기 끊긴 건 어느덧 다가온 데미안이 휴대폰을 가져갔기 때문이었다.

[……사라지셨어요!]

"뭐?"

앞뒤 다 자르고 사라졌다는 말만 들었지만 그게 누굴 지칭하는 건지 단박에 알아차린 데미안은 작게 인상을 쓰며 물었다.

전화를 받는 상대가 베르가 아닌 데미안이라는 사실에 티에는 기겁하며 헙, 숨을 삼켰다.

"시연이 사라졌다고? 무슨 말이지?"

[그, 그게 한 시간 전쯤인가……, 반려님이 주신 커피를 마셨는데 갑자기 잠이 쏟아져서 저도 모르게 깜빡 잠이 들었는데…….]

"시연을 두고 잠이 들었단 말인가?"

데미안의 목소리에 노기가 서렸다. 시연이 사라졌다는데 화가 나지 않을 리가 없었다.

"다른 층은 다 확인해봤나?"

[네. 전부 확인해봤습니다만 어디에도 안 계십니다.]

설마 또 도망간 걸까. 아니, 그건 아닐 것이다. 그렇게까지 말했는데 도망갈 시연이 아니었다.

'그럼 무슨 일을 당한 건가?'

그 역시 가능성은 현저히 적었다. 다른 곳도 아니고 자신의 오피스텔에서 무슨 일을 당했을 리가 없었다. 그렇다는 건 역시 그녀의 발로 나갔다는 건데 도망친 것도 아니라면 도대체 왜…….

"……그 여우."

"네?"

"그때 카페에서 본 여우, 그 여자를 만나러 갔을 거다."

그리고 이 일에 가온이 연관되어 있을 가능성도 다분히 높았다. 아니, 확실했다. 단순히 그 여우를 만나고 싶은 거라면 시연이 제게 아무 말도 하지 않았을 리가 없으니까. 그건 마르스 역시 관련되어 있다는 의미.

"……나랑 한번 해볼 모양이지?"

그렇게 경고를 했건만 그 결과가 이 모양이라니.

이를 악다무는 데미안의 눈매가 매섭게 빛났다. 주변의 공기는 순식간에 영하로 떨어졌다. 몸이 얼어붙을 것만 같은 추위였다. 같은 마족인 베르는 그나마 견딜 만했지만 면역력이 없는 다른 이들은 두 다리로 제대로 서 있지 못한 채 전부 바닥에 납작 엎드렸다.

"그럼 나 역시 더 이상 가만히 있지 않겠다."

그런 그들에게 시선 한 번 주지 않고 중얼거리던 데미안은 곧장 그곳을 벗어났다. 그 뒤로 시커먼 어둠이 그림자처럼 길게 따라붙었다.

마르스와 마주 앉은 시연은 그의 얼굴을 단 한 번도 똑바로 쳐다보지 못하고 고개를 숙인 채 줄곧 바닥만 쳐다봤다.

온몸이 저릿저릿했다. 얼마나 긴장했는지 입안이 바짝바짝 말랐다. 눈앞에 물 잔이 있었지만 안에 뭘 탔을지 모르니 마실 수는 없었다. 마치 데미안이 악마라는 사실을 알았을 때와 비슷했다.

"얼굴을 보여주지 않을 거니?"

그런 시연이 안타깝다는 듯 마르스가 혀를 내차며 물었다.

"사진으론 여러 번 봤지만 실제로 보는 건 처음인데."

"……왜 절 보자고 하셨죠?"

"아빠가 딸을 보고 싶어 하는데 이유가 있어야 하는 건가?"

"하."

그제야 시연은 고개를 들어 마르스를 쳐다봤다. 방금 한 웃기지도 않은 말 덕분에 두려움이 제법 사라졌다.

"여태까지 절 죽이려고 했으면서 왜 이제 와서 아버지 행세를 하려는 건가요?"

"그건 유감으로 생각하지만 내 입장도 이해해주었으면 해. 넌 어차피 죽어야 할 운명을 가진 금단의 아이이고, 그런 너 때문에 내가 가진 걸 전부 잃어버릴 순 없잖니?"

"말은 번지르르하게 잘하시네요."

그와 대화를 나누고 있는 자신이 한심하게 느껴질 정도로 마르스와의 대화는 영양가가 없었다. 그와 이런 무의미한 대화를 나눌 이유가 조금도 없었기에 시연은 대놓고 마르스에게 물었다.

"절 해칠 생각인가요?"

"오, 그럴 리가."

그러자 마르스는 과장된 행동을 보이며 고개를 저었다.

"그 남자에게 듣지 못했니? 네게 해코지 않겠다고 약속했다는 것을."

"……그걸 지킨다고요?"

"그래. 우리 천족들은 약속을 지키는 종족이거든."

약속을 지키는 종족이라니. 순간 욕이 튀어나올 뻔했지만 시연은 가까스로 삼켰다.

"그럼 왜 절 보려고 한 거죠? 아버지로서 딸을 보고 싶어 했다는 웃기지도 않은 개소리는 집어치우고 본심을 말해요."

"말이 험하구나. 가정교육을 제대로 받지 못한 것처럼 보여."

쾅—.

"당신에게 그딴 소리 들을 생각 없으니까 본론이나 말하라고!"

시연은 탁자를 세게 내리치며 자리에서 벌떡 일어섰다. 그 때문에 컵이 떨어지면서 요란한 파열음을 냈지만 그 누구도 컵 쪽에는 신경을 쓰지 않았다.

"무슨 꿍꿍이야? 도대체 무슨 생각을 하고 있는 거야, 당신!"

"……어떻게 하면 그놈의 일그러진 얼굴을 볼까, 하는 생각?"

"뭐?"

"네가 경험했다시피 이 세상엔 완벽한 비밀은 없다. 꽁꽁 숨겨두려고 했던 비밀도 언젠가는 다 탄로 나는 법이지."

그래서 마르스는 줄곧 생각했다. 모든 것이 탄로 났을 때, 자멸하는 것은 과연 누구일까.

"바로 나야. 나 혼자만 자멸하게 되더라고. 너와 그 자식은 희희낙락거리면서 웃고 있는데 나 혼자 모든 것을 잃게 된단 말이지."

"……그래서 방해라도 하겠다는 건가요? 방금 당신 입으로 나한테 해코지하지 않겠다고 말해놓고?"

"여전히 해코지를 할 생각은 없다."

"그럼 도대체 어떻게……."

드르륵, 쾅—.

마르스가 갑자기 일어서면서 그가 앉아 있던 의자가 뒤로 넘어갔다.

그의 돌발 행동에 시연은 작게 당황하며 몇 발 뒤로 물러섰고, 뒤에서 대기하고 있던 가온은 마르스 쪽으로 가까이 다가와 그에게 총을 건넸다.

스윽—.

역시 해코지를 하지 않겠다는 말은 거짓말인 모양이었다. 마르스가 총을 장전하자 시연은 황급히 문 쪽으로 달려갔다. 하지만 셔터가 내려진 문을 통해선 나갈 수가 없었다.

'그럼 뒷문으로……!'

뒷문은 안에서만 잠그게 되어 있으니 필시 나갈 수 있을 것이다. 곧장 뒷문 쪽으로 달려가려는데 뒤에서 마르스가 우악스럽게 시연의 머리카락을 잡아당겼다.

"그 새끼를 엿 먹일 수 있는 방법이 뭐가 있을까 밤새 생각해봤는데 아무리 생각해도 이 방법밖에 없어."

"놔, 놔아……."

"그리 겁먹지 않아도 된단다. 너에겐 좋은 소식일 테니까."

마르스의 목소리가 음산하게 귓가에 울려 퍼졌다. 겁에 질린 시연의 눈동자가 부질없이 떨렸다.

"오늘 처음 봤는데 작별하게 되겠구나."

총구가 머리에 닿았다. 평범한 총이라면 죽지 않겠지만 그때 가온이 말한 특수한 총이라면 죽게 될 테니 두려웠다.

"부디 다음 생에는 보지 말기를."

조금 기괴하게 일그러진 목소리가 들리는 것과 동시에 총소리가 들렸다.

"……?"

한데 시간이 지나도 고통이 느껴지지 않았다. 대신 뭔가 쓰러지는 소리와 함께 온몸에 뜨겁고 끈적끈적한 것이 묻었다. 곧 그것이 피라는 것을 알게 된 시연의 눈동자가 커졌다.

'설마.'

시연은 천천히 고개를 돌렸다. 그러자 머리에 총을 맞고 바닥에 쓰러져 있는 마르스가 보였다. 마르스가 흘린 피는 바닥에 깊은 웅덩이를 그리며 퍼졌다.

"아, 아……."

끔찍한 형상에 두 다리가 풀린 시연은 그대로 주저앉았다. 온몸에 마르스의 피가 덕지덕지 묻었다.

원래 공포를 느끼면 몸에 열이 나는 건지 온몸이 뜨거웠다. 지독한 갈증과 함께 감당할 수 없는 열기에 시연은 목을 잡고 거친 숨을 토해냈다. 온

몸이 무언가에 맞은 듯 아팠지만 특히 날개 뼈 쪽이 가장 아팠다.

"쿨럭—."

시연이 검붉은 피를 토해내며 앞으로 고꾸라지는 것과 동시에 그녀의 등 뒤로 두 개의 날개가 솟아났다.

하나는 검은색, 하나는 흰색 날개였다. 시연의 눈동자는 어느덧 오드아이로 변했고, 그녀의 머리칼 역시 금색으로 변했다.

"쿨럭, 쿨럭."

그 사이에도 시연은 연거푸 피를 토해냈다. 뭔가가 몸속에 계속 차오르면서 몸 안에 있던 것을 밀어내는 느낌이었다.

그만큼 괴롭고 고통스러웠지만 한편으로는 사이다를 마신 듯 청량한 느낌이 들어 아이러니했다.

"하아, 하아……."

이윽고 진정이 된 시연은 계속 피를 토한 탓에 고통을 호소하는 목을 붙잡으며 옆을 돌아봤다.

그러자 장식용 거울에 비친 한 여성이 보였다. 여자는 눈이 부실 정도로 화사한 금발과 푸른색 눈동자, 그리고 티끌 하나 묻어 있지 않은 두 장의 새하얀 날개를 가지고 있었다.

또 다른 천족이 온 걸까. 막연하게 그리 생각하며 멍하게 거울을 보고 있던 시연은 곧 거울 속에 비친 이가 자신이라는 사실을 깨닫고 눈을 크게 떴다.

"이게 대체……."

쾅—.

갑자기 유리창이 일제히 깨지더니 누군가 성큼성큼 카페 안으로 들어왔다. 처음에는 후광 때문에 누군지 알지 못했는데 곧 상대가 데미안이라는 것을 안 시연의 눈가에 눈물이 차올랐다.

"데미안 씨……!"

시연은 힘차게 데미안의 이름을 불렀다. 시연을 발견한 데미안은 바로 그녀에게 가려다 그녀의 모습을 확인하고 더 발을 내딛지 못했다.

"너, 모습이……."

데미안의 시선은 곧 시연의 옆에 있는 남자에게로 옮겨졌다. 처음에는 피를 너무 많이 뒤집어쓰고 있어서 누구인지 몰랐는데 곧 그 남자가 마르스라는 걸 확인한 데미안의 눈동자가 작게 흔들렸다.

푸른빛의 눈동자와 금발, 그리고 새하얀 날개를 가지고 있는 시연과 그녀의 곁에서 죽어 있는 마르스.

이 모든 것을 봤을 때, 결론은 하나였다.

"……천족이 된 건가."

파앗—.

데미안의 말이 끝나기가 무섭게 하늘에서 내려온 빛줄기가 시연의 몸 위로 떨어졌다.

『신이 죽었다.』

동시에 누군가의 목소리가 카페에 있는 모두의 귀에 똑똑히 들릴 정도로 울려 퍼졌다.

『다음 신을 정하기 위해 모든 천족들을 천계로 소환한다.』

"말도 안 되는 소리!"

누구 마음대로 시연을 데리고 간다는 건지. 절대 용납할 수가 없어 데미안은 시연을 향해 손을 뻗었지만 그의 손은 빛줄기를 통과하지 못했다. 힘을 사용해서 강제로 뚫으려고 해도 마찬가지였다. 무의미하게 빛줄기의 벽만 계속 두드릴 뿐이었다.

"내보내줘. 나갈 거야!"

시연 역시 나가려고 했지만 그럴 수가 없었다. 그녀가 버둥거리는 사이 그녀의 몸은 발끝에서부터 조금씩 빛 속으로 스며들며 사라졌다.

시연의 얼굴은 눈물에 젖어 엉망진창이 됐다.

"싫어. 가기 싫어……!"

시연의 목소리가 공허한 메아리처럼 빛줄기 안에 가득 울려 퍼졌다. 메아리가 사라질 때쯤 시연은 완전히 빛에 집어삼켜졌다. 너무 눈이 부셔서 아무것도 볼 수가 없었다.

정신을 제대로 차리지 못하고 있던 시연은 얼마 지나지 않아 빛이 사라지면서 눈앞에 새하얗고 깨끗한 풍경이 보이자 혀를 찼다.

"……하."

그곳이 어디인지는 누가 말해주지 않아도 알 수 있었다.

그곳은 천국, 천족들이 사는 곳이었다. 그만큼 맑고 깨끗한 기운이 감돌았지만 영 거북하게 느껴지는 건 자신을 향한 수많은 시선 때문이었다.

시연을 중심으로 그 주변에는 수많은 천족들이 있었다. 그들은 하나같이 시연을 주시했다.

"저 여자 봐. 피를 뒤집어쓰고 있어."

"아, 설마 신께서 돌아가신 것과 관련 있는 거 아니야? 저 여자의 몸에서 신의 힘이 미세하게 느껴지는데."

"아, 정말이네. 그럼 저 여자가 신을 죽이고 그 힘을 흡수했다는 거야? 그게 가능해?"

작게 웅성거리던 소리는 곧 소란스럽게 커졌다. 저마다 나누는 이야기는 달랐지만 주제는 하나였다. 모두들 갑자기 등장한 시연의 정체에 대해 궁금해했다. 결코 호의적인 호기심은 아니었다. 시연이 피 묻은 옷을 입고 있었을 뿐더러 마르스가 갑작스레 죽었기 때문에 더욱 그녀를 경계했다.

갑작스럽게 낯선 장소에 떨어졌을 뿐만 아니라 의도치 않게 이목을 집중받게 된 시연은 아무것도 하지 못하고 멍하니 앉아 있었다. 아니, 그 때문만은 아니었다.

'어지러워.'

속이 울렁거리고 극심한 현기증이 일었다. 몸이 갑자기 변화한 탓이었다. 천족의 기운에 아직 적응하지 못한 몸은 통증을 호소했다. 거기에 다른 외부적인 요인까지 더해지니 고통은 더 극심해졌다. 날개는 깃털들이 흩날리며 산산이 부서져버렸다.

"우욱—."

헛구역질이 절로 나왔다. 상체를 숙이고 가슴을 움켜쥔 채 연신 헛구역질을 하고 있는데 누군가 불쑥 다가와 손을 내밀었다.

"괜찮으십니까?"

이 목소리는……? 시연은 화들짝 놀라며 고개를 들었다.

"가온?"

그러자 저를 걱정스럽게 바라보며 손을 내밀고 있는 가온이 보였다. 시연은 눈살을 찌푸리며 그를 노려봤다.

"이건 또 무슨 속셈이죠?"

"속셈이라니요. 그런 거 없습니다. 그냥 호의를 베푸는 거죠."

"그딴 말을 나보고 믿으라는 건가요?"

말도 안 되는 소리였다. 그가 베푼 호의를 믿을 바엔 차라리 해가 서쪽에서 뜬다는 말을 믿을 것이다.

"역시 당신은 타인을 잘 믿지 못하는군요."

"전에도 말했지만 당신만 믿지 못하는 거예요."

"어쨌거나요. 뭐, 제 손을 잡든 말든 그건 당신 마음이지만 제 손을 안 잡으시면 저 시선들을 계속 받으며 여기 있어야 할 텐데요."

가온은 가볍게 어깨를 으쓱인 뒤 말을 이었다.

"하물며 곧 대천사들이 당신을 잡으러 몰려올 겁니다. 겉보기엔 완벽한 천족이지만 엄연한 이방인인 당신을 잡으러."

"……당신도 대천사이면서 그런 소리를 하는 건가요?"
"아하하, 전 별개라고 해두죠. 전 그저 당신을 도와주고 싶을 뿐이니까."
"하, 그러면서 이런 짓을 한 건가요?"
"이런 짓? 제가 무슨 짓을 했다고 그러십니까? 전 당신에게 해가 될 만한 짓을 한 기억이 없는데요."
"지금 그걸 말이라고……!"
"계속 여기서 말할 생각입니까?"
가온은 여전히 그들을 향해 있는 주변 이목을 곁눈질로 흘겨봤다.
"저들에게 당신이 원래 어떤 존재인지, 왜 여기 있게 된 건지 알려주고 싶은 모양이죠?"
그건 아니었기에 시연은 입을 다물었다.
가온에게 묻고 싶은 건 많았지만 그의 말대로 여기서 더 대화를 나누는 건 확실히 무리였다. 그렇다고 선뜻 그의 손을 잡기도 망설여졌다. 여전히 그를 믿을 수 없으니까.
'하지만 여기 계속 있을 수도 없는데.'
어떻게 하면 좋지? 불안하더라도 일단 가온의 손을 잡는 것이 맞는 걸까?
잠시 고민하던 시연은 결국 가온의 손을 잡는 편을 선택했다.
"허튼짓하면 절대 가만히 있지 않을 거예요."
시연의 협박에 가온은 대답 대신 볼에 보조개가 파일 정도로 깊은 미소를 지었다. 보기엔 티 없이 맑은 미소였지만 시연의 입장에선 여전히 꺼림칙했다.
가온의 손을 잡겠다고는 했지만 실제로 그의 손을 잡은 건 아니었다. 그녀는 제게 내밀어진 가온의 손을 매정하게 쳐낸 뒤 자리에서 일어섰다.
"윽……."
아니, 그러려고 했는데 다리에 힘이 제대로 들어가지 않아 그럴 수가 없었다.
시연이 일어서다 말고 다시 자리에 주저앉자, 가온은 그럴 줄 알았다는 듯 웃으며 시연의 몸을 번쩍 들어 안았다.
"이, 이게 뭐하는 짓이죠! 당장 놔요!"
"놓아도 혼자 못 움직이시잖아요. 이렇게 안고 가는 게 편하니 가만히 계시죠."
"아니, 그래도 이건 좀…… 꺄악!"
시연의 말을 무시하고 날개를 펼친 가온은 바로 힘찬 날갯짓을 했다.
주변 풍경이 급속도로 변화했다.
버둥거리면 떨어질 것 같아 시연은 더 이상 버둥거리지 못했다. 되레 눈을 질끈 감고 가온의 옷깃을 꽉 붙잡았다. 날카로운 바람이 뺨을 스치고 지나갔다.
그 바람이 조금씩 잦아들면서 더 이상 느껴지지 않자 시연은 조심스럽게 눈을 떴다.
그러자 눈앞에 새하얗고 거대한 건물이 보였다. 그리스 로마 신화 책에서 흔히 봤던 신전의 형상이었다. 그 주변에는 구름만 보일 뿐 아무것도 보이지 않았다.
"여긴?"
"제 집입니다. 들어가죠."
가온은 여전히 시연을 들어 안은 채 성큼성큼 신전 안으로 들어갔다. 대리석으로 만든 육중한 문은 가온이 다가가자 저절로 열렸다.
"어서 오십시오, 가온 님."
안에서 가온을 맞이한 건 새하얀 옷을 입은 여러 명의 사람들이었다. 금발에 푸른 눈을 가지고 있지 않는 걸로 보아 천족은 아닌 것 같았다.
"내, 내려줘요!"

보는 눈이 있기도 하고 이제 혼자 움직일 수 있을 것 같아 시연은 버둥거리며 말했다.

단호하게 거절했던 아까와 달리 가온은 순순히 시연을 내려주었다.

"그녀를 데리고 가서 옷을 갈아입히도록 해."

"오, 옷을 갈아입히라니요?"

시연이 옷깃을 꽉 붙잡은 채 경계하자 가온은 픽 웃으며 시연을 위아래로 훑었다.

"그럼 그 피 묻은 옷을 계속 입고 있으실 생각입니까?"

"아."

그제야 마르스의 피를 홀딱 뒤집어썼다는 걸 깨달은 시연은 짤막하게 감탄사를 뱉으며 제 모습을 둘러봤다.

엉망진창이었다. 이 상태로 있는 건 확실히 무리였다.

"옷 안 갈아입고 그냥 인간계로 돌아가고 싶다고 하면 안 보내주겠죠?"

"뭐, 돌아갈 수 있다면 보내드리겠습니다."

"무슨 말이죠?"

"신이 죽는 바람에 라오스에서 관리하는 천계로 오고 가는 게이트가 봉인됐습니다. 새로운 신을 정할 때까지 게이트는 열리지 않을 겁니다."

그럴 수가. 시연의 얼굴이 흙빛이 되었다. 가온이 막아서면 막아섰지 그런 일로 발목이 잡힐 거라곤 생각지 못했다.

"신은 언제 정해지는데요?"

"모릅니다. 신을 정하는 건 창조주의 마음이거든요. 누가 신이 될지, 언제 신이 정해질지 아무도 모릅니다."

즉, 기약 없이 이곳에 있어야 한다는 의미였다. 그 사실이 너무나도 끔찍해, 시연은 구겨진 얼굴을 좀처럼 펴지 못했다.

"그렇게 울상 지어도 달라지는 건 없으니 옷부터 갈아입고 나오시죠."

"옷을 갈아입고 나오면요? 그 다음엔 뭘 하는데요?"

"글쎄요. 뭘 할까요? 당신이 궁금해하는 것에 대해 알려주도록 할까요?"

"제가 뭘 궁금해할 줄 알고 그런 말을 하는 거죠?"

"뭐든 말해드리죠. 왜 신이 그런 선택을 한 건지부터 시작해서 전부."

"……."

"신이 죽은 마당에 뭘 망설이겠습니까?"

마치 마르스 때문에 악행을 저질렀다는 것처럼 들렸다. 뭐가 진실이든 나쁜 제안은 아니었다. 그가 약속한 걸 지킨다는 전제하에.

"말한 대로 옷 갈아입고 올 테니 약속 꼭 지키세요."

"물론이죠."

그의 말은 여전히 믿을 수 없었지만 달리 선택지가 없었다. 시연은 가온을 곁눈질로 한 번 흘겨본 뒤 저를 따라오라며 앞장서는 여자의 뒤를 따라갔다.

빛이 거의 들지 않는 스산한 숲에 어둠이 모였다가 흩어졌다. 흩어진 어둠 사이에서 등장한 건 데미안이었다. 데미안은 눈을 감고 불어오는 바람을 느꼈다.

'미세하지만 천족의 기운이 섞여 있어.'

천족의 기운이 점차 강해지는 곳으로 걸음을 옮기니 얼마 지나지 않아 돔 형식으로 걸려 있는 강한 결계가 느껴졌다. 전에 시연을 구하러 간 창고에서 봤던 것과 같은 결계였다.

"……죽어도 결계는 사라지지 않는 모양이군."

데미안은 입매를 비틀며 주먹을 쥔 손을 허공으로 들었다.

쾅―.

곧 그의 손은 허공을 가르며 보이지 않는 결계를 부쉈다. 결계가 부서지자 강하게 응집되어 있던 기운이 산산조각 나며 허공에 흩어졌다. 그러자 아까는 보이지 않던 것이 보이게 됐다.

결계 안에 숨겨져 있는 건 라오스에 있는 것보다 작은 게이트였다. 게이트의 크기는 작았지만 모든 차원과 제대로 연결됐다. 단, 천계와는 연결이 되지 않았다.

"젠장!"

'혹시나 했는데 역시 안 되는 건가?'

데미안은 가장 인근에 있는 나무를 세게 내리쳤다. 그의 힘을 이기지 못한 나무는 무참히 부서졌다.

바스락―.

그래도 화가 풀리지 않아 또 다른 나무를 부수려는데 뒤에서 인기척이 느껴졌다. 데미안은 떨어지는 나뭇잎을 잡아 그쪽으로 날렸다.

쥐면 바스러지는 작은 나뭇잎일지라도 데미안의 손에 들어가면 그 어떤 무기보다 강력하게 변했다. 나뭇잎은 아슬아슬하게 피하는 상대의 뺨을 스치고 지나가 뒤에 있는 커다란 나무를 베었다.

"……마몬?"

"아하하하."

인기척의 주인은 마몬이었다.

그 뒤로 베르와 티에, 그리고 리사도 보였다.

"모두 여긴 어쩐 일이지?"

"베르에게 모든 이야기를 듣고 군주님이라면 필시 여기로 향할 것 같아 왔습니다."

마몬은 데미안의 뒤에 있는 게이트를 쳐다봤다. 게이트 위에는 천계의 마크가 표시되어 있었지만 열리지 않았다.

"보아하니 게이트가 천계로 연결되지 않는 모양이군요. 하긴, 게이트를 봉인한 건 창조주이시니 실수를 하실 리가 없죠."

마몬은 깊은 한숨을 내쉰 뒤 얼굴에 그리고 있던 웃음기를 싹 지웠다. 그리고 가슴에 손을 올린 뒤 데미안의 앞에 정중히 한쪽 무릎을 꿇었다.

"군주님을 지키는 7인의 검 중 하나인 마몬, 다른 검들의 아니, 마계 전체의 뜻을 군주님께 전해드리고자 합니다."

"마계 전체의 뜻?"

"지금까지 마르스가 벌인 일은 엄연히 군주님을 무시하는 행위. 저를 포함해서 마계 일족들은 언제든지 천마 전쟁을 치를 준비가 되어 있습니다."

뜻밖의 말에 데미안의 눈이 커졌다. 하나 베르와 티에, 리사는 담담했다. 마치 마몬이 저런 말을 하는 것이 당연하다는 얼굴이었다.

그들은 하나같이 결연한 얼굴로 데미안을 쳐다보고 있었다.

"……천마 전쟁이 얼마나 위험한 일인지 알고 하는 말인가?"

데미안은 그런 그들을 전체적으로 훑어본 뒤 입을 열었다.

"다 죽을 수 있다. 너희가 전부……."

괴로운 듯 입을 우그러뜨리던 데미안은 피를 토하는 심정으로 다음 말을 뱉었다.

"내 손에 죽을 수도 있어."

천마 전쟁. 천족과 마족이 대대적으로 전쟁을 벌이는 것이었다. 마몬의 말처럼 이번에 마르스가 벌인 일들은 엄연히 데미안을 무시하는 일이었다.

그러니 천마 전쟁 이야기가 나오는 것도 무리는 아니었지만 문제는 천마 전쟁을 일으키면 데미안이 폭주할 가능성이 매우 높아진다는 것이었다. 현재 데미안은 시연 말고는 주기를 해결할 수 없는 몸이었으니까. 한데 시연이 없는 지금 자칫 폭주라도 한다면 그는 이성을 잃고 눈에 보이는 건 무엇이든 모조리 파괴할 것이다. 그게 설령 아군이라고 할지라도. 데미안이 천마 전쟁을 일으키는 걸 망설였던 가장 큰 이유가 바로 이것이었다.

"그럼 군주님이 폭주하기 전에 천마 전쟁을 끝내야겠군요."

그 사실을 모르는 것 같아 어렵사리 말해주었는데 마몬은 이미 알고 있었다는 듯 아무렇지 않게 웃으며 자리에서 일어섰다.

"안 그래도 비둘기 놈들이 하는 것이 마음에 들지 않았는데 전부 쓸어버려야죠."

"비둘기 놈들을 상대하는 건 저희가 맡을 테니 군주님은 반려님을 찾는 것에만 신경을 쓰세요."

그 옆에 있던 티에가 마찬가지로 웃으며 한마디 거들었다.

"이 여자가 내건 의견에 동감하는 건 마음에 들지 않지만 이번만큼은 동감하지 않을 수가 없네요."

리사가 입을 뾰로통하게 내밀면서도 고개를 끄덕였다.

"반드시 시연 님을 되찾아 오세요, 데미안 님."

마지막으로 베르가 말했다. 옅게 웃고 있는 그들의 얼굴에서 두려움은 조금도 찾아볼 수가 없었다. 그들은 정말로 죽음을 각오하고 있는 것이다.

그들의 군주를 위해서.

시연은 옷을 갈아입기 전에 목욕부터 했다. 태연하게 목욕할 때는 아니었지만 온몸에 피를 뒤집어쓴 탓에 어쩔 수가 없었다.

깔끔하게 목욕을 하고 나오니 가온이 붙여둔 여자들이 대기하고 있었다. 그들이 내민 옷을 본 시연은 기함하며 입을 쩍 벌렸다. 공주님 저리 가라 할 정도로 레이스가 치렁치렁한 옷이었다.

"다른 옷은 없나요?"

"아가씨께서 입으실 만한 여자 옷은 이것밖에 없습니다."

"전 남자 옷이라도 상관없는데요."

"그건 절대 안 될 말씀입니다."

자신이 괜찮다는데 왜 안 된다는 건지.

이해는 안 됐지만 옷을 벗고 있을 수는 없는 노릇이니 어쩔 수 없이 그들이 가지고 온 드레스를 입었다. 그러자 그들은 기다렸다는 듯 여러 액세서리를 들고 와 한사코 괜찮다며 거절하는 시연을 강제로 앉혀 메이크업부터 시작해서 이것저것 제멋대로 꾸미기 시작했다. 마치 인형이 된 기분이었다.

반항해봤자 아무 소용없다는 걸 뒤늦게 깨달은 시연은 그들이 하고 싶은 대로 하도록 내버려두었다.

"예쁘시네요."

그렇게 긴 시간, 피곤함을 감수하며 치장한 결과 얻은 건 가온의 칭찬 한 마디였다. 데미안이었으면 모를까, 결코 반갑지 않은 칭찬이었다.

그를 생각하니 괜히 눈물이 핑, 돌았다.

'그는 괜찮을까? 많이 놀란 것 같던데.'

갑자기 일어난 일인 만큼 그가 놀라는 건 무리가 아니었지만 그래도 걱정됐다. 그만큼 그가 너무나도 보고 싶었다.

"울어요?"

"울긴 누가 울어요?"

가온의 앞에서 꼴사납게 눈물을 흘리고 싶지 않아 시연은 애써 눈물을 삼키며 가온의 맞은편 소파에 앉았다.

그러자 아까 그녀의 치장을 도왔던 여자 중 한 명이 다가와 찻잔을 내려놓고 조용히 물러났다.

"이제 말해보시죠."

시연은 찻잔을 거들떠보지도 않고 가온만을 쳐다보며 말했다.

"그 남자는 왜 이런 해괴망측한 짓을 벌인 거죠? 날 천족으로 만들어서 무슨 이득이 있다고?"

"그 말은 당신이 금단의 아이가 아닌 마족이나 천족 어느 한쪽에 속하려면 마왕이나 신을 죽이고 힘을 흡수해야 한다는 사실을 알고 있었다는 의미군요."

동문서답이었지만 알고 있는 것을 숨길 이유는 없었기 때문에 시연은 고개를 끄덕였다.

"한데 어째서 그때 그 남자를 살린 거죠? 그때 그 남자의 힘을 흡수했다면 신을 죽이는 번거로운 일 따위는 계획하지 않았을 텐데."

"그게 무슨 소리죠?"

가온의 말을 이해하지 못한 건 시연 역시 마찬가지였다.

"그 남자가 죽은 게 당신의 계획이라는 건가요? 그 남자가 결정한 것이 아니라?"

"결정한 건 신입니다. 전 그렇게 되도록 부추겼을 뿐이죠."

가온은 옅게 웃으며 엄청난 말을 아무렇지도 않게 쏟아냈다.

"원래는 데미안, 그 남자를 죽여서 당신을 마족으로 만들려고 했습니다. 당신의 모친, 레아와 같은 종족으로 말이죠. 하지만 실패했으니 황급히 신을 죽이는 쪽으로 계획을 틀었죠."

'지금 내가 무슨 말을 들은 거지?'

시연은 멍하니 가온을 쳐다봤다. 그러니까 그의 말을 해석하자면 지금까지 일어난 일들 모두가 그의 계획에 의해 일어났다는 의미였다. 자신을 죽이기 위한 계획이 아니라 천족 혹은 마족으로 만들기 위한 계획.

"당신…… 도대체 무슨 생각인 거죠?"

가온을 바라보는 시연의 눈동자가 작게 떨렸다.

“당신의 목적은 날 죽이는 것이 아니었나요? 근데 날 천족이나 마족으로 바꿔서 뭘 어쩌시려고요?”

“이런, 뭔가 오해를 하시는 것 같은데 당신을 죽이는 건 제 목적이 아니라 신의 목적이었습니다. 전 제 목적을 위해 신의 장단에 맞췄을 뿐이죠.”

가온의 눈매가 좀 더 유쾌하게 휘었다. 자신이 모르는 뭔가가 있는 모양이었다. 지금부터 그 이야기를 꺼낼 것 같자 시연은 허리를 꼿꼿이 세우고 그의 말을 경청했다.

“제 목적은 처음부터 당신을 금단의 아이에서 구해내는 것이었습니다. 그게 그녀의 부탁이었으니까.”

“그녀의 부탁?”

되돌아온 질문에 가온은 말없이 품에서 무언가를 꺼냈다. 굉장히 낡은 봉투였다. 꽤나 오랜 시간 접혀 있었는지 접힌 부분이 구깃구깃했다.

“이걸 보시죠.”

“가온 님.”

그때였다. 시연의 치장을 도왔던 여자 중 한 명이 가온에게 다가온 건. 인기척도 전혀 없이 고요히 다가온지라 시연은 살짝 놀라며 여자를 쳐다봤다.

“우리엘 님이…….”

“알고 있어.”

가온은 여자의 말을 자르고 자리에서 일어섰다.

“잠시 다녀올 곳이 있습니다. 아샤가 당분간 지낼 방을 안내해줄 테니 그곳에서 기다려주세요.”

“이거, 누구의 편지죠?”

“그건 읽어보시면 압니다.”

“묻는 건 다 대답해준다고 하더니 이러긴가요?”

시연이 그가 했던 말을 꼬집어 묻자 가온이 난감하다는 듯 웃었다.

"저도 그러고 싶지만 잠시 볼일이 있어서. 다녀온 뒤에 다 말해줄 테니 조금만 기다려주시죠."

"그럼 가기 전에 하나만 더 대답해요."

"뭐죠?"

"재희는 무사한 거죠?"

가온은 대답이 없었다. 설마 벌써 무슨 짓을 한 걸까? 걱정이 된 시연은 눈매를 여지없이 찌푸리며 자리에서 벌떡 일어섰다.

"아, 죄송합니다. 설마 이 상황에서 다른 사람의 안부를 물을 거라곤 생각지 못해서요."

그제야 가온은 반응을 보이며 가볍게 고개를 저었다.

"그녀는 무사합니다. 걸린 주술은 신이 죽는 순간 풀렸으니까요."

"믿기진 않지만 일단 믿을게요. 달리 확인할 방법이 없으니까."

시연은 퉁명스럽게 대답하며 다시 자리에 앉았다. 그런 시연을 바라보던 가온은 뭐에 홀린 사람처럼 손을 뻗어 시연의 머리칼을 잡았다.

"뭐 하시는 거죠?"

"……닮았군요. 정말로 쏙 빼닮았군요."

가온의 눈동자가 아련하게 젖었다. 눈동자에 비친 건 시연이었지만 그가 좇고 있는 이는 시연이 아닌 것 같았다.

"가온 님."

뒤에 대기하고 있던 여자가 힘을 주어 가온을 불렀다. 이제 가야 한다는 걸 알리는 신호였다.

"그럼 다녀오겠습니다. 집 안에선 어딜 가시든 자유지만 밖엔 절대 나가지 마세요. 위험하니까."

"저에겐 이 집도 위험한데요?"

"아하하, 그런 말씀 하시지 마시고요."

이곳에 들어왔을 때부터 가온이 웃는 얼굴로 친근하게 다가왔지만 시연은 조금도 마음을 열지 않았다. 그가 무슨 꿍꿍이인지 전혀 알 수가 없었기 때문이다.

"그럼 이만."

가온은 시연에게 인사한 뒤 여자를 따라나갔다. 그 뒤를 이어 다른 여자가 들어와 시연에게 공손히 인사했다. 시연의 시중을 들었던 여자들 중 한 명이었다. 그녀가 가온이 말한 아샤인 모양이었다.

"머무실 방으로 안내해드리겠습니다."

시연은 가온이 준 편지를 챙겨들고 자리에서 일어섰다. 아샤가 안내해준 방은 정원 바로 옆에 있는 방이었다. 바닥엔 푹신한 카펫이 깔려 있었고, 가구들은 하나같이 고급이었다. 큰 발코니 너머로 보이는 정원의 풍경은 그야말로 절경이었다.

"필요한 것이 있으시면 탁자 위에 있는 종을 흔드시면 됩니다."

"네."

"그럼 편안하게 쉬십시오."

아샤는 시연에게 허리 숙여 인사한 뒤 밖으로 나갔다.

완벽하게 혼자가 된 시연은 탁자 위에 앉아 가온이 준 편지 봉투를 살폈다. 단단히 밀봉된 편지 봉투엔 발신자가 적혀 있지 않았다. 누가 쓴 건지 알 수가 없었다.

'그 남자가 이걸 준 데에는 분명 이유가 있겠지.'

그 이유가 뭔지는 편지를 읽어 보면 알 수 있을 것이다.

시연은 거침없이 편지 봉투를 뜯어 그 안에 들어 있는 편지를 꺼냈다.

"……아."

그때까진 거침없던 시연의 눈동자가 작게 흔들렸다. 종이를 쥔 손에는 힘이 바짝 들어갔다.

사랑하는 내 딸, 할로나에게

그 이유는 편지의 적혀 있는 인사말 때문이었다. '할로나'라는 단어와 더불어 평범한 사람들은 잘 알아보지 못하는 지독한 악필에서 알 수 있었다.

이건 엄마의 편지였다.

마계의 뜻이 그렇다고 하더라도 폭주할 가능성이 높은 만큼 웬만하면 천마 전쟁은 피하고 싶었다. 하나 아무리 생각해도 그것 말고 시연을 천계에서 빼 올 수 있는 방법이 없었다.

'일단 협박을 해볼까.'

고리타분한 천족들에게 협박이 통할지는 의문이었지만 마르스 같은 놈도 있었으니 혹시 모를 일이었다. 아직 천마 전쟁을 일으키겠다고 결정 내린 건 아니었지만 데미안은 고의로 천마 전쟁을 일으키겠다는 소문을 퍼뜨렸다.

"그게 무슨 말씀이십니까! 천마 전쟁이라니요!"

"한 번 더 고려해주십시오, 수장님! 당신의 몸으로 천마 전쟁을 일으키는 건 매우 위험합니다!"

이에 가장 먼저 반응을 보인 건 원탁회 일원들이었다. 자칫 그가 폭주하기라도 한다면 단순히 천족과 마족의 싸움으로 끝나는 것이 아니라 모두가 피해를 볼 수가 있었기 때문에 그들은 하나같이 천마 전쟁을 일으키면 안 된다고 외쳤다.

"천마 전쟁을 원하지 않는다면 천계에 있는 시연을 데려와."

천족들의 반응이 없는 건 아쉬웠지만 원탁회의 반응을 이끌어낸 것만으로도 충분했다.

"그럼 천마 전쟁을 일으키지 않겠다."

그들이 알아서 움직여줄 테니까.

데미안의 예상은 정확하게 적중했다. 여전히 시연이 인간이라고 알고 있는 원탁회는 천계가 인간을, 그것도 데미안의 반려를 데리고 있는 점을 타박하며 즉시 시연을 데미안에게 돌려줄 것을 천계에 요청했다. 이에 천계에선 단 한 문장으로 거절의 뜻을 표했다.

금단의 아이가 태어날 우려가 있기에
천족을 마족의 곁으로 보낼 수 없다.

원탁회는 천족들이 요청을 거절한 것보다 시연을 천족이라고 지칭한 것에 더 놀라며 어리둥절해했다.

"반려 분께서 천족이었습니까?"

이에 궁금증을 풀기 위해 벤이 총대를 메고 데미안에게 물었다.

'어떻게 할까?'

그들에게 사실대로 말해줄지, 아니면 그냥 묻어둘지 고민하던 데미안은 천계에서 온 단 한 문장의 거절 의사를 보고 마음을 굳혔다.

저들이 먼저 저렇게 나왔는데 자신이 숨길 이유는 없었다.

"아니, 그녀는 금단의 아이였다."

"지금 무슨 말씀을……."

"마족인 레아와 천족인 마르스의 사이에서 태어난 딸이지."

웅성웅성—.

회의장은 삽시간에 소란스러워졌다. 데미안이 이런 걸로 거짓말을 할 리가 없다는 걸 알면서도 그들은 쉽사리 데미안의 말을 믿을 수가 없었다. 다들 이 사태를 어떻게 해야 하느냐며 하나같이 열띤 토론을 펼쳤다.

쾅—.

탁자를 가볍게 내리치는 것으로 주변의 시선을 다시 모은 데미안은 여전히 혼란스러워하는 좌중을 한 번 쭉 훑어본 뒤 입매를 비틀며 말을 이었다.

"과거 그녀가 금단의 아이였다고는 하나 지금은 천족이다. 한데 네놈들이 이 사태를 어떻게 할지 고민할 이유가 있나?"

확실히 금단의 아이였던 건 찝찝했지만 시연이 천족이 됐다면 문제가 될 건 없었다. 그 누구도 입을 열지 못했다. 지금 이 모습을 보니 시연이 금단의 아이가 아닌 천족이 된 것이 참으로 다행이라는 생각이 들었다.

데미안은 시연이 마르스를 직접 죽였다곤 생각지 않았다. 그녀에겐 그럴 만한 능력도, 배짱도 없었다. 마르스는 필시 자살을 한 것이다. 자신이 시연을 마족으로 만들려고 했던 것처럼 그녀를 천족으로 만들기 위해서.

그가 왜 그런 선택을 한 건지 심히 궁금했는데 천계에서 단호하게 거절한 걸로 보아 이것 때문일 수도 있겠다는 생각이 문득 들었다.

'마르스는 내가 천마 전쟁을 벌이지 않을 거라고 생각한 모양이군.'

만약 그렇다면 그건 단단히 잘못 생각한 것이었다.

데미안은 천계에서 온 편지를 북북 찢었다.

"보다시피 천계에선 내 요청을 거절했다."

찢은 편지 조각들을 허공에 휘날리며 데미안은 눈을 날카롭게 빛냈다.

"이에 난 내 것을 되찾기 위해 천족과 전쟁을 선포한다."

낮고 허스키한 그의 목소리가 회의장 가득 울려 퍼졌다.

입가 가득 살벌한 미소를 띠고 있는 데미안의 얼굴을 보고 한 번만 참아달라고 요청할 수 있는 용기 있는 자는 아무도 없었다.

EPISODE 24

1%의 기적

잠시 다녀오겠다고 하던 가온은 3일이 지나도 돌아오지 않았다. 아샤를 비롯해서 다른 이들에게 가온이 언제 돌아오는지 물어봐도 그들은 하나같이 모른다는 대답뿐이었다.

'돌아와야 이 편지에 대해서 물어볼 텐데.'

시연은 서랍 속에 고이 넣어둔 편지를 보며 깊은 한숨을 내쉬었다.

편지에 적힌 내용은 다소 충격적이었고 그래서 믿을 수가 없었다. 가온이 조작한 게 아닐까 하는 생각이 들 정도로.

하지만 그건 확실히 엄마의 편지였다. 그 악필은 감히 따라할 수 없는 것일 뿐더러 엄마가 아니면 알 수 없는 내용들이 적혀 있었다. 그래서 가온에게 사실인지 확인하고 싶었지만 돌아오지 않으니 물어볼 수가 없었다.

'날 여기 가둬둔 건 아닌 것 같은데.'

시험 삼아 집 밖으로 나가봤지만 막는 이는 아무도 없었다. 나가지 말라는 말만 했을 뿐, 딱히 뭔가 대책을 세워둔 건 아닌 것 같았다.

집 안을 돌아다니는 것 역시 자유로웠다. 이 집에서 일하는 이들은 위험한 일만 아니라면 그녀가 어디서 뭘 하든 터치하지 않았다.

'도대체 이 남자, 무슨 생각인 거지?'

가온의 머릿속을 도통 이해할 수가 없었다. 할 수만 있다면 그의 머릿속에 들어갔다가 나오고 싶은 심정이었다.

아니, 조금은 예상이 됐다. 이 편지에 적힌 내용들이 사실이라면 가온이 왜 그런 건지 어느 정도는 이해할 수 있었다. 정말로 편지의 내용이 사실이라는 가정하에서.

"아, 모르겠다."

시연은 머리를 헤집으며 침대에 발라당 누웠다. 머리를 싸잡고 아무리 고민해 봐도 나오는 답이 없으니 여러모로 답답했다.

"그 남자의 방에 가볼까?"

그곳에 가면 뭔가 단서를 찾을 수 있지 않을까? 거기까지 생각이 미친 시연은 곧장 자리를 털고 일어나 방을 나섰다.

'어디로 가야 하지?'

일하는 사람들에게 물어보면 가온의 방이 어디인지 바로 알 수 있겠지만 알려주지 않을 가능성이 다분히 높았기 때문에 직접 찾아 나선 것이었다. 어차피 남아도는 것이 시간이니 문제가 될 건 없었다.

'일단 오른쪽 별관은 아니야.'

거긴 다 돌아봤으니까. 그럼 왼쪽 별관에 있다는 의미였다. 왼쪽 별관은 아직 절반밖에 둘러보지 못했다. 남아 있는 곳 중 가온의 방이 있을 거라고 생각한 시연은 남은 방들을 차례차례 둘러봤다.

"럭키."

노력이 빛이 발한 건 얼마 지나지 않아서였다. 왼쪽 별관의 가장 안쪽에서 가온의 방으로 추정되는 방을 찾은 시연은 작게 휘파람을 불었다.

방은 먼지 하나 없이 말끔하게 정리되어 있었다. 한쪽 벽면을 빼곡하게 채운 건 책장이었다. 서재가 따로 있던데 방에도 책을 두다니. 생각보다 책을 많이 읽는 모양이었다.

시연은 서랍까지 샅샅이 뒤지며 뭔가 단서가 될 만한 것이 있을까 찾아봤지만 그 어디에도 단서가 될 만한 건 보이지 않았다.

'혹시 책 속에 숨겨뒀나?'

그럴 필요까진 없어 보이지만 모를 일이었다. 시연은 의자를 딛고 올라가 가장 위에 있는 책부터 하나씩 꺼내 확인했다. 책은 그녀가 읽을 수 없는 꼬부랑글자들로 가득했다. 천계어인 모양이었다.

그렇게 책을 하나하나 뒤지며 중간 줄에 있는 검은색 표지의 책을 꺼내는 순간…….

드르륵—.

"……!"

갑자기 책장이 움직이더니 양쪽으로 갈라졌다. 당황한 시연은 몇 발 뒤로 물러서서 갈라지는 책장을 멍하니 쳐다봤다. 영화나 소설에 보면 보통 이런 경우에 책장이 갈라지면서 비밀 통로가 나타나던데, 그런 건 없었다. 대신 누군가의 초상화가 보였다. 익숙한 얼굴이었다.

시연은 뭐에 홀린 사람처럼 초상화 앞으로 다가갔다. 초상화를 바라보는 눈동자에는 곧 눈물이 가득 차올랐다.

"엄마……."

벽에 걸려 있는 초상화는 엄마, 레아의 초상화였다. 익히 알고 있던 모습이 아닌 마족의 모습이었지만 그래도 그리움이 물씬 느껴졌다.

시연이 아련하게 손을 뻗어 초상화를 만지려는 순간…….

"남자의 방에 함부로 들어오는 버릇은 좋지 않아요."

"……!"

뒤에서 가온의 목소리가 들리자 시연은 화들짝 놀라며 뒤를 돌아봤다. 그러자 문에 기대어 서 있는 가온이 보였다. 새하얀 정복을 입고 있는 그는 막 돌아온 것처럼 보였다.

"당신……."

"그래도 용케 찾으셨네요. 모친의 초상화라서 그런가."

성큼성큼 시연의 옆으로 다가온 가온은 희미하게 웃으며 레아의 초상화를 쳐다봤다. 그 눈빛에는 아련함과 그리움이 잔뜩 묻어 있었다. 그런 가온을 바라보는 시연의 눈동자가 불안하게 흔들렸다.

"……사실 당신 아니에요?"

목적어도 없이 떨어진 불분명한 말에 가온이 그녀를 돌아봤다. 그 시선을 마주하니 괜히 긴장이 돼서 시연은 마른침을 꼴깍 삼켰다.

"당신이 준 편지, 엄마가 적은 편지더라고요."

그렇다고 도망칠 생각은 없었다. 이건 꼭 물어봐야 했다.

"날 금단의 아이로 낳아서 미안하다고, 내 곁을 지킬 수 없는 엄마를 대신해서 널 지켜줄 사람을 구해놨으니 걱정하지 말라고."

그러면서 레아는 편지에 가온에 대한 이야기를 적어두었다.

그는 믿을 만한 천족이며 그 누구보다 널 아껴줄 거라고. 그러니 믿어도 된다고. 그라면 엄마가 하지 못한 일을 해낼 수 있을 거라고.

"편지에 적힌 내용들을 보니 문득 그런 생각이 들었어요. 당신이 사실 내 친부가 아닐까, 하는 생각."

터무니없는 생각일진 몰라도 그런 의심이 들 정도로 편지에 적혀 있는 가온에 대한 레아의 신뢰는 굳건했다. 결코 단순한 관계로 보이지 않았다. 그래서 의심했었는데 레아의 초상화를 바라보는 가온의 아련하고 그리움이 듬뿍 묻어나는 시선을 보고 의심은 점차 확신으로 바뀌었다.

"사실 마르스가 아니라…… 당신이 내 친부인 건가요?"

"제가 만약 당신의 친부였다면……."

가온은 손을 뻗어 시연의 뺨을 쓰다듬었다.

그 손을 거부해야 한다고 생각하면서도 하지 못했던 건 처연한 그의 미소 때문이었다. 그 위로 작게 떨리는 눈동자가 안쓰러웠다.

그래서 아무것도 하지 못하고 그를 물끄러미 바라보자 가온은 눈매를 부드럽게 접으며 말했다.

"그때 전 감히 레아 님과 함께 도망쳤을 겁니다."

약 30년 전.

조금 있으면 신의 임기가 끝이 난다. 승계 과정에 도전한 도전자가 이길 때까지 군주의 자리에 앉아 있을 수 있는 마계와 달리 천계는 임기를 정해 주기적으로 신을 뽑았다. 아무리 청렴한 자라도 권력을 오래 움켜쥐고 있으면 변한다는 것이 그들의 생각이었다.

신의 임기는 100년. 물론 그 전에 바뀌는 경우도 있었다. 신이 스스로 신의 자리에서 내려오거나 신으로서의 체통을 지키지 못하고 파렴치한 일을 저질렀을 땐 임기랑 상관없이 하야해야 했다. 하지만 이번 신은 임기를 거의 다 채웠고, 그 임기는 이제 3년 남짓 남았다. 임기가 5년 미만으로 남았을 땐 차기 신을 정하기 위해 여러 후보를 뽑아 평가했다.

직급에 상관없이 자격만 있으면 후보가 될 수 있었지만 대체로 대천사 중에서 정해졌다. 당시 후보는 총 3명으로 마르스는 그중 한 명이었다. 가브리엘도 신의 후보에 들어 있었다.

대부분은 가브리엘이 신이 될 거라고 생각했다. 가브리엘은 대천사 중에서 가장 경력이 오래됐고, 쌓아둔 공이 많았다. 신이 되기 위해선 공을 쌓는 것이 매우 중요했다. 아무리 능력이 있어도 공을 쌓지 않으면 신이 될 수가 없었다.

"참 불합리한 것 같지 않아?"

마르스의 집에 위치한 작은 응접실.

가온은 난데없는 마르스의 말에 눈을 동그랗게 뜨고 그를 쳐다봤다.

대천사들에겐 그들의 일을 도와줄 하급, 중급, 상급 천사가 한 명씩 배정되는데 가온은 마르스에게 배정된 상급 천사였다.

처음부터 가온이 상급 천사였던 건 아니었다. 그는 본디 하급 천사로 태어났고, 태어날 때 배정 받은 직급에서 벗어나는 건 매우 어려운 일이었지만 그는 해냈다.

모두 마르스 덕분이었다. 그 때문에 가온은 그 누구보다 마르스에게 충성했다. 간혹 그가 천족으로서 해선 안 되는 짓을 저질러도 눈 감고 못 본 척했다. 그를 대신해서 손을 더럽힌 적도 있었다. 모든 건 천계를 위해서, 자신을 여기까지 이끌어준 마르스를 위해서 한 짓이었다.

"대천사로 있었던 기간이 짧으면 당연히 세운 공도 적을 텐데 그게 신이 되기 위해서 가장 중요하다니."

"공을 많이 쌓았다는 건 그만큼 천계에 도움이 됐다는 것이니까요. 신의 자리는 그런 자리이지 않습니까."

"알아. 아는데 말이야……."

소파 등받이에 몸을 깊게 묻은 마르스의 눈매가 얄팍하게 접혔다. 입매 역시 여지없이 비틀어져 있었다. 마르스가 저런 표정을 짓는다는 건 뭔가 일을 저지르겠다는 의미였다. 여태까지 마르스가 일을 저질렀을 때 잘못된 적은 한 번도 없었지만 어째서인지 이번만큼은 불안했다. 그래서 가온은 불안한 눈으로 마르스를 주시했다.

"안녕하세요."

불안한 마음이 더 증폭된 건 마르스가 자신의 연인이라며 소개해주는 여자를 봤을 때였다.

세 번째로 소개 받은 여자였다. 이름은 레아. 마족이었다.

천족인 마르스가 마족인 레아를 연인으로 맞이한 건 충분히 이상한 일이었지만 가온이 놀란 건 그 때문이 아니었다.

두근, 두근—.

레아를 처음 본 순간 심장이 미칠 듯이 뛰었기 때문이었다. 생애 처음 겪는 감정이었다. 이게 사랑이라는 것을, 바로 첫눈에 반한다는 것임을 가온은 그때 처음 깨달았다.

그러나 레아가 마르스의 연인이기 때문에 가온은 그녀에게 고백을 할 수가 없었다. 비록 마르스가 레아를 진짜 좋아해서가 아닌 마계에 대한 정보를 얻기 위해 연인으로 맞이했다고 해도 말이다. 하물며 레아는 진심으로 마르스를 좋아했다. 그녀는 마르스에게 또 다른 연인이 있다는 사실을 전혀 알지 못했다.

'차라리 마르스 님이 레아 님을 좋아했더라면…….'

그랬더라면 이렇게 가슴이 아프진 않았을 텐데. 레아에게 마르스가 가지고 있는 시커먼 흑심을 알려줄 수 없는 것이 그저 한탄스러울 뿐이었다. 가온은 이것에 대해 늘 레아에게 죄책감을 가지고 있었다.

"나, 아이를 가졌어."

그렇게 3년이 지난 어느 날, 레아는 터무니없는 사실을 폭로했다. 이에 놀라서 잠시 말을 잇지 못하던 마르스는 단호하게 말했다.

"지워."

"지우라니? 우리의 아이인데 그렇게 쉽게 말할 수 있어?"

"그럼 낳을 건가? 금단의 아이를?"

마르스는 말도 안 된다며 코웃음을 쳤지만 레아는 뜻을 굽히지 않았다.

이에 마르스는 레아를 죽이려는 계획까지 세웠고, 이 계획을 미리 알아챈 가온은 레아에게 귀띔을 해주었다. 덕분에 레아는 무사히 마르스의 검은 마수에서 도망칠 수 있었다. 어떻게 도망친 건지는 가온도 알지 못했다.

마르스는 노발대발하며 레아를 찾으려고 했지만 가온이 계속 교묘하게 방해한 덕분에 결국 찾지 못했다. 그사이 마르스는 신이 됐고, 가온은 대천사가 됐다.

가온은 마르스가 시킨 것과 별개로 레아를 찾고 싶었지만 혹시 마르스의 귀에 들어갈세라 찾는 걸 자제했다. 그렇게 20년의 세월이 흘렀다. 긴 세월이 흐르는 동안 마르스는 레아에 대해 단 한 번도 언급하지 않았다. 다행히도 잊은 모양이었다.

"그년을 찾은 것 같아."

그래서 안심하고 있었는데 어느 날 갑자기 마르스가 느닷없이 레아의 이야기를 꺼냈다. 인간 세계에서 레아를 봤다는 것이었다. 여전히 가온을 의심하지 않는 마르스는 가온에게 그가 가진 정보를 알려주며 레아를 찾으라고 말했다. 직접 움직이고 싶었지만 신이 움직이면 여러모로 주목을 받을 테니 움직일 수가 없는 것이었다.

마르스가 알려준 정보는 정확했고, 덕분에 가온은 어렵지 않게 레아를 찾을 수 있었다.

"레아 님."

"오랜만이네, 가온."

20년 만에 보는 레아는 여전히 아름다웠다. 여전히 그녀를 보면 심장이 거칠게 뛰었다. 레아에게 하고 싶은 말이 많았는데 막상 만나니 아무것도 말할 수가 없었다.

그저 눈시울을 붉히며 그녀를 바라봤더니 레아는 말없이 웃으며 가온을 꽉 안아주었다. 가온은 레아의 품에서 한참 동안이나 눈물을 흘렸다.

"……마르스 님이 당신을 노리고 있습니다."

한참이나 눈물을 쏟아낸 후에야 가온은 그녀를 찾아온 이유를 말했다. 레아는 놀라는 기색 없이 그럴 줄 알았다는 듯 웃었다.

"그러니 어서 도망치십시오."

"안 돼. 나는 어떻게든 숨을 수 있어도 내 딸은 그럴 수 없을 테니까."

딸이라니. 결국 금단의 아이를 낳은 모양이었다.

가온은 깊은 한숨을 내쉬며 손으로 머리를 짚었다. 원래라면 창조주의 예언에 따라 금단의 아이를 발견하는 즉시 처리해야 했지만 레아의 딸인 이상 그럴 수가 없었다.

"오랜만에 봤는데 미안하지만 부탁 하나만 해도 될까?"

"부탁이요?"

되돌아온 질문에 레아는 희미하게 웃으며 가온에게 두 개의 편지 봉투를 내밀었다.

"하나는 네 거고 하나는 내 딸 거야."

"당신의 딸 거를 왜 저한테 주시는 겁니까."

"그야 내가 곧 죽을 것 같으니까."

"그게…… 무슨 소리입니까."

말을 하는 가온의 목소리가 부질없이 떨렸다. 가온은 레아의 양어깨를 잡으며 물었다.

"당신이 죽는다니요. 뭘 생각하시고 계신 겁니까."

"내 딸을 구할 생각."

"레아 님!"

"그러니까 너도 내 딸을 구해줘."

검은색이었던 레아의 눈동자가 원래 빛깔인 붉은색으로 돌아왔다. 레아는 떨리는 벽안을 똑바로 응시하면서 말을 이었다.

"아직 날 좋아한다면 말이야."

"……!"

"아니, 나에 대한 죄책감으로 도와달라고 하면 되려나?"

심장이 멎었다. 설마 레아가 그 사실을 알고 있을 줄이야. 가온은 주춤 뒤로 물러섰지만 금방 레아에게 붙잡히는 바람에 얼마 물러서지 못했다.

"부탁이야, 가온."

레아의 눈망울에 눈물이 고였다. 곧 뺨을 타고 흘러내리는 눈물은 가온의 마음을 축축이 적셨다.

"나에겐 이제 그 아이가 전부야. 그러니까 제발 그 아이를 도와줘."

"……저를 믿으십니까?"

"응, 믿어."

멈췄던 심장이 다시 뛰었다.

"널 믿어, 가온."

빈말일 수도 있었다. 그녀의 딸을 구하기 위해 입바른 거짓말을 하고 있을 가능성이 높았지만 미련하게도 가온은 그녀의 말을 믿고 싶었다. 설령 마르스를 배신하더라도.

"……네, 레아 님."

이래서 머리 검은 짐승은 거두는 것이 아니라더니, 딱 그 짝이었다.

가온은 사랑하는 여자를 위해 저를 여기까지 이끌어준 마르스를 배신하는 걸 선택했다. 그리고 그로부터 얼마 지나지 않아 레아가 승계 과정에 도전해서 죽었다는 소식이 전 차원에 널리 퍼졌다.

"레아 님이 승계 과정에 도전한 이유는 자신이 인간계가 아닌 마계에 있

다는 걸 마르스 님에게 알리고 싶었기 때문입니다."

그래야 마르스의 시선을 시연이 있는 인간계로부터 돌릴 수 있을 테니까. 하물며 죽었다는 소식이 들려야 더 이상 마르스가 그녀의 뒤를 쫓지 않을 테니까. 레아는 딸을 위해 기꺼이 자신의 목숨을 버린 것이다.

"그럴 수가……."

레아가 그런 극악의 선택을 한 것이 모두 자신 때문이라는 걸 알게 된 시연은 그대로 자리에 주저앉았다. 충격에 머릿속이 멍하고 온몸이 덜덜 떨려왔지만 이상하게도 눈물은 나지 않았다. 너무 충격을 받으면 눈물도 나오지 않는다더니 그 말이 사실인 모양이다.

"그럼 엄마가 갑자기 승계 과정에 도전하는 걸 포기했다는 건 거짓말이겠네요……?"

"아마도요. 한데 어째서 종이 울리지 않은 건지는 저도 모르지만요."

"……하."

그러니까 데미안이 무자비하게 레아를 죽인 것도 거짓말이라는 의미였다. 의도치 않게 궁금증이 해결된 시연은 두 손으로 얼굴을 가렸다. 머릿속이 복잡했다. 아직 더 알고 싶은 건 많았지만 알게 된 것이 하나같이 충격적이라서 더 알아가는 것이 무서웠다.

"레아 님이 주신 편지에는 그분이 세운 계획이 전부 적혀 있었습니다."

그 사실을 알 턱이 없는 가온은 계속 이야기를 쏟아냈다.

"당신을 천족 혹은 마족으로 만드는 것도 레아 님의 계획이었죠."

레아는 시연을 천족으로 만들고 싶어 했다. 제 욕심 때문에 자신의 소중한 제자인 데미안이 희생되는 걸 원치 않았기 때문이기도 하고 제 마음을 농락한, 그의 피를 이은 딸을 죽이려고 한 마르스에게 복수하고 싶었기 때문이기도 했다.

"하지만 전 그 남자를 죽이기로 결정했습니다."

"마르스를 배신할 수 없었기 때문인가요?"

"그 이유도 있지만 아무리 승계 과정에 도전했다곤 하나 제 스승인 레아 님을 죽인 그 남자를 용서할 수 없었기 때문이기도 합니다."

그래서 데미안을 죽일 계획을 세웠는데 결국 레아의 계획대로 시연은 천족이 됐다.

"솔직히 말하면 제 계획이 잘못돼도 마르스 님을 죽일 생각은 없었습니다. 그분이 그런 말만 하지 않았다면 말이죠."

"그런 말?"

"마르스 님은……."

그때였다. 굳게 닫혀 있던 문이 덜컥 열린 것은.

시연은 화들짝 놀라며 뒤를 돌아봤다. 문을 열고 들어온 건 화려한 옷을 입은 남자였다. 등 뒤에 보이는 8장의 날개는 그가 대천사라는 걸 알려주었다.

"저 여자가 소문의 그 여자인 모양이군."

소문의 그 여자라니. 이해하지 못할 말에 가온을 돌아봤지만 가온은 대답이 없었다. 그저 남자의 시야에서 보호하려는 듯 시연을 등 뒤로 숨겼다.

"벌써 약속한 시간이 다 됐습니까."

"그래. 그래서 내가 직접 데리러 왔다."

"그거 참 황송하네요, 우리엘."

저 남자가 우리엘. 시연은 우리엘을 쳐다봤다. 가브리엘과 마찬가지로 우리엘이라는 이름은 익히 들어본 적이 있었다. 분명 대천사 중 한 명으로 가브리엘 다음으로 대천사 자리에 가장 오래 군림했다고 들었었다.

"그럼 이만 갈까?"

"잠시만요. 마지막 인사는 하고 가고 싶군요."

우리엘은 좋을 대로 하라는 듯 가볍게 어깨를 으쓱였다. 가온은 시연을 돌아봤다.
“죄송하지만 전 잠시 자리를 비워야 할 것 같습니다.”
“또 자리를 비우는 건가요? 이번엔 얼마나 걸리는데요?”
묻는 질문에 돌아온 대답은 없었다. 오래 걸린다는 암묵적인 의미였다.
“혹시 자리를 비우는 이유가 저 때문인가요?”
“눈치는 빠르군.”
대답을 한 건 우리엘이었다. 지켜보기 답답했는지 우리엘은 불쑥 대화에 끼어들었다.
“너 때문에 가온이 천옥으로 끌려가게 됐다.”
“우리엘.”
“천옥? 감옥을 말하는 건가요?”
“그래. 죄를 지은 천족들이 가는 곳이지. 죄명은 신을 살해한 죄다.”
신을 살해한 죄라니! 마르스는 자살을 했는데 누가 누구를 살해했단 말인가!
“당신이 죽인 거 아니잖아요!”
시연은 가온의 옷깃을 잡으며 소리쳤다.
“근데 왜 당신이 잡혀가는 거예요! 어째서!”
“아니요. 제가 죽인 것과 다름없습니다. 마르스 님이 그 지경이 될 때까지 정신적으로 몰고 간 건 바로 저니까요.”
“그 무슨 말도 안 되는……!”
“잘 들으세요, 시연.”
가온은 시연의 어깨를 잡고 그녀에게만 들릴 정도의 목소리로 말했다.
“이건 제 나름대로 마르스 님에 대한 속죄입니다.”
“가온…….”
“그러니까 막지 마세요. 이렇게라도 하지 않으면 이 무거운 마음을 어떻게 할 수 없으니까."

가온의 옷깃을 잡은 시연의 손에서 힘이 빠졌다. 이리 말하는데 어떻게 계속 붙잡고 있겠는가.

"역시 당신은 금발이 어울리지 않습니다."

가온은 옅게 웃으며 시연의 머리를 가볍게 매만졌다.

"푸른 눈동자도 안 어울리네요."

"……."

"역시 마족이 되었으면 좋았을 것을……."

가온은 긴 여운을 남기며 천천히 우리엘 쪽으로 걸어갔다. 미련 한 점 남아 있지 않는 단호한 걸음이었다.

그런 가온을 붙잡고 싶은 마음은 굴뚝같았지만 조금 전, 그가 귓가에 속삭인 말 때문에 시연은 그를 붙잡을 수가 없었다. 그저 불안한 눈으로 가온의 뒷모습만 좇을 뿐이었다.

데미안이 악마라는 충격적인 소식이 널리 퍼진 지 얼마 되지 않아 곧 천마 전쟁이 발발할 거라는 소식이 세상을 뒤덮었다. 신문과 뉴스는 천마 전쟁에 대해서만 떠들어댔고, 그건 인터넷도 별반 다르지 않았다.

모든 포털 사이트가 천마 전쟁에 대한 이야기로 가득했다. 대중들은 천마 전쟁에서 누가 이길지 내기를 했다. 역대 천마 전쟁이 계속해서 무승부로 끝난 걸로 보아 이번에도 그럴 가능성이 높다고 대부분 예상했다.

"무조건 막아야 합니다!"

물론 그건 데미안이 어떤 상태인지, 마르스가 죽었다는 것도 모르는 아둔한 대중들에 한해서였다.

모든 사실을 알고 있는 원탁회 일원들은 태연하게 내기 같은 걸 하고 있을 수가 없었다.

"하지만 어떻게 막는답니까? 수장님의 의견이 저리 단호한데."

"천계에서 그 여자를 되돌려주면 간단하게 해결될 문제이지 않습니까?"

"아서라, 그러다 금단의 아이라도 태어나면 어쩌려고요. 일이 더 커질 수도 있습니다."

"그렇다고 이대로 천마 전쟁이 일어나는 걸 두고 볼 수는 없는데……."

이러지도 저러지도 못하는, 그야말로 진퇴양난의 상황이었다. 머리를 맞대며 고민하던 원탁회 일원들은 결국 창조주에게 도움을 요청했다.

"……그래서 창조주가 나를 보자고 했단 말인가?"

"네."

마몬이 원탁회에서 들고 온 소식에 데미안은 작게 눈살을 찌푸렸다. 불쾌하긴 했지만 예상했던 일인지라 놀랍지는 않았다.

단지 창조주가 무슨 이야기를 꺼낼지 조금 걱정이 됐다.

"일시는?"

"3시간 뒤입니다."

내일도 아니고 3시간 뒤라니. 어지간히도 급했던 모양이었다.

데미안이 알겠다는 의미로 고개를 끄덕이자 그의 치장을 도와줄 시종들이 줄줄이 들어왔다. 모든 치장을 끝낸 데미안은 곧장 창조주를 만나러 미국 라오스 본사로 향했다.

본사로 향하는 내내 수많은 이들의 시선이 데미안에게 꽂혔다. 다들 간절한 눈으로 데미안을 바라보고 있었다. 천마 전쟁이 일어나는 걸 바라지 않는 시선이었다.

평소 남의 시선을 신경 쓰는 편은 아니었지만 이렇게 많은 이들이 간절한 시선으로 저를 바라보는데 마음이 동하지 않는다면 그건 거짓말일 것이었다. 저들이 걱정하는 것이 무엇인지 잘 알고 있기 때문에 더욱 그랬다.

"베르."

그렇다보니 선뜻 천마 전쟁을 하겠다고 나선 마몬을 비롯한 마계의 주민들이 이상하게 느껴졌다.

간접적인 영향을 받을 인간계 놈들도 저렇게 두려워하는데 직접적인 영향을 받을 그들은 전혀 두렵지 않은 걸까.

"네, 데미안 님."

"넌 정말 후회하지 않는 건가?"

그래서 물어봤는데 뭘 그리 당연한 걸 묻느냐는 듯 베르가 고개를 끄덕였다.

"네, 후회하지 않습니다."

"……넌 정말 특이하군."

"그건 데미안 님도 마찬가지이십니다."

베르의 눈매가 보기 좋게 휘었다. 조금은 단란한 이야기를 나누는 동안 어느새 창조주의 계단으로 향하는 게이트에 도착했다.

아직 한 시간이나 남아 있음에도 불구하고 게이트는 열려 있었다. 언제든지 준비가 되면 들어오라는 의미였다.

"다녀오십시오, 데미안 님."

"다녀오십시오, 수장님."

데미안은 베르를 비롯한 모두의 인사를 한 몸에 받으며 게이트로 들어섰다. 들어가자마자 보이는 건 끝이 보이지 않는 계단이었다. 계단 하나를 올라갔을 뿐인데 순식간에 꼭대기에 도착했다. 수백 개의 계단을 건너뛴 것이었다.

기이한 현상을 처음 겪는 사람들은 놀라워했지만 몇 번 경험한 적이 있는 데미안은 무덤덤하게 반응했다.

계단 끝자락에 있는 건 화려한 정원이었다. 아찔한 장미향에 정신이 멀어질 것만 같았다.

좀 더 안으로 들어가니 화려한 장미에 둘러싸여 티타임을 즐기고 있는 소녀가 보였다. 10살 남짓 되어 보였다. 어려 보이는 외모와 달리 소녀에게서 뿜어져 나오는 기백은 굉장했다. 데미안과 견주어봤을 때 우세하면 우세했지 결코 밀리지 않았다.

"창조주시여."

그럴 만도 했다. 그녀가 바로 이 세상을 창조한 창조주였으니까.

데미안이 고개 숙여 인사하자 소녀, 창조주가 초록색의 눈동자를 반짝이며 데미안을 돌아봤다.

"오랜만이구나, 저주받은 아이야."

저주받은 아이.

그건 시한폭탄처럼 주기를 이겨내지 못하면 폭주하는 데미안을 비꼬는 말이었다. 여태껏 데미안을 저주받은 아이라고 부른 건 그의 부친을 제외하고 창조주가 유일했다. 그 때문인지는 몰라도 저주받은 아이라는 말이 그다지 기분 나쁘지 않았다.

그래서 아무 반응도 하지 않고 무덤덤하게 서 있자 재미없다는 듯 창조주가 혀를 내차며 어린아이처럼 볼을 부풀렸다. 그 모습은 퍽이나 귀여웠지만 겉모습에 현혹돼선 안 됐다. 창조주가 귀여운 소녀의 모습을 하고 있는 이유도 그 때문일 테니까.

지금 하고 있는 모습이 그녀의 진짜 모습인지 아니면 가짜 모습인지 그 누구도 알지 못했다.

"오랜만에 보는구나, 아이야. 네가 군주가 된 뒤로 처음 보는 건가?"

"네, 그렇습니다."

"벌써 시간이 이렇게 됐어. 네 아비가 너를 구해달라고 부탁하러 온 것이

엊그제 같은데 말이야."

창조주의 눈이 유쾌하게 휘었다. 데미안은 말없이 창조주의 말을 듣고 서 있었다. 그가 앉을 자리는 있었지만 창조주가 앉으라고 하기 전까진 앉을 수가 없었다.

"내가 널 부른 이유를 알고 있니?"

여태까지 앉으라는 말을 꺼내지 않는 걸 보면 창조주는 그가 앉는 걸 허락하지 않을 생각인 듯했다.

"네, 알고 있습니다."

"그래, 그럼 바로 대답을 들어도 되겠지?"

"거절하겠습니다."

단호하게 떨어진 말에 창조주는 들고 있던 찻잔을 내려놓았다. 우유를 듬뿍 넣은 것 같은 홍차가 컵 안에서 부드럽게 출렁거렸다.

"천마 전쟁이 일어나게 된다면 넌 99% 폭주하게 될 거다. 그래도 하겠다는 건가?"

"1%의 확률이라도 있으니 전 거기에 걸겠습니다."

"그래?"

창조주의 입매가 비스듬하게 올라갔다. 창조주는 턱을 괴고 데미안을 지그시 바라봤다.

"좋아. 한 가지 제안을 하지. 그걸 들어준다면 그 아이가 네 곁에 있는 걸 허락하겠어."

창조주의 허락은 곧 천계의 허락이었다. 천계는 창조주의 말을 지독하게 잘 따랐으니까. 마르스처럼 약속을 어길 걱정을 하지 않아도 됐다.

"무슨 제안입니까?"

"그 아이가 안느가 마셨던 약을 마신다면, 네 곁에 있는 걸 허락하겠어."

안느가 마셨던 약. 그건 아이를 가지지 못하게 만드는 약이었다.

천족과 마족이 사랑하게 되면 금단의 아이가 나올 확률이 매우 높으니 창조주가 저런 요구를 하는 것도 당연했다.

시연을 닮은 아이를 낳고 오순도순 사는 꿈을 한 번도 꾸지 않았던 건 아니었다. 사랑하는 여자와 단란한 가정을 이루는 꿈은 남자라면 누구나 한 번쯤은 꿨을 것이다.

하지만 이 모든 건 시연이 있어야만 가능한 꿈이었다. 그녀가 없으면 성립되지 않았다.

그러니 아이 따위 없어도, 아이를 가질 수 없게 되더라도 시연만 온전하게 제 곁에 둘 수만 있다면 아무래도 좋았다. 온전하게 곁에 둘 수 있다면!

"……하지만 그 약을 시연이 먹게 된다면 그러지 못할 가능성이 높죠."

데미안은 시퍼런 핏줄이 설 정도로 주먹을 꽉 움켜쥐었다. 창조주를 바라보는 데미안의 눈동자가 형형하게 타올랐다.

"안느가 마셨던 약은 치사율이 무려 99%나 되는 독약이니까요."

아이를 가지지 못하게 만드는 약이 몸에 좋을 리가 없었다. 운이 좋아 살아남는다고 해도 몸 상태는 매우 약해졌다.

실제로 안느는 매우 몸이 약했다. 하루 중 반나절 이상 자야 했고, 오래 걷지 못하는 건 물론 소화 능력이 현저하게 떨어져 맛있는 음식도 제대로 먹지 못했다.

천족이라면 치를 떨던 데미안조차 그녀가 너무 가여워서 동정하다가 그녀를 사랑하게 됐을 정도였다.

치사율이 높았음에도 불구하고 안느가 먹었던 약을 먹은 천족은 한둘이 아니었다. 그중 살아남은 자를 데미안의 반려로 보내기 위함이었다. 대략적으로 듣기로 세 자리 수에 가깝다고 했다. 유일하게 살아남은 이가 바로 안느였다. 그만큼 안느가 마신 약은 굉장히 위험했다. 한데 그걸 시연에게 먹이라니.

"그럴 순 없습니다. 살 확률이 1%도 안 되는 약을 어떻게 시연에게 먹입니까?"

"아까 분명 네 입으로 말했을 텐데. 1%의 확률이라도 있으니 거기에 걸겠다고."

"……."

"그러니 거기에 걸어보길 제안하는 거다. 이러는 편이 더 평화로우니까."

설마 그 말을 걸고넘어질 줄은 생각지도 못했다.

약간 당황하긴 했지만 곧 침착함을 되찾은 데미안은 흔들림 없는 목소리로 대꾸했다.

"시연에게 거는 것과 제게 거는 건 다릅니다. 그리고 만약 시연이 그 약을 먹고 죽기라도 한다면 그때도 마찬가지로 제정신을 유지할 수 없을 테니 폭주할 겁니다. 그러니 차라리 천마 전쟁을 일으키는 편이 폭주하지 않을 가능성이 더 높지요."

"그 말은 결국 천마 전쟁을 일으키겠다는 거구나."

데미안은 고개를 숙이는 것으로 대답을 대신했다.

"네가 폭주하면 결국 내가 나서야 한다. 그럼 넌 필시 죽게 되겠지. 그래도 상관없다는 거니?"

"그녀가 죽게 되는 것보단 낫습니다."

상관없다는 의미였다. 그만큼 데미안의 뜻이 완고하다는 의미였기에 창조주는 나지막한 한숨을 내쉬며 손을 까딱였다.

"부디 그런 일이 일어나지 않길 바라마."

이만 가봐도 좋다는 의미이자 천마 전쟁을 일으켜도 좋다는 의미였다. 물론 조건부였지만 허락을 받은 것만 해도 대단한 수확이었다.

데미안은 감사하다는 의미로 허리 숙여 인사한 뒤 조용히 물러났다.

"……어떤 일이 일어날지 다 알면서 지켜봐야 한다는 건 참으로 괴로운 일이야."

물러나는 데미안의 뒷모습을 바라보며 창조주는 작게 중얼거렸다.

"너도 그렇게 생각하지, 라엘?"

데미안을 막을 수 있는 최후의 수단이었던 창조주가 그를 막지 못하면서 결국 천마 전쟁은 일어나게 되었다.

이에 대비하기 위함인지 창조주는 새로운 신을 정했다. 우리엘, 본명 우리스가 신으로 선택받았다. 신이 된 우리스는 천족들을 통솔하며 마족과의 전쟁에 대비했다. 늘 평화롭던 천계에 긴장감이 감돌았다.

천마 전쟁에 참여할 병력이 한 명이라도 더 많이 필요했기 때문에 천옥에 갇혀 있던 죄수들이 대거 풀려났고, 그중에 가온도 포함되어 있었다. 찬란했던 가온의 날개는 네 장으로 줄어 있었다. 대천사의 직위를 박탈당한 탓이었다.

"신께서 기회를 준 걸 다행인 줄 알아."

가온을 직접 데리러 온 대천사 중 한 명인 레미엘이 인심 썼다는 듯이 말했다.

"선봉대장에 서서 공을 세우면 다시 대천사 직위로 복위시켜주신다고 약속했으니까."

"그게 아니라 선봉대장으로 나가서 뒤지라는 거겠지."

"가온, 말이 험하다?"

"그래서요?"

레미엘의 말을 가뿐히 무시하며 가온은 오래 묶여 있던 터라 조금 시큰거리는 팔목을 매만졌다.

“전 저택으로 돌아갈 수 있는 겁니까?”

“대천사의 직위를 박탈당한 이상 그 저택은 더 이상 네 저택이 아니야.”

“대신 그 여자를 가둬두는 감옥으로 쓰고 있겠죠.”

레미엘은 대답하지 않았지만 그건 긍정이었다. 가온은 제 저택이 있는 방향을 물끄러미 바라봤다.

“그 여자는 무사하겠죠?”

“무사하지. 아직은.”

“아직은? 그게 무슨 소리입니까? 설마 그 여자에게 무슨 짓을 할 생각인 건가요?”

“그게…….”

말할지 말지 고민하는 듯 잠시 머뭇거리던 레미엘은 될 대로 되라는 듯 머리를 헤집으며 말했다.

“에잇, 어차피 지금 가도 못 막을 테니 말해줄게. 사실은…….”

“하아.”

가온이 잡혀간 이후로 집에 감금당한 시연은 긴 한숨을 내쉬며 침대에 누웠다.

가온의 집 주변은 우리스가 보낸 기사단이 지키고 있었다. 시연이 밖으로 나오지 못하게 하기 위함이었다. 원래는 감옥에 가두고 싶었지만 가온이 손을 쓰고 대신 잡혀간 탓에 그러지 못하고 대신 집에 감금한 것이다.

이 집에서 그녀가 할 일은 없었다. 집안일은 모두 사용인들이 했고, 도와주려고 하면 고귀하신 몸으론 이런 일을 하는 것이 아니라며 하나같이 만류하니 할 수가 없었다. 그렇다보니 시연이 매일 하는 건 멍 때리거나 잠을 자는 것뿐이었다. 책을 읽으려고 해도 글자를 모르니 그럴 수가 없었고, 집을 탐험하는 것도 이미 예전에 끝이 났다.

그것만으로도 미치겠는데 그녀를 더 미치게 하는 건 바깥소식을 전혀 들을 수가 없다는 것이었다.

'사용인들이 심각한 얼굴로 한 번씩 수군거리는 걸 보면 밖에서 무슨 일이 일어나려고 하는 건 분명한 것 같은데…….'

그들은 이야기를 나누다가도 시연이 다가오는 기척이 느껴지면 일제히 입을 다물었다. 도대체 왜 그러는 건지 궁금해서 물어봐도 대답해주지 않았다.

'혹시 데미안 씨랑 관련된 일인가?'

가능성은 충분히 있었다. 그러니 그들이 제게 말을 해주지 않는 것이 분명했다. 데미안이 도대체 뭘 어떻게 하고 있길래 저들이 저러는 건지는 모르겠지만 부디 위험한 일은 아니었으면 했다. 그에게 무슨 일이 일어나는 건 바라지 않았으니까.

"보고 싶어요……."

데미안을 생각하면 생각할수록 그에 대한 그리움이 커졌다. 그의 소식 한 자락이라도 들을 수 있으면 좋겠다고 생각하며 시연은 베개에 얼굴을 묻었다.

똑똑—.

불현듯 노크 소리가 들리자 시연은 상체를 일으켰다. 문을 열고 들어온 이는 아샤였다.

"무슨 일인가요?"

"손님이 왔습니다."

"손님?"

나를 찾아온 손님이 있다고?

"누가 온 거죠?"

"신께서 오셨습니다."
"신……? 무슨 말이에요. 신은 죽었잖아요."
"얼마 전에 새로운 신이 부임하셨습니다. 우리스 님이십니다."
"우리스? 아, 설마 전에 봤던 그 남자인가요?"
이름이 비슷해서 혹시나 하는 마음에 물어봤는데, 정답이었다.
'그 남자가 신이 되다니.'
그 남자도 정상은 아닌 것처럼 보였는데 어떻게 신이 된 건지 의아했다. 천계가 신을 뽑는 기준이 뭔지 진심으로 궁금해졌다.
아니, 그것보다 신이 정해졌다면 게이트가 다시 열렸다는 의미. 인간계로, 데미안의 곁으로 돌아갈 수 있다는 의미였다. 그걸 생각하면 심장이 부질없이 뛰며 기분이 좋아졌지만, 우리스가 저를 찾아왔다는 사실에 기분이 다시 저조해졌다.
"안 가면 안 되겠죠?"
"신께서 직접 오신 것만으로도 영광스러운 일. 한데 그분과의 만남을 거절하시는 건 있을 수 없는 일입니다."
그래, 그렇겠지. 시연은 우거지상을 하며 자리에서 일어섰다.
아샤는 응접실로 가는 내내 신과의 만남에서 지켜야 할 예절에 대해 알려주었다. 황제를 알현하는 것이 이보다 더 쉬울 것 같다는 생각이 들 정도로 까다로웠다. 아샤가 말해준 걸 다 기억할 수 있을지도 의문이었다.
이윽고 응접실에 도착한 시연은 어서 허리 숙여 인사하라는 아샤의 말에도 허리를 숙이기는커녕 고개를 빳빳하게 들고 우리스를 쳐다봤다.
"시연 님."
이에 아샤가 기겁하며 그녀를 불렀지만 시연은 꿋꿋했다. 아샤는 안절부절못하며 시연의 팔을 잡았다.
"어서 인사를……."

"됐다."

아샤를 말린 건 우리스였다.

"존경이라곤 조금도 없는 겉치레 인사를 받아서 뭐하겠느냐. 그냥 내버려 두어라."

"좋은 생각이네요."

시연은 싱긋 웃으며 우리스의 말에 대답했다. 하지 않았으면 더 좋았을 대답에 우리스의 미간에 작게 주름이 잡혔다.

"그럼 앉을게요."

시연은 개의치 않고 우리스의 맞은편에 앉았다. 예의라곤 조금도 없는 시연의 행동에 아샤가 어쩔 줄 몰라 하며 허둥지둥하자 우리스가 가볍게 손을 휘저었다. 이만 나가보라는 의미였다.

"원래 천족이 아니라서 그런지 상당히 예의가 없군."

허리를 깊이 숙여 인사한 아샤가 나가자마자 우리스는 매섭게 시연을 노려보며 말했다.

"천박한 피가 섞여 있어서 더욱 그런 것 같기도 하고."

"마르스의 피가 좀 천박하긴 하죠."

마르스를 지칭한 것이 아닌 마족인 레아를 지칭한 말이라는 것을 알면서도 시연은 모르는 척 시치미를 떼며 말했다.

"그런 남자가 제 부친이라는 사실이 전 아직도 부끄럽답니다."

이에 할 말을 잃은 듯 입을 다문 우리스는 곧 본론을 꺼냈다. 시연과 더 이야기를 해봤자 자신이 손해라는 걸 깨달은 듯했다.

"그 남자가 전쟁을 선포했다."

우리스가 말하는 그 남자는 데미안일 터.

"너를 되찾기 위함이라고 하더군."

데미안이 자신을 구하기 위해 뭔가를 할 거라곤 예상했지만 설마 전쟁까지 일으킬 거라곤 생각지 못했던 시연은 놀라며 우리스를 바라봤다.

"천마 전쟁이 일어나는 것 자체는 큰 문제가 아니다. 문제는 그 남자지."

"데미안 씨가…… 문제?"

"그 남자의 몸이 불안정하다는 건 알고 있겠지."

알고 있었다. 시연은 대답 대신 고개를 끄덕였다.

"천마 전쟁이 일어나면 그 남자는 십중팔구 오는 주기를 해결하지 못해 폭주할 거다. 그 남자가 폭주하게 되면 어떻게 되는지 알고 있나?"

"아니요."

"핵이 터지는 것과 같은 효과라고 보면 돼. 천마 전쟁이 벌어지는 천계와 마계가 무너지는 건 물론, 운이 좋으면 인간계의 절반이, 운이 나쁘면 인간계가 전부 날아갈 거다."

"가, 간접적인 영향을 받는데도?"

"그래. 그만큼 그 남자의 폭주는 위험해. 괜히 인간들을 제물로 사용해서 그 남자의 폭주를 막으려고 했던 것이 아니다."

세상에. 시연은 기함하며 두 손으로 입을 가렸다. 데미안이 주기를 해결하지 못해 폭주하면 위험하다는 건 알고 있었지만 이렇게까지 위험할 거라곤 생각지 못했기 때문이었다.

"그럼 그가 천마 전쟁을 일으키는 걸 막아야지요!"

"우리도 막으려고 노력했지만 그 남자가 너무 막무가내라서 말이지. 너를 내놓지 않으면 무조건 천마 전쟁을 일으키겠다고 하더군."

데미안이 어떤 심정으로 그런 말을 했을지 알 것 같아 콧잔등이 시큰해졌다. 자신이 그를 보고 싶어 하는 만큼, 그를 원하는 만큼 그 역시 자신을 원하고 있는 것이다. 아니, 그 이상인 것 같았다.

"하지만 널 내어줄 순 없지. 필시 또 다른 금단의 아이가 태어날 테니까. 마르스와 같은 과오를 저지르는 건 사절이다."

"……그가 어떤 일을 저질렀는지 다 알고 있는 모양이네요."

"신이 된 후에야 알게 됐지. 정말 어처구니없는 일을 저질렀더군."

이해 못하는 건 아니지만. 우리스는 시연이 듣지 못할 정도의 작은 목소리로 중얼거렸다.

"하지만 마르스가 저지른 일이 잘못된 건 아니다. 창조주의 예언에 따라 금단의 아이는 죽여야 하는 존재가 맞으니까."

"……."

"그렇다고 그가 완전히 잘했다고도 볼 수 없지."

"하고 싶은 말이 뭐죠?"

뭔가 하고 싶은 말이 있으니 이리 말을 늘어놓는 거라고 생각했는데 그녀의 예상이 맞았는지 우리스는 말없이 병 하나를 시연 쪽으로 내밀었다.

"이게 뭐죠?"

"안느라는 이름을 알고 있나?"

시연은 대답하지 않았지만 그건 긍정의 의미였다. 우리스는 이야기하기 쉽겠다고 생각하며 말을 이었다.

"과거 그녀가 마셨던 약이다."

"……."

"그 남자의 곁으로 가고 싶다면 이 약을 마시도록 해."

시연은 우리스가 내민 약을 쳐다봤다. 과거 안느가 어떤 약을 먹었는지 리사에게 설명을 들어 잘 알고 있었다. 분명 금단의 아이가 태어나는 것을 미연에 방지하기 위해 아이를 가지지 못하게 만드는 약이었다.

데미안과 똑 닮은 아이를 가지고 싶은 마음은 있었지만 그보다 데미안의 곁으로 가고 싶은 마음이 더 컸다. 설령 아이를 가질 수 없는 몸이 되더라도 그의 곁에 있을 수만 있다면 아무래도 상관없었다.

"무슨 꿍꿍이죠?"

단지 선뜻 마시기엔 그들의 속내를 알 수 없었기 때문에 그럴 수가 없었다. 시연은 우리스가 순수한 마음으로 이 약을 자신에게 줬다고 생각지 않았다. 아니, 애초에 이 약이 안느가 먹었던 약과 같은지부터 의심이 됐다.

"설마 천마 전쟁에서 패배할 것이 걱정돼서 나한테 이 약을 주는 건가요? 내가 이 약을 먹고 아이를 가질 수 없는 몸이 되어 데미안 씨의 곁에 가면 천마 전쟁이 일어나지 않을 테니까?"

"반은 맞고 반은 틀려."

"반은 맞고 반은 틀리다고요?"

"내가 걱정하는 건 천마 전쟁에서 지는 것이 아니야. 천마 전쟁에서 그 남자가 폭주할 것이 걱정되는 거지."

우리스는 한껏 심각한 얼굴로 시연 쪽으로 상체를 살짝 기울였다.

"아까도 말했다시피 그 남자가 폭주하면 여러 차원이 피해를 입는다. 단순히 천족과 마족의 문제로 끝나지 않아."

"……."

"난 그런 일이 일어나는 걸 원하지 않아. 어쭙잖은 자존심 때문에 많은 생명체가 피해를 보는 걸 두고 볼 수는 없지."

일리가 있는 말이었다. 비로소 우리스가 천족다워 보였다.

"좋아요. 그런 이유라면 마실게요."

"그 전에 편지를 하나 써줬으면 좋겠군."

편지라니. 시연이 의아하다는 듯 그를 쳐다보자 우리스는 말을 이었다.

"내가 강요한 것이 아닌 네 스스로 약을 마셨다는 내용의 편지다. 혹 네가 잘못된다면 그 남자에게 전해줘야 우리가 피해를 입지 않을 테니까."

"무슨…… 소리예요, 그게. 제가 잘못되다니요?"

"모르는 건가? 그 약은 치사율이 99%다. 백에 아흔아홉은 죽게 되는 약이지."

즉, 살 가능성이 1%도 되지 않는다는 의미였다. 그 말에 시연은 약병을 잡기 위해 뻗었던 손을 거뒀다. 병을 바라보는 시연의 눈동자가 부질없이 떨렸다.

설마 이 약이 그렇게 무서운 약일 줄이야. 이걸 먹고 산 안느가 신기했다.

"마음이 흔들리는 모양이군."

우리스가 웃는 목소리로 물었다. 흔들리지 않는다면 거짓말이었다. 데미안의 곁으로 가고 싶은 마음은 여전히 굴뚝같았지만 그렇다고 죽고 싶은 건 아니었다. 죽게 되면 데미안의 곁으로 영영 갈 수가 없게 될 테니까.

"넌 그 남자가 널 좋아하는 만큼 그를 사랑하지 않는 건가?"

이건 또 무슨 소리지. 뜬금없는 말에 시연은 우리스를 쳐다봤다.

"아까 말했다시피 그 남자가 천마 전쟁에서 폭주할 가능성은 매우 높다. 폭주하지 않을 가능성은 이 약을 먹고 살아날 확률과 마찬가지로 1%의 확률이지."

"……."

"한데 그 남자는 그 확률에, 1%의 기적에 모든 걸 걸었다. 널 구하기 위해서 말이야. 한데 넌 도망치는군."

이어진 우리스의 말에 얼굴이 화끈 달아올랐다. 부끄러웠다. 데미안은 저를 구하기 위해 저렇게 노력하는데 아무것도 하지 않고 얌전히 앉아서 그가 구하러 오기만을 기다리는 자신이 미련하고 바보같이 느껴졌다.

'그러니까 마시자.'

그가 1%의 확률에 모든 것을 걸었던 것처럼 시연 역시 그 확률에 걸어보기로 했다. 1%의 기적이 일어나길 바라면서.

망설였던 아까와는 달리 시연은 주저 없이 편지를 쓰고 병을 집어 들었다. 마개를 열고 병을 기울이자 병의 절반 정도를 차지하고 있던 액체가 조금씩 넘어왔다.

시연이 액체를 입안으로 흘려 넣으려는 순간…….

쾅—.

"마시면 안 돼!"

불현듯 응접실 문이 벌컥 열리면서 가온이 등장했다. 가온은 다급하게 외쳤지만 이미 시연은 약을 마신 후였다.

"쿨럭—."

기침 한 번에 검붉은 피가 흘러나왔다. 목이 타들어가는 것 같아 시연은 두 손으로 목을 꽉 움켜쥐었다. 그녀의 상체는 맥없이 옆으로 기울었다.

"이봐!"

가온이 다급하게 달려와 시연을 부축했다. 그는 시연의 어깨를 격하게 흔들며 연달아 불렀지만 애석하게도 시연은 그 목소리를 듣지 못했다.

누군가 바늘로 온몸을 찌르는 듯 아팠다. 불로 지지는 것 같기도 했다. 이보다 더 고통스러울 수는 없을 것 같았다. 지독스레 너무 아파 눈물이 절로 나왔다.

'데미안 씨.'

고통스러운 와중에도 데미안의 얼굴이 떠올랐다. 그만큼 그가 보고 싶었고, 그의 곁으로 가고 싶었다.

'부디 1%의 기적이 일어나길.'

그래야 데미안의 곁으로 갈 수 있으니까. 시연은 그 확률에 모든 것을 걸며 눈을 감았다. 곧 그녀의 몸은 맥없이 축 늘어졌다.

"이게 무슨 짓입니까!"

시연이 완전히 정신을 잃자, 가온은 우리스를 향해 매섭게 소리쳤다.

"약속이 틀리지 않습니까! 그녀에게 손을 대지 않기로 해놓고……!"

"손을 댄 적은 없다. 그 여자 스스로 결정한 거지."

"당신이 그러도록 유도한 거겠죠. 그 뻔뻔한 말솜씨로."

가온의 반박에 우리스는 대꾸하지 않았다. 인정한다는 의미였다.

'곁을 떠나는 것이 아니었어.'

차라리 같이 감옥에 갇히는 편이 나았을지도 모른다. 그랬더라면 이런 불상사가 일어나는 걸 막을 수 있었을 테니까.

가온은 어리석은 선택을 한 과거의 자신을 탓하며 입술을 세게 깨물었다.

"너무 유감스럽겐 생각하지 마라. 모든 건 이 세계를 위한 거니까."

"……."

"그 여자가 죽었다는 소식을 들으면 그 남자는 폭주할 거고, 그땐 창조주께서 바로 나서실 거다. 그렇게만 된다면 마계 말곤 아무도 피해를 입지 않아. 마계 놈들이야 지들이 벌인 전쟁이니 피해를 입어도 상관없지."

이것이 바로 우리스의 계획이었다. 천마 전쟁이 일어나기 전에 데미안이 폭주하게 만들어 창조주가 처리하게 만드는 것.

"한데, 질긴 생명이구나."

우리스는 가온의 품에 쓰러져 있는 시연을 보며 가볍게 혀를 내찼다. 정신을 잃은 시연의 몸은 불덩이처럼 뜨거웠다. 살짝 벌어진 입술 사이에선 들뜬 숨이 연거푸 터져 나왔다.

"저 약을 먹고 바로 죽지 않다니. 뭐, 그래봤자 3일 내로 죽겠지만."

"그녀가 죽기 전에 천마 전쟁이 일어난다면 당신의 계획은 다 부질없는 짓이 될 겁니다."

"그럴 일은 없을 거다. 조사한 바에 의하면 그들이 움직이는 건 3~4일이나 지난 후일 것이고 만약 일찍 온다고 해도 대책이……."

"신이시여!"

불현듯 기사 한 명이 우리스의 말을 자르고 황급히 응접실 안으로 들어왔다. 얼마나 다급한지 그는 제대로 된 예도 갖추지 못하고 보고했다.

"마, 마족 놈들이 천마의 경계를 통해 천계의 입구까지 왔다고 합니다!"

"뭐?"

천마의 경계는 게이트를 이용하지 않고 천계와 마계를 오갈 수 있는 길로 인간계와 차원이 겹쳐져 있었다. 그렇기 때문에 그곳에서 무슨 일이 일어나면 인간계에도 간접적으로 영향을 끼쳤다. 그래서 평소엔 천마의 경계를 이용하는 것이 금기시 되어 있었지만, 천마 전쟁이 발발할 땐 예외였다.

천마의 경계를 통해 마계에서 천계로 오려면 아무리 빨라도 4일은 넘게 걸렸다. 한데 그들이 그곳을 통해 이곳에 왔다는 건 못해도 4일 전에 출발했다는 의미였다.

"신이시여, 어서 명령을!"

아무리 빨라도 이틀은 걸릴 거라고 생각했는데 벌써 왔다니.

혼란에 빠져 있던 우리스는 기사의 다급한 부탁에 그제야 정신을 차리고 명령을 내렸다.

"당장 천계의 기사단을 정비해서 입구로 내보내라. 절대 그들을 천계로 들여선 안 된다!"

"네!"

"그리고 당장 미카엘을 부르도록!"

이런 일에는 전쟁의 천사라고 불리는 미카엘이 선두에 서는 것이 가장 제격이건만 왜 그를 부르라는 건지 이해가 안 됐지만 감히 물어볼 수는 없었다. 기사는 우리스의 명을 수행하기 위해 황급히 응접실을 나갔다.

우리스는 다시 시연을 돌아봤다. 그녀를 바라보는 우리스의 시선은 매우 차갑고 매서웠다.

"보다시피 시간이 얼마 없다. 마족 놈들이, 그놈이 천계의 입구를 넘어오기 전에 일을 해결해야 돼. 그러니까 그 여자를 이리 다오, 가온."

"……그럴 순 없습니다."

가온은 고개를 저으며 시연을 안은 손에 더욱 힘을 주었다.

"그녀를 넘겨주면 바로 죽이려고 할 것이 분명한데 제가 어떻게 넘겨드린단 말입니까."

"하아, 무슨 답답한 소리인지 모르겠군. 그 여자가 죽어야 모든 것이 해결된다. 한 목숨으로 수백, 아니 수천 명의 목숨을 구할 수 있단 말이다!"

"……그래도 싫습니다."

"가온!"

"당신이 그녀를 죽인다면, 전 그 남자에게 당신이 한 짓을 낱낱이 말하겠습니다."

가온은 시연을 안은 손에 더욱 힘을 주며 저를 매섭게 바라보는 우리스의 시선을 똑바로 마주하며 말했다.

"설마 제가 아무 대책 없이 이곳에 왔다곤 생각지 않으시겠죠."

단순히 협박하는 건지, 아니면 정말로 대책을 세워둔 건지는 알 수 없었지만 확실한 건 무시할 수 없다는 것이었다. 정말로 대책을 세워뒀다면 골치 아프게 될 테니까.

"그럼 당신이 기껏 준비한 저 편지도 소용없게 될 겁니다."

뒤이어 날아온 결정타에 우리스는 험상궂게 얼굴을 찌푸리더니 이내 혀를 내차며 황급히 응접실을 나갔다. 쾅, 하고 닫히는 문소리가 유난스럽게 크게 울려 퍼졌다.

그제야 가온은 바짝 조이고 있던 긴장을 풀고 시연을 쳐다봤다. 시연은 여전히 정신을 차리지 못하고 있었다. 몸 상태는 아까보다 더 나빠진 듯했다. 죽음의 그림자가 한층 그녀에게 더 가까워진 것이 보였다.

"이길 수 있을 겁니다."

가온은 시연의 이마에 흐르는 식은땀을 닦으며 중얼거렸다.

"아니, 반드시 이겨내야만 합니다. 그래야 모두가 행복해질 수 있습니다, 시연."

EPISODE 25

천마 전쟁

생각보다 빨리 전쟁을 일으킨 덕분에 어떤 장애도 없이 순조롭게 달려왔던 마족 군단은 천계의 입구 근처에 도달해서야 부랴부랴 그들을 대적하러 나온 천족 군단과 마주하게 됐다.

마계 군단을 앞에서 지휘하는 건 7인의 검 중 하나인 벨페고르였고, 천계 군단을 앞에서 지휘하는 건 대천사 중 한 명인 레미엘이었다.

거센 바람이 서로 마주 보고 서 있는 군단의 사이를 지나갔다. 시야를 가리는 모래 폭풍이었다. 폭풍 전야를 암시하는 것 같았다.

"계속 노려보기만 해선 결론이 안 나지."

벨페고르는 삐딱하게 물고 있던 담배를 툭, 뱉었다.

일종의 시발탄이었다.

"와아아아!"

바닥에 담배가 떨어지기 무섭게 마족 군단은 거센 고함을 지르며 천족 군단을 향해 달려갔다. 천족 군단 역시 마족 군단을 향해 달려들었다. 곧이어 흑과 백이 정신없이 섞여 들었다. 드디어 천마 전쟁이 화려한 막을 연 것이다.

근거리 공격이 가능한 자들은 직접 전장에 뛰어들었고, 원거리 공격이 가능한 자들은 한 발 뒤에서 지원사격을 했다.

원거리 공격을 하는 건 대부분 천족들이었다. 천족들이 주문을 외우자 하늘에서 몇 개의 빛줄기가 떨어졌다.

"피해!"

"으아악!"

빛줄기는 천족들에겐 아무런 영향을 주지 않고, 마족들만 새카맣게 태웠다. 미처 피하지 못한 마족들은 한 줌의 재가 되어 사라졌다. 그건 천족에 대한 마족의 분노를 키워주는 계기가 됐다. 마족들은 천족을 향해 더 맹렬히 공격을 퍼부었다.

"진형을 흩뜨리면 안 된다!"

7인의 검 중 한 명인 마몬 역시 전쟁에 참여했다. 창을 주무기로 사용하는 그는 제 몸 크기만 한 창을 휘두르며 고삐 풀린 망아지처럼 마구 뛰어다녔다.

창이 거대한 원을 그리며 허공을 가를 때마다 천족들이 꼬챙이에 꽂힌 고기처럼 꽂혔다. 그 때문에 마몬의 몸에는 피가 흥건히 묻었지만 그는 웃음을 잃지 않았다. 되레 피를 뒤집어쓰면 쓸수록 더 화사하게 웃었다.

떨거지들 몇 명으로는 7인의 검 중 한 명인 마몬을 상대할 수 없다고 판단한 건지 많은 수의 천족들이 동시다발적으로 마몬을 향해 달려들었다.

"설마 모르는 건가."

그 와중에도 마몬은 여유를 잃지 않고 웃으며 창을 바닥에 내리꽂았다.

"너희 같은 피라미 몇십 명이 덤벼도 내 상대가 되지 않는다는 것을."

채앵—!

"컥!"

마몬의 주변에서 수십 개의 창이 바닥을 가르며 위로 솟았다. 마치 창 무덤 같았다. 호기롭게 마몬에게 달려들었던 이들은 창 무덤을 붉게 물들이는 장식품이 됐다. 일격에 죽지 못한 천족들은 얼굴을 찌푸리며 고통을 호소했다.

"걱정하지 마."

마몬은 창을 빼내 가볍게 휘두르며 아직도 상황 파악을 못하고 겁도 없이 그에게 달려든 놈의 심장에 정확하게 꽂았다.

"더 이상 고통을 느끼지 않게 해줄 테니까."

"커억!"

심장을 꿰뚫린 천족은 한 줌의 빛이 되어 사라졌다. 그 자리에 남은 건 푸른 보석이었다.

마몬은 보석을 가볍게 지르밟았다. 그러자 다이아몬드만큼이나 단단하다고 알려진 천족의 보석은 그 명성이 무색할 정도로 쉽게 부서졌다.

마몬 외에 다른 7인의 검들도 제 능력을 백분 발휘하며 마구 날뛰었다. 그건 대천사들 역시 마찬가지였다.

쉐엑—.

"으아악!"

특히 전쟁의 천사라고 불리는 미카엘이 대천사들 중에서 가장 눈에 띄었다. 미카엘이 검을 휘두르자 그에게 덤벼든 마족의 몸은 두 동강이 났다.

마족은 천족처럼 죽어서 빛이 되어 사라지지 않고 시체를 남기기 때문에 그 끔찍한 형상은 고스란히 남았다. 정확하게 두 동강이 난 몸은 붉은 피를 흩뿌리며 바닥에 떨어졌다.

"……저 녀석은 내가 맡지."

마족들을 끔찍하게 베어내고 있는 미카엘을 발견한 마몬은 벨페고르에게 반 통보 식으로 말한 뒤 미카엘의 뒤를 노렸다.

채앵—.

하지만 역시 미카엘은 예사 상대가 아니었다. 기척을 거의 줄이고 급습한 건데 어떻게 알아챈 건지 마몬의 공격을 막아냈다.

창과 칼이 거친 파열음을 내며 부딪쳤다. 곧이어 떨어진 둘은 난장판이 된 주변을 신경 쓰지 않고 오로지 서로에게 집중했다.

"너희들의 신은 어디 있지? 전쟁에 참여하지 않은 건가?"

"내가 그걸 알려줘야 할 이유가 있던가?"

뭔가 석연치 않아 보이는 미카엘의 대답에 마몬의 입가에 핀 미소가 더 짙어졌다. 독기를 한껏 품은 미소였다.

"그래? 그렇다면."

마몬은 창의 끝을 미카엘 쪽으로 겨누며 말을 이었다.

"강제로 알아내는 수밖에."

곧이어 마몬은 다시 미카엘을 향해 달려들었다. 우회하거나 다른 공격을 하지 않고 정면 승부를 보겠다는 의미였다. 그 도전을 받아줄 생각인지 미카엘은 검을 고쳐 잡았다.

마몬과 미카엘뿐만 아니라 모두가 싸움에 열중하는 가운데 그 광경을 지켜보는 이가 있었다.

"……."

바로 데미안이었다. 그는 처음 계획했던 것처럼 싸움에 끼어들지 않고 기회를 엿보다가 몰래 천계로 들어갈 생각이었다.

물론 싸우고 싶은 생각은 굴뚝같았다. 자신의 수족과 다름없는 이들이 저를 위해 저렇게 힘겹게 싸우고 있는데 싸우고 싶지 않을 리가 없었다. 하지만 그래선 안 됐다. 괜히 힘을 사용했다가 폭주하기라도 하면 큰일이니까. 싸우는 건 시연을 구한 후였다.

바닥에 즐비하게 깔린 건 마족의 시체밖에 없었다. 당연했다. 천족은 죽어도 시신을 남기지 않았으니까. 하물며 점점 마족 군단이 뒤로 물러나고 있으니 보기엔 마족 군단이 지는 것처럼 보였지만 사실은 이 모든 것이 작전이었다.

천족 군단을 최대한 천계의 입구에서 멀리 떨어뜨려놔야 데미안이 잠입하기 쉬울 테니 그걸 노린 것이었다. 그리고 작전은 한 가지 더 있었다.

"트랩은 잘 깔아뒀겠지?"

"네."

마찬가지로 전쟁에 직접 참여하지 않은 베르가 고개 숙여 대답했다.

트랩을 만든 건 리사를 비롯한 마녀 일족이었다. 마녀 일족의 고유 능력을 유감없이 쏟아부어서 만든 마법진 트랩이었다. 트랩이 발동된다면 천족 군단은 마법진 안에 갇혀 약 반 시간 정도 그곳에서 벗어나지 못하게 될 것이다.

혹 데미안이 천계로 침입한 걸 알아챈 그들이 천계로 향할 것에 대비해서 발목을 잡기 위해 만들어둔 트랩이었다.

"지금 속도라면 내일 저녁엔 트랩이 있는 지점에 도착할 것 같습니다."

"그래."

그 전에 잠입할 틈이 보인다면 잠입할 수 있겠지만 되도록 트랩이 발동될 때까지 기다리는 것이 좋았다. 그래야 만약의 경우에 대비할 수 있을 테니까.

당장이라도 달려가고 싶은데 그러지 못한다는 사실에 나오는 건 깊은 한숨뿐이었다. 그래도 내일 저녁이면 그리 늦은 건 아니었다.

"부디 그때까지 무사해야 한다."

데미안은 새끼손가락에 끼고 있던 반지를 매만지며 중얼거렸다.

그건 시연에게 주려고 했던 프러포즈 반지였다.

"내가 이 반지를 끼워줄 때까지 무사해야 해."

그렇지 않으면 절대 용서하지 않을 거라고, 네가 아닌 나를 용서할 수가 없을 거라고, 그러니 제발 무사하라고 데미안은 간절히 바랐다.

천마 전쟁은 밤새도록 이어졌다. 바닥은 피로 붉게 물든 지 오래였다. 겉으로 보기엔 천족이 유리해서 그런지 몰라도 신은 여전히 모습을 드러내지 않았다.

'아니, 유리할수록 더 모습을 드러내는 것이 정상이야.'

유리한 싸움을 완전히 유리해지도록 굳혀야 하니까. 한데 여태까지 신이 모습을 드러내지 않는다는 것이 이상했다.

'혹시 그놈도 뭔가 계획을 세우고 있는 건가?'

만약 신이 세우고 있는 계획이 시연과 관련이 되어 있다면?

문득 드는 생각에 마음이 불안해진 데미안은 돌아섰다.

"역시 가봐야겠다."

"네? 하지만 아직 트랩이 있는 장소에 도착하지 않았습니다."

"그런 건 중요하지 않아. 그놈이 뭔가 일을 꾸미고 있는 것이……."

"군주님!"

난데없이 마몬의 목소리가 들리자 데미안도 베르도 그쪽을 돌아봤다. 그러자 온몸에 피를 흠뻑 뒤집어쓴 채 헐레벌떡 달려오고 있는 마몬이 보였다. 덕분에 데미안이 숨어 있는 위치가 적들에게 노출됐지만 마몬은 개의치 않았다.

"무슨 일이지?"

그만큼 중요한 일이 있다는 의미였다. 안 그래도 마음이 불안했던 터라 마몬의 행동에 더욱 불안해진 데미안은 다급하게 물었다. 이에 마몬이 이야기를 꺼내려는데 눈치 없이 천족 한 명이 달려들었다. 상급 천사였다.

"죽……!"

콰―.

겁도 없이 군주에게 덤벼든 천사의 말로는 참으로 처참했다. 원래 시체를 남기지 않는 천족이었지만 만약 남길 수 있다고 해도 지금 상태에선 절대 남길 수 없었을 것이다. 데미안의 손짓 한 번에 뼛가루도 제대로 남기지 못하고 터져버렸으니까. 하고자 했던 말도 다 뱉지 못했다.

"어우…… 아, 내가 이럴 때가 아닌데."

그 모습을 경이롭다는 듯 바라보던 마몬은 곧 자신이 온 까닭을 깨닫고 황급히 데미안을 향해 소리쳤다.

"군주님! 시연 님께서 그 약을 마셨다고 합니다!"

마몬은 정확하게 무슨 약이라고 말하지 않고 '그 약'이라고 말했지만 그게 안느가 마셨던 약이라는 걸 데미안은 직감적으로 알아챘다.

'시연이 그 약을 마셨다니…….'

치사율이 무려 99%나 되는 약이었다. 시연이 그걸 먹고 살아남을 수 있는 가능성은 고작 1%. 창조주에겐 1%의 기적을 믿는다곤 했지만 그게 얼마나 희박한 기적인지 잘 알고 있었다. 시연이 그 약을 먹고 살아남을 가능성은 없다고 봐도 무방했다.

머릿속에는 시연이 약을 먹고 쓰러지는 장면이 그려졌다. 그대로 시연이 죽었을지도 모른다고 생각하니 피가 거꾸로 솟는 것 같았다. 심장이 쿵쾅쿵쾅 뛰면서 제대로 된 사고를 할 수가 없었다. 땅을 바라보는 데미안의 눈동자에 초점이 흐릿해졌다.

쿵―.

데미안이 이성을 잃자 그의 주변으로 거대한 블로잉이 그려졌다. 압도적인 힘에 천족은 물론 마족까지 모두 접착제라도 붙인 듯 바닥에 붙어버렸다. 베르 역시 마찬가지였다. 그나마 7인의 검 중 하나인 마몬은 무릎을 꿇는 것으로 끝이 났다. 그렇지만 열린 구멍에선 모조리 피가 흘러나왔다.

데미안이 딛고 있는 바닥은 움푹 파였고, 그의 몸에서 뿜어져 나온 검은 기운들은 닿는 것이 무엇이든 간에 시커멓게 부식시켰다.

"확인된 사실이 아닌 단순한 소문입니다!"

데미안을 이대로 내버려두면 폭주할 것이 분명하기에 마몬은 황급히 소리쳤다. 말을 뱉을 때마다 비릿한 피 맛이 느껴졌다.

"만약 시연 님이 죽었다면 저들이 미리 공표를 하지 않았을 리가 없습니다! 제 생각엔 단순히 군주님을 교란시키기 위해 낸 소문인 것 같습니다!"

피를 토하는 심정이 아닌, 실제로 피를 토하며 외쳤는데 다행히도 통한 건지 블로잉이 조금 잦아들었다.

다른 이들은 아직 바닥에 납작 엎드려 있었지만 그나마 움직일 수 있게 된 마몬은 자리에서 일어나 다시 한 번 소리쳤다.

"하물며 창조주께서 시연 님에게 그 약을 먹여도 좋다는 허락을 내리지 않았으니 분명 헛소문일 겁니다!"

간절한 외침은 또 한 번 통했다. 빛을 잃고 어둡게 물들었던 데미안의 눈동자가 빛을 되찾았다. 몸을 짓누르던 블로잉도 거의 다 사라졌다.

한 번 폭주하기 시작한 힘은 아무리 그라도 해도 모두 제어하는 건 힘들었다. 하물며 제물도 없는 상황이니 더더욱 전부 제어할 수가 없었다. 그래도 움직이는 건 한결 편해졌다. 몸은 여전히 떨리긴 했지만 그래도 두 다리로 제대로 설 수 있게 된 베르는 깊은 안도의 한숨을 내쉬었다. 그건 다른 이들도 마찬가지였다.

이성을 되찾은 데미안은 말없이 싸우고 있는 이들을 쳐다보았다. 시간이 많이 지났지만 아직까지 그들은 치열하게 싸우고 있었다.

"……트랩까진 얼마나 걸리지?"

"네? 아, 앞으로 반나절이면 도착할 것 같습니다."

"느려."

반나절이면 그들이 시연에게 무슨 짓을 하기에 충분한 시간이었다. 마음이 불안하고 초조했다. 제멋대로 요동치는 힘을 다 제어하지 못한 이유 중 하나였다. 더 이상은 가만히 기다리고 있을 수가 없어서 데미안은 입고 있던 외투를 벗었다. 그것이 뭘 의미하는지 아는 베르와 마몬은 불안한 눈으로 데미안을 바라봤다.

"직접 전쟁에 참여하시려고요?"

데미안이 고개를 끄덕이자 마몬은 뜨악하고 입을 벌렸다.

"말도 안 됩니다! 폭주하시면 어쩌시려고요!"

"아무것도 안 하고 있다가 폭주하는 것보단 낫지."

그제야 데미안의 얼굴에서 불안한 기색을 읽은 마몬은 입을 다물었다.

"걱정할 필요는 없다."

데미안이 손을 뻗자 어둠이 몰려들었다. 어둠은 곧 한 자루의 날카로운 검이 됐다. 이전에 해저 공원에서 봤던 검보다 크고 매서웠다. 데미안의 상태가 불안정하다는 것은 검을 통해 확실히 드러났다. 하지만 데미안의 얼굴은 그 어느 때보다 굳건하고 매서웠다.

"폭주하기 전에 시연을 되찾을 생각이니까."

그러면 모든 것이 만사 오케이였다. 처음부터 이렇게 할 걸 그랬다. 괜히 폭주할 걸 걱정해서 시간을 지체한 걸 후회하며 데미안은 한걸음에 전쟁터 속으로 파고들었다.

원래는 트랩이 있는 곳까지 천족 군단을 유인할 생각이었지만 데미안이 전쟁에 참여하면서 계획은 전면 수정됐다.

천계까지 단숨에 돌파해서 시연을 구해낼 것.

새로운 작전을 들은 마족들은 언제 주춤했느냐는 듯 앞을 향해 돌진했다. 갑자기 사나워진 마족의 기세에 이번엔 천족들이 주춤했다.

"으아아악!"

하물며 데미안이 직접 전쟁에 참여했으니 천족들의 위세는 급속도로 줄어들었다. 데미안은 새카만 깃털을 휘날리며 가장 근처에 있는 천족부터 베어냈다. 그 천족이 쓰러지기가 무섭게 뒤에서 오는 적을 보지도 않고 심장에 칼을 쑤셔 넣었다. 심장이 파열된 천족은 단말마의 비명을 지르며 한 줌의 빛이 되어 사라졌다.

거기서 그치지 않고 데미안은 눈에 보이는 적들은 족족 베어냈다. 대천사도 예외는 아니었다. 데미안을 막아야 된다는 일념하에 겁도 없이 덤벼든 라파엘은 데미안이 휘두르는 검에 명을 달리했다. 가브리엘을 대신해서 대천사 자리를 꿰찬 소우 역시 외마디의 비명도 제대로 지르지 못한 채 죽었다. 다른 천족과 달리 대천사는 죽어도 육신이 남기 때문에 데미안에게 당한 그들의 모습은 만천하에 똑똑히 공개됐다.

두 명의 대천사가 순식간에 처리되자 마족의 사기는 하늘 높은 줄 모르고 치솟았다. 마족들은 기세등등하게 천족들을 몰아냈고, 이에 주춤하던 천족들은 갑자기 뒤도 돌아보지 않고 도망쳤다.

그러나 천족 군단이 퇴각하는 것보다 데미안이 그들을 쫓는 것이 더 빨랐다. 순식간에 천족 군단의 중심으로 파고든 데미안이 바닥에 검을 내리꽂자, 검을 중심으로 주변에 검은 어둠이 아지랑이처럼 피어올랐다.

"크아아악!"

"사, 살려줘!"

잡을 수 없는 무형물인 어둠에서 도망치는 건 무리였다. 천족들의 처절한 비명이 천마의 경계에 가득 울려 퍼졌다. 그 형상이 얼마나 참혹한지 뒤따라오던 마족들조차 기겁하며 걸음을 멈출 정도였다.

그래도 그것뿐이었다면 데미안을 말려야겠다는 생각이 안 들었을 텐데, 데미안의 몸 주변에 부유하는 기운들이 불안하게 요동치기 시작했다. 폭주할 기미가 조금씩 보였다. 더 내버려두는 건 위험할 것 같았다.

"이젠 말리자."

처음으로 뜻이 맞은 7인의 검들이 자신들의 군주인 데미안을 막기 위해 달려가려는 그 순간…….

콰아아앙—.

하늘에서 수백 개의 빛줄기가 떨어졌다. 난데없는 폭격에 마몬을 비롯한 7인의 검들은 황급히 자리를 피했다. 미처 빛줄기를 피하지 못한 마족들은 단말마의 비명과 함께 새카맣게 타버렸다.

반면 빛줄기를 맞은 천족은 입고 있던 부상을 전부 회복했다.

타박, 타박—.

이렇게 강한 힘을 쓸 수 있는 천족은 단 한 명밖에 없었다.

신. 이번에 새로 신의 자리에 오른 우리스가 틀림없었다.

그들은 긴장하며 천계의 입구를 쳐다봤다. 데미안의 맹공에 흐트러져 있던 천족 군단이 일순간 정렬하면서 모세의 기적처럼 양쪽으로 쫙 갈라졌다. 그 사이로 유유히 걸어오는 이는 예상했던 대로 우리스였다. 그 뒤로 레미엘과 미카엘이 함께했다.

우리스를 발견한 데미안은 바닥에 꽂아두었던 검을 빼고 그를 돌아봤다.

"드디어 모습을 드러내는 건가."

우리스를 바라보는 데미안의 눈동자에는 흉흉한 기운이 감돌았다. 입꼬리는 비릿한 웃음을 한껏 머금으며 매끄럽게 위로 말려 올라갔다.

"생각보다 늦었군. 좀 더 늦게 나왔으면 비둘기 놈들이 전멸했을 텐데."

"미안하게 됐습니다. 일이 좀 있어서 늦었거든요."

우리스는 단순히 '일'이 있다고 말했지만 불길한 예감이 드는 건 들은 것이 있기 때문이었다.

"무슨 일이지?"

데미안은 우리스 쪽으로 한 발 가까이 다가서며 물었다. 그가 내딛은 땅은 원래의 색보다 더 새카맣게 변했다.

"뭐 때문에 늦은 거지?"

데미안의 속은 그것보다 더 새카맣게 타들어갔다. '혹시', '설마' 하는 불안한 단어들이 머릿속을 빙빙 맴돌았다. 꽉 쥔 주먹에는 시퍼런 핏줄이 돋아났다.

"이것 때문입니다."

데미안은 우리스가 던진 것을 가볍게 한 손으로 받았다. 그건 붉은색의 작은 구슬이었다.

"이게 뭐지?"

"기억의 구슬입니다."

"그건 알고 있다. 이걸 왜 나한테 주느냐고 묻는 거다."

"제가 말로 설명 드리는 것보다는 직접 보시는 편이 믿기 편하실 것 같아서요."

작은 배려라며, 우리스는 말도 안 되는 소리를 하며 웃었다.

괜한 술수를 부린 거라면 당장 저 목을 꺾어버리겠다고 생각하며 데미안은 구슬을 깼다. 그러자 구슬에 담겨 있던 기억들이 연기가 되어 데미안의 머릿속에 그려졌다.

기억은 철저하게 우리스의 시점에서 시작됐다. 기억의 시작점에 가장 먼저 보이는 건 그토록 보고팠던 시연이었다. 실제로 시연이 제 눈앞에 있는 것이 아닌 단순히 우리스의 기억을 통해 엿보는 것이었지만 그녀의 얼굴을 봤다는 사실 하나에 감정이 벅차올랐다.

시연은 종이에 뭔가를 열심히 쓰고 있었다. 뭘 그리 열심히 쓰는지는 모르겠지만 확실한 건 그녀가 무사하다는 것이었다. 그에 안도하며 가슴을 쓸어내리던 데미안은 곧 시연이 작은 약병을 집어 들자 눈을 크게 떴다.

'설마.'

아닐 거라고, 자신의 예상이 틀리길 간절히 바랐지만 불행히도 예상은 맞았다.

『마시면 안 돼!』

시연이 액체를 입안으로 흘려 넣는 순간, 어디선가 가온의 목소리가 들렸다. 동시에 시연은 검붉은 피를 토해내며 목을 감싸쥐었다. 그녀의 몸이 맥없이 옆으로 기울어졌다. 단순히 기억의 환상이라는 것을 알면서도 그녀를 구해주고 싶은 마음에 데미안은 손을 앞으로 뻗었다. 그러나 환상이 손에 잡힐 리가 없었다.

붉은 구슬이 보여주는 기억은 거기서 끝이었다. 데미안은 아무것도 잡지 못한 손을 꽉 움켜쥐었다. 바닥을 바라보는 데미안의 눈동자는 부질없이 흔들렸다. 그 눈동자는 곧 분노를 한껏 머금으며 우리스를 바라봤다.

"시연이……."

믿을 수가 없었다. 아니, 믿고 싶지 않았다.

"시연이 그 약을 마신 건가?"

어떻게 이걸 믿겠는가. 그녀가 치사율 99%에 달하는 약을 마셨다는 것을. 하지만 기억의 구슬이 보여주는 기억은 전부 진실이었다. 아무리 유능한 능력자라고 할지라도 기억을 조작할 수는 없었다.

"정말로 시연이 그 약을 마셨어?"

그래도 도저히 믿고 싶지 않은 데미안은 만약의 가능성에 모든 것을 걸며 물었지만 돌아온 대답은 무참했다. 우리스가 고개를 끄덕였다. 확실하게 시연이 그 약을 마셨다는 의미였다.

그 사실을 확인한 데미안의 두 무릎이 의지를 잃고 맥없이 꺾였다. 초점 없는 눈동자는 하염없이 바닥을 바라보고 있었다.

"아, 아닐 겁니다!"

상황이 얼마나 위험하게 흘러가는지 파악한 마몬은 황급히 데미안의 곁으로 나와 그에게 말했다.

"약을 마시긴 하셨지만 돌아가시진 않았을 겁니다. 그분이, 시연 님이 군주님을 두고 돌아가셨을 리가 없지 않습니까!"

"……."

"그러니까 살아 계실 겁니다. 반드시……!"

말을 하던 마몬은 무언가가 자신들 쪽으로 날아오자 반사적으로 손을 뻗어 받았다. 그건 천족의 보석이었다.

"시신을 돌려주고 싶었지만 애석하게도 대천사와 신을 제외한 천족은 죽으면 육신이 남지 않아서 말이야. 남기는 건 고작 보석뿐이지."

마몬에게 보석을 던진 건 우리스였다. 뒤이은 우리스의 말에 마몬의 눈동자 역시 크게 요동쳤다. 마몬은 마른침을 꼴깍 삼키며 제 손 안에 있는 보석을 쳐다봤다.

"설마……."

"그래."

불안하게 흔들리는 마몬을 보는 우리스의 눈동자가 기묘하게 빛났다.

"그게 그 여자의 마지막이다."

쿵—.

심장이 덜컹, 떨어졌다. 뒤늦게 소식을 들은 베르는 절망하며 무릎을 꿇었다.

그건 마몬 역시 마찬가지였다. 아니, 마몬이 무릎을 꿇은 건 절망했기 때문이 아닌 매서운 기운이 어깨를 짓눌렀기 때문이었다. 의지와 상관없이 바닥에 무릎을 꿇은 마몬은 들고 있던 보석을 떨어뜨렸다.

푸른 보석은 데구르르, 굴러가 데미안의 발치에서 멈췄다. 데미안은 천천히 허리를 숙여 천족의 보석을 주웠다. 슬픔이 깃든 데미안의 눈동자와 달리 보석은 영롱한 빛으로 반짝였다.

—데미안 씨.

시연의 목소리가 아지랑이처럼 귓가에 울려 퍼졌다. 그녀의 웃는 모습이, 울고 있는 모습이 파노라마처럼 머릿속에 그려졌다. 어떤 모습이든 너무 예쁘고 사랑스러워서 절로 미소가 나왔다. 저 얼굴을 다시 한 번 볼 수 있으면 소원이 없을 정도로.

한데 그녀가 죽었다고 한다. 육신도 남기지 않고 고작 이런 보석이 되어 영원히 사라졌다고 한다. 두 번 다시 그 얼굴을 볼 수 없을 뿐더러, 그 다정한 손길도 느낄 수 없고 달콤했던 체취도 맡지 못하게 됐다. 영원히.

시연이 죽었다는 사실을 알게 된 뒤 드는 감정은 절망이었다. 그 끝이 보이지 않는 깊고 잔인한 절망.

데미안의 뺨을 타고 눈물이 흘러내렸다. 절망을 고스란히 녹인 피눈물이었다. 날카로운 턱 선을 타고 떨어진 피눈물이 바닥에 떨어지는 순간, 그의 몸 안에 있던 기운들이 제멋대로 날뛰기 시작했다.

차시연이라는 이성의 끈이 사라지면서 더 이상 그의 이성을 붙잡아 줄 수 있는 것이 없기 때문이었다.

"마몬, 도망쳐!"

그 기운을 가장 근처에서 고스란히 받고 있는 마몬이 꼼짝도 하지 못하자 바알제붑은 짧게 욕설을 뱉으며 들고 있던 채찍으로 마몬의 팔을 옭아매고 마몬을 잡아당겼다.

"모두 피해!"

아스모데우스는 거칠게 외치며 날개로 몸을 감쌌다. 상급 마족까진 그럭저럭 움직일 수 있었지만, 그 이하 계급을 가진 마족들은 몸을 짓누르는 매서운 기운에 한 발짝도 떼지 못했다.

이대로 있다간 못해도 수천의 부하들을 잃는다. 그걸 지켜볼 수만은 없었기에 7인의 검은 도망치는 대신 합심해서 부하들을 지키기로 했다.

그렇게 7인의 검이 가지고 있는 기운들을 모두 방출하여 데미안의 기운에 맞서 싸우려는 순간…….

쿠우웅—.

"우아악!"

"아악!"

요란스러운 지진과 함께 바닥이 사방팔방으로 갈라졌다. 하늘에는 새카만 먹구름이 드리웠고, 구름은 곧 천둥 번개를 뱉어냈다. 하늘로도, 땅으로도 도망칠 수가 없는 상황이었다. 천마의 경계는 천마 전쟁을 벌일 때보다 더 아수라장이 됐다.

그나마 천족들은 이런 일이 일어날 것에 대비해서 철저하게 방어를 해두었기 때문에 무사했다. 아직 데미안의 힘이 완전하게 폭주한 것이 아니기 때문이기도 했다.

"크윽."

그래도 데미안의 힘은 위압적이었다. 7명의 힘을 모아 가까스로 데미안의 기운을 막아내고 있는 마몬은 저절로 굽혀지는 무릎을 땅에 붙인 채 앞을 쳐다봤다.

그러자 불길함의 중심에 있는 데미안이 보였다. 그의 몸은 어둠에 둘러싸여 있었다. 어둠은 마족에게 그 어느 것보다 친숙한 존재였지만, 데미안의 몸을 둘러싼 건 그보다 더 불길하고 무서웠다. 태어나서 처음으로 어둠에 대한 공포를 느낀 마몬의 얼굴은 하얗게 질렸다.

데미안의 주변에서 요동치던 기운들은 한순간에 뻗어나갔다. 목표는 천족, 정확히는 우리스였다. 그는 감히 시연을 죽인 그를 용서할 수가 없었다.

처음에는 호기롭게 데미안의 기운을 막아냈지만 점점 폭주하는 기운을 막아내기엔 이제 막 신으로 부임한 우리스에겐 무리였다.

쨍그랑—.

결국 우리스가 펼친 결계는 깨졌다. 우리스보다 앞에 있던 천족들은 어둠 속으로 사라졌다. 불길한 어둠들은 날카로운 검이 되어 맹렬하게 우리스에게 날아갔고, 그렇게 우리스의 목을 조이려는 순간…….

"여기까지 하자꾸나, 저주받은 아이야."

창조주가 등장했다.

어디선가 새가 지저귀는 소리가 들렸다. 살랑거리는 바람을 타고 꽃 내음이 물씬 풍겼다. 굉장히 향기로웠다. 무슨 꽃인지 알고 싶을 만큼.

"……."

잠에서 깬 시연은 멍하니 구름 한 점 없는 하늘을 바라봤다. 뭔가 아주 중요한 것을 잊고 있는 것 같은데 그게 뭔지 기억나지 않았다. 아무리 머리를 굴려봐도 마찬가지였다. 머릿속이 안개라도 낀 듯 뿌옇게 흐렸다. 처음에는 잠에서 덜 깨서 그런 건가 싶었는데 잠에서 완전히 깬 뒤에도 여전히 아무것도 떠오르지 않았다.

'그럼 중요하지 않다는 거겠지.'

중요한 거라면 잊을 리가 없으니까. 그러니 굳이 생각할 필요가 없다고 생각한 시연은 생각을 털어냈다. 아니, 정확히는 몸이 무언가에 얻어맞은 듯 너무 아파서 신경 쓸 수가 없었다. 팔과 다리부터 시작해서 어디 한 군데도 안 아픈 곳이 없었지만 가장 아픈 곳은 배였다. 특히 아랫배가 너무 아팠다. 지독한 고통이었다. 마치 끔찍한 생리통을 겪는 것 같았다. 그래서 가만히 누워 있던 시연은 어느 순간 고통이 사라지자 몸을 일으켰다.

가장 먼저 보이는 건 가슴이 탁 트일 정도로 광활한 들판이었다. 들판의 중간에는 푸른 강물이 흘러내리고 있었다. 싱그럽게 깔린 풀잎들은 시연을 반기는 듯 하늘하늘 고갯짓을 했다.

"이제 왔구나."

그 모습을 한참이나 바라보던 시연은 뒤에서 그리운 목소리가 들리자 고개를 돌렸다. 그러자 목소리보다 더 그리운 얼굴이 보였다.

"엄마……."

바로 마족의 모습을 하고 있는 레아였다. 시연이 그녀를 부르자 레아는 옅게 웃으며 대답했다.

"그래, 시연아."

이미 오래전에 대답을 잃은 단어라고 생각했다. 7년 전, 레아가 사라진 이후 대답을 받을 수 없을 거라고 여겼는데 돌아온 대답에 눈물이 왈칵 쏟아졌다.

그 모습이 안쓰러웠는지 레아가 슬픈 얼굴로 두 팔을 벌렸다. 시연은 단박에 자리에서 일어나 그 품에 달려가 안겼다. 참으로 오랜만에 안겨보는 품이었다.

물씬 풍겨오는 익숙한 체취에 감정이 더욱 북받쳤다. 시연은 좀 더 깊이 그 냄새를 맡기 위해 레아의 품을 파고들었다. 레아는 그런 시연의 등을 다정하게 쓰다듬어주었다.

"이제 영원히 엄마랑 함께 있자."

'영원히'라는 단어가 가슴에 쿡, 꽂혔다.

"엄마가 계속 곁에 있어줄게."

원하던 바였기 때문에 시연은 격하게 고개를 끄덕였다. 그러자 레아가 부드럽게 웃으며 시연을 뒤로 밀어냈다. 그리고 손을 내밀었다. 잡으라는 의미였다.

『……돼.』

그 손을 잡으려는데 누군가의 목소리가 들렸다. 귀를 기울이지 않으면 잘 들리지 않을 정도의 작은 목소리였다.

『……살아…… 돼.』

“저런 목소리는 듣지 않아도 돼.”

그 목소리를 쫓아 주변을 두리번두리번 살피니 레아가 부드럽게 웃으며 시연의 귀를 막았다. 그 작은 목소리조차 듣지 못하게 된 시연은 다시 레아를 쳐다봤다. 레아는 여전히 웃고 있었다. 눈물이 날 정도로 다정하고 자상한 얼굴이었다.

“시연이는 엄마랑 함께 갈 거지?”

레아는 시연의 뺨을 다정하게 쓸어내리며 물었다.

『시연이는 엄마랑 같이 가면 안 돼.』

그런 레아의 모습 위로 누군가의 모습이 겹쳐 보였다. 장미꽃처럼 화려한 레아와 달리 백합과 같이 수수한 여자였다.

“엄마 혼자 가기엔 너무 외로워. 그러니까 시연이가 같이 가줘.”

『꼭 엄마 혼자 가야 해. 그러니까 시연이는 여기 남아 있어.』

처음에는 너무 흐릿해서 누군지 알아보지 못했는데 곧 그 여자가 레아라는 사실을, 정확히는 인간 모습의 레아, 차시숙의 모습이라는 걸 알아챈 시연은 눈을 크게 깜빡였다. 머릿속에 낀 뿌연 안개가 사라지면서 잊고 있었던 일이 조금씩 떠올랐다. 7년 전, 그날의 일이.

그날은 유난히도 비가 많이 왔었다. 하늘에 구멍이 뚫린 것 같았다. 쏟아지는 빗줄기에 거리는 이른 시간부터 텅텅 비었다. 시연 역시 친구와의 약속을 취소하고 하루 종일 집에 있었다.

하루 종일 TV만 보니 졸음이 쏟아져 소파에 앉아 꾸벅꾸벅 졸고 있는데 끼익, 현관문 열리는 소리가 들렸다. 시연은 몽롱한 상태로 문 쪽을 돌아봤다. 그러자 커다란 짐 가방을 들고 있는 레아가 보였다.

"엄마, 어디 가?"

여행 가는 건가? 그런 이야기는 듣지 못했는데.

짐 가방을 들고 있다는 것에 다소 놀란 시연이 묻자, 레아가 다소 어색하게 웃으며 그녀를 바라봤다.

"깼어?"

"응. 어디 여행 가는 거야? 그런 거면 나도 같이 가."

"아니, 시연이는 엄마랑 같이 가면 안 돼."

시연이 작게 투정하며 말하자 레아는 단호하게 고개를 저었다.

"꼭 엄마 혼자 가야 해. 그러니까 시연이는 여기 남아 있어."

"뭐야, 그게. 나 빼놓고 어디 좋은 곳에 가려고 하길래 그러는 거야."

"좋은 곳이라……."

레아의 입가에 순간 씁쓸한 미소가 그려졌다. 레아는 언제 그런 미소를 지었느냐는 듯 환하게 웃으며 고개를 끄덕였다.

"맞아, 엄마 혼자 좋은 곳에 가려는 거야. 그러니까 시연이는 여기 있어."

레아는 단호하게 한 번 더 말한 뒤 집을 나섰다. 레아가 종종 어디 간다고 말하지 않고 사라진 적은 있었지만 지금처럼 짐 가방을 싸 들고 나간 적은 단 한 번도 없었다. 그래서 불길한 예감이 들었다. 레아가 영영 돌아오지 않을 것 같은 그런 예감 말이다. 시연은 황급히 현관 밖으로 나갔지만 이미 레아의 모습은 보이지 않았다. 베란다를 통해 밖을 확인해도 마찬가지였다.

'곧 돌아오시겠지.'

엄마가 저를 두고 갈 리가 없으니까. 그러니 반드시 돌아올 거라고 생각했건만 레아는 3일이 지나도 돌아오지 않았다. 집 그 어디에도 레아의 흔적은 남아 있지 않았다. 마치 이 집에서 살지 않았던 것처럼 말이다. 작정하고 사라진 것이 아니라면 이럴 수가 없었다.

'엄마가 나를 두고 사라졌을 리가 없어.'

무슨 일이 있는 것이 틀림없었다. 예를 들면, 어느 이종족이 엄마한테 협박을 했거나, 정신 지배 같은 이상한 주술을 건 것이 틀림없었다. 그렇게 생각한 시연은 경찰서에 실종 신고를 하는 건 물론 라오스에 도움을 요청했지만 시연에게 사정 설명을 들은 그들은 단순히 가출 사건으로 치부하며 도와주지 않았다. 그것이 시연이 그들에게 불신을 가지게 된 이유였다.

그렇게 7년이라는 세월이 흘렀다. 그동안 애타게 찾던 레아의 행방은 데미안을 만나고, 여러 일들을 겪으면서 하나둘씩 알게 됐다. 그녀가 왜 갑자기 사라졌는지, 그리고 왜 그래야만 했는지.

"자, 어서 내 손을 잡아."

그렇게 7년 전에 사라졌던 레아가 다시 눈앞에 등장했다. 그때와는 달리 같이 가자고 손을 내밀면서.

"……아니야."

시연은 고개를 저으면서 뒤로 물러났다. 어느새 범람한 강물이 넘쳐나 발목을 적셨다. 맑았던 하늘은 구름이 잔뜩 끼면서 비가 주륵 흘러내렸다.

"당신은…… 우리 엄마가 아니야. 엄마라면 나한테 같이 가자고 할 리가 없어."

시연은 자신이 살 확률이 1%밖에 되지 않는 독약을 마신 것까지 전부 기억해냈다. 그러니 제 예상이 맞다면 자신은 삶과 죽음 사이에서 허우적거리고 있는 상태였다.

"당신 누구야?"

그런 상황에서 불쑥 나타난 이가 석연치 않게 느껴지는 건 당연했다. 하물며 레아의 탈을 쓰고 레아인 척하고 있으니 더욱 수상하게 느껴졌다.

"누구길래 나를 데리고 가려는 거야?"

"정말이지, 어미나 딸년이나 날 귀찮게 하는 건 똑같구나."

레아의 얼굴이 한순간 일그러지더니 어느새 어둠에 휩싸였다.

크르릉—.

다시 어둠 속에서 나온 자는 더 이상 레아라고 부를 수가 없었다. 괴물이었다. 기겁하며 한 걸음 더 뒤로 물러선 시연은 무언가에 걸려 넘어졌다. 순식간에 몸이 물속으로 빨려 들어갔다.

"컥!"

그것만으로도 괴로운데 더 괴로운 건 따라 들어온 괴물이 제 목을 조른다는 것이었다. 숨을 쉴 수 없는 폐가 고통을 호소했다. 시연은 제 목을 조르고 있는 괴물의 손을 치우기 위해 발버둥을 쳤지만 어찌나 힘이 센지 좀처럼 떨어지지 않았다. 그렇게 한참 동안 발버둥을 치던 시연의 손에 잡힌 건 돌이었다. 시연은 있는 힘껏 돌로 괴물의 머리를 내려찍었다.

키에에엑—.

그러자 괴물은 기이한 소리를 내며 떨어져나갔다. 시연은 그 기회를 놓치지 않고 괴물의 손아귀에서 벗어났다. 분명 수영을 배운 적이 없었는데 어째서인지 수영을 할 수 있었다. 살고자 하는 의지 때문인 것 같았다.

하늘 높이 차오른 물 밖으로 도망치기 위해 시연은 있는 힘껏 헤엄을 쳤다. 조금씩 수면이 가까워졌다. 그렇게 수면 밖으로 거의 나가려는 찰나…….

쿠아아악!

"……!"

괴상한 어둠이 시연의 얼굴을 덮쳤다. 정확히는 눈이었다. 불로 지진 것처럼 화끈한 고통이 느껴졌다. 시연은 두 손으로 눈을 가린 채 몸을 웅크렸다. 미처 다 가리지 못한 손 틈 사이로 진득한 피가 흘러나왔다. 그사이 몸은 다시 물속으로 가라앉았다. 눈을 신경 쓰느라 시연은 도망칠 생각도 하지 못하고 계속 하염없이 가라앉았다.

『……돌아와!』

그때였다. 아까 희미하게 들렸던 목소리가 좀 더 선명하게 들린 것은.

『네가 돌아와야 모두가 살아!』

동시에 누군가 팔을 잡아 수면 위로 끌어올렸다. 물만 가득했던 폐에 신선한 공기가 들어왔다.

눈을 부상당한 탓에 여전히 앞은 보이지 않았지만 빛은 감지할 수가 있었다. 시연은 눈을 감은 상태에서도 선명하게 보이는 빛을 향해 손을 내밀었다. 곧이어 환한 빛이 시연을 덮쳤다.

"헉"

거친 숨이 터져 나왔다. 정신이 번쩍 드는 것과 동시에 엄청난 고통이 엄습하자 시연은 원초적인 비명을 지르며 몸을 웅크렸다.

"아악, 아아악!"

누군가 불쏘시개로 찌르는 것 같은 느낌이었다. 너무나도 아팠다. 아파서 죽는다는 것이 어떤 건지 확실히 알 수 있을 정도였다. 이 고통에서 해방될 수 있다면 기꺼이 죽을 수 있겠다는 생각이 들 정도였다.

"괜찮습니다."

그런 시연의 몸을 부드럽게 매만지는 손길이 있었다. 열에 가득 차오른 몸과 달리 차갑고 서늘한 손길이었다.

"괜찮으니까, 이 약을 마셔요."

곧이어 입가에 무언가가 흘러들어왔다. 이걸 먹으면 아프지 않을 거라는 달콤한 말에 시연은 그것이 뭔지 확인도 하지 않고 무작정 마셨다. 차가운 손만큼이나 그것 역시 차가웠다. 목구멍으로 넘어가는 서늘한 느낌은 굉장히 좋았다. 그녀를 속이려는 건 아니었는지 조금씩 고통이 사라졌다. 완전히 사라진 건 아니었지만 이 정도면 견딜 만했다.

그제야 숨을 편안하게 쉴 수 있게 된 시연은 크게 숨을 토해냈다. 그리고 여전히 저를 다정하게 매만져주는 차가운 손길을 확인하기 위해 고개를 돌렸다.

"괜찮습니까?"

그러자 상대가 다정한 음성으로 물었다. 익히 알고 있는 목소리였다.

"가온……."

"다행이군요. 정신이 들어서."

깊게 안도하는 목소리에는 진심이 듬뿍 담겨 있었다.

아무래도 가온이 정신을 잃은 자신을 보살펴준 모양이었다. 시연은 눈을 크게 깜빡였다.

"여긴……?"

"아직 제 집입니다. 아니, 이제는 제 집이라고 말할 수 없겠군요."

그리 말하며 가온은 한숨을 푹 내쉬었다. 이해할 수 없었지만 이해하려고 노력하지 않았다. 지금은 그런 걸 신경 쓸 여유가 없었다.

"정말 무모합니다."

안심하며 크게 숨을 토해내는 것도 잠시, 가온은 매서운 목소리로 시연을 타박했다.

"만약 죽었으면 어쩌려고 그 약을 마십니까! 살 확률이 1%밖에 안 된다는 걸 모르지도 않으면서!"

"……죄송해요."

"이게 죄송하다는 말로 될 일입니까? 천운이 도와서 망정이지 만약 당신이 죽었다면……."

매서운 목소리는 곧 물기로 축축하게 젖었다. 곧이어 뺨 위로 따뜻한 무언가가 툭 떨어졌다. 가온이 흘린 눈물이라는 건 굳이 확인하지 않아도 알 수 있었다. 눈물을 흘린 것이 창피했는지 가온은 한참 동안이나 말이 없었다.

"……근데요."

그제야 말할 기회를 잡은 시연은 굉장히 의아해하며 가온에게 물었다.

"왜 불을 켜지 않는 거죠?"

"……네?"

그러자 가온이 얼빠진 목소리로 되물었다.

"너무 캄캄하다고요. 아무것도 안 보여요."

제 말을 듣지 못한 것 같아 시연은 다시 한 번 눈을 크게 깜빡이며 가온에게 물었다.

"뭔가 특별한 이유가 있는 것이 아니라면, 불을 켜줬으면 좋겠는데요?"

부탁을 했으면 뭔가 대답을 하거나 행동이 있어야 하는데 그는 말이 없었다. 그렇다고 조명이 켜진 것도 아니었다.

"저기요?"

다시 한 번 부르자 그가 깊은 한숨을 내쉬었다. 곧이어 부스럭거리는 소리가 들렸다.

"죄송한 말이 되겠지만 불은 아까부터 켜져 있었습니다."

믿을 수 없는 이야기였다. 아까부터 불이 켜져 있었다니. 이렇게 어두운데 무슨 소리를 하는 건지 모르겠다.

"저 놀리시는 거죠?"

"……불행히도 그건 아닙니다."

"그럼 왜 이렇게 어두운…… 윽."

"이러면 이해가 되십니까?"

순간적으로 눈을 강타하는 환한 빛에 반사적으로 눈이 감겼다. 그걸 본 가온은 그나마 불행 중 다행이라며 나지막하게 숨을 토해냈다.

그리고 눈을 강타했던 빛은 사라졌다. 한데 여전히 보이는 건 아무것도 없었다. 눈이 부실 정도로 밝은 빛을 감지하는 것 외에 아무것도 보이지 않았다. 이렇게 밝은데 아무것도 보이지 않다니. 뭔가 이상했다. 그것도 아주 많이.

"이게…… 뭐죠?"

그리고 그 이상함은 한 가지 결론을 내렸다. 아닐 거라고, 그럴 리가 없다고 생각하면서도 내린 결론을 부정할 수가 없었다.

"왜 이런 거예요?"

말을 하는 시연의 목소리가 부질없이 떨렸다. 그보다 더 떨리는 손을 더듬더듬 내밀어 시연은 제 앞에 있는 가온의 팔을 잡았다. 앞이 여전히 보이지 않아 정확히 팔을 잡은 건지는 알 수가 없었다.

"설마…… 나, 눈이 먼 거예요?"

가온은 대답하지 않았지만 그건 긍정이나 다름없었다. 절망이었다.

시연은 덜덜 떨리는 손을 눈으로 가져갔다. 여전히 아무것도 보이지 않는, 제 기능을 잃어버린 눈을 향해서.

시각은 잃었지만 눈물을 흘리는 기능은 사라지지 않은 건지 하염없이 눈물이 흘러내렸다. 가온의 앞에서 꼴사납게 울고 싶지 않았지만 도저히 흘러내리는 눈물을 제어할 수가 없었다.

어떻게 제어하겠는가. 하루아침에 장님이 되어버렸는데. 목숨을 건진 건 정말 다행이었지만 그렇다고 장애가 생긴 것을 다행으로 여길 순 없었다.

"그래도 강한 빛에 반응을 보이는 걸 보면 완전히 눈이 먼 건 아닌 것 같습니다."

가온은 한숨을 푹 내쉬며 손수건으로 시연의 눈물을 닦아주었다.

"그러니 언젠가 다시 보이게 될 날이 올 겁니다. 지금은 그저 무사히 깨어난 것에 감사하세요."

"……."

"아니, 감사는 제가 해야 할 것 같군요. 덕분에 그 남자를 막을 수 있게 됐으니까."

멍하니 눈물을 흘리고 있던 시연은 '그 남자'라는 말에 비로소 반응을 보였다. 초점이 흐릿한 눈동자에 가온의 모습이 가득 담겼다. 그러나 그녀는 가온이 어떤 얼굴을 하고 있는지 전혀 보지 못했다. 시연은 더듬더듬 손을 뻗어 가온의 옷깃을 잡으며 물었다.

"천마 전쟁은요? 데미안 씨는 무사한 가요? 설마 폭주한 건 아니죠?"

"천마 전쟁은 일어났지만 그 남자는 무사합니다."

시연은 두서없이 말을 꺼냈지만 가온은 침착하게 대답했다.

"아직은 말이죠."

"아직은? 그게 무슨 말이죠?"

"이대로 내버려두면 곧 폭주할지 모른다는 이야기입니다. 무슨 바람이 분 건지 그 남자, 직접 전쟁에 참여했거든요."

가온의 말이 사실이라면 더 지체할 수 없었다. 시연은 곧장 자리를 박차고 일어났다. 한시라도 빨리 데미안에게 돌아가야만 했다.

"앗!"

하지만 앞이 제대로 보이지 않아 어디가 침대의 끝인지 가늠하지 못한 시연은 볼품없이 침대 아래로 떨어졌다. 가온이 서둘러 붙잡아주지 않았다면 그대로 바닥에 부딪혔을 것이다.

"아직은 시간이 있으니 너무 조급해할 필요는 없습니다."

가온은 안타깝다는 어조로 말하며 시연을 부축했다.

"제가 그 남자가 있는 곳까지 데려다주겠습니다."

아이러니했다. 불과 며칠 전만 해도 세상 그 무엇보다 믿지 못했던 남자를 믿고 의지해야 하는 날이 올 줄이야. 기분이 오묘했다.

물론 가온을 믿고 의지하지 않을 이유는 없었다. 레아의 편지를 봤고, 가온에게 모든 사정을 들었으며 지금도 저를 이렇게 도와주려고 하고 있었으니까. 한데도 선뜻 그가 내민 손을 잡을 수가 없는 건 아마 과거에 당한 일이 마음속에서 지워지지 않았기 때문일 것이다.

하지만 지금은 의지해야 했다. 눈이 멀어버린 탓에 그를 의지하지 않고는 한 발짝도 나설 수가 없었으니까.

"잘 부탁해요."

그래서 그에게 의지하며 조심스럽게 일어서려는데 쿵, 하고 거친 지진이 일어났다. 그 때문에 시연은 일어서지 못하고 다시 자리에 주저앉았다. 그뿐만 아니라 지독한 두통이 느껴졌다. 무시무시한 힘으로 제 머리를 쥐어짜는 느낌이었다. 동시에 섬뜩하고 불길한 기운이 느껴져 속이 울렁거렸다.

"이게…… 뭐죠?"

"……그 남자가 폭주한 모양이군요."

"뭐라고요?"

가온의 말에 깜짝 놀란 시연은 그대로 자리에서 벌떡 일어섰다.

"그럼 이대로 있을 것이 아니라 어서 가야죠!"

데미안을 구해야 한다는 마음만 앞선 시연은 순간 앞이 보이지 않는다는 것을 잊고 막무가내로 걸어가다가 탁자에 부딪혔다. 정강이에서 시큰한 고통이 느껴졌다. 눈물이 핑 돌 정도로 아파서 선뜻 발을 내딛지 못하고 있는데 어깨를 감싸는 차가운 손길이 느껴졌다.

"말하지 않았습니까. 제가 그 남자가 있는 곳까지 데려다주겠다고."

"……."

"자, 어서 가시죠."

몸이 붕 떴다. 가온이 시연을 번쩍 안아 든 것이었다. 그의 품에 안기는 건 싫었지만 데미안에게 가려면 다른 선택 사항이 없었다. 시연은 이전처럼 반항하지 않고 얌전히 그의 품에 안겨 있었다.

앞이 보이지 않으니 다른 감각들이 매우 민감해졌다. 얼굴에 스치는 바람이 칼날처럼 굉장히 날카롭게 느껴졌다. 가온이 속도를 내고 있다는 의미였다.

몸이 튕겨져나갈 것 같아 시연은 가온의 옷깃을 잡은 손에 힘을 주었다.

우르르, 쾅—.

"꺅!"

난데없이 거대한 천둥소리가 들리자 시연은 화들짝 놀라며 가온의 품으로 파고들었다. 그러자 시연을 안은 가온의 손에 힘이 들어갔다.

"거의 다 왔습니다."

가온의 말과 함께 이마 위로 차가운 무언가가 툭 떨어졌다. 눈물인 것 같기도 하고 땀인 것 같기도 했다.

"조금…… 괴롭군요."

아무래도 땀인 모양이었다. 시연은 가온의 말에 침묵으로 긍정을 표했다. 바람이 스쳐 지나가는 만큼 무겁고 음침한 기운이 어깨를 짓눌렀다. 분노인 것 같기도 했다. 몸이 저절로 움츠러들면서 꽉 쥔 주먹에 땀이 축축하게 고였다.

"이건 데미안 씨가 폭주했기 때문에 생긴 기운인가요?"

"아마도요. 아니, 확실할 겁니다. 그 남자 말고는 이런 기운을 내뿜을 수 있는 이가 없으니까요."

가온의 확답에 시연의 걱정은 더욱 짙어졌다. 시연은 데미안의 이름을 작게 읊조리며 깊은 한숨을 내쉬었다. 마음이 초조해졌다. 한시라도 빨리 그에게 가고 싶었다.

앞에서 불어오던 바람은 갑자기 아래에서부터 위로 치고 올라왔다. 가온이 급속도로 하강하는 것이었다.

"여기서부턴 날아갈 수가 없습니다."

가온이 착륙한 곳은 천계의 남동쪽 경계였다. 천마 전쟁이 일어나는 곳은 남쪽 입구 근처였지만, 그쪽으로 가면 우리스를 비롯해서 다른 천족들에게 들킬 위험이 있었기에 일부러 우회한 것이었다.

하지만 폭주한 데미안의 힘이 이곳까지 영향을 미쳐 더 이상 날아갈 수가 없었다. 걸어가기에는 제법 거리가 있었지만 그래도 천족의 눈에 띄지 않고 이곳까지 온 것만으로도 다행이었다.

"걸어가야 할 것 같은데, 괜찮겠습니까?"

가온은 시연을 내려주며 물었다. 시연은 얼굴에 흐르는 땀을 닦으며 고개를 끄덕였다.

"네, 괜찮아요."

몸이 더 무거워졌다. 온몸을 짓누르는 불쾌하고 꺼림칙한 기운 때문이었다. 독약을 먹고 깨어난 지 얼마 되지 않았기 때문에 더욱 몸을 움직이는 것이 불편했지만 그대로 주저앉아 있을 순 없었다.

더 늦기 전에 데미안을 구하러 가야 했다. 앞이 보였다면 데미안을 향해 전력 질주를 했겠지만 그게 아니니 한 발, 한 발 내딛는 것이 조심스러울 수밖에 없었다. 시연은 가온에게 의지한 채 데미안이 있는 곳으로 걸어갔다.

쾅, 쾅—.

"으아악!"

무언가가 부서지는 소리와 함께 누군가의 처절한 비명이 들렸다. 한둘이 아니었다.

지진이라도 일어난 듯 바닥이 울퉁불퉁해서 시연은 계속해서 넘어질 뻔했지만 가온이 붙잡아준 덕분에 넘어지진 않았다.

"괜찮으십니까?"

"네, 괜찮아요."

가볍게 대답하며 시연은 앞을 쳐다봤다.

여전히 눈은 보이지 않았지만 데미안과의 거리가 가까워진다는 것은 점차 강하게 느껴지는 불길한 기운들을 통해 확실하게 알 수 있었다. 그리고 시연은 불길한 기운 사이로 비통한 울부짖음을 느꼈다.

그건 시연을 잃어버린 데미안의 원통함이었다. 그 감정이 너무나도 적나라하게 느껴져 시연은 저도 모르게 눈물을 흘렸다.

"윽."

한 발, 한 발 내딛는 것이 두려웠다. 몸이 찢어지는 것 같은 기분이 들었기 때문이다.

"하아, 하아……."

하지만 걷는 걸 멈출 수가 없었다. 데미안과의 거리가 점차 가까워지면서 더 이상 앞으로 나아갈 수 없는 상태가 된 가온은 바닥에 주저앉았지만 시연은 홀로 앞을 향해 걸어갔다. 돌부리에 걸려 넘어져 온몸이 상처투성이가 돼도 개의치 않았다.

"여기까지 하자꾸나, 저주받은 아이야."

그렇게 한참을 걸어가고 있는데 누군가의 목소리가 들렸다.

"이제 그만 편하게 쉬려무나."

처음 듣는 목소리였지만 그녀가 노리는 것이 데미안이라는 걸 본능적으로 눈치챈 시연은 허겁지겁 달렸다.

"아악!"

하나 앞이 보이지 않는 상태에서 뛰는 건 바보 같은 짓이었다. 또 돌부리에 걸려 넘어졌을 뿐만 아니라 이번엔 다리를 삔 건지 발목이 시큰하게 아파왔다. 그래도 멈출 순 없었다. 시연은 이를 악물고 다시 자리에서 일어섰다. 그리고 절뚝거리며 앞을 향해 나아갔다.

"저 여자는?"

그런 시연을 가장 먼저 발견한 건 우리스였다.

설마 진짜로 1%의 기적이 일어났단 말인가. 죽은 줄만 알았던 시연이 살아 돌아왔다는 사실에 우리스는 경악을 금치 못했다.

"시, 시연 님!"

뒤이어 시연을 발견한 베르가 그녀의 이름을 힘차게 불렀다. 마몬 역시 시연을 발견하고 황급히 그녀에게로 달려갔다.

"역시 살아 계셨군요!"

"이 목소리는…… 마몬 씨?"

마몬의 목소리를 들은 시연이 그를 찾으려는 듯 주변을 둘러보자 마몬의 눈매가 작게 일그러졌다. 시연이 뭔가 이상하다는 것을 눈치챈 것이다.

"시연 님, 눈이……."

곧 시연의 눈동자에 초점이 흐릿하다는 것을 발견한 마몬은 눈을 크게 떴다. 거기에 그녀의 행동까지 더해봤을 때 지금 시연이 앞이 보이지 않는다는 건 바보라도 유추해낼 수 있을 것이다.

결국 손을 뻗어 마몬의 팔을 잡은 시연은 그제야 마몬의 위치를 정확하게 파악했지만 그의 얼굴 위치까지 정확하게 파악하지 못하고 좀 더 위를 바라보며 말했다.

"데미안 씨는 어디 있죠? 절 그에게 데려다주세요."

"……알겠습니다."

시연 님께서 앞을 볼 수가 없다니. 그 사실에 충격을 받아 멍하게 있던 마몬은 곧 정신을 차리고 시연을 부축하는 것과 동시에 데미안을 죽이려는 창조주를 향해 다급히 소리쳤다.

"잠시만, 잠시만 기다려주십시오, 창조주시여!"

데미안을 죽이려는 듯 검을 높게 치켜든 창조주의 손이 멈칫했다. 마몬을 돌아본 창조주는 곧 그의 부축을 받고 이곳으로 오고 있는 시연을 발견하고 묘한 미소를 지었다.

"생각보다 늦었구나, 아이야."

여러 의미가 내포된 말이었다. 그 말에 천족은 물론 마족들까지 술렁거렸지만 여전히 데미안은 응답이 없었다. 마음의 문을 닫는 것과 동시에 귀를 닫은 탓이었다.

"아니, 많이 늦었지. 이미 이 아이는 폭주했으니까."

"……."

"그러니 포기하려무나. 이 상태가 된 그를 다시 원상태로 돌리는 건 거의 불가능해."

"……거의 불가능하다면 가능성이 1%라도 있다는 거네요."

시연은 마몬의 부축을 받지 않고 똑바로 서서 창조주를 바라봤다. 여전히 앞은 보이지 않았지만 창조주가 어디 있는지는 알 수 있었다. 불길하고 슬픈 기운 사이로 깨끗하고 청량한 기운이 확연하게 느껴졌기 때문이다.

"1%의 확률이라도 있다면 전 거기에 모든 걸 걸겠어요."

시연이 과거 데미안이 했던 말과 똑같은 말을 한다는 사실에 창조주의 눈이 살짝 커졌다.

"내가 허락하지 않는다면?"

그것도 잠시, 창조주는 위엄 가득한 목소리로 되물었다. 그 얼굴이 안 보이는 탓인지, 아니면 상대가 창조주라는 것을 모르기 때문인지 시연은 조금도 주춤하지 않고 대답했다.

"그래도 하겠어요."

"내가 누군지 모르니 그런 말을 하는 것 같은데, 나는 창조주이니라."

팔을 넓게 펼치는 창조주의 모습에선 어마어마한 기백이 흘러나왔다. 보이지 않아도 그건 느낄 수 있었기 때문에 시연은 잠시 주춤했다.

"내가 허락하지 않는 일은 절대 일어날 수가 없다."

"……그럼 제가 태어난 것도 당신이 허락한 일인가요?"

그것도 잠시, 시연은 굴하지 않고 물었다.

"데미안 씨가 저런 몸으로 태어난 것도 당신이 허락한 일인가요?"

그럴 리가 없다고 생각하며 물었는데 예상했던 대로인지 창조주는 대답하지 않았다.

"그러니까 하겠어요."

덕분에 용기를 얻은 시연은 창조주와 데미안이 있는 쪽으로 한 발 내디디며 말했다.

"당신이 말리더라도, 전 데미안 씨를 구하러 갈 거예요."

당돌하기 그지없는 말에 그녀를 물끄러미 바라보던 창조주의 눈이 곧 유쾌하게 휘었다.

"……재미있구나."

창조주는 들고 있던 검을 바닥에 내리꽂은 뒤 한걸음에 시연의 앞으로 다가갔다. 창조주가 꽂은 검은 일시적으로 데미안의 힘이 사방팔방 뻗어나가는 걸 막아주었다.

그런 창조주의 행동에 마몬은 약간 놀라며 한 발 뒤로 물러섰지만, 창조주가 제게 다가온 것을 모르는 시연은 무덤덤하게 서 있었다.

"그래, 한번 해보거라."

창조주는 시연의 귀에 대고 속삭이듯 말했다. 멀찍이 들리던 목소리가 귓가에서 들린다는 것에 그제야 창조주가 다가온 것을 알아챈 시연은 흠칫 놀라며 어깨를 떨었다.

"단, 실패한다면 네 목숨도 없다. 그래도 할 거니?"

"……데미안 씨가 없는 세상에서 살고 싶은 생각은 없어요."

어쩜 이 생각 역시 둘이 똑같은지. 사랑하면 닮는다더니 그 말이 맞는 모양이었다.

창조주는 옅게 웃으며 시연의 등을 가볍게 밀었다. 시연은 약간 떠밀리듯 데미안을 향해 걸어갔다. 앞으로 나아갈수록 몸을 짓누르는 고통은 더욱 심해졌다. 그나마 다행인 건 나아가는 걸음을 방해하는 장애물이 없어 넘어지지 않았다는 것이었다.

어디까지 걸어가야 하는 건지, 혹시 데미안을 지나쳤으면 어쩌나 걱정이 된 시연은 소심하게 몇 발짝 내디딘 뒤 불길한 기운이 강하게 느껴지는 쪽으로 손을 뻗었다.

"데미안 씨."

그리고 자그마한 목소리로 데미안의 이름을 불렀다.

"데미안."

조금 건방질지는 몰라도 '씨'를 빼고도 한 번 불러봤다. 솔직히 말해서, 예전부터 이렇게 불러보고 싶었다.

"데미안, 데미안."

그러면서 한 발 더 앞으로 내디뎠다. 시연의 부름에 응답하기라도 하듯 불길한 기운들이 너울너울 움직이기 시작했다. 곧 불길한 기운들은 가시처럼 날카롭게 날을 세우며 시연을 겨냥했다. 마치 제 몸을 지키려는 고슴도치 같았다.

온몸이 짓눌리듯 아파오면서 저절로 상체가 수그러들었지만 시연은 포기하지 않았다. 되레 기운들이 날카롭게 저를 노린 덕분에 그가 어디 있는지 좀 더 명확하게 알 수 있었다.

"저예요, 데미안 씨."

시연은 정확하게 데미안 쪽으로 한 발 내디디며 말했다.

"절 못 알아보시는 건가요?"

조금은 원망 섞인 목소리가 벼락처럼 가슴을 파고들었다. 그때까지만 해도 멍하니 허공을 바라보던 데미안의 눈동자가 움직였다.

그러자 저를 향해 손을 뻗고 있는 시연이 보였다. 그녀가 시야에 들어오니 제 이름을 부르는 달콤한 목소리와 부드럽게 웃는 얼굴이 한껏 머릿속을 가득 채웠다.

'창조주가 만들어낸 환상인가?'

죽기 전에 그토록 보고픈 연인의 얼굴을 보라고?

충분히 가능성은 있었다. 그래서 가슴을 크게 들썩이며 물끄러미 시연을 바라보던 데미안은 곧 바람을 타고 느껴지는 그녀의 체취를 맡고 눈을 크게 떴다. 이건 환상이 아니었다. 전부 사실이었고, 그녀는 죽지 않고 살아 있었다.

타악―.

그 사실을 자각하자마자 데미안은 단박에 자리를 박차고 시연에게 달려갔다. 놀라는 기색 한 번 없이 저를 향해 손을 벌리고 있는 그녀를 온전히 품에 안았다. 그제야 살짝 놀란 듯 몸을 살짝 떨던 시연은 곧 데미안의 등을 꽉 안아주었다. 절대 놓치지 않겠다는 듯.

"시연, 시연……."

"네."

"시연……."

"네, 데미안 씨……."

고장 난 녹음기처럼 제 이름을 반복해서 부르는 데미안의 행동이 귀찮을 법도 하건만 시연은 귀찮아하는 기색 없이 전부 대답해주었다.

데미안은 뜨거운 눈물을 흘리며 시연을 안은 손에 더욱 힘을 주었다. 그녀의 심장 소리가 얇은 옷깃 너머로 고스란히 느껴졌다. 매끄러운 피부와, 저를 끌어안는 다정한 품. 그리고 보드랍고 풋풋한 시연만의 체취가 물씬 느껴졌다.

'살아 있다.'

자신의 모든 것이, 자신의 전부인 그녀가 죽지 않고 살아 있었다. 그 사실 하나만으로 안개가 낀 듯 뿌옇게 흐렸던 머릿속이 맑아졌다. 집 나갔던 이성이 돌아오는 건 말할 것도 없었다.

불안하게 요동치던 힘도 서서히 가라앉았다. 정확히는 시연이 흡수한 것이었다. 금단의 아이 때처럼 빠르게 흡수하진 못했지만 조금씩, 차곡차곡 시연은 데미안의 힘을 흡수했다. 그만큼 주변을 위협하던 불길한 기운들이 사라져갔다.

데미안은 그 사실을 전혀 알지 못했지만 제 몸 안에서 일어나는 변화인 만큼 시연은 자신이 데미안의 힘을 흡수하고 있다는 사실을 알고 있었다. 데미안의 힘을 흡수한 만큼 몸이 무겁고 지독한 두통이 찾아왔지만 내색하지 않았다. 이 힘을 흡수해야만 데미안이 무사할 수 있다는 걸 알기 때문이었다.

"정말로, 정말로 네가 맞는 거지?"

시연이 맞다는 걸 알면서도 믿기지가 않아 데미안은 시연의 얼굴을 다시 확인했다. 그러자 시연이 배시시 웃었다. 여전히 너무나도 예쁜 미소였다. 그에 맞춰 같이 웃으려던 데미안은 곧 시연의 눈동자가 저를 온전히 담지 못하고 있다는 사실을 알아챘다.

"너, 눈이……."

"괜찮아요."

시연은 제 눈을 매만지는 데미안의 손을 가볍게 잡으며 말했다.

"덕분에 데미안 씨의 곁에 무사히 올 수 있었으니까, 이 정도는 아무것도 아니에요."

그러니까 제 곁에 오기 위해서 시각을 잃었다는 의미였다. 그 사실이 가슴을 무겁게 짓눌렀다.

"미안하다."

울컥하고 차오르는 감정에 데미안은 한 줄기의 눈물을 흘리며 하염없이 중얼거렸다.

"정말로 미안해……."

"괜찮아요."

더듬더듬 손을 뻗어 데미안의 얼굴을 찾은 시연은 그의 뺨을 타고 흐르는 눈물을 닦아주었다.

"전 정말로 괜찮으니까……."

미안해할 필요 없다고, 당신의 곁에 있을 수만 있다면 아무래도 좋다고 말하려는데 더 이상 견딜 수가 없었다.

한계였다.

정신적으로도, 육체적으로도 한계를 느낀 시연은 그대로 정신을 잃고 말았다.

EPISODE 26

부탁드립니다

"시연!"

데미안은 크게 당황하며 그녀를 품에 온전히 끌어안았다.

"시연, 시연!"

연거푸 이름을 불렀지만 그녀에게선 응답이 없었다. 의식을 잃은 몸은 맥없이 축 늘어졌다. 그 와중에도 시연은 계속 폭주하는 데미안의 기운을 흡수했다. 무의식적으로도 데미안을 걱정해 그의 기운을 계속 흡수해야 한다고 생각한 탓이었다.

뒤늦게 그 사실을 알아챈 데미안은 이를 악물고 제멋대로 날뛰는 기운들을 강제로 억눌렀다. 시연이 많이 흡수하긴 했지만 금단의 아이 때만큼은 아니었기 때문에 남아 있는 기운들은 여전히 많았다. 그래서 억제하기가 굉장히 어려웠지만 더 이상 시연에게 피해를 줄 수 없다는 일념 하나로 버텨냈다.

"쿨럭."

그 탓에 피를 토하고 몸이 부서질 것처럼 아파왔지만 개의치 않았다. 시연은 이보다 더한 고통을 이겨내고 제 곁으로 왔는데 고작 이 정도에 무너질 순 없었다.

'좀 더.'

조금 더 억눌러야 했다. 시연이 피해를 받지 않게 폭주하는 기운들을 억눌러야만 했다. 이를 악물고 노력한 결과가 조금씩 빛을 발하며 제멋대로 폭주하던 기운들이 차츰 안정이 됐다. 아니, 이건 모두 시연이 제 힘을 계속 흡수해준 덕분이었다.

이대로 계속 시연을 안고 있는 것이 위험하다는 걸 느꼈을 뿐더러 그녀가 괜찮은지 알아볼 필요성이 있다고 느낀 데미안은 서둘러 7인의 검이 있는 곳으로 달려갔다. 아까부터 저를 뚫어져라 바라보고 있는 창조주의 시선은 깔끔하게 무시한 채.

"리바이던."

"네, 네!"

7인의 검 중 유일하게 여자인 리바이던은 데미안이 시연을 건네주자 황송하게 받았다.

"당장 시연의 상태를 확인해."

데미안의 명에 리바이던은 재빨리 시연의 상태를 살폈다.

"맥박과 호흡이 약간 불안하긴 하지만 이 정도면 크게 걱정할 필요는 없을 것 같습니다."

"근데 왜 정신을 잃은 거지?"

"정확한 건 의사에게 가봐야 알겠지만 제 짧은 식견으로 말씀드리자면 몸속에서 마족과 천족의 기운이 충돌했기 때문인 것 같습니다. 마족의 기운이 전부 정화되면 괜찮아질 겁니다."

즉, 시연이 쓰러진 게 모두 데미안 때문이라는 것이었다. 그녀를 지키기 위해 최선을 다했는데 그 결과가 그녀를 다치게 만들자 마음이 착잡해졌다. 누군가 날카로운 비수로 심장을 난도질하는 것 같은 고통이 느껴졌다.

쿵—.

마음이 흔들리니 기운들은 다시 제멋대로 폭주하기 시작했다. 더 폭주하는 건 위험하니 데미안은 마음을 안정시키는 데 최대한 집중했다. 망할 기운 때문에 슬픔조차 마음대로 느낄 수 없었다.

"쿨럭."

강제로 기운을 억누른 여파로 또 한 번 피를 토해냈지만 단 한 번뿐이었다. 폭주하던 기운은 점차 안정기에 접어들었다. 데미안의 주변에 있던 천족의 보석은 빛을 잃고 새카맣게 변했다.

이 정도면 큰 영향은 받지 않겠지만 혹시 모르니 기운이 완전히 안정될 때까지, 시연이 정신을 차릴 때까지 그녀와의 접촉은 피하는 편이 좋을 것 같았다.

안정기에 들어서자 데미안은 비로소 창조주를 돌아봤다. 그를 계속 보고 있던 창조주와 시선이 허공에서 얽혔다.

"……시연은 아이를 가질 수 없는 몸이 된 겁니까?"

혹시나 하는 마음에 물어봤는데 역시나인지 창조주가 천천히 고개를 끄덕였다.

"그래. 그리고 눈을 잃었지."

이미 알고 있는 사실이었지만 다시 한 번 확인 사살을 당하니 참담했다. 시연이 아이를 가지지 못하게 된 건 아무래도 좋았다. 문제는 부작용으로 시연이 앞을 보지 못하게 됐다는 것이었다.

'회복될 가능성이 있어야 할 텐데.'

그 가능성을 찾기 위해서라도 한시라도 빨리 돌아가 의사에게 시연을 보여주고 싶었지만, 그 전에 먼저 해야 할 일이 있었다.

"시연을 되찾았으니 천마 전쟁은 여기서 끝내도록 하겠습니다."

"좋은 생……."

"단, 그 전에 먼저 해결해야 할 일이 있습니다."

데미안은 그리 말하며 창조주의 뒤에 있는 우리스를 노려봤다.

"전 시연에게 그 약을 먹이는 걸 허락하지 않았고, 그건 창조주께서도 동의하신 일입니다. 한데 우리스는 시연에게 그 약을 먹였습니다."

우리스의 기억 속에서 시연은 스스로 약을 마셨지만 그 약을 조달해준 건 분명 우리스였다. 그러니 데미안은 우리스가 시연을 협박해서 약을 먹였다고 생각했다.

데미안의 말에 마족뿐만 아니라 천족까지 크게 술렁였다. 담담한 건 우리스와 이 계획을 알고 있었던 것으로 보이는 몇몇의 대천사뿐이었다.

신이 창조주의 명을 거역하는 건 있을 수 없는 일이었다. 바로 창조주의 날벼락이 떨어질 거라고 생각했는데 생각 외로 창조주는 아무 말도 하지 않았다. 그저 팔짱을 낀 채 눈을 지그시 감고 있을 뿐이었다. 무표정한 창조주의 얼굴에서 그녀가 무슨 생각을 하는지 전혀 알아챌 수가 없었다. 이에 웅성거림은 더욱 커졌다.

"……그래서?"

웅성거림이 사라진 건 잠시 후 창조주가 입을 열었을 때였다. 창조주는 데미안을 똑바로 보며 물었다.

"말하고 싶은 것이 뭐지, 아이야?"

"신이 창조주의 명을 어기는 건 있을 수 없는 일. 이에 전 우리스가 신의 자격을 박탈당하길 원합니다."

잦아들었던 웅성거림은 데미안의 말로 인해 다시 커졌다. 마족이 천족의 일에 관여하다니, 있을 수 없는 일이었다. 그럼에도 불구하고 아무 말도 할 수가 없는 건 데미안의 말이 틀리지 않았기 때문이었다. 신이 창조주의 명을 어기고 제멋대로 행동하는 건 있을 수 없는 일이었다.

그래서 천족들은 아무 말도 하지 못하고 우리스와 창조주의 눈치를 살폈다. 내심 창조주가 우리스를 내치지 않기를 바라며.

마르스를 잃은 지 얼마 지나지 않아 우리스까지 잃는다면 천계는 큰 혼란에 빠질 것이다.

"저 아이의 의견이 저렇다는데, 넌 어떻게 생각하지, 우리스?"

상황이 제게 불리하게 흘러가고 있음에도 불구하고 우리스의 표정은 변화가 없었다. 창조주의 질문에 우리스는 가슴에 정중하게 손을 올리고 고개를 숙였다.

"존경하는 창조주님, 이 일에는 약간의 오해가 있습니다."

"오해가 있다?"

"네. 저 여자가 약을 마신 건 그녀의 의지이지, 제가 먹인 게 아닙니다."

우리스가 손을 까딱이자 뒤에 서 있던 미카엘이 창조주에게 다가가 공손히 편지를 내밀었다. 편지의 내용을 확인한 창조주는 의미를 알 수 없는 웃음을 지으며 데미안에게 편지를 건네주었다.

"……!"

편지에 적혀 있는 정갈한 글씨체를 확인한 데미안의 손에 힘이 들어갔다. 분명 시연의 글씨체였다. 같이 일을 하면서 수도 없이 봤으니 분명했다.

물론 우리스가 위조했을 가능성도 생각해봤지만, 감히 창조주의 앞에서 거짓을 고하는 건 있을 수가 없는 일이므로 그 가능성은 완전히 배제해도 문제가 없었다.

편지에는 약을 먹은 건 순전히 자신의 의지이며, 우리스와는 관계가 없다는 내용이 적혀 있었다. 이 내용이 사실이라면, 시연이 스스로 약을 먹은 거라면, 우리스가 약을 구해왔다고 해도 그는 죄가 없었다.

"그가 달리 협박 같은 걸 하지 않았다면 말이죠."

우리스가 시연을 협박해서 먹기 싫은 약을 억지로 먹이고 편지를 썼을 가능성을 제시했더니 우리스가 어처구니없다는 듯 웃으며 가볍게 어깨를 으쓱였다.

"제가 왜 그런 짓을 하겠습니까. 제게 남는 것이 아무것도 없는데."

우리스의 말에 창조주는 픽하고 웃으며 작은 목소리로 속삭이듯 말했다.

"손바닥으로 하늘을 가리려고 하는 놈이 또 있군."

그 말을 들은 건 가까이 있는 미카엘뿐이었다. 미카엘은 다소 놀라며 창조주를 쳐다봤지만 창조주는 개의치 않고 데미안을 돌아봤다.

"이 문제에 대해선 다른 일들이 정리된 뒤에 논의하도록 하지. 지금은 다른 중요한 일들이 있으니까."

"……."

"하지만 단 하나 알아둬야 할 거다, 우리스. 만약 네가 한 말이 거짓이라면, 넌 그에 대한 대가를 치러야 한다는 걸."

그 말에 줄곧 무표정했던 우리스의 얼굴이 살짝 일그러졌지만 언제 그랬느냐는 듯 우리스는 아무렇지 않게 고개를 숙였다. 그녀의 뜻을 받아들인다는 의미였다.

"그럼 이 문제는 일단 넘어가도록 하고, 다시 천마 전쟁으로 돌아가자면 마계의 군주는 천마 전쟁을 끝내길 원한다. 넌 어떻지?"

천마 전쟁을 일으키는 건 한쪽의 일방적인 결정으로도 가능했지만 끝내는 건 쌍방의 동의가 필요했다.

"저 역시 천마 전쟁을 끝내는 데 동의합니다."

우리스까지 허락했으니 이것으로 천마 전쟁은 공식적으로 종료가 됐다. 데미안은 주변을 크게 둘러봤다. 천마의 경계는 물론, 천계의 남쪽 입구도 엉망진창이었다. 천마 전쟁 때문이 아닌 데미안이 폭주했기 때문이었다.

여기가 이 정도로 폐허가 됐다면 차원을 같이 쓰고 있는 인간계 역시 꽤나 영향을 받았을 것이다. 시연을 되찾기 위해 저지른 일이라곤 하지만, 역시 마음이 무거웠다.

“인간계를 복구하는 데 최선을 다하겠습니다.”

저지른 일에 대해 책임을 지는 건 당연했다. 그의 말에 창조주가 고개를 끄덕였다.

“당연히 그래야지. 반려식은 인간계가 복구된 뒤에 치르도록 해.”

공식적으로 시연을 데미안의 반려로 인정한다는 의미였다.

이걸로 따로 창조주의 계단에 오르지 않아도 시연을 반려로 맞이할 수 있게 됐다. 드디어 시연을 반려로 맞이할 수 있다는 사실에 가슴이 벅차올랐다.

“감사합니다.”

데미안이 창조주를 향해 고개 숙여 인사하자, 그를 따라 7인의 검뿐만 아니라 마족 모두가 공손히 고개를 숙였다.

천마 전쟁이 종료됐으니 더 이상 이곳에 머물 이유가 없는 데미안은 곧장 돌아섰다. 창조주는 마족 군단을 데리고 사라지는 데미안의 뒷모습을 바라보며 작게 중얼거렸다.

“참으로 이상해.”

자신이 본 그들의 미래는 이렇지 않았다. 좀 더 어둡고 처절했다. 시연의 죽음을 이기지 못한 데미안이 폭주해서 많은 이들이 죽고, 결국 데미안까지 제 손이 죽는 그런 암울한 미래였다.

한데 미래가 바뀌었다. 그건 아마 저 아이 때문일 터였다.

창조주는 이 세상 모든 생명체의 미래를 볼 수 있었지만 단 한 명, 금단의 아이에 대한 미래는 볼 수 없었다. 그건 시연이 천족이 된 이후에도 마찬가지였다.

“모습이 바뀌었다고 그 태생까지 바뀌는 건 아니니까.”

창조주는 크게 기지개를 켜며 하늘을 올려다봤다. 참으로 이상한 하루가 저물어가고 있었다.

천족인 시연을 반려식도 치르지 않고 마계로 데리고 가는 건 그녀를 죽이는 행위나 다름없었다. 그 때문에 데미안은 마계로 가지 못하고 인간계로 향했다. 그 뒤를 마몬과 베르가 따랐고 다른 7인의 검들은 마족 군단을 데리고 마계로 향했다.

인간계로 오자마자 데미안이 향한 곳은 병원이었다. 시연의 몸 상태를 확인하기 위함이었다. 데미안은 눈 검사뿐만 아니라 할 수 있는 검사는 모조리 다 했다. 마몬과 베르는 그런 데미안을 흘겨보며 팔불출이라고 수근거렸다.

"시각 세포가 제 기능을 하지 못하는 것 같습니다."

어려운 의학 용어들이 난무해서 전부 다 알아듣지는 못했지만 하고자 하는 말은 확실히 알아들었다. 지금 의학으로는 시연의 눈을 다시 되돌릴 수 없다는 것을. 그 사실에 데미안뿐만 아니라 마몬과 베르도 크게 슬퍼했다. 뒤늦게 소식을 전해 들은 티에는 땅을 치며 통곡했다.

그 외에 달리 이상 있는 곳은 없었다. 시연이 정신을 차리지 못하는 것에 대한 그들의 의견은 리바이던과 동일했다. 아이를 가질 수 없게 된 건 이미 알고 있었던 부분이니 그에 관한 소견을 들어도 별 감정이 들지 않았다.

병원에 입원시켜도 그들이 해줄 수 있는 건 딱히 없었기에 데미안은 시연을 데리고 집으로 돌아왔다. 천족의 곁에 마족이 오래 머무는 건 여러모로 좋지 않았다. 몸 상태가 좋지 않다면 더더욱.

그 때문에 데미안은 시연의 곁에 오래 있지 못했다. 그건 티에를 비롯해서 마몬과 베르 역시 마찬가지였다.

"제가 잘 보살피겠습니다!"

이에 리사와 나오가 소환됐다. 마녀와 마족의 혼혈인 리사 역시 시연에게 영향을 주긴 했지만 베르나 마몬, 티에 같은 다른 마족들에 비하면 영향이 적었다. 마녀는 엄연히 따지면 마족이 아니었고, 리사는 마족의 피보다 마녀의 피를 훨씬 많이 이어받았기 때문이었다. 그리고 거미 일족인 나오는 시연의 곁에 머물러도 아무 문제가 없었다.

시연의 곁을 지키고 싶은데 그러지 못하게 된 티에는 울상을 지으며 발만 동동 굴렀다. 시연의 곁을 지키고 싶은 건 데미안도 마찬가지였지만 그럴 수 없는 입장이었다.

그건 마족이기 때문이기도 하거니와 천마 전쟁의 간접 영향으로 망가진 인간계를 수습하고 마계로 돌아갈 준비, 그리고 반려식 준비 등 여러모로 바쁜 나날을 보내야 하기 때문이었다.

그렇게 천마 전쟁이 끝난 지 사흘이 지났지만, 시연은 여전히 정신을 차리지 못했다. 이에 베르는 이런 방면에서 유명한 의사를 납치하다시피 데리고 왔다.

거의 반 강제로 끌려온 의사는 벌벌 떨면서 시연을 진찰했다. 살벌하게 노려보는 데미안 때문이었다. 시연의 입에서 작은 신음이라도 나오면 여지없이 매서운 시선이 의사에게 꽂혔다.

이에 보다 못한 베르가 데미안을 불렀다.

"데미안 님, 잠시 나가 계시는 편이 좋을 것 같습니다."

"왜지?"

전혀 이해할 수 없다는 듯 데미안이 저를 돌아보자 베르는 나지막하게 한숨을 내쉬었다. 평소 눈치가 없는 편은 아닌데 이런 쪽에는 왜 저리도 눈치가 없는 건지 모르겠다.

"데미안 님께서 여기 계시면 의사가 긴장해서 실력을 제대로 발휘하지 못합니다."

베르는 돌려 말하는 법 없이 단도직입적으로 이유를 설명했다.

"쓸모없군."

그러자 데미안이 혀를 내차며 말했다. 졸지에 쓸모없는 놈이 된 의사는 아까보다 더 몸을 벌벌 떨었다.

"내가 자리를 비우면 시연을 치료할 수가 있는 건가?"

"가능성이 높아지겠지요."

"좋아, 비켜주지."

데미안의 대답에 긴장감에 잔뜩 굳어 있던 의사의 얼굴이 눈에 띄게 풀렸다.

"대신 일주일 안에 시연이 깨어나지 못한다면 네놈 목숨은 없다."

그 말에 의사의 얼굴은 다시 딱딱하게 굳었다. 의사는 도와달라는 의미로 베르를 쳐다봤지만 더 이상 도와줄 여력이 없는 베르는 어쩔 수 없다는 의미로 어깨를 으쓱였다. 이에 의사의 얼굴은 좀 더 볼썽사납게 울상이 됐다.

의사는 온갖 의학 서적을 뒤져 시연이 한시라도 빨리 쾌차할 수 있게 노력했다. 그 노력을 하늘이 알아준 건지 그로부터 약 3일 뒤, 시연은 정신을 차렸다.

그 소식을 들은 데미안은 회의 중인 것도 개의치 않고 한걸음에 달려왔다. 신발도 제대로 벗지 않고 그녀가 있는 방으로 향한 데미안은 나오의 부축을 받으며 상체를 일으키고 있는 시연을 발견하고 그 자리에 멈춰섰다. 그런 데미안을 발견한 리사는 말없이 나오의 옆구리를 툭, 쳤다.

"잠시만요, 반려님."

나오는 눈치 있게 자리를 비켜주었다. 리사까지 나간 방에는 시연과 데미안, 단둘만 남았다.

데미안은 가만히 서서 시연을 쳐다봤다. 한시라도 빨리 그녀를 꽉 끌어안고 싶어 서둘러 왔건만 그녀를 보는 순간 움직일 수가 없었다. 정확히는 초점이 흐릿한 그녀의 눈동자를 본 후였다.

자신 때문에 그녀가 앞을 볼 수 없게 됐다는 사실이 다시 한 번 무겁게 가슴을 짓눌렀다. 감정이 벅차오르면서 호흡이 거칠어졌다. 시연이라는 이름이 입 밖으로 나가지 못하고 입안에만 맴돌았다.

"누구 있어요?"

데미안의 거친 숨소리를 들은 시연이 불안해하며 주변을 둘러봤다.

"시연……."

그제야 입안에서만 맴돌던 이름을 입 밖으로 꺼낼 수 있게 된 데미안은 나지막하게 그녀를 불렀다.

그러자 초점이 흐린 시연의 눈동자가 작게 흔들렸다. 그의 목소리를 듣고 나서야 비소로 데미안이 왔다는 걸 깨달은 것이다.

"데미안 씨……."

시연을 손을 뻗어 데미안을 잡으려고 했지만 헛손질이었다. 앞이 보이지 않아 데미안의 위치를 정확하게 파악하지 못한 탓이었다. 그 바람에 몸의 균형이 무너지면서 그녀가 쓰러지려고 하자, 데미안은 황급히 다가가 시연을 부축했다. 덕분에 침대 아래로 고꾸라지는 불상사는 면했다.

"괜찮아?"

"네, 괜찮아요."

작게 고개를 끄덕인 시연은 더듬더듬 손을 뻗어 데미안의 뺨을 어루만졌다. 입가엔 옅은 미소가 그려졌다.

"아쉽네요. 이 잘생긴 얼굴을 다시 볼 수 없다니."

"……."

"그래도 당신의 곁에 있을 수 있어서 너무 좋아요."

티끌 하나 없는 미소였다.

앞을 보지 못하게 된 것 때문에 좌절하거나 우울해하면 어쩌나 걱정했는데 괜한 걱정이었던 모양이다. 시연이 웃는다는 사실에 마음이 조금이나마 놓였다.

그래도 사과는 해야 했다. 그녀가 이렇게 된 건 자신 때문이었으니까.

"미안하다."

시연은 고개를 저었다.

"데미안 씨가 미안해할 건 없어요. 제가 선택한 길이니까."

"하지만……."

"그냥 당신은 하나만 약속해주시면 돼요. 평생 저를 사랑해주겠다고."

"물론이다."

너무나도 당연한 요구였다. 데미안은 일말의 망설임도 없이 고개를 끄덕이며 시연을 더욱 품에 끌어안았다.

"사랑한다."

"저도요."

달콤한 사랑 고백 뒤에 찾아오는 건 그보다 더 다디단 키스 타임이었다. 한 치의 오차도 없이 두 입술이 맞물렸다. 부드럽게 시작했던 입맞춤은 곧 거칠어졌다. 지금까지 하지 못했던 것을 모두 보상 받으려는 듯 데미안은 한없이 시연의 입술을 탐했다.

천마의 경계가 엉망이 된 만큼 인간계도 피해가 클 거라고 생각했는데 생각했던 것보단 적었다. 그래도 많은 생명이 죽고 다쳤다. 재산 피해도 어마어마했다.

이 일을 해결하기 위해 대책 회의가 수도 없이 열렸지만 항상 제자리였다. 종족 간의 의견이 좀처럼 맞지 않는 까닭이었다. 그중에서 가장 문제가 되는 건 예산이었다.

구호 활동부터 시작해서 부상자들의 치료비 등, 이번 일에 쓰일 예산은 한정되어 있는데 서로 많이 가져가려고 하니 의견이 맞을 리가 없었다.

"유족들에게 줄 위로금은 내 재산에서 내놓도록 하지."

이에 원탁회 일원들이 며칠 동안 으르렁거리며 싸우자, 보다 못한 데미안이 묘책을 내놓았다.

"그리고 부상을 당한 이들이 완치될 때까지 치료비도 전액 지원하겠다."

실로 파격적이고 이상적인 제안이었다. 데미안에게 그럴 만한 재력이 있다는 걸 잘 알고 있을 뿐더러 가장 많은 예산을 차지하는 부분을 해결해준다는데 거절할 이유가 없었다. 데미안의 의견은 별 이견 없이 통과됐다.

예산이 확보되니 구호 활동이 활발하게 일어났다. 데미안을 필두로 원탁회와 라오스는 그 어느 때보다 활발하게 구호 활동을 했고, 그 덕분에 인간계는 빠르게 복구됐다. 그중 가장 열심히 움직인 건 데미안이었다. 데미안은 재산은 물론 능력을 사용하는 것도 아끼지 않았다.

자신이 저지른 일에 대한 대가를 치르기 위해 열심히 움직인 것뿐인데 그 사실을 모르는 대중들은 악마임에도 불구하고 최선을 다하는 데미안을 조금씩 좋게 보기 시작했다. 하루가 멀다 하고 데미안에게 호의적인 기사가 쏟아졌다.

"우리 군주님, 정말 대단한 것 같지 않아요?"

앞이 안 보여 기사를 읽을 수 없는 시연을 위해 기사를 읽어준 티에가 환하게 웃으며 물었다.

시연은 옅게 웃는 것으로 대답을 대신했다.

"아, 점심 드실 시간이네요. 준비해서 가지고 올 테니, 여기서 조금만 계세요."

티에의 발걸음이 멀어지자 시연은 천천히 눈을 깜빡였다. 몇 번이고 눈을 깜빡여도 보이는 건 아무것도 없었다. 빛의 유무만 감지될 뿐이었다. 그조차도 매우 흐릿했다.

시간이 지나면 보이게 되지 않을까, 내심 기대했었는데 헛된 기대였다. 평생 앞을 볼 수 없게 될지도 모른다는 사실이 가슴을 무겁게 짓누르면서 시연의 얼굴은 침통하게 가라앉았다.

"식사하세요, 반려님!"

티에가 가지고 온 건 전복죽이었다.

시연을 보살폈던 의사가 아직 시연의 몸 상태가 그다지 좋지 않으니, 당분간 죽이나 미음같이 소화하기 쉬운 음식만 먹이라고 신신당부한 탓이었다.

그렇다고 해도 4일째 죽을 먹는 건 조금 질렸지만 시연은 군소리하지 않고 먹었다. 의사의 당부도 있고 앞이 보이지 않는 상태에선 반찬이 여러 가지 있는 음식보다 죽이 먹기 편했기 때문이었다.

쨍그랑—.

그래도 한 번씩 헛손질을 했다. 시연이 숟가락을 떨어뜨리자 티에는 말없이 새로운 숟가락을 가져다주었다.

새 숟가락을 받아 드는 시연의 얼굴은 어둡게 가라앉았다. 시연의 표정을 본 티에의 얼굴 역시 우울해졌다.

"자, 이제 약 드세요."

시연이 죽 그릇을 말끔히 비우자 티에는 약을 내밀었다. 의사의 말론 몸 상태를 좋게 해주는 약이라고 했다. 그 때문인지 약을 먹으면 항상 졸음이 쏟아졌다.

그건 그날도 별반 다르지 않았고, 약을 먹은 시연은 곧 깊은 잠에 빠져들었다. 이불을 목까지 잘 덮어준 티에는 냉장고를 확인하고 가볍게 혀를 찼다. 냉장고가 텅텅 비어 있었기 때문이었다.
"장 좀 보고 와야 할 것 같은데……."
티에는 말꼬리를 흐리며 시연이 잠들어 있는 방을 쳐다봤다. 시연을 혼자 두고 장을 보러 가는 것이 불안했기 때문이다.
"별일 없겠지?"
한 번 잠들면 기본 두 시간은 자니, 잠시 마트에 다녀와도 무슨 일이 일어나진 않을 것 같았다. 이렇게 고민하기보다 어서 다녀와야겠다고 생각한 티에는 지갑을 챙겨 들고 집을 나섰다.
티에가 나간 집 안은 고요했다. 사람의 인기척이 느껴지는 곳은 시연이 있는 방뿐이었다. 시연의 나지막한 숨소리가 고요한 방 안에 울려 퍼졌다.
"……."
규칙적으로 울리던 숨소리가 돌연 멈추더니 시연이 눈을 떴다. 여전히 초점이 흐린 눈동자였다.
"화장실……."
부스스 침대 밖으로 나온 시연은 더듬더듬 손을 뻗어 스위치를 켰다. 어두웠던 눈앞이 조금 밝아졌지만 보이는 건 아무것도 없었다. 잠결에 앞을 보지 못한다는 사실을 잊고 있었다가 그제야 다시 떠올린 시연은 깊은 한숨을 내쉬었다.
"근데 이쯤에 탁자가 있었던 걸로 아는데……."
예전 기억을 더듬으며 조심스럽게 손을 뻗어봤지만 손에 잡히는 건 아무것도 없었다. 치웠다는 의미였다.
자신의 방에 있는 물건을 말도 없이 치운 건 분명 이유가 있을 터.
'내가 앞이 보이지 않기 때문이겠지.'
앞이 보이지 않는 상태에선 장애물을 피할 수 없으니까.
그러니 티에가 통행에 방해되는 물건들을 치운 것이다. 탁자도, 의자도,

전부. 자신을 배려해서 한 행동이라는 건 잘 알고 있었지만 기분이 착잡해졌다.

"아, 그것보다 화장실 가야 하는데."

곤히 자고 있다가 깬 것도 그것 때문이었다. 더듬더듬 벽을 짚어 문을 열고 나온 시연은 티에를 찾았다.

"티에, 티에."

하나 아무리 불러도 티에는 대답이 없었다. 아무래도 자리를 비운 모양이었다. 그건 혼자 화장실에 가야 한다는 의미였다.

'한번 해볼까?'

정신을 차린 이후, 화장실조차 혼자 간 적 없어 조금 무서웠지만 언제까지 티에와 다른 사람들에게 의지할 수는 없었다. 앞이 보이지 않는 생활에 적응해야만 했다.

용기를 내자고 생각한 시연은 벽을 짚으며 천천히 앞으로 나아갔다. 익히 알고 있는 장소였기에 화장실을 찾는 건 어렵지 않았다.

하물며 티에가 만약에 대비해서 보행에 방해가 되는 물건들을 전부 치워 둔지라 더더욱 가기 쉬웠다.

그래, 거기까진 큰 문제가 없었다. 볼일까지도 쉽게 봤다.

"앗!"

문제는 그 이후에 발생했다. 문 앞에 놓인 슬리퍼를 보지 못하고 발을 내딛은 시연은 그대로 미끄러졌다. 넘어지지 않기 위해 손을 허우적거리며 뭐라도 잡아보려고 했지만 소용없는 짓이었다.

되레 멀쩡하게 있던 컵을 떨어뜨리고 말았다. 시연이 넘어지는 소리와 컵이 깨지는 소리가 요란스럽게 울려 퍼졌다.

"윽……."

날카로운 유리 조각이 살갗을 파고들면서 붉은 선혈이 흐르기 시작했다.

상처를 감싸려다 되레 유리 조각이 더 깊게 파고들었다. 그만큼 고통도 심해졌고, 주변이 온통 유리 조각이었기 때문에 시연은 감히 일어설 생각을 하지 못하고 그대로 주저앉아 있었다.

"……뭐야."

그렇게 얼마나 앉아 있었을까. 머리 위에서 익숙한 목소리가 들리자 시연은 고개를 들었다.

"데미안 씨……?"

"왜 여기에 이러고…… 아니, 일단 일어나자. 움직이지 마."

그가 움직이는 소리가 들리더니 이내 몸이 허공에 붕 떴다. 데미안이 시연을 들어 안은 것이다.

시연을 침실로 옮긴 데미안은 잠시만 기다려달라고 말한 뒤 밖으로 나갔다. 문 닫히는 소리 덕분에 그가 나간 것을 알 수 있었다.

시연은 데미안이 원하는 대로 아무것도 하지 않고 가만히 침대에 앉아 있었다. 무기력했다. 끈 없이는 움직일 수 없는 마리오네트가 된 기분이었다. 화장실 가는 것조차 누군가의 손을 빌려야 하다니.

"반려님!"

잠시 후, 리사가 소란스럽게 등장했다. 시연의 상처를 살피기 위해 데미안이 데리고 온 것이었다. 다급하게 시연에게 다가온 리사는 그녀의 몸을 살폈다.

"천족이라서 그런지 치유력이 좋아 베인 상처는 거의 다 나았네요. 유리 조각이 박힌 곳만 해결하면 될 것 같아요."

리사는 가지고 온 가방에서 부산스럽게 핀셋과 소독약을 꺼냈다.

"조금 따가울 거예요."

말이 끝나기 무섭게 상처 부위에서 시큰한 통증이 느껴졌다. 그러나 시연은 신음 한 번 뱉지 않고 꾹 참았다.

데미안은 문기둥에 서서 그런 그들의 모습을 물끄러미 바라봤다.

리사가 시연의 팔과 다리에 박힌 유리 조각을 조심스럽게 뽑고 있는데 현관문이 열렸다.

"어라, 군주님. 일찍 돌아오셨군요."

장을 보고 돌아온 티에였다. 해맑게 들어온 티에는 사뭇 심각해 보이는 데미안을 발견하고 고개를 갸우뚱거렸다.

"무슨 일…… 헉, 반려님!"

곧이어 시연의 상황을 본 티에는 들고 있던 장바구니를 내팽개치고 시연에게 달려갔다.

그 때문에 계란이 터지면서 바닥이 더러워졌지만 개의치 않았다.

"이, 이게 무슨 일이랍니까! 반려님이 왜 다치신 거죠?"

"티에, 그게……."

"네가 없는 사이 혼자 화장실에 갔다가 다쳤다."

날벼락처럼 떨어진 말에 티에의 눈동자가 부질없이 흔들렸다. 얼굴에 짙게 물든 감정은 죄책감이었다. 티에는 그대로 바닥에 주저앉았다.

"누가 시연을 혼자 두고 가라고 했지?"

그런 티에를 바라보는 데미안의 눈동자는 잔혹하게 빛났다. 시연이 다쳤다는 것에 분노한 것이다.

"내가 분명 그녀의 곁을 한시도 비우지 말라고 말했을 텐데?"

"죄송합니다."

티에는 단순히 상황을 모면하기 위한 것이 아닌, 진심으로 눈물을 뚝뚝 흘리며 사죄했다.

"주무시고 계시길래 아무 일도 없을 줄 알고 잠시 나갔다가 온 건데…… 정말로 죄송합니다."

그 진심이 데미안에게도 전달된 건지, 데미안은 깊은 한숨을 내쉬며 문득 바닥을 어지럽히고 있는 물건들을 쳐다봤다. 사과, 딸기 등 전부 시연이 좋아하는 것들이었다. 그녀가 왜 자리를 비운 건지 대충 짐작은 됐다.

"죄를 지었으니 마땅한 벌을 받아야겠지."

그렇다고 하나 티에가 저지른 죄를 용서해줄 생각은 없었다. 다행히 이번엔 가벼운 부상으로 끝났지만 자칫 더 큰일이 일어날 수도 있었다.

"일단 시연을 다치게 한 이상, 넌 더 이상 시연을 보좌할 자격이 없다. 그러니 락슈의 직위를 빼앗는 것이 맞겠지."

락슈의 직위는 태생적으로 부여되는 것이라 함부로 빼앗을 수 없지만 단 한 가지 경우 빼앗을 수 있었다. 바로 락슈의 부주의로 반려에게 문제가 생겼을 때였다.

물론 시연은 정식 반려가 아닌 예비 반려였지만, 이미 공식적으로 그녀가 데미안의 반려가 되는 건 기정사실이었기 때문에 이 법칙을 적용할 수 있었다.

단지 데미안 혼자서 임의로 정하는 것이 아니라 징계 위원회를 열어 모두의 의견을 통합한 뒤 락슈의 직위를 빼앗을지 말지 결정해야 했다. 그러나 데미안의 뜻이 곧 마계의 뜻이니 그가 원하는 대로 된다고 봐도 무방했다.

"티에, 넌 곧장 마계로 돌아가라."

"……알겠습니다."

그 사실을 잘 알고 있었지만 티에는 겸허하게 데미안의 뜻을 받아들였다. 시연이 다친 건 엄연히 자신의 부주의로 인해 일어난 일이니까 입이 열 개라도 할 말이 없었다.

"안 돼요!"

그때였다. 돌연 시연이 달려 나와 데미안의 허리를 와락 끌어안았다.

"티에를 보내겠다니, 락슈를 바꾸겠다니! 절대 안 돼요!"

"그녀는 부주의로 널 다치게 했어. 바꾸는 건 당연하다."

"매번 이런 식으로 나올 건가요?"

시연은 데미안의 허리를 끌어안은 손에 힘을 주며 물었다.

"앞이 보이지 않는 만큼 내가 다칠 가능성은 얼마든지 더 있어요. 티에나 다른 사람들이 날 24시간 감시하지 않는 이상 말이죠."

"……."

"아니면, 설마 날 24시간 감시할 생각인가요?"

그건 아닌지 데미안은 말이 없었다. 하긴, 생각만 해도 끔찍한 일이었다. 누군가 곁에서 24시간을 감시한다니. 그것만큼은 절대 싫었다.

"제가 조심할게요."

그리고 이대로 티에를 잃는 건 더 싫었다.

"그러니까 티에를 용서해주세요. 제발 부탁드려요, 데미안 씨."

저리 간곡하게 부탁하는데 어떻게 무시하겠는가.

데미안은 깊은 한숨을 내쉬며 손등에 핏줄이 설 정도로 제 허리를 꽉 끌어안고 있는 시연의 손을 부드럽게 감싸 쥐었다.

"알았다. 알았으니까 이 손 풀어도 돼."

"정말이죠?"

"그래. 네가 싫다는 일은 하지 않아."

다부진 말에 그제야 안심이 된 시연은 데미안의 허리를 감싸고 있던 팔에서 힘을 뺐다.

"정말로 감사합니다."

시연 덕분에 락슈의 직위를 유지할 수 있게 된 티에는 눈물을 글썽이며 시연의 앞에 무릎을 꿇고 공손히 엎드렸다.

"이런 저를 받아주시다니, 정말로, 정말로 감사합니다."

티에의 인사에 시연은 가슴이 먹먹해지는 걸 느꼈다. 이 일은 순전히 자신의 부주의로 일어난 일이었다. 티에가 사과하고 고마워할 이유는 조금도 없었다. 데미안이 티에에게 뭐라고 할 이유 역시.

한데 그 모든 일이 일어났고 그 이유가 모두 자신이 앞을 보지 못하는 것 때문이라는 사실은 날카로운 비수가 되어 시연의 심장을 난도질했다.

'한시라도 빨리 이 삶에 적응해야겠어.'

그래야 다른 사람들에게 민폐를 끼치지 않을 테니까, 이런 일이 반복되지 않게 하기 위해서라도 반드시 적응해야만 했다.

"다친 곳은 괜찮은 건가?"

"네, 괜찮아요."

그리고 그들에게 눈이 보이지 않는다는 것이 불편하다는 내색도 하면 안 됐다. 절대로.

"걱정시켜서 미안해요. 전 정말 괜찮으니까, 아무 걱정하지 마세요."

내색하는 순간 그들은 더욱 저를 걱정할 테니까. 그러니 시연은 최대한 환하게 웃으며 고개를 끄덕였다.

작은 해프닝이 있긴 했지만 언제 그랬느냐는 듯 다시 평범한 일상이 찾아왔다. 모든 것이 원래대로 돌아간 것이다.

"아, 진짜요?"

아니, 달라진 것이 하나 있었다. 바로 시연의 웃음이 많아졌다는 것이다. 시연의 얼굴엔 이전과 같은 생기가 돌았다.

전에는 앞이 보이지 않는 걸 불편해하며 다른 사람의 도움을 받는 걸 껄끄러워했는데 이젠 그러지 않았다. 당연하게 도움을 받았고, 덕분에 다른 사람들 역시 시연을 도와주는 걸 어색해하지 않게 됐다.

하물며 시연의 몸 상태가 점점 나아지고 있으니 집 안 분위기는 예전처럼 활기를 찾았다.

예전엔 불면 날아가는 깃털처럼 조심스레 시연을 대하던 데미안의 행동도 한결 편해졌다. 예전처럼 장난도 치고 옥신각신 다투기도 했다.

"네, 제가 그래서 그때 어떻게 했냐면요……."

놀러 온 리사는 과거 이야기로 분위기를 더욱 즐겁게 띄웠다.

시연의 입가에서는 미소가 사라지지 않았다. 하하, 호호 웃으며 이야기를 나누던 시연은 컵을 집기 위해 손을 뻗었다가 찻잔이 잡히지 않는다는 사실에 멈칫했다.

그건 같이 웃고 있던 리사와 티에 역시 마찬가지였다. 한순간 웃음이 사라지고, 그들은 불편한 얼굴로 시연을 바라봤다.

낮게 가라앉은 정적 속에 먼저 말을 꺼낸 건 시연이었다.

"죄송하지만 컵 좀 집어주시겠어요?"

언제 멈칫했느냐는 듯 시연은 환하게 웃으며 리사에게 물었다. 리사는 곧바로 시연에게 컵을 건네주었다.

시연은 더듬더듬 빨대를 잡아 음료수를 마셨다. 눈이 안 보이는 시연을 배려해서 그녀가 쓰는 컵에는 모두 뚜껑과 빨대가 있었다. 처음에는 그 컵을 쓰고 싶어 하지 않던 시연도 이젠 아무렇지 않게 썼다.

"잠시 화장실 좀 다녀와도 될까요?"

"그럼요."

"제가 모시겠습니다."

기다렸다는 듯 티에가 일어서서 시연을 안내했다. 시연은 기꺼이 티에의 안내를 받아 화장실로 향했다.

그 사건 이후, 데미안은 시연이 쓰는 화장실에 깨질 만한 물건은 남김없이 없앴다. 바닥도 미끄러지지 않게 특수 코팅했고, 넘어지더라도 충격을 흡수할 수 있도록 푹신하게 만들었다. 그 때문에 바닥에 물을 떨어뜨리면 매번 닦아야 하는 번거로움이 있었지만 시연이 다치지 않게 하는 것이 중요했다.

"여기서부턴 저 혼자 들어갈게요."

항상 곁에 티에를 데리고 다니는 시연이었지만 단 한 곳, 화장실은 제외였다. 아무리 티에라고 할지라도 볼일 보는 모습까지 보여주고 싶지 않았기 때문이었다.

"조심해서 다녀오세요."

티에는 물가에 내놓은 아이를 바라보는 심정으로 걱정스레 말했다.

이에 시연은 가볍게 웃는 것으로 화답했다.

"아, 좀 오래 걸릴 것 같기도 하고 소리가 날 수 있으니 문에서 조금 떨어져 계실래요?"

"하지만……."

"괜찮아요. 무슨 일 있으면 큰 소리로 티에를 부를 테니, 걱정 마세요."

시연이 저리 말하는데 어찌 안 된다고 하겠는가.

그리고 생리적인 현상에 시연이 부끄러워하는 건 같은 여자로서 충분히 이해하기 때문에 티에는 기꺼이 시연의 부탁을 들어주었다.

그렇게 문에서 조금 떨어져 시연을 기다리고 있는데 현관문이 열리면서 데미안이 들어왔다. 티에는 허리를 깊이 숙여 데미안에게 인사했다.

"왜 혼자 있는 거지?"

"반려님이 화장실에 들어가셔서 기다리고 있습니다."

"그래? 얼마나 됐지?"

"한 5분쯤……, 그러고 보니 좀 시간이 걸리네요."

그 말에 데미안은 서슴없이 화장실 쪽으로 걸음을 옮겼다. 아무리 반려라고 해도 생리적인 현상을 보여주는 건 민망한 일이었다. 그래서 가지 말라고 말하려는데 데미안이 검지를 입술에 가져다 댔다. 조용히 하라는 의미였다.

"……흐, 흑……."

그러자 누군가 흐느끼는 소리가 들렸다. 화장실 안쪽에서 들려오는 소리였다. 바로 시연의 울음소리였다. 어딜 다쳐서 운다고 생각하기엔 그 울음소리가 너무나도 구슬펐다.

"이젠 싫어……."

거기에 간혹 들려오는 말로 미루어봤을 때 시연이 우는 이유는 단 하나밖에 없었다.

눈이 보이지 않는 것에 대해 슬퍼하는 것이었다. 밝고 환하게 웃어서 괜찮은 줄 알았는데 그것이 아니었다. 몰래 속으로 삭이고 있었던 것이다.

"……."

그 사실에 데미안의 얼굴은 딱딱하게 굳었다. 벌을 받는 죄인처럼 문 앞에 한참 서 있던 데미안은 이내 말없이 걸음을 돌려 집을 나섰다.

시연이 우는 소리가 머릿속에서 사라지지 않았다. 그녀를 만난 지 오래된 건 아니었지만 그렇게 우는 건 처음 보는 모습이었다.

'내가 미련했어.'

하루아침에 앞을 보지 못하게 된 만큼 절대 괜찮을 리가 없는데 밝게 웃는 모습만 보고 괜찮을 거라고 생각하다니. 미련해도 이렇게 미련할 수가 없었다. 그녀의 마음 하나 헤아리지 못하면서 그녀를 좋아한다고 말하는 자신이 우습게 느껴졌다.

데미안은 깊은 한숨을 내쉬며 창밖을 내다봤다. 데미안이 있는 곳은 '더 뉴'의 대표실이었다. 업무 처리를 위해 잠시 들른 것이었다.

책상 위에는 해결해야 하는 서류가 잔뜩 쌓여 있었지만 하나도 눈에 들어오지 않았다. 시연의 생각으로 머릿속이 복잡한 탓이었다. 어떻게든 집중해보려고 했지만 좀처럼 마음대로 되지 않았다.

똑똑—.

그래서 아무것도 하지 못하고 한숨만 연거푸 내쉬고 있는데 문 두드리는 소리가 들렸다. 베르였다. 베르는 고개를 깊이 숙여 인사를 한 뒤 데미안에게 다가왔다.

"정리는 거의 마무리 단계에 돌입했습니다."

천마 전쟁의 간접 영향으로 피해를 입은 인간계를 정리하는 걸 말하는 것이었다. 예산이 넉넉해서 그런지 일 처리가 굉장히 빨랐다.

이 일을 끝내야 데미안이 시연을 반려로 맞이해 마계로 돌아갈 수 있으니 다들 서두른 덕분이기도 했다.

"이대로라면 예정대로 마계에 돌아갈 수 있을 것 같습니다."

"반려식 날짜가 2주일 뒤로 잡혀 있지?"

"그렇습니다."

시연을 정식 반려로 맞이하는 의식은 인간계에서 치르고, 결혼식과 피로연은 마계로 넘어가서 할 예정이었다. 의식 역시 마계에서 하고 싶었지만 천족인 데다가 몸이 약한 시연이 그 상태로 마계로 넘어가면 여러 문제가 생길 테니 어쩔 수 없는 선택이었다.

"준비는?"

"조금만 더 하면 됩니다. 이전에 했던 것에서 추가로 몇 가지만 더 하면 되니 금방 끝나네요."

"실수가 없도록 해."

들뜨지 말고 마무리 잘 하라는 뜻이었다. 베르는 그러겠다는 의미로 고개를 숙였다.

"그나저나 시연 님이 천족이라니. 조금 어색하네요."

"금단의 아이인 것보단 낫지."

"그렇긴 하죠. 아, 이것부터 먼저 결정해주셔야 합니다."

데미안이 책상 위에 쌓여 있는 서류를 집어 들려고 하자, 베르는 냉큼 가지고 온 결재 파일을 내밀었다. 원탁회 수장의 자리를 다른 사람에게 넘겨주는 것에 관한 서류였다.

데미안이 다음 수장으로 지목한 건 도깨비 일족이었다. 도깨비 일족은 천족과 마족을 제외한 이종족 중에서 가장 큰 힘을 가지고 있었다. 만약 천족이 반대를 했다면 그는 수장 후보가 되지 못했을 것이다.

다행히도 천족은 천마 전쟁의 여파로 망가진 천계를 수리하는 것과 새로운 신이 부임하면서 새로 질서를 다잡는 데 온 신경을 쓰느라 미처 여기까지 신경을 쓰지 못했다.

"아둔한 놈들에게 잘 일러둬."

데미안은 서류에 사인을 하며 말했다.

"만약 이 일에 차질이 생긴다면 내가 다시 나서겠다고."

이렇게 말했는데도 실수를 한다면 그건 머리가 없는 놈들이라고 생각할 수밖에 없었다.

데미안에게서 서류를 건네받은 베르는 서류 더미로 정신이 없는 책상을 크게 훑어봤다.

"데미안 님, 전에 진행하라고 했던 일에 대해서 얼른 결정을 내려주셔야 합니다만."

"전에 진행했던 일?"

"서류를 올려두었는데 못 보셨습니까?"

그 말에 데미안은 서류 더미를 뒤졌다. 마계에 관한 일, 원탁회에 관한 일 등 여러 가지 일에 대한 서류들이 쌓여 있었지만 베르가 말하는 일에 관한 건 보이지 않았다.

"아."

한참 뒤적이던 데미안은 가장 아래 깔려 있는 서류를 보고 짧게 탄성을 뱉었다. 아래 깔려 있다는 건 책상에 올려둔 지 꽤 됐다는 의미였다. 그 증거로 작성 날짜가 일주일이나 지나 있었다.

한데 아직 처리하지 않았다니. 데미안은 짤막하게 혀를 내차며 서류를 살폈다.

'더 뉴'를 처리하는 것에 관한 서류였다. 시연을 반려로 맞이해서 마계로 돌아가면 '더 뉴'에 관한 일은 더 이상 하지 못할 테니 가지고 있던 주식과 권한들을 그동안 그에게 가문의 이름을 빌려주었던 리암 가에 모두 일임한다는 내용이 적혀 있었다.

이 서류에 사인을 하면 더 이상 데미안은 '더 뉴'에 권한을 행사할 수가 없었다. 지금 앉아 있는 대표 자리에도 다른 사람이 앉게 될 것이다.

"……."

'더 뉴'를 손에서 털어버려도 아쉬울 것이 없을 거라고 생각했는데 막상 그 시기가 다가오니 조금은 아쉬운 마음이 들었다. 10년 동안 열심히 키운 회사인 만큼 이런 기분이 드는 건 어쩌면 당연한 일이었다.

"이 일에 대해서 리암 가는 뭐라고 하지?"

"황송해하면서도 걱정하고 있습니다. 데미안 님이 '더 뉴'에 있으면서 많은 업적을 이룬 만큼 그 업적을 잘 이을 수 있을지 걱정하고 있지요."

최근 개발한 당뇨병의 치료제부터 그동안 데미안이 개발한 약은 수도 없이 많았다. 덕분에 많은 불치병 환자들이 병을 털어내고 자리에서 일어설 수 있었다.

그럼 뭐하는가. 정작 사랑하는 여자의 병은 고쳐주지 못하는데.

엄밀히 말하면 시연이 앞을 보지 못하게 된 건 병이 아니라 부작용 때문이었다. 약으로 고칠 수 있는 문제가 아니었다. 그래도 다시금 자괴감이 든 데미안은 깊은 한숨을 내쉬며 서류를 뒤적였다.

"신약에 대한 특허권도 모두 리암 가에 일임되는 건가?"

"네. 신약뿐만 아니라 미처 끝내지 못한 연구 자료도 모두 일임됩니다."

"미처 끝내지 못한 연구 자료? 그런 게 있었던가?"

그가 의아해하며 묻자 베르가 고개를 끄덕였다.

"하나 있습니다."

"그게 뭐지?"

"줄기세포에 관한 연구입니다."

그제야 데미안은 5년 전 진행했다가 시간적으로도 기술적으로도 한계에 부딪혀 중단했던 연구를 떠올렸다.

서류에도 줄기세포에 관한 내용이 간략하게 적혀 있었다. 그 부분을 몇 번이고 곱씹어 읽은 데미안이 작게 중얼거렸다.

"……이거라면 가능할지도."

"네?"

"지금 당장 이 연구에 관한 자료를 모조리 들고 오도록 해."

뜬금없이 자료를 들고 오라는 것이 의아했지만 베르는 그가 시키는 대로 했다. 곧 직원들이 연구실에 있는 자료들을 들고 대표실을 방문했다. 큰 박스 두 개가 전부 자료로 꽉꽉 차 있었다.

뭐가 그리 급한지 책상에 옮길 틈도 없이 데미안은 상자를 뒤적였다. 그러곤 바닥에 아무렇게나 앉아 자료들을 뒤졌다. 자료를 보는 데미안의 표정이 한없이 진지했기 때문에 베르는 감히 말도 못 붙이고 그 곁에서 안절부절못하고 서 있었다.

"……이거다."

"네?"

이번에도 돌아오는 대답은 없었다. 자료를 다시 한 번 훑어본 데미안은 자리에서 벌떡 일어섰다.

"베르, 마계로 돌아가는 날짜를 미뤄야 할 것 같다."

그러더니 뜬금없이 저런 이야기를 꺼냈다. 베르는 스케줄 수첩을 꺼내 살피며 물었다.

"언제로 미루실 생각이십니까?"

기껏해야 일주일 내지 이주일 정도라고 생각했는데 데미안의 입에서 나온 말은 터무니없었다.

"무기한."

무기한이라니. 그 말은 돌아가지 않을 수도 있다는 의미이지 않은가.

베르가 다소 놀라며 그를 쳐다봤지만 데미안은 그 시선을 무시한 채 자리에서 일어나 저벅저벅 대표실을 나갔다.

그 뒤를 베르가 황급히 따랐다. 무슨 일인지는 모르지만 데미안의 얼굴이 결연한 것을 보아 뭔가 큰일이 있는 모양이었다.

"라오스로 가자."

베르가 문을 열어주기도 전에 직접 문을 열고 올라탄 데미안이 짤막하게 명령을 내렸다.

서둘러 운전석에 앉은 베르는 라오스 쪽으로 차를 몰았다. 평일 오후인 만큼 도로는 뻥 뚫려 있었고, 단 한 번의 막힘도 없이 순조롭게 라오스에 도착할 수 있었다.

라오스에 도착한 데미안은 곧장 국장실로 향했다. 국장실 앞에서 대기하고 있던 비서가 데미안이 왔다는 걸 말하기도 전에 안으로 들어선 데미안은 퍽이나 놀란 얼굴로 저를 바라보는 김한성을 보며 말했다.

"지금 당장 기자 회견을 열도록 해."

"네?"

난데없이 웬 기자 회견? 김한성도 놀랐지만 그 뒤를 따라온 베르도 놀라며 데미안을 쳐다봤다.

"갑자기 기자 회견이라니. 무슨 일이 있으십니까?"

"말을 번복해야 할 것 같거든."

"무슨 말을……."

"전에 내가 했던 말, 잠시 미뤄야겠다."

영문을 알 수 없는 대답의 연속이었다. 데미안이 말하고자 하는 바를 이해하지 못한 김한성은 베르를 쳐다봤지만 베르 역시 알아듣지 못한 터라 고개를 저었다.

"기자 회견을 열지 못하는 건가?"

"아, 그건 아닙니다만……."

"그럼 열도록 해."

다소 강압적인 말에 김한성은 얼떨결에 고개를 끄덕였다.

그제야 데미안은 잔뜩 굳어 있던 얼굴에 조금이나마 미소를 그리며 왔던 길을 되돌아갔다.

슬프고 우울한 감정을 숨긴 채 매일같이 웃고 지내는 것도 사람이 할 짓이 못됐다. 마치 광대가 된 것 같았다. 어딘가 슬픔을 흘려보낼 곳이 필요했다. 그래서 시연이 선택한 건 남몰래 숨죽여 우는 일이었다. 아무도 알아차리지 못하게.

그조차도 효력이 떨어져서 이젠 우는 것으로도 해결이 되지 않았다. 해결되지 않은 슬픈 감정들이 마음속에 점점 더 쌓여갔다. 금방이라도 폭발할 것만 같았다. 그걸 감추기 위해 시연은 이를 악물고 발버둥을 쳤다.

"……하아, 진짜요?"

점심 약을 먹고 한숨 푹 자고 일어난 시연은 작게 열린 문틈 사이로 살짝 놀란 것처럼 보이는 티에의 목소리가 들리자 천천히 몸을 일으켰다. 그리고 조심스럽게 침대 밖으로 나와 문 쪽으로 다가갔다. 앞이 보이지 않아도 이제 문이 어디 있는지 정도는 알고 있었다.

발소리가 나지 않게 까치발로 살금살금 다가가 문 바로 옆의 벽에 기대선 시연은 티에와 누군가의 대화를 엿들을 수 있었다.

"갑자기 기자 회견이라니, 무슨 일이래요?"

"그거야 나도 모르죠."

티에와 대화를 나누고 있는 건 리사였다. 눈이 보이지 않게 되면서 시연이 자잘하게 다치는 날이 많아지자, 리사는 아예 데미안의 오피스텔로 거처를 옮겨 지내고 있었다.

"마몬 님도 모르시던가요?"

"그런 것 같던데요."

"모르는 척하는 건 아니고요?"

"그런 걸로 보이진 않았어요."

그들이 무슨 이야기를 하는 건지는 정확하게 알 순 없었지만 대충 예상하자면 누군가 기자 회견을 하는 모양이었다. 그 대상이 데미안일 것 같다는 생각이 문득 들었다.

"아, 이제 곧 기자 회견 할 시간이네요."

"실시간으로 보고 싶은데. 그러면 안 되겠죠?"

"안 돼요. 반려님이 절대 모르게 하라고 했으니까."

그 말에 예상은 확신으로 굳어졌다. 데미안이 자신 모르게 뭔가 하려고 한다는 건 그만큼 위험하거나 안 좋은 일이라는 의미였다.

그래서 시연은 더 숨어 있지 못하고 문을 박차고 나갔다.

"바, 반려님……."

그제야 시연이 깨어 있다는 걸 알게 된 리사와 티에는 작게 놀라며 시연을 불렀다.

시연은 더듬더듬 손을 뻗어 가장 가까이 있는 이의 팔을 잡았다. 티에의 팔인 것 같았다.

"데미안 씨가 하는 기자 회견, 나도 볼래요."

"허, 헉. 다 들으셨습니까?"

"네. 그러니까 볼래요. 보여줘요, 티에."

시연의 말에 난감함을 표하던 티에는 이내 고개를 끄덕였다. 락슈의 직위를 가진 티에에겐 데미안의 명보다 시연의 명이 우선이었으니까.

그 사실을 잘 아는 리사는 자신은 모르는 일이라며 냉큼 꼬리를 뺐다.

시연을 소파로 안내한 티에는 그녀를 소파에 앉히고 TV를 켰다. 말이 본다는 거지, 눈이 안 보이는 시연이 할 수 있는 건 소리를 듣는 것뿐이었다. 그만큼 더 긴장이 돼서 손을 꼭 마주 잡았다.

"아직 뉴스 하고 있네요."

티에의 말이 거짓말이 아니라는 건 고운 아나운서의 목소리를 듣고 알 수 있었다.

"밑에 속보, '더 뉴(The New) 대표 이사의 기자 회견'이라고 적혀 있어요. 아마 곧 할 것 같아요."

"그래요."

"정말 괜찮으시겠어요?"

"안 괜찮을 건 뭔가요? 티에도 옆에 와서 같이 들어요."

다소 고집스러운 시연의 말에 티에는 짤막하게 한숨을 내쉬며 시연의 옆에 앉았다.

낭랑하게 말을 하던 아나운서의 목소리가 사라지더니 뉴스 시그널 음악이 흘러나왔다. 곧 다른 아나운서가 나와 곧 기자 회견을 생중계해주겠다고 말했다.

지금 시연이 보고 있는 채널뿐만 아니라 다른 채널에서도 데미안의 기자 회견을 생중계할 준비를 하고 있었다. 흡사 대통령급의 파급력이었다. 데미안이 얼마나 영향력이 있는지 간접적으로 알 수 있었다.

TV를 보고 있는 그들 사이에는 잠깐의 정적이 흘렀다. 그 정적을 깬 건 TV에서 베르의 목소리가 나왔을 때였다. 그 뒤로 짤막하게 인사를 하는 데미안의 목소리가 들렸다.

그의 목소리를 듣는 순간, 시연은 아까보다 더 긴장하며 얼굴을 딱딱하게 굳혔다.

[우선 갑작스럽게 자리를 마련했음에도 불구하고 찾아와주신 모든 기자 여러분께 감사의 인사를 드립니다.]

플래시 터지는 소리가 적나라하게 들렸다. 그만큼 많은 카메라가 데미안을 찍고 있다는 의미였고, 세계가 그를 주목하고 있다는 의미였다.

[얼마 전, 제가 악마라는 사실이 밝혀지면서 저는 '더 뉴'에 대한 모든 권한을 도깨비 일족인 리암 가에 넘기고 떠나겠다고 의사를 밝힌 적이 있습니다.]

"아, 그것 때문에 기자 회견을 하는 건가 봐요."

그러니 안심해도 좋을 것 같다고 티에는 말을 덧붙였지만 시연은 그렇게 생각하지 않았다.

데미안은 고작 저런 이유로 언론에 모습을 드러낼 인물이 아니었으니까.

[하나, 그 결정을 조금 미뤄야 할 것 같아 이렇게 기자 회견을 열게 됐습니다.]

역시 예상했던 대로였다.

짧게 말을 끊은 데미안은 크게 심호흡을 한 뒤 말을 이었다.

[대중 여러분께는 죄송한 말씀이지만 전 '더 뉴'의 대표 이사 자리를 포기

할 수가 없습니다.]

[그 말씀은, 인간계에 남겠다는 말씀이십니까?]

[네, 그렇습니다.]

악마가 인간계에 남겠다니!

데미안의 말에 기자들도 놀라 웅성거렸지만 티에와 시연 역시 놀라움을 금치 못했다. 오늘 아침까지만 해도 마계로 돌아갈 이야기를 하고 있었는데 갑자기 저러는 까닭이 이해가 되지 않았다.

[그 이유가 뭔지 물어봐도 되겠습니까?]

[반드시 끝내야 하는 연구가 있기 때문입니다.]

[반드시 끝내야 하는 연구요? 그게 무엇입니까?]

[줄기세포에 관한 연구입니다.]

그 말에 웅성거림은 더욱 커졌다.

줄기세포라니. 지금까지 많은 이들이 도전했지만 전부 실패한 마의 영역이었다.

그만큼 그 연구를 한다는 데미안의 발언이 당황스러웠지만 성공만 한다면 그것이야말로 굉장한 업적이었다. 물론 성공한다는 가정하에서였다. 성공하지 못하면 모든 것이 말짱 도루묵이었다.

하지만 데미안이라면 가능하지 않을까. 여태까지 수많은 불치병 약을 개발해왔던 그라면 충분히 가능성이 있었다.

[갑자기 마음을 바꿔 줄기세포 연구를 끝내야겠다고 생각하신 건 이번에 천마 전쟁의 간접 영향으로 장애를 가지게 된 피해자들을 위해서입니까?]

데미안이 자기 재산을 풀며 그 누구보다 열심히 구호 활동을 했다는 것을 익히 잘 알고 있는 한 기자가 물었다.

이에 데미안은 잠시 아무 말이 없다가 고개를 저었다.

[아닙니다.]

아니라니? 그럼 무슨 이유 때문이지?

기자들의 웅성거림이 커졌다.

베르가 조용히 해달라고 해도 소용이 없었다.

[그 이유 때문이라고 하면 모두가 만족할 만한 대답이고, 제가 인간계에서 이 연구를 계속하는 데도 아무 문제가 없겠지요.]

당연히 그랬다. 피해자들을 위해 계속 연구를 하겠다는데 누가 말리겠는가. 하물며 이 연구가 성공한다면 세상에 존재하는 많은 장애를 입은 이들이 새로운 삶을 살 수 있게 될 것이다. 모두가 환영할 만한 연구였다.

단지 문제가 있다면 데미안이 악마라는 것이지만, 그것 또한 최근 데미안이 베푼 선행과 그동안 그가 쌓아온 업적 덕분에 많이 누그러졌다.

[하지만 더 이상 양심을 속이고 싶지 않습니다. 솔직하게 고백하고 나서고 싶습니다.]

[다른 이유가 있다는 말씀이십니까?]

[네. 제가 이 연구를 계속하려고 하는 건 사랑하는 여자 때문입니다.]

"아……."

그 말에 시연은 저도 모르게 탄성을 뱉었다. 티에 역시 살짝 놀라며 시연을 쳐다봤다.

[사랑하는 여자가 저 때문에 하루아침에 앞을 보지 못하게 됐습니다. 한데 주변을 슬프게 하지 않고자, 그녀는 억지로 슬픔을 삼키고 남몰래 눈물을 흘리며 바보처럼 웃고 있습니다.]

그 사이 데미안은 담담하게 말을 이었다. 티에는 다시 화면을 쳐다봤다.

[그런 그녀에게 다시 세상을 볼 수 있는 눈을 돌려주고 싶습니다.]

되도록 마계에서 연구를 하고 싶어 그것도 생각해봤지만 환경적인 요소나 여러 가지를 따져봤을 때 그건 불가능했다. 줄기세포 연구는 반드시 인간계에서 해야만 하는 연구였다.

[지금 제가 원하는 건 그것뿐입니다.]

그래서 데미안은 기자 회견을 연 것이다. 인간계에 체류하는 것을 허락받기 위해서.

악마가 인간계에 체류하기 위해선 두 가지 방법이 있었다. 하나는 대중들의 허락을 받아 그들의 입장을 대표하는 라오스의 승낙을 받는 것이고, 하나는 정체를 숨기고 몰래 남아 있는 것이었다.

만약 후자를 선택했을 경우 정체가 들켰을 땐 일정 기간 안에 마계로 돌아가야만 했다. 그러니 데미안도 돌아가는 것이 맞았다. 제아무리 마계의 군주이고, 원탁회의 수장일지라도 정해진 법을 어길 수는 없었다.

어차피 마계로 돌아갈 생각이었으니 별 생각 없이 받아들였는데, 반드시 인간계에 남아야 할 이유가 생긴 것이다.

[부탁드립니다.]

데미안은 자존심조차 굽힌 채 대중을 향해 정중히 고개를 숙였다.

[제가 인간계에 남는 걸 허락해주십시오.]

데미안의 기자 회견은 언론 매체를 타고 전 세계로 퍼졌다.

사연이 있는 애절한 러브 스토리는 종족과 국가를 막론하고 통하는 법이었다. 데미안이 그동안 쌓아온 덕이 있었기 때문에 더욱 큰 힘을 발휘했다.

이 모든 것이 큰 그림을 그리기 위한 악마의 술수라는 우려의 목소리가 있긴 했지만 소수의 의견은 늘 다수의 의견에 묻히는 법이었다.

특히 줄기세포 연구가 성공하길 간절히 바라는 여러 환자와 그 가족들이 강력하게 데미안을 지지했다. 그렇게 데미안을 옹호하는 목소리는 점점 커졌고, 이대로라면 데미안이 인간계에 남는 건 큰 무리가 없을 것 같았다.

“아무리 생각해도 군주님은 대단하신 것 같아.”

마몬은 분주하게 연구실 안을 오가는 데미안을 보며 짧게 감탄사를 터뜨렸다.

“기자 회견을 하기도 전에 연구실에 줄기세포 연구 준비를 하라고 명령을 내린 건 대중들이 어떻게 나올지 이미 다 꿰고 있었다는 거잖아.”

데미안은 기자 회견을 끝내자마자 대중들의 반응도 보지 않고 곧바로 연구실로 왔다. 줄기세포 연구를 하기 위함이었다.

마몬과 베르가 온 건 그보다 조금 뒤, 데미안이 저지른 일을 수습하고 난 뒤였다.

“혹시 군주님에게 미래를 보는 능력이 있는 거 아니야? 그렇지 않고서야 저렇게 나설 수 있을 리가 없는데.”

“제가 알기론 없습니다.”

“그래, 그건 나도 알고 있어. 그냥 신기해서 물어본 거니까 심각한 얼굴로 대답하지 마.”

마몬의 타박에 베르는 가볍게 눈을 흘긴 뒤 데미안을 쳐다봤다. 데미안은 마몬과 베르가 온 걸 전혀 모르는 듯 연구원들을 닦달하며 이것저것 준비하고 있었다.

“……조금 신기하긴 하네요.”

베르는 그 모습을 물끄러미 보며 혼잣말하듯 중얼거렸다.

“아무리 사랑하는 여자 때문이라곤 하지만 자존심이 강한 데미안 님이 다른 이들 앞에서 고개를 숙이다니……. 안느 님 때도 이런 일은 없었던 것 같은데.”

“그야 그 여자는 동정심에서 파생된 사랑이고, 지금 반려님은 진심으로 사랑하는 여자니까 그렇지.”

“그런가요?”

"그렇지 않을까, 하고 나도 생각하는 거야. 나도 아직 군주님처럼 저렇게 누군가를 사랑해본 적은 없으니까."

그래서 조금은 부럽다고 중얼거리며 마몬은 몸을 일으켰다.

"어디 가십니까?"

"남은 일 하러. 군주님이 저렇게 열심히 하는데 놀 수는 없지."

"……같이 가죠."

그 말에 양심이 찔려 마몬의 뒤를 따르던 베르는 문득 걸음을 멈추고 데미안을 돌아봤다.

그는 여전히 마몬과 베르가 온 걸 모르는 듯 그들 쪽으론 시선 한 번 주지 않았다. 저리 무섭게 집중하는 건 그의 시종이 된 이후로 처음 보는 것 같았다.

그만큼 시연의 눈을 되찾아주고 싶다는 의미일 것이다. 그 마음은 데미안이 대중들의 앞에 고개를 숙였을 때부터 확실하게 보였다.

"사랑이라."

누군가를 얼마나, 어떻게 사랑하면 데미안처럼 될 수 있는 걸까?

그것이 궁금하면서도 언제쯤 자신에게도 그런 사랑이 찾아올지 문득 궁금해졌다.

티에의 품에 안겨 눈물을 펑펑 쏟아냈더니 붕어처럼 눈이 퉁퉁 부었다. 이걸 다른 사람들이 보면 괜히 티에를 나무랄까 봐 서둘러 얼음찜질을 했지만 큰 소용이 없었다.

"반려님, 무슨 일이 있으셨습니까?"

"네? 아무것도요!"

결국 마몬에게 울었다는 걸 들킨 시연은 화들짝 놀라며 손을 내저었지만 통할 리가 없었다.

"아닌데요. 무슨 일이 있는 것 같은데."

마몬의 시선은 여지없이 티에에게 꽂혔다.

티에가 변명하지 않고 가만히 서 있었기 때문에 그녀를 향한 마몬의 시선은 더욱 날카로워졌다.

"정말로 괜찮아요."

괜히 티에에게 불똥이 튈까 봐 시연은 마몬을 어르고 달랬다. 다행히도 마몬은 크게 걸고넘어지지 않았다.

"근데 무슨 일이세요?"

"아, 잠깐 일이 있습니다."

마몬은 어색하기 그지없는 목소리로 말했다. 표정 역시 부자연스러웠다.

"그래요?"

아마 그 일 때문에 온 거겠지. 그러니 제대로 설명도 못하고 어색하게 변명을 하는 것이다.

마몬을 더 곤란하게 할 생각이 없을 뿐더러 기자 회견을 다 본 터라 잘 알고 있는 시연은 가볍게 넘어갔다.

그렇게 마몬이 떠나고, 시간은 흘렀다. 저녁 식사 시간이 오길 애타게 기다리는 건 저녁 식사 땐 항상 돌아오는 데미안 때문이었다. 기자 회견도 그렇고, 다른 문제도 그렇고 그에게 하고 싶은 말이 굉장히 많았다.

그래서 그를 보기만을 간절히 기다렸건만 데미안은 돌아오지 않았다. 베르를 통해 미안하다는 말 한 마디만 전했을 뿐이었다. 기다리는 마음이 컸던 만큼 보지 못한 것에 대한 실망감도 컸다. 그래도 조금 지나면 돌아올 거라고 일말의 기대감을 가지고 있었는데 새벽이 지나 해가 뜰 때까지도 데미안은 돌아오지 않았다.

결국 시연은 기다리다 지쳐 잠이 들었다. 덩달아 밤을 꼴딱 새울 뻔한 티에는 이불을 목 끝까지 잘 덮어준 뒤 조용히 방을 나섰다.

"하암."

티에는 졸린 눈을 비비며 옆방으로 들어섰다. 티에가 사라진 자리에는 고요한 정적이 감돌았다.

사부작—.

얼마 지나지 않아 누군가 그 정적을 깨고 창문을 열고 들어왔다.

데미안이었다.

현관문도 아닌 창문을 통해 소리 소문도 없이 들어온 데미안은 곧장 시연의 방으로 향했다. 문을 여는 행동 하나하나가 굉장히 조심스러웠다.

밤에 몰래 찾아온 손님처럼 조심스럽게 시연의 방으로 들어선 데미안은 잠든 시연의 모습을 물끄러미 내려다봤다.

"……."

줄기세포 연구 준비를 하느라 바빠서 저녁 식사 시간에 오지 못한 것도 있지만 가장 큰 이유는 그녀를 보기 부끄러웠기 때문이다.

데미안은 시연이 기자 회견을 봤다는 이야기를 리사에게 보고 받았다. 티에가 시연의 명을 우선적으로 따른다면 리사는 데미안의 명을 우선적으로 따랐기에 리사가 데미안에게 보고를 하는 건 결코 이상한 일이 아니었다.

보여주고 싶지 않은 장면을 보여주게 된 건 굉장히 쑥스럽고 부끄러웠다. 이 기분이 가라앉을 때까지 당분간은 시연을 똑바로 마주할 수 없을 것 같았다.

하지만 그녀를 보고 싶은 마음이 너무 커 이렇게 몰래 온 손님처럼 찾아와 그녀의 잠든 모습을 훔쳐보는 것이었다.

시연의 잠든 모습을 훔쳐보는 건 사실 이번이 처음이 아니었다. 몇 번이고 찾아와 그녀의 잠든 얼굴을 봤었다. 정확히는 고르게 숨을 쉬고 있는 그녀의 모습을 확인한 것이다.

'살아 있다.'

숨을 쉬고 있다는 건 그녀가 살아 있다는 증거였으니까. 1%의 확률을 뚫고 시연이 살아 돌아온 것이 아직까지 얼떨떨하고 믿기지 않았다.

눈을 감았다가 뜨면 한여름 밤의 꿈처럼 사라질까 봐 두려워, 그런 생각이 들 때마다 시연이 숨 쉬고 있는 걸 확인하러 왔었다. 그리고 이 따뜻한 온기 역시.

데미안이 시연의 보드라운 뺨을 매만지기 위해 손을 뻗는 순간…….

"……."

돌연 시연이 눈을 떴다. 도망칠 틈도 찾지 못하고 정면에서 시선이 마주쳐 당황한 데미안은 그대로 자리에서 굳었다. 곧 시연이 저를 보지 못한다는 사실을 깨달은 데미안은 나지막하게 안도의 한숨을 내쉬며 가슴을 쓸어내렸다.

"언제 왔어요?"

"……?"

그것도 잠시, 저를 똑바로 쳐다보며 묻는 시연의 행동에 데미안은 다시 심장이 쿵, 내려앉는 걸 느꼈다.

설마 앞이 보이게 된 걸까.

데미안은 일말의 기대감으로 물었다.

"내가 보이는 건가?"

"아니요. 당신의 체취가 느껴져서요."

시각을 잃은 만큼 다른 감각들이 예민해졌는데 그중 가장 예민해진 건 후각과 촉각이었다. 특히 데미안의 체취는 특별했기 때문에 시연은 그의 체취를 맡는 것만으로도 그가 근처에 있다는 걸 알 수 있었다.

"개코가 다 됐군."

가볍게 농담을 던지는 말투와 달리 얼굴은 처연하게 가라앉았다.

그 표정을 보지 못할 텐데도 마치 데미안이 어떤 기분인지 안다는 듯 시연은 더듬더듬 손을 뻗어 데미안의 손을 잡았다.

"고마워요."

그리고 그가 오지 않아 미처 하지 못한 말을 했다. 하고 싶은 말은 이것보다 많았지만, 이 말부터 하는 것이 우선이었다.

"나를 위해서 그렇게까지 해줘서 정말 고마워요."

"너를 위한 것이 아니야. 나를 위한 거지."

그녀를 이렇게 만들어버린 것에 대한 죄책감을 덜어내기 위해서, 그녀가 괴로워하면 자신 역시 괴롭기 때문에 그렇게 되지 않게 하기 위해서.

"그래서 그러는 거니까 네가 고마워할 필요는 없어."

"그럼 더 고마워해야겠네요. 당신이 괴롭지 않다면 나 역시 괴롭지 않으니까. 이게 바로 이신전심인가요?"

시연은 해맑게 웃으며 자리에서 일어나 데미안을 품에 가득 끌어안았다.

"정말로 다행이에요."

그리고 진심을 다해 데미안에게 고백했다.

"당신을 만나게 돼서, 당신을 사랑할 수 있게 돼서."

"……."

"그리고 당신이 저를 사랑하게 돼서 정말로 다행이에요."

연거푸 이어지는 고백에 아련하게 굳어 있던 데미안의 얼굴 역시 풀렸다. 데미안은 저를 끌어안은 시연의 허리를 꽉 끌어안으며 나지막한 목소리로 말했다.

"나도."

다행이라고. 너를 만나게 돼서, 정말 다행이라고.

EPISODE 27

기적

결국 데미안은 정식으로 인간계에 남아도 좋다는 허가를 받았다. 단지 우려를 표하는 소수의 의견을 완전히 무시할 수도 없으니, 만약 데미안이 문제를 일으키면 그땐 유예 기간 없이 바로 돌아갈 뿐더러 가진 재산을 모두 사회에 환원한다는 조건이 붙었다.

터무니없는 조건이었지만 데미안은 기꺼이 받아들였다.

사고 칠 생각도 없을 뿐더러 인간계에 남을 수 있다면 그 정도는 얼마든지 약속할 수 있었다.

시연의 눈을 고쳐주기 위해 인간계에 남은 만큼 데미안은 다른 일은 베르와 마몬에게 맡기고 줄기세포 연구에 모든 시간을 투자했다.

"어서 와요, 데미안 씨."

그 와중에도 시연과 함께 밥을 먹는 시간은 잊지 않고 꼭 챙겼다.

시연은 저녁 식사 시간이 되자 어김없이 돌아온 데미안을 환하게 웃으며 반겼다. 이전처럼 가면을 쓰고 거짓으로 웃는 것이 아니라 진심이 듬뿍 담긴 환한 웃음이었다. 데미안은 시연의 뺨에 가볍게 입을 맞추었다.

"뭘 하고 있었지?"

"오늘도 마계어를 배우고 있었어요."

데미안이 줄기세포로 바쁜 나날을 보내는 동안 시연이라고 마냥 논 건 아니었다. 시연은 티에와 리사에게 마계어를 점자로 배웠다. 눈이 보이게 되면 점자로 배울 필요가 없지만 점자로 익혀두면 나중에 눈이 보인 후에도 마계어를 터득하기 쉬울 테니 겸사겸사 같이 하는 것이었다.

"마계어는 어렵네요. 아랍어 같아요."

"그러니 배울 필요 없다고 말했잖아. 필요한 건 티에가 통역해줄 텐데."

"하루 이틀도 아니고 몇십 년 넘게 그럴 건데 그때마다 일일이 티에한테 어떻게 부탁해요. 제가 직접 배워야죠."

"몇십 년이 아니라 몇백 년이다."

"꼭 그렇게 따져야겠어요?"

식사 시간은 굉장히 훈훈하게 끝났다.

아직 해야 할 일이 남아 있는 데미안은 아쉬움을 뒤로한 채 집을 나섰다. 미리 대기하고 있던 베르는 그가 차에 올라타자마자 물었다.

"데미안 님, 그 일은 어떻게 하실 생각이십니까?"

"그 일? 아……."

잠시 잊고 있었던 걸 떠올린 데미안은 짧게 감탄사를 뱉었다.

"그러고 보니 내일 하기로 했었지."

"네. 준비는 다 됐습니다."

"그럼 그건 그냥 진행하지. 한 번은 꼭 해야 할 일이었으니까."

베르는 알겠다는 의미로 고개를 끄덕였다. 이윽고 연구실에 도착하자 베르는 데미안을 내려준 뒤 어딘가로 가버렸다.

데미안이 연구실로 들어가던 중 주머니에 넣어두었던 휴대폰이 울렸다.

처음 보는 번호였다.

낯선 번호는 받지 않았지만, 시연의 일이 있고 난 뒤로 모두 받고 있었다. 물론 그때 말곤 지금까지 단 한 번도 처음 보는 번호로 전화가 온 적은 없었다. 시연의 번호가 바뀐 적이 없는 까닭이었다.

"여보세요."

그래서 의아했지만 일단 전화를 받았다.

[다행히도 전화를 받으시네요.]

"가온?"

낯익은 목소리, 가온이었다. 더 이상 원탁회 일원도 아닌 그가 전화를 하다니.

"무슨 일이지? 나한테 남은 볼일이 있던가?"

[당신한테는 없지만 그분에게는 있어서 말이죠.]

시연을 뜻하는 말이었다. 가온이 시연을 도와줬다는 건 시연에게 들어 알고 있었지만 그래도 데미안은 가온이 마음에 들지 않았다. 호의적으로 대할 필요성을 조금도 느끼지 못했다.

"허락 못 해."

[그럴 줄 알고 당신에게 전화한 겁니다. 좀 만났으면 하는데, 시간 좀 내주실 수 있을까요?]

"너한테 내줄 시간 따윈 없다."

"그러지 말고 시간 좀 내주시죠."

수화기가 아닌 직접적으로 들리는 목소리에 데미안은 귀에 대고 있던 수화기를 떼고 천천히 뒤를 돌아봤다. 그러자 이곳을 향해 걸어오고 있는 가온이 보였다.

단순히 가온이 등장한 거였다면 놀라지 않고 짜증이 났겠지만, 그를 보고 놀란 건 가온의 머리 색이 바뀌었기 때문이었다. 그건 눈동자 역시 마찬가지였다.

"……천족에서 쫓겨난 모양이군."

그것이 아니고서야 머리 색과 눈 색이 바뀌었을 리가 없었다. 정곡을 찔렸는지 데미안과 몇 발자국 거리를 두고 선 가온이 어색하게 웃으며 머리를 매만졌다.

"뭐, 그렇죠. 이상합니까?"

"어."

단답형으로 돌아온 대답에 가온은 더욱 어색하게 웃으며 볼멘소리로 대꾸했다.

"마계의 군주이면서 대중들에게 선뜻 고개를 숙인 당신보단 덜 이상한 것 같은데."

"……나와 싸우려고 온 건가?"

"그럴 리가 있겠습니까. 그저 그 여자의 소식을 전해주려고 온 겁니다."

'그분'이 아니라 '그 여자'라고 지칭하는 걸 보면 시연을 말하는 건 아니었다. 누구일지 곰곰이 생각하던 데미안은 곧 한 인물을 떠올렸다.

"그 여우를 말하는 거군."

한재희. 시연의 오랜 친구였다.

안 그래도 시연은 재희에게 솔직하게 털어놓지 못해 가슴 아파했다.

만나는 것 자체는 문제가 없었다. 아니, 원한다면 지금 당장 만날 수도 있었다. 문제는 시연이 앞이 보이지 않는다는 것이었다.

재희가 그 사실을 알게 되면 무척 가슴 아파할 테니까, 마음껏 저를 원망하지 못할 것이 분명하니까 시연은 선뜻 재희를 만나러 가지 못했다.

이에 다들 가슴 아파했지만 데미안은 달랐다.

"그 여우에게서 여태 연락이 오지 않는 게 이상하다고 생각하긴 했지."

전 세계적으로 퍼진 기자 회견을 보지 못했을 리가 없으니까.

데미안은 기자 회견에서 시연의 이름을 직접적으로 언급하진 않았지만 재희는 데미안의 연인이 제 친구인 시연이라는 걸 알고 있었다. 그러니 그 기자 회견을 보고 시연에게 연락을 하지 않는 건 확실히 이상했다.

"네가 무슨 짓을 한 모양이군."

"무슨 짓을 했다기보다 모든 걸 알려주고 선택의 기회를 줬습니다."

"선택의 기회?"

"네. 모든 것을 잊을지, 아니면 다 끌어안고 살아갈지. 그녀는 잠시 고민하더니 모든 것을 다 잊는 쪽을 선택했습니다."

재희는 시연의 일도, 재혁의 일도, 지금까지 일어난 일도 전부 잊는 쪽을 선택한 것이다. 그만큼 이 모든 일이 그녀에게 충격적이었다는 의미였다.

"그러니 그 여자가 그분, 당신의 반려를 찾는 일은 다시 없을 겁니다."

"희소식이군."

괜히 재희 때문에 시연이 가슴 아파하면 어쩌나 걱정했는데, 잘된 일이었다. 물론 지금 당장은 가슴이 아프겠지만 시간이 지나면 무뎌지고 사라질 것이다.

"그 이야기를 전해주러 온 건가?"

"네. 마지막 마무리는 하고 싶어서요."

"그래."

좋은 소식을 물어왔기 때문인지 가온을 향한 데미안의 경계가 조금 누그러졌다.

"아, 혹시 그거 아십니까?"

그래서일까. 가온은 실없이 웃으며 말했다.

"그냥 보기엔 평범해 보이는 천족의 보석이 왜 값어치가 높은지."

뜬금없는 말에 데미안은 말없이 가온을 쳐다봤다. 이유를 모르기 때문이기도 했다.

"그 이유는 바로 천족의 보석이 간절하게 원하는 소원을 어떤 것이든 하나는 들어주기 때문이라고 하더군요."

"쓸데없는 소문이군."

"그렇죠? 그런 것이 가능할 리가 없죠."

웃는 얼굴이 묘하게 거슬렸지만 가온과 오래 노닥일 시간은 없었기 때문에 깊게 묻지 않았다.

"이제 어디로 갈 거지?"

"글쎄요. 어디든 절 받아주는 곳으로 가야 하지 않을까요?"

"천족에서 쫓겨난 널 받아줄 곳이 있을까?"

약간 비아냥거리듯 말했지만 가온은 개의치 않고 웃으며 대답했다.

"찾아봐야죠. 어디든 한 군데는 있을 테니까요."

"원한다면 마계로 와도 좋아. 너 하나는 받아줄 수 있으니까."

"아하하, 생각해보겠습니다."

그것으로 대화는 끝이었다. 가온은 데미안을 향해 허리를 깊이 숙여 인사했다. 데미안은 그런 가온에게 잘 가라는 짤막한 인사를 한 뒤 연구실 안으로 들어갔다.

데미안의 모습이 보이지 않을 때까지 허리를 굽히고 있던 가온은 그제야 허리를 폈다. 데미안의 자취를 좇는 얼굴에는 아련한 미련이 새겨져 있었다. 가온은 주머니에 넣어둔 휴대폰을 꺼내 어딘가로 전화를 걸었다.

"…… 아, 나예요. 네, 네. 잘 끝났어요. 그래서 말인데, 한 가지 물어봐도 되겠습니까?"

잠시 호흡을 하며 말을 끊은 가온은 여전히 적응되지 않는 머리를 긁적이며 물었다.

"당신은 이런 절 받아줄 수 있습니까?"

상대방이 대답을 해주지 않는지 가온의 얼굴은 점점 딱딱하게 굳었다.

역시 안 되는 건가?

가온이 나지막한 한숨을 내쉬며 전화를 끊으려는 순간…….

[……당연한 걸 물으시네요.]

상대방이 대답했다. 이에 가온의 얼굴에 번져 있던 아련한 미련은 곧 행복으로 바뀌었다. 가온은 입가에 그 어느 때보다 환한 미소를 그리며 대답했다.

“금방 갈게요.”

그날 밤, 집으로 돌아온 데미안은 가온에게 들은 소식을 시연에게 전해주었다.

“그렇군요, 재희가…….”

재희의 소식을 들은 시연은 침통한 표정을 지었다. 우울한 모양이었다. 하긴 그렇게 친했던 친구가 자신에 대해서 전부 잊었다는데 우울하지 않을 리가 없었다.

데미안은 소파에 앉은 시연을 뒤에서 끌어안으며 말했다.

“원한다면 다시 기억을 되돌려줄 수도 있어.”

데미안의 말에 시연의 눈동자가 작게 흔들렸다. 시연은 잠시 고민하더니 이내 고개를 저었다.

“아니에요. 그러지 마세요.”

“그 친구가 영영 널 잊을 텐데 괜찮은 건가? 섭섭하지 않아?”

“섭섭하지 않다면 거짓말이겠지만 어쩔 수 없죠. 재희가 그러길 원했다잖아요.”

재희가 그런 극단적인 선택을 한 건 그만큼 그 기억을 계속 가지고 살아

가는 것이 힘들다는 의미였다. 한데 자신이 무슨 자격으로 그녀의 기억을 되돌린단 말인가. 아무리 섭섭해도 언감생심 그런 마음을 품어선 안 되는 것이었다.

"그냥 나중에…… 먼발치에서라도 좋으니까 재희가 잘 지내는지만 보고 싶어요."

그냥 듣기엔 아주 간단한 소원이었지만 앞이 보이지 않는 시연에게는 그 무엇보다 어려운 소원이었다.

"반드시 그렇게 될 수 있게 해줄게."

데미안은 시연을 끌어안은 손에 힘을 주며 다부진 목소리로 말했다. 그녀를 향한 그의 진심이 잔뜩 느껴졌다. 그제야 시연은 침통한 표정 위에 옅은 미소를 그리며 제 어깨를 감싸고 있는 데미안의 손을 살포시 잡았다.

"그래서 말인데, 내일 저녁엔 밖에 나갈까?"

앞을 보지 못하게 된 이후로 시연은 일체 외출을 하지 않았다. 아직 이 안전한 울타리를 벗어나 세상으로 나아가는 것이 무섭기 때문이기도 하고, 주변에서 위험하니 절대 나가면 안 된다고 만류했기 때문이기도 했다.

특히 데미안이 가장 나가는 걸 만류했다. 같이 나가는 것조차 안 된다고 할 정도였다. 한데 저녁에 밖에 나가자니 너무 갑작스러운 제안이었다.

아직 세상과 마주할 준비가 되어 있지 않은 심장은 고작 나가자는 이야기만 들었을 뿐인데도 격하게 두근거렸다.

"간만에 단둘이 저녁을 먹지."

기분 나쁜 두근거림은 단둘이라는 단어에 기분 좋은 울림으로 바뀌었다. 데미안과 함께라면 아무것도 두려워할 필요가 없었다.

시연은 흔쾌히 고개를 끄덕였다.

"좋아요."

"그럼 내일 저녁에 데리러 오지."

데미안은 시연의 머리칼에 가볍게 입을 맞춘 뒤 티에를 불렀다.

새벽 1시. 이미 꿈나라에 들었어야 했을 시간이었다. 한데 여태 시연이 잠들지 않고 깨어 있었던 건 바쁜 일정으로 얼굴을 보기 힘든 데미안과 조금이라도 더 함께 있기 위함이었다.

데미안은 시연이 늦게까지 깨어 있는 것이 별로 달갑지 않았지만 자신과 함께 있고 싶어서라고 하니 말리진 못하고 되도록 일찍 집에 돌아오기 위해 노력했다.

자정이 훨씬 넘은 시각이었지만 최대한 노력한 것이었다. 연구실에는 벌써 며칠째 집에 가지 못한 이들이 수두룩했다.

"좋은 꿈 꾸도록 해."

"데미안 씨도요."

데미안은 시연이 티에의 안내를 받아 침실로 들어간 것을 확인한 후에야 비로소 걸음을 옮겼다.

5층에서 기다리고 있던 더미가 연구실에서 온 팩스를 건네주었다. 팩스로 온 자료들을 처음부터 끝까지 훑어본 데미안은 깊은 한숨을 내쉬었다.

"역시 안 되는 건가……."

5년 전에 줄기세포를 연구하다가 포기한 데는 다 이유가 있었다. 지금까지 연구한 그 어떤 것보다 어렵고 까다로웠다. 수일 동안 연구했는데도 가능성이 조금도 보이지 않았다. 안느와 시연이 먹었던 독약을 먹고 살아날 가능성보다 희박했다.

그렇다고 포기할 순 없었다. 포기하는 순간, 시연은 영영 앞을 보지 못하게 될 테니까.

공을 들였던 연구가 실패하니 마음이 조급해졌다. 연구실로 돌아가 어디서부터 잘못됐는지 차근차근 짚어봐야겠다고 생각하며 집을 나서려는데 베르가 돌아왔다.

"아, 데미안 님."

데미안을 본 베르는 입가 가득 미소를 지으며 말했다.

"모든 준비를 완벽하게 마쳤습니다."

"그래."

희소식에 불안했던 마음이 조금이나마 안정을 되찾았다.

"한데 어디 가시려고 하셨던 겁니까?"

"연구실에. 연구가 실패했다는 보고를 받아서."

"아아, 결국은 실패한 건가요."

베르는 진심으로 안타까움을 금치 못했다. 그 역시 한시라도 빨리 시연이 앞을 볼 수 있기를 간절히 바라고 있었다. 그건 마몬과 티에 등 다른 이들도 마찬가지였다. 그 간절함은 데미안 못지않을 것이다.

"그럼 역시 내일 일정은 취소할까요?"

"아니, 그대로 진행해. 시간 맞춰 갈 테니까."

그렇게 말하며 연구실로 향하는 데미안의 안색은 굉장히 좋지 않았다. 당연했다. 잘 시간을 줄여가며 연구에 집중하고, 휴식 시간은 전부 시연에게 쏟아부었으니 얼굴색이 좋을 리가 없었다.

그런 데미안이 안쓰러워 베르는 한참 동안이나 그에게서 시선을 떼지 못했다.

요즘 잠이 부쩍 많아진 시연이 일어난 건 정오가 다 됐을 무렵이었다. 늦게 잔 탓도 있었다. 뺨을 가볍게 두드리는 것으로 남아 있는 잠을 몰아내고 있는데 티에가 들어왔다.

"일어나셨네요, 반려님."

"네. 한데 무슨 좋은 일 있어요, 티에?"

"네? 무슨 말씀이신지?"

"티에의 목소리가 유난히 들뜬 것 같아서요."

"어, 그런가요? 아무 일도 없는데 이상하네, 호호호호……."

웃음소리 역시 한껏 들떠 있었다. 무슨 좋은 일이 있는 것이 분명했다.

그래서 물어봤지만 티에는 좀처럼 대답해주지 않았다. 그런 것 없다며 시치미를 계속 뗄 뿐이었다.

"자, 어서 씻고 점심 드시죠."

심지어 말까지 돌렸다. 말하기 싫다는 의미였다. 기분이 나빠 보이는 것도 아니고 좋아 보이는 데다가 말하기 싫다는데 굳이 깊이 파고들 필요성을 느끼지 못한 시연은 그러려니 하고 넘어갔다.

이제 앞이 보이지 않아도 밥 먹는 것 정도는 척척 해냈다. 사람은 적응의 동물이라더니, 그 말이 딱 맞았다. 물론 반찬 위치가 똑같다는 전제하에 가능한 일이었고, 먹는 속도도 평소보다 현저히 느렸지만 딱히 바쁜 일도 없고 천천히 먹는 것이 소화에 더 도움이 되니 문제가 될 건 없었다. 시연이 식사를 끝마치기까진 한 시간 남짓 걸렸다.

"이제 목욕하시죠."

시연이 식사하는 동안 분주하게 움직이던 티에가 다가와 대뜸 말했다.

"아, 전 그냥 샤워만 할 생각이었는데요."

"에이 그러지 말고 오늘은 목욕해요, 네? 제가 아로마 오일까지 다 풀어놨단 말이에요."

"그래도……."

"자, 자, 사양하지 말고 어서 가요."

"자, 잠깐 티에……!"

우악스럽게 잡아당기는 힘에 속수무책으로 끌려간 시연은 아로마 목욕

뿐만 아니라 두피 관리와 피부 관리, 그리고 네일 관리까지, 좋다는 관리는 다 받아야만 했다.

아무리 좋은 관리라도 이렇게 한 번에 다 받으니 피곤했다. 관리를 끝낸 시연은 쓰러지듯 침대에 누웠다.

'저녁에 데미안 씨랑 밥 먹는 것 때문에 이러는 건가?'

그러기엔 조금 과한 감이 있었지만 평소 티에의 성정을 봤을 때 충분히 가능성은 있었다. 오랜만에 하는 데이트였으니까.

'데이트라.'

생각만 해도 기분이 좋아지는 단어였다. 가슴이 두근거렸다. 앞이 보였을 때도 데미안과 정식으로 데이트를 해본 적은 없었다. 그러니 이번 데이트가 거의 첫 데이트라고 봐도 무방했다. 그래서 더 설레는 것 같았다.

그 설렘을 꼭 끌어안고 데미안과 뭘 하면 좋을지 생각하고 있는데 조금 투박한 발소리가 들렸다. 티에의 발소리는 아니었다.

"반려님!"

"리사?"

발소리의 주인은 리사였다. 그가 갑자기 찾아왔다는 것에 당황하며 몸을 일으키는 순간, 성큼 다가온 리사가 시연의 팔을 잡아끌었다.

"이럴 시간 없어요! 얼른 오세요!"

"네? 무슨……."

리사는 이렇다 할 설명도 없이 다짜고짜 시연의 팔을 잡아끌었다. 하는 행동이 티에와 비슷했다.

아무래도 리사 역시 시연이 데미안과 저녁을 먹으러 간다는 이야기를 들은 모양이었다. 데이트를 잘할 수 있게 도와주는 건 고마웠지만 조금 부담스러웠다.

리사가 시연을 데리고 간 곳은 드레스 룸이었다. 뒤따라 들어온 티에가 놀란 듯 작게 휘파람을 불었다.

"꼴에 제법 준비를 잘했네요?"

"꼴에…… 흠, 당연하죠! 평생에 하나밖에 없는 특별한 날이 될 텐데."

"저기, 무슨 말이에요? 평생에 하나밖에 없는 특별한 날이 된다니?"

데이트 때문에 이러는 거 아니었나?

그렇게 생각했기에 하나밖에 없는 특별한 날이 된다는 말은 어울리지 않았다.

그래서 그들의 말을 이해하지 못한 시연이 선생님에게 질문하는 어린 학생처럼 손을 들며 물었지만 돌아오는 대답은 없었다. 그저 의미를 알 수 없는 침묵만 흐를 뿐이었다.

"리사? 티에?"

이에 조금 답답해진 시연이 다시 한 번 그들을 부르자 리사가 어색하게 웃으며 시연의 팔을 잡았다.

"조금 있으면 다 알게 될 테니까 조금만 기다려주세요, 반려님."

"아니, 무슨……."

"자, 자, 시간이 얼마 없으니까 어서 준비하죠. 티에, 반려님의 옷을 갈아입혀 주세요."

리사가 나가자 티에는 서둘러 시연의 옷을 갈아입혔다. 천족인 시연에게 어울리는 새하얀 원피스였다. 허리 라인이 잘록하게 들어가고 치마는 풍성하게 퍼져 무릎까지 덮었다. 치마 끝자락에 놓인 자수가 과하지 않아 더욱 아름다웠다.

다시 들어온 리사는 티에와 함께 시연을 치장하는 데 열과 성을 다했다. 이윽고 치장을 마친 리사와 티에는 너무 예쁘다고 호들갑을 떨었지만 그 모습을 볼 수 없는 시연은 그저 웃을 뿐이었다. 그렇다고 기분이 나쁘거나 우울한 건 아니었다.

"군주님은 식당으로 바로 오신대요. 식당까진 제가 모실게요."

"그래서 남자 옷을 입고 왔나 보네요?"

리사가 남자 옷을?

티에의 말에 그제야 그 사실을 알게 된 시연은 깜짝 놀라며 리사를 돌아봤지만 그렇다고 안 보이던 것이 보이는 건 아니었다.

"레이디를 에스코트해야 하는데 폼이 안 나잖아요."

"조금이라도 생각이 제대로 박혀 있어서 다행이네요."

"뭐라고요?"

"아, 당신과 옥신각신할 시간 없습니다. 어서 가시죠, 반려님."

성질내는 리사를 뒤로한 채 티에는 시연의 손을 잡고 현관으로 향했다.

이런 옷에는 높은 굽의 하이힐이 어울렸지만 시연이 넘어질 가능성이 높으니 굽이 낮은 플랫슈즈로 신었다.

신발을 신고 현관문을 열자 차가운 공기가 얼굴에 확 와닿았다. 새벽만 해도 괜찮다고 생각했는데 손을 잡고 있는 이가 데미안이 아니라서 그런지 현관 밖으로 나가는 것이 두려웠다. 아니, 나가고 싶지 않았다. 이대로 다시 집으로 들어가고 싶었다.

"반려님, 왜 그러세요?"

"……아, 아무것도 아니에요."

하지만 그럴 수 없었다. 티에와 리사가 이렇게까지 도와줬는데, 데미안이 저를 기다리고 있는데 다시 돌아간다니. 말도 안 되는 것이었다.

시연은 용기를 내서 한 발짝 앞으로 내디뎠다.

또각—.

차가운 바닥과 슈즈의 낮은 굽이 닿는 소리가 울려 퍼졌다.

첫 발을 내딛는 건 어려웠지만 두 번째부턴 조금 나아졌다. 시연은 훨씬 수월하게 두 번째 발까지 내디뎠다.

시연은 리사의 손을 잡고 그가 이끄는 대로 움직였다. 그가 차에 타라고 하면 탔고, 얼마 지나지 않아 그가 내리라고 하면 내렸다.

"와, 반려님."

차에서 내린 시연을 맞이한 건 마몬이었다. 시연을 본 마몬은 감탄을 터뜨리며 유난스럽게 말했다.

"오늘 정말 예쁘신데요? 천사라고 해도 믿겠어요."

"반려님은 천족이니까 원래 천사야, 형."

"알고 있어 인마. 그냥 비유하는 거지. 근데 너 많이 컸다? 형한테 막 개기고?"

"악, 악! 때리지 마!"

투닥거리는 두 형제의 싸움은 언제 들어도 재미있었다.

'근데 내가 천족이 되었어도 그들은 아무렇지 않게 날 대하는구나.'

원래 알던 사이이기 때문일까. 아니, 금단의 아이일 때보단 천족인 것이 더 나아서 그런지도 모른다.

어쨌건 좋은 현상이니 심각하게 생각할 필요는 없었다.

"여기서부턴 제가 안내하겠습니다, 반려님."

마몬이 내민 손을 잡기 위해 손을 뻗은 시연은 그제야 마몬의 키가 예전처럼 작지 않다는 걸 깨닫고 눈을 크게 떴다.

"마몬, 키가……."

"이렇게 좋은 날에는 본래 모습으로 반려님을 맞이해야지요."

본래 모습이라니? 아니, 그것보다 좋은 날이라니?

의아함의 연속이었다. 전부 의미를 알 수 없는 말만 늘어놓으니 머릿속엔 궁금증만 쌓여갔다.

건물 안으로 들어왔다는 건 주변 공기가 달라진 것으로 알 수 있었다.

시연은 마몬과 함께 엘리베이터를 타고 위로 올라갔다. 이윽고 목적지에 도착했는지 마몬이 잡고 있던 손을 놨다.

"여기서부턴 앞으로 똑바로 걸어가시면 됩니다."

"저 혼자서요? 데미안 씨는 어쩌고요?"

"좀 더 안쪽에서 기다리고 계십니다. 그러니까 걱정하지 마시고 걸어가세요. 앞을 가로막는 장애물은 아무것도 없을 테니까요."

도대체 데미안은 무슨 생각으로 혼자 오라는 걸까?

조금 당혹스러울 뿐더러 혼자 가야 한다는 것이 두려웠지만 그녀는 일단 고개를 끄덕였다.

마몬은 좋은 시간 보내라는 말과 함께 허리 숙여 인사한 뒤 조용히 물러났다. 발걸음 소리가 전혀 들리지 않았기 때문에 시연은 그가 물러선 걸 전혀 알아차리지 못했다.

앞이 보이지 않는 상태에서 아무 도움 없이 혼자 걸어가는 건 상당한 용기가 필요한 일이었다. 낯선 장소라면 더더욱 용기가 필요했다.

"후아."

시연은 크게 심호흡을 한 뒤, 천천히 앞으로 걸어갔다.

마몬의 말대로 앞을 가로막는 장애물은 아무것도 없었다. 그래도 겁이 나서 한 발, 한 발 내딛는 걸음은 조심스러울 수밖에 없었다. 그녀는 떨리는 두 손을 꽉 맞잡았다.

타악—.

그렇게 몇 걸음 내디뎠을까. 갑자기 꽃향기가 물씬 느껴졌다. 굉장히 향기로웠다. 그래서 잠시 걸음을 멈춘 시연은 꽃향기 사이로 익숙한 체취가 느껴지자 손을 뻗었다. 그러자 누군가의 옷깃이 잡혔다.

"데미안 씨."

그 체취의 주인은 다름 아닌 데미안이었다. 코가 마비가 될 정도로 짙은 향기 속에서도 시연은 귀신같이 데미안을 찾아냈다.

그가 곁에 있다는 사실 하나만으로 두려움이 전부 사라졌다. 시연은 좀 더 데미안 쪽으로 가까이 다가갔다.

"이게 뭐예요? 그냥 저녁 먹는 거 아니에요?"

"응. 아니야."

"그럼요?"

데미안은 대답 대신 시연의 손에 무언가를 올려두었다. 작고 동그란 구슬인 것 같았다.

"이걸 깨봐."

"깨라고요?"

"응. 가볍게 쥐면 깨져."

시연이 데미안이 시키는 대로 구슬을 가볍게 쥐자 구슬이 깨지면서 어떤 영상이 영화처럼 머릿속에 펼쳐졌다.

처음 보는 고급스러운 레스토랑은 온통 꽃으로 가득했고, 어디선가 고요한 클래식이 울려 퍼졌다.

탁자 위에는 맛있어 보이는 음식들이 가득했지만 시연의 시선을 사로잡은 건 음식들이 아니었다. 족히 100송이는 넘어 보이는 장미 꽃다발 옆에 있는 반지였다.

이윽고 영상은 사라졌지만 여운은 가시지 않았다. 그래서 멍하니 서 있었더니 데미안이 손을 잡았다.

곧 차가운 무언가가 왼쪽 약지에 끼워졌다. 반지였다. 확신하건대 아까 영상에서 본 그 반지일 것이다. 그렇다는 건 영상 속에서 봤던 모든 것들이 사실이라는 의미였다.

꽃과 아름다운 음악, 고급스러운 레스토랑과 반지.

그리고 이 세상 그 무엇보다 사랑하는 남자.

"데미안 씨……."

이게 뭘 의미하는 건지 모른다면 그건 바보일 것이다. 시연이 아련한 목소리로 그를 부르자 데미안은 시연의 두 손을 꽉 마주 잡았다.

"네가 내 반려가 되는 건 이미 정해진 사실이지만 그래도 프러포즈는 해줘야겠다고 줄곧 생각했다."

"……."

"내 곁에 있어줘서, 나랑 평생을 함께하기로 결정해줘서 정말 고맙다."

달콤하기 그지없는 고백에 눈물샘이 자극돼서 눈물이 펑펑 쏟아졌다. 이렇게 좋은 일에 울고 싶진 않았는데 조절할 수가 없었다.

"완전 울보군."

데미안은 옅게 웃으며 눈물이 흐르는 시연의 뺨에 가볍게 입을 맞췄다. 숨결이 섞일 정도로 둘 사이의 거리는 굉장히 가까웠다. 곧 아래로 내려온 입술은 살짝 벌어진 시연의 입술을 가볍게 베어 물었다.

앞이 보이지 않는 건 계속 불편했지만 지금처럼 불편한 적은 없었다. 보고 싶었다. 이렇게 달콤한 사랑 고백을 하는 데미안의 모습을, 이 모든 상황들을 너무 보고 싶었다. 영상이 아닌 제 눈으로 똑똑히 보고 싶었다.

한데 그럴 수 없다는 사실이 너무나도 암울하게 다가와 마음이 시렸다. 조금 전과는 다른 의미로 감정이 북받쳐 올랐다.

데미안의 얼굴을 보고 싶다는 간절한 마음은 눈물이 되어 뺨을 타고 흘러내려 시연이 끼고 있는 반지의 푸른 보석 위로 떨어졌다.

파앗—.

그때였다. 반지에서 푸른빛이 뿜어져 나온 것은. 앞이 보이지 않는 상태에서도 이상하게 그 빛은 똑똑히 보였다.

한데 데미안은 보지 못한 건지 그에게선 반응이 없었다. 그는 되레 푸른 빛을 좇는 시연에게 무슨 일이 있느냐고 물어봤다.

한순간 빛이 모여들더니 누군가의 형상이 되었다. 그림자처럼 형태가 흐릿해서 알아볼 순 없었지만 머리가 긴 걸로 봐서 여자인 것 같았다. 형상은 시연 쪽으로 손을 뻗었다. 곧 형상의 손이 눈에 닿았다. 굉장히 차갑고 시린 손이었다.

『당신의 소원이 이뤄지길.』

'이 목소리는…… 소피아?'

뜻밖의 목소리에 약간 놀란 시연이 눈을 크게 뜨는 순간, 빛만 감지하던 눈동자에 흐릿하게 데미안의 모습이 보였다.

눈을 깜빡이면 깜빡일수록 흐릿했던 형상은 점점 또렷해졌다.

"아……."

이윽고 데미안의 모습이, 그 뒤로 보이는 꽃의 향연들이 또렷하게 보이자 시연은 천천히 손을 뻗어 데미안의 뺨을 매만졌다.

"왜…… 이렇게 얼굴빛이 안 좋아요?"

"……시연?"

"왜 이렇게 말랐어요? 누구 좋으라고…… 이렇게 마른 건데."

자신의 얼굴이 보이지 않는 이상 할 수 없는 말에 데미안의 눈동자가 크게 흔들렸다.

"내가 보이는 건가?"

"네, 보여요. 너무 잘 보여요."

"어떻게 이런 일이……."

갑자기 앞이 보이게 되다니, 그야말로 기적이었다. 아니, 그 단어만으로 이 상황을 표현하기엔 부적절한 것 같았지만 달리 다른 단어들이 떠오르지 않았다.

"다행이다."

시연을 꽉 끌어안는 데미안의 몸이 잘게 떨렸다. 그건 그의 목소리 역시 마찬가지였다.

속에서 뜨거운 것이 울컥 치솟았다. 더 좋은 말을 해주고 싶은데 머릿속이 좋은 감정들로 뒤죽박죽 엉켜서 무슨 말을 해야 할지 알 수 없었다.

어느덧 데미안의 눈에서 흘러내린 눈물이 시연의 어깨를 축축이 적셨다.

"정말 다행이야."

그야말로 더할 나위 없이 완벽한 프러포즈였다.

뜻하지 않은 기적으로, 데미안과 시연은 생각했던 것보다 더 좋은 저녁 시간을 보냈다.

시연이 다시 앞을 볼 수 있게 됐다는 사실을 알게 된 마몬과 베르는 무척이나 기뻐했다. 그건 리사와 티에 역시 마찬가지였다. 얼마나 기뻐했으면 사이가 나쁘다는 것도 잊고 서로를 얼싸안고 기쁨의 눈물을 흘릴 정도였다. 감격이 끝난 뒤 질색하며 떨어진 건 후문이었다.

"이렇게 좋은 일은 축하 파티를 해야죠!"

프러포즈 다음 날 저녁.

티에와 더미들은 요리 솜씨를 백분 발휘하여 상다리가 부러지지 않을지 걱정이 될 정도로 음식들을 한껏 차렸다.

천장에는 '축! 반려님 회복!'이라는 플래카드와 함께 풍선들이 주렁주렁 달려 있었다.

그 모습에서 그들이 얼마나 시연을 걱정했었는지, 그리고 시연이 다시 앞을 볼 수 있게 된 것을 얼마나 기뻐하는지 확실히 알 수 있었다.

시연은 기분이 좋았지만 한편으로는 조금 부끄러웠다.

"이렇게까지 안 해도 되는데요, 티에."

"무슨 소리세요, 반려님! 이건 당연히 축하해야죠!"

"그럼요! 축하해야지요! 자자, 얼른 케이크의 초를 불어요, 반려님."

리사까지 가세해서 말하니 시연은 어쩔 수 없이 더미가 가지고 온 케이크의 초를 불었다. 초가 전부 꺼지는 순간 사방에서 폭죽이 팡팡 터졌다.

리사는 샴페인까지 터뜨렸다. 뜻하지 않게 그 샴페인을 몽땅 맞은 마몬은 리사의 멱살을 잡고 흔들었고, 리사는 살려달라며 팔을 마구 휘저었다.

마몬이 샴페인에 쫄딱 젖은 옷을 갈아입으러 가는 사이에도 파티는 진행됐다.

티에와 리사는 물론 베르, 심지어 데미안까지 시연에게 술을 권했다. 일명 축하주였다. 축하주는 절대 남기면 안 된다는 그들의 지론에 따라 시연은 주는 술을 다 받아먹어야 했다. 술은 잘 못하는 편이지만 흥겨운 분위기 때문인지 그날따라 술이 쭉쭉 잘 들어갔다.

"딸꾹."

그렇다고 취하지 않는 건 아니었다. 연신 딸꾹질을 하는 시연의 얼굴은 사과처럼 붉게 달아올랐다. 눈앞이 핑핑 돌고 머리가 어지러웠다.

시연이 금방이라도 쓰러질 듯 기우뚱거리자 데미안은 기꺼이 제 어깨를 빌려주었다.

"속이 울렁거려요."

데미안의 어깨에 기댄 시연은 나지막하게 신음을 뱉으며 중얼거렸다.

데미안은 말없이 시연의 등을 토닥여주었다. 시연을 진정시키기 위해 한 행동이었지만 오히려 그 행동이 그녀의 속을 더 울렁거리게 만들었다.

"웁."

결국 올라오는 욕지기를 참지 못한 시연은 두 손으로 입을 틀어막고 그대로 화장실로 달려갔다. 무심코 따라가려고 일어선 티에는 곧 그녀가 앞을 볼 수 있다는 사실을 자각하고 다시 앉았다.

"진짜 기적이네요."

티에가 앉으면서 중얼거린 말에 모두들 암묵적으로 동의했다.
기적.
시연이 다시 앞을 볼 수 있게 된 건 그 단어로도 표현하기 힘든 것 같았지만 지금은 그것보다 더 적절한 표현을 찾을 수가 없었다.
"반려식을 더 성대하게 치러야겠어요."
"지금보다 더 성대하게 치르는 건 무리인데요, 티에."
"어머, 능력이 없으시네요, 베르. 그 정도도 못하는 건가요?"
"네, 못합니다."
베르가 단호하게 대답하며 와인을 홀짝이자 그런 그가 못마땅하다는 듯 티에는 눈을 흘겼다.
"반려식은 예정대로 다음 주에 치르나요?"
"그래. 그 뒤로 일주일간은 쉴 생각이다."
시연이 앞을 보지 못했을 땐 쉬지 않고 바로 줄기세포 연구를 하러 갈 생각이었지만, 지금은 상황이 달라졌다.
시연이 다시 앞을 볼 수 있게 됐으니 더 이상 줄기세포 연구를 할 필요가 없었다.
"그 뒤에는 연구를 다시 진행하도록 하지."
한데 데미안이 그런 말을 하자 다들 의아해하며 그를 바라봤다. 그중 총대를 멘 건 마몬이었다.
"반려님이 앞을 볼 수 있게 됐는데도 연구를 계속하실 생각이십니까?"
"그래."
"어째서요?"
"그러는 것이 나를 믿고 인간계에 남는 걸 동의해준 자들에 대한 보답이니까. 받은 은혜는 반드시 보답해줘야지."
받은 은혜는 반드시 보답한다. 참으로 데미안다운 생각이었다.

그 생각이 복수에도 적용된다는 것이 조금 무섭기는 했지만.

"예전처럼 내 몸도 돌보지 않고 빠르게 진행할 생각은 없어. 그러니까 크게 걱정하지 않아도 된다."

데미안이 그렇다면 할 말은 없었다. 그들은 빠르게 납득하며 고개를 끄덕였다.

잠시 후 시연이 비실비실 거리며 다시 돌아왔다. 식탁 의자가 아닌 소파에 쓰러지듯 앉은 시연은 쓰려오는 속을 붙잡고 중얼거렸다.

"더는 못 먹어……."

"적당히 좀 먹지."

데미안의 타박에 시연은 그를 향해 눈을 흘겼다.

좋다고 같이 먹인 게 누군데 저런 말을 하는 건지. 그가 얄미웠다.

"전 이만 자러 가야겠어요……."

자기 전에 씻어야 했지만 아무것도 할 수가 없었다. 아니, 하고 싶지 않다는 것이 더 정확한 표현일 것이다.

지금은 아무것도 하지 않고 그저 자고 싶었기 때문에 시연은 곧장 침실로 들어갔다. 그 뒤를 데미안이 따라나섰다.

데미안이 따라오는 걸 눈치채지 못한 시연은 풀썩 침대 위로 쓰러졌다. 그 옆으로 다가가 앉은 데미안은 그녀의 머리칼을 쓰다듬어주었다. 관리가 잘된 머리칼은 걸리는 것 하나 없이 부드럽게 넘어갔다. 그제야 데미안이 온 걸 깨달은 시연이 부스스 눈을 떴다.

"더 놀지 왜 왔어요?"

"너 자는 거 보고 가려고."

"안 그래도 되는데."

"내가 그러고 싶어서 그래. 그러니까 자."

머리를 쓰다듬는 손길이 다정했다. 없던 잠도 몰려오게 만들 정도로 부드러웠다. 그 손길에 몰려오는 잠을 도저히 이길 수 없었다. 시연은 그의 손길을 받으며 무거운 눈꺼풀을 내렸다.

"……."

그것도 잠시, 다시 시연은 눈을 부릅떴다.

눈동자를 또르르 굴려 모든 것이 다 보인다는 걸 확인한 후에야 시연은 나지막하게 안도의 한숨을 내쉬었다.

버릇이었다. 눈을 감으면 다시 앞이 보이지 않게 될까 봐, 모든 것이 꿈일까 봐 두려워서 이런 버릇이 생기고 말았다.

어젯밤엔 이 버릇 때문에 잠도 제대로 자지 못하고 잠을 설쳤었다.

"역시 잠을 설치는군."

그 모습을 본 데미안이 그럴 줄 알았다는 듯 말했다.

시연은 고개만 들어 데미안을 쳐다봤다.

"알고 있었어요?"

"대충은."

"……솔직히 아직 안 믿겨요. 내가 다시 앞을 볼 수 있게 되다니……."

두서없이 말을 늘어놓는 시연의 목소리가 조금씩 흐려졌다.

우는 건지, 아니면 잠이 오기 때문인지는 알 수 없었지만 데미안은 묵묵히 그녀의 말을 들어주었다.

"……그래서 자꾸 잠을 설치네요. 저 참 바보 같죠?"

"아니, 불안한 건 당연해. 나라도 그랬을 테니까."

"당신도요?"

못 믿겠다는 듯 시연이 눈을 동그랗게 뜨고 묻자, 데미안은 설핏 웃음을 흘리며 그녀의 볼을 가볍게 꼬집었다.

"나도 두려운 건 있어."

"가장 두려운 건 뭔데요?"

"너를 잃는 것."

일말의 고민도 없이 떨어진 대답은 시연의 가슴을 두근거리게 만들었다.

뜻하지 않게 달콤한 이야기를 들은 시연은 다른 의미로 얼굴을 붉히며 베개로 얼굴을 가렸다.

데미안은 그런 시연이 귀엽다는 듯 가볍게 웃음 지으며 일어섰다.

"나 때문에 더 못 자는 것 같으니 이만 나가보도록 하지."

"아, 저기……."

그가 나가려는 움직임을 보이자 시연은 다급하게 그의 팔을 잡았다.

머리를 거쳐서 나온 행동이 아닌 그를 보내고 싶지 않다는 마음에서 나온 반사적인 행동이었다.

"어, 그러니까……."

시연은 의아하다는 듯 저를 쳐다보는 데미안의 시선을 똑바로 바라보지 못하고 고개를 푹 숙였다.

시연의 얼굴뿐만 아니라 귀까지 전부 빨개졌다.

하고 싶은 말은 있었지만 부끄러움에 입안에만 머물 뿐, 입 밖으로 나가지 않았다.

한참 쭈뼛거리던 시연은 이내 용기를 내서 그의 팔을 잡아끌었다.

"우리…… 같이 잘래요?"

오해의 여지가 생기기 충분한 말에 데미안의 눈이 커졌다.

시연은 손을 휘휘 내저으며 서둘러 변명했다.

"아, 아니, 그런 의미로 같이 자자는 것이 아니라 그냥 당신이 곁에 있으면 불안해하지 않고 잘 잘 수 있을 것 같아서 그래요. 전에 당신이 자지 못하고 잠을 설쳤을 때처럼요."

변명하는 동안에도 시연은 데미안의 얼굴을 똑바로 마주하지 못하고 팔로 허공을 내젓고 있었다.

그 손을 덥석 잡은 데미안이 손등 위에 가볍게 입을 맞추었다.

그제야 시연은 데미안을 똑바로 바라보았다.

“다행이군.”

다행이라니? 뭐가 다행이라는 거지?

“만약 네가 나랑 자기 원한 이유가 그런 쪽이라면 난 네 부탁을 들어줄 수 없었을 테니까.”

그가 말하는 그런 쪽이 뭘 의미하는 건지 모르면 그건 바보일 것이다.

그래서 당황한 시연은 입을 벌린 채 눈을 깜빡였다.

아니, 그것보다 왜 그건 들어줄 수 없는 건지 궁금했다.

설마 자신이 성적으로는 매력이 없는 것일까?

“그런 거 아니다.”

궁금했지만 직접 물어보기엔 애매해서 말 못하고 있는데 그런 시연의 마음을 알았다는 듯 데미안이 대답했다.

“나 역시 너를 안고 싶은 마음은 커. 지금도 너를 침대에 눕히고 싶은걸.”

노골적인 말에 또 한 번 심장이 두근거렸다. 아니, 이번엔 ‘쿵쿵’이었다. 심장은 아까보다 훨씬 빠른 속도로 뛰며 제 존재를 여실히 알리고 있었다.

“하지만 지금은 그럴 수가 없어. 그랬다간 네 몸에 무리가 갈 테니까.”

“내 몸에…… 무리?”

“천족과 마족은 상극이다. 한데 반려로 맞지 않은 상태에서 내가 널 가진다면, 내 기운을 과도하게 흡수한 네 몸에 문제가 생길 거야.”

이해하기 어려운 것 같으면서도 이해가 됐다.

어쨌거나 데미안이 제게 쉬이 손을 대지 못하는 건 성적으로 매력을 느끼지 못하거나 그런 부류의 이유가 아닌 자신이 천족이고 그가 마족이기 때문이었다.

“그럼 정식 반려로 맞이하면 저랑 잘 건가요?”

'앗, 지금 내가 무슨 말을!'

다급한 마음에 뜻하지 않게 말을 뱉어버린 시연은 화들짝 놀라며 입을 틀어막았지만 이미 뱉은 말을 주워 담을 수는 없었다.

데미안도 시연이 그런 말을 할 줄 몰랐는지 살짝 놀란 눈으로 그녀를 바라봤다.

또 갈 곳을 잃은 시연의 시선은 애꿎은 바닥만 하염없이 쳐다봤다.

"……물론이다."

그런 시연의 얼굴을 두 손으로 감싼 데미안은 떨리는 그녀의 눈동자를 똑바로 바라보며 말했다.

"너를 정식 반려로 맞이하는 순간부터 난 더 이상 참지 않을 거다."

새카만 어둠이 깃든 눈동자에 선명하게 떠오르는 감정은 욕망이었다.

닿는 것이라면 모두 태워버릴 것 같은 그런 욕망.

"이왕 말 나온 김에 미리 경고해두는데, 반려식 이후로 일주일간은 침대 밖으로 못 나갈 거야."

"아……."

"그러니까 그전에 꼭 해야 할 일은 다 끝내놓는 것이 좋을 거다."

심장이 쿵쿵 뛰다 못해 절벽 아래로 떨어졌다.

그의 눈동자를 똑바로 마주하는 것이 부끄러웠지만 볼을 잡은 그의 손 때문에 시선을 다른 곳으로 돌릴 수는 없었다.

"대답은?"

"……."

"설마 싫은 건 아니겠지?"

싫을 리가 없었다. 오히려 너무 좋아서 어떻게 하면 좋을지 모를 정도였다. 반드시 대답해주길 바라는 듯한 그의 행동에 시연은 수줍게 얼굴을 붉히며 천천히 고개를 끄덕였다.

❧

천마 전쟁의 간접 영향으로 망가진 인간계도 거의 다 복구가 됐고, 시연도 다시 앞을 볼 수 있게 되면서 모든 것이 안정적으로 자리를 잡아갔다. 반려식 준비 또한 상당히 순조로웠다.

"네? 뭐라고요?"

반려식을 이틀 앞둔 어느 날, 난데없는 소식을 들은 시연은 눈을 동그랗게 뜨고 티에를 돌아봤다.

"창조주께서…… 절 보고 싶어 하신다고요?"

"네, 그렇습니다."

티에 역시 당황스러워 하고 있었다.

창조주가 시연을 보고 싶어 한다는 것만으로도 충분히 당황스러운데 더 당황스러운 건 데미안은 물론, 다른 사람들 몰래 만나러 오라는 전언이었다.

"어떻게 할까요, 반려님?"

"……어떻게 하긴요, 가야죠. 창조주의 전언인데."

제아무리 데미안이라고 할지라도 창조주의 전언을 무시하고 무사할 순 없었다. 데미안에게 괜한 불똥이 튀는 걸 원치 않았기에 시연은 창조주가 시키는 대로 하기로 했다.

시연이 결정을 내리자 티에는 창조주의 전언과 함께 온 의복을 가져왔다. 창조주를 만날 때 지정된 의복을 입어야 하는 건 시연도 마찬가지였다.

천족이기에 시연은 순백의 원피스를 입었다. 무늬 하나 없는 심플한 원피스였지만 그 편이 시연의 외모를 더욱 돋보이게 해주었다. 준비된 의복의 외투와 구두도 모두 흰색이었다. 흰색을 싫어하는 건 아니지만 이쯤 되니 조금은 질릴 정도였다.

외출 준비를 마치니 인터폰이 울렸다. 한데 인터폰 화면에는 아무것도 보이지 않았다.

"뭐죠?"

"창조주께서 보낸 사자가 왔나 봐요. 사자의 모습은 우리가 만든 기계에 잡히지 않는다고 했거든요."

그래도 혹시 모르니 자신이 확인해보겠다며 티에는 시연을 두고 현관으로 나갔다.

"어라."

현관문을 열어봤지만 아무도 보이지 않았다.

'누가 장난을 친 건가? 그럴 리가 없는데.'

의아해하며 돌아본 티에는 인기척도 없이 제 뒤에 다가와 서 있는 인영(人影)을 보고 그대로 굳었다.

인영의 정체는 다름 아닌 창조주였다.

"차, 창조주시여."

뒤늦게 정신을 차린 티에는 황급히 무릎을 꿇고 머리를 공손히 조아렸다. 아무리 놀랐다곤 해도 창조주의 얼굴을 수 초 이상 똑바로 바라보다니. 날벼락이 떨어져도 이상할 것이 없었다.

그래서 덜덜 떨고 있었지만 정작 창조주는 티에에게 전혀 관심을 두지 않았다. 그녀가 관심을 두고 있는 건 어느새 현관 복도까지 나와 그녀를 바라보고 있는 시연이었다.

이런 예법을 전혀 모르는 시연은 티에처럼 무릎을 꿇거나 고개를 숙이지 않았다.

"반려님……!"

"됐다."

티에가 다급히 시연에게 알려주려고 하자, 창조주는 가볍게 손을 들어 티에를 저지했다.

"저 아이에게까지 인사를 강요할 생각은 없어. 저 아이는 내 통솔을 벗어난 아이니까."

'통솔을 벗어난 아이라니?'

티에는 이해하지 못했지만 감히 물어보지 못했다.

"오랜만에 보는구나, 아이야."

창조주는 시연의 앞으로 다가가 다정하게 인사를 건넸다.

"천마 전쟁 이후 처음인가?"

"그렇네요."

하나 그 인사를 곧이곧대로 받아들일 시연이 아니었다. 시연은 창조주에 대한 경계를 전혀 풀지 않고 대답했다.

"직접 찾아오실 거라곤 꿈에도 생각지 못했어요."

"생각해보니 네가 이 집에서 나가면 의도하지 않더라도 그 아이가 알게 될 거 같아서 말이야. 그래서 내가 직접 왔지."

전혀 달갑지 않은 배려였다.

그녀가 직접 찾아올 줄 알았더라면 번거롭게 이런 옷을 입는 준비 따위는 안 했을 것이다.

"의복이 참 잘 어울리는구나."

그런 시연의 마음을 알아챘다는 듯 창조주가 그녀를 위아래로 훑으며 말했다.

"하얀색도 잘 어울리지만 검은색도 잘 어울리겠어."

"……칭찬 고맙습니다."

"후후, 그럼 칭찬이지. 칭찬이고말고."

그렇게 말하니 칭찬도 칭찬처럼 들리지 않았다.

뭐라 대답하면 좋을지 몰라 우두커니 서 있는데 마치 자신의 집이라도 되는 양 창조주는 어서 앉으라고 권하며 먼저 자리에 앉았다.

시연이 창조주의 맞은편 소파에 앉자 티에는 헐레벌떡 달려가 다과 준비를 했다.

다과가 올 때까지 창조주는 아무 말도 하지 않았다. 딱히 할 말이 없는 시연도 입을 다물고 있었다.

“맛있구나.”

티에가 타 온 홍차를 마신 창조주가 눈을 반짝이며 티에를 바라봤다.

“차를 타는 솜씨가 일품이야.”

“가, 감사합니다.”

뜻하지 않게 칭찬을 받은 티에는 얼떨떨해하며 고개를 숙였다. 딱히 기뻐하는 것처럼 보이진 않았다.

그러거나 말거나 창조주는 차 한 잔을 말끔히 비우고 한 잔 더 마셨다.

“차를 마시러 오신 건 아니겠죠.”

더 기다릴 수가 없어 시연은 먼저 말을 꺼냈다.

“무슨 일로 절 보고 싶다고 하신 건가요?”

“그냥 확인해볼 것도 있고 해서 겸사겸사 보자고 했다.”

“확인해볼 것이요?”

“네가 마신 그 독약.”

독약 이야기에 찻잔을 감싼 시연의 손이 작게 떨렸다. 바로 심호흡을 하지 않았더라면 찻잔을 떨어뜨렸을 것이다.

“어떻게 마시게 된 건지 기억하니?”

“그걸 왜 물어보시는 거죠?”

“알고 있는지 모르겠지만 천마 전쟁이 일어나기 전, 난 그 아이에게 제안을 했었다. 네가 이 약을 먹고 살아난다면 널 그 아이의 반려로 인정해주겠다고.”

처음 듣는 이야기였다.

놀라웠지만 최대한 티 내지 않고 가만히 그녀를 쳐다보자 창조주는 옅게 웃으며 말을 이었다.

"한데 그 아이가 거부했었지. 절대 네게 손을 대지 말라고 하면서 말이야. 그리고 난 그걸 허락했다. 그러니 그 누구도 네게 그 약을 먹으라고 강요를 할 수도, 권할 수도 없어. 처음부터 끝까지 네 스스로의 의지로 먹는 것이 아니라면 말이야."

'아, 그래서 우리스가 그런 편지를 쓰게 한 거구나.'

그제야 시연은 우리스가 이상한 편지를 쓰게 한 까닭을 이해했다.

"그래서 물어보는 거다. 신이 네게 그 약을 강요 혹은 권한 적이 있는지."

"……만약 있다면요?"

"그럼 신은 내 명을 어긴 죄로 신의 자리를 내놓아야겠지. 신의 자리는 내가 부리는 사자 중에서 우두머리. 내 명을 어기는 건 결코 용납되지 않아."

처음부터 지금까지 유쾌하게 휘어 있던 창조주의 눈매가 단호하게 굳었다. 창조주는 들고 있던 찻잔을 내려놓고 시연을 똑바로 바라보며 물었다.

"자, 대답하거라, 아이야."

"……."

"네 대답에 따라 신의 운명이 결정될 거다."

말 한마디에 누군가의 운명이 좌지우지된다는 건 참으로 어깨가 무거워지는 일이었다.

아니라고 대답하기엔 우리스가 자신과 데미안을 갈라놓기 위해 한 일들과 가온에게 한 짓이 괘씸했다. 하지만 사실대로 말하기엔 신의 자리를 박탈당할 우리스가 조금은 가여웠다.

"그는……."

그래서 고민하던 시연은 곧 굳게 결심한 얼굴로 대답했다.

"저에게 그 약을 먹으라고 강요한 적도, 권유한 적도 없습니다."

"정말이니?"

"네."

결국 시연이 선택한 대답은 'NO'였다.

우리스를 보호하기 위해서 한 대답은 아니었다.

그저 창조주의 말을 어기면서까지 천계를, 모두를 지키려고 한 그의 결정을 존중하는 것이었다.

다수를 지키기 위해 소수에게 피해를 입힌 우리스의 행동이 결코 틀린 건 아니었으니까.

"흐음, 그래?"

시연의 대답에 턱을 쓰다듬으며 잠시 생각에 잠겨 있던 창조주는 이내 크게 웃음을 터뜨리며 소파 등받이 깊숙이 몸을 묻었다.

"정말이지, 너무 재미있구나."

뭐가 재미있다는 거지?

"하나부터 열까지 예측이 되지 않는 아이를 보면 불안하고 초조할 거라고 생각했는데, 내 예상이 완전히 빗나갔어. 이렇게 재미있는 것을."

이해할 수 없는 말의 연속이었다.

그녀가 아무 말도 하지 않고 가만히 있자 창조주는 제멋대로 말을 늘어놓았다.

"내가 왜 금단의 아이를 금지시켰는지 알고 있니?"

금단의 아이라는 것이 존재한다는 것도, 자신이 금단의 아이라는 것도 최근에 알았는데 그런 걸 알고 있을 리가 없었다.

하지만 그동안 겪은 일을 통해 무엇 때문인지는 대충 유추가 됐다.

"제가, 금단의 아이가 위험한 존재이기 때문인가요?"

"뭐, 그런 것도 있지만 그렇게 따지면 그 아이가 더 위험하지."

창조주가 말하는 그 아이는 데미안일 터.

"넌 이성의 생명 에너지만 빼앗지만 그 아이는 성별에 상관없이 모두를 죽이니까. 한데 그 아이는 살려두고 금단의 아이는 예언까지 해가면서 죽이라고 한 이유가 뭘까?"

"모르겠는데요. 알려주실 건가요?"

"그럼. 그러려고 이야기를 꺼낸 거니까."

그새 창조주의 찻잔이 비자, 티에는 바로 잔을 채웠다.

"나는 말이야, 이 세상에 존재하는 모든 생명체의 운명을 볼 수 있어. 언제 태어나고 언제 죽는지, 누구와 사랑하고 앞으로 어떤 일이 일어날지 전부 알고 있지."

"……."

"그런 내가 볼 수 없는 생명체가 단 하나 있어. 그게 누군지 아니?"

"저라는 말씀이시군요."

"빙고."

창조주는 해맑게 웃으며 박수를 짝, 쳤다.

뭐가 빙고라는 건지. 누가 들어도 답을 알 수 있는 아주 쉬운 질문이었다. 모르는 사람이 바보였다.

"그래서요? 고작 그것 때문에 저를, 금단의 아이를 죽이라고 예언을 내린 건가요?"

"고작이라니. 그게 얼마나 큰일인데."

찻잔 주변을 매만지는 창조주의 손길은 다소 신경질적이었다.

"단순히 네 운명만 예측하지 못한다면 크게 상관없겠지만 문제는 네가 관여한 자들의 운명까지 전부 예측할 수 없게 된다는 거야."

"내가 관여한 자들까지 전부?"

"그래. 그 아이, 데미안이 너를 만난 것도, 마르스가 신의 자리를 박탈당한 것도, 그리고 그 여우가 죽은 것도 모두 정해진 운명이 아니었다. 너라는 존재가 개입하면서 틀어진 거지."

운명을 알 수 없는 자의 개입으로 인해 다른 이들의 운명이 틀어지면 모든 것이 뒤죽박죽 섞여버리게 된다.

창조주는 그걸 미연에 방지하기 위해 금단의 아이를 죽이라는 예언을 내렸던 것이다.

"하지만 그 예언조차 넌 빗겨나갔지. 아니, 정확히는 네 어미가 빗겨나간 거지만 네 어미가 그런 선택을 한 것도 모두 너 때문이니 이것도 엄연히 따지면 네 탓이지."

어머니가, 레아가 자신 때문에 그런 선택을 해서 죽었다는 사실이 잔혹하게 가슴을 파고들었다. 듣지 않았으면 더 좋았을 말이었다.

"너도 경험해서 알겠지만 운명이 틀어지면 여러 가지로 일이 골치 아파진단다. 천마 전쟁 때만 해도 내가 처음으로 개입을 했을 정도니까."

"……."

"그래서 네가 천족이 되면 네 운명을 볼 수 있을까 했는데 태생이 금단의 아이라서 그런지 여전히 난 네 운명을 볼 수가 없구나."

"……그래서 절 죽이실 건가요?"

입을 다문 채 가만히 창조주의 말을 듣고 있던 시연이 입을 열었다.

"제 운명을 볼 수 없기 때문에, 절 죽이시려고 온 건가요?"

"호호, 그럴 리가. 넌 더 이상 금단의 아이가 아닌데 내가 무슨 명분으로 널 죽인단 말이니."

그 말은 아직까지 금단의 아이였다면 죽였을지도 모른다는 말처럼 들려 약간 소름이 돋았다.

자신을 천족으로 만들어준 마르스에게 아주 조금, 정말 아주 조금 고마운 마음이 생겼다.

"그냥 네가 마계로 가기 전에 이 이야기를 해주고 싶었을 뿐이란다. 내가 왜 그래야만 했는지, 그리고 왜 일이 이렇게 돌아간 건지 네가 알았으면 했을 뿐이야."

"그렇습니까."

"그래, 그리고 한 가지 경고를 하려고 왔지."

역시 단순히 이야기만 하러 왔을 리가 없었다.

창조주가 저런 말을 할 거라는 걸 예상했기 때문에 시연은 크게 놀라지 않고 담담하게 그녀의 말을 기다렸다.

"금단의 아이였던 네가 지금까지 살아 있을 뿐만 아니라 천족이 된 건 거의 기적 같은 일이지. 한데 그 기적 같은 일이 일어났고, 그 기적이 또 한 번 더 일어나길 바라는 건 터무니없는 욕심이지."

"……."

"그러니까 부디 몸조심하렴. 다음에도 우리가 이렇게 이야기를 나눌 수 있도록 말이야. 난 지금 이 상황이 아주 재미있거든."

느닷없이 찾아온 것처럼 창조주는 느닷없이 모습을 감추었다.

그녀가 있었다는 흔적은 테이블 위에 있는 찻잔이 고작이었다. 그조차도 없었으면 창조주가 이곳에 있었다는 것을 전혀 몰랐을 것이다.

"어라, 반려님?"

뒤에서 바짝 긴장하며 창조주의 찻잔을 바라보고만 있던 티에가 눈을 깜빡이며 시연을 쳐다봤다.

"누가 오셨나요?"

"네?"

"아니, 찻잔이 두 개이길래…… 전 찻잔을 두 개 가지고 온 기억이 없는데……."

티에는 고개를 갸웃거리며 기억을 되짚었다.

보아하니 창조주가 모습을 감출 때 티에의 기억에서 제 존재를 지운 듯

했다.

'이래서 직접 찾아온 건가?'

그녀가 창조주의 계단을 오르면 여러 사람들의 눈에 띌 테니까.

왜 그렇게까지 자신과 만난 걸 숨기고 싶어 하는지는 모르겠지만, 궁금해 해봤자 알 수 없는 것이기 때문에 의문을 머릿속에서 지웠다.

"그러니까 분명 반려님이 차를 가지고…… 어라? 반려님이 차를 가지고 오라고 한 기억도 없는데?"

"내가 타 온 거예요."

아직도 찻잔이 두 개인 걸로 고민하는 티에를 이만 구해줘야 할 것 같아 시연은 그녀를 돌아보며 말했다.

"하나는 티에 건데 티에가 너무 늦게 와서 다 식어버렸네요."

"아, 그런 건가요? 이런, 죄송해요. 부르지 그러셨어요."

"바빠 보여서 안 불렀어요. 그리고 미안해할 건 없어요. 내가 마음대로 결정한 일이니까."

혹시 티에가 창조주가 입을 댄 찻잔에 입을 댈세라 시연은 찻잔과 다과를 치웠다.

"근데 어디 나가세요, 반려님?"

그제야 시연의 옷차림이 눈에 들어온 티에가 작게 탄성을 내질렀다.

"옷이랑 외투가 너무 예쁜데요. 반려님이랑 잘 어울려요!"

"그래요? 난 별로인데."

"왜요?"

"그야 전 흰색보다 검은색이 좋으니까요."

시연은 입고 있던 외투를 벗어 소파 위에 올려두며 말했다.

"역시 검은색이 제일 예쁜 것 같아요."

그것도 데미안이 입고 있는 검은색이 세상에서 가장 예쁜 것 같다고 생각하면서.

데미안은 반려식 날짜를 공개하지 않았지만 암암리에 이미 다 퍼져나간 상태였다. 날짜와 장소는 물론 그의 반려인 시연에 대한 정보까지 전부.

라오스와 원탁회에서 막으려고 무던히 노력했지만 언론의 자유라는 명목하에 퍼지는 건 막을 수가 없었다.

시연이 금단의 아이였던 것도, 이제 천족이 됐다는 것도 모르는 대중들은 악마와 인간의 러브 스토리에 관심을 보이며 삼삼오오 떠들어댔다.

시연이 입었던 옷이나 착용한 액세서리 등 그녀의 패션이 유행처럼 번지기도 했다.

그렇게 모두의 관심 속에서 반려식 날이 찾아왔다.

반려식 장소는 한국 라오스 지사에 있는 연회장이었다. 고급스러운 호텔이나 기타 다른 좋은 장소를 빌릴 생각도 했지만 열띤 취재진과 대중들 때문에 보안상의 문제로 그럴 수가 없었다.

"그래서 어쩔 수 없이 라오스 한국 지사에서 하게 됐다. 미안하다."

"미안할 게 뭐가 있어요. 다른 것보다 보안이 가장 중요한걸요."

"하지만……."

"장소 같은 건 중요하지 않아요. 제게 중요한 건 제가 당신의 정식 반려가 된다는 거니까요."

어쩜 말도 이렇게 예쁘게 하는지.

시연이 사랑스러워서 견딜 수가 없어 데미안은 자신들을 향한 수많은 시선을 무시한 채 시연의 입술 위에 가볍게 입을 맞췄다.

이에 시연이 수줍게 얼굴을 붉힌 건 말할 것도 없었다.

이날, 한국으로 오는 비행기 표는 모두 매진되어버렸다. 전 세계 사람들이 시연과 데미안의 반려식을 직접 보기 위해 한국으로 온 것이다.

반려식은 오후 1시부터 시작됐지만 새벽부터 라오스 한국 지사 주변엔 대중들이 바글바글했다. 종족에 상관없이 모두들 그들의 반려식을 기다리고 있었다.

소란스러운 바깥과 달리 신부 대기실은 고요했다.

반려식을 돕기 위해 마계에서 넘어온 시녀들은 티에를 도와 분주하게 시연을 치장했다.

"어머, 너무 아름다우세요, 반려님."

이윽고 시연의 치장을 마친 티에는 박수를 짝 치며 유난스럽게 말했다. 그건 다른 시녀들도 마찬가지였다. 다들 하나같이 시연의 아름다움을 칭찬했고, 이에 쑥스러워진 시연은 볼을 발그레 붉히며 거울을 바라봤다. 거울 속에는 새하얀 웨딩드레스를 입은 여자가 서 있었다.

흰색보다 검은색을 선호하긴 했지만 신부의 상징은 역시 새하얀 순백의 드레스였다. 나라 혹은 종족마다 조금씩 차이가 있긴 했지만 그게 가장 대중적이었기에 시연은 순백의 드레스를 입었다. 물론 그 다음에 있을 피로연에서는 검은색 드레스를 입기로 했다.

드레스를 입은 다음엔 메이크업을 하고 여러 장신구들을 주렁주렁 달았다. 지금까지 착용했던 그 어떤 장신구들보다 값비싸고 화려했다.

티아라부터 시작해서 귀고리, 목걸이 등 어디 한 군데도 장신구를 끼지 않은 곳이 없었지만 단 하나, 손가락은 예외였다.

그곳에 반지를 끼워줄 주인은 조금 있다가 식장에서 만날 예정이었다.

똑똑—.

한참 치장에 열중하고 있는데 문 두드리는 소리가 들렸다.

"아직 식 시작할 시간은 아닌데……."

티에는 의아해하며 문을 열었다. 그러자 눈이 부실 정도로 화려한 은발의 소년이 보였다. 눈동자는 붉은색이었다.

뱀파이어인 걸까?

처음 보는 사람이었기 때문에 시연은 그를 빤히 쳐다봤다. 그건 티에와 다른 시녀들 역시 마찬가지였다.

모두의 시선을 한 몸에 받으면서도 소년은 스스럼없이 웃으며 무언가를 내밀었다. 붉은 꽃이 흐드러지게 피어 있는 꽃다발이었다.

"창조주께서 보내신 꽃다발입니다."

"창조주께서요?"

그녀가 꽃다발을?

의아했지만 감히 창조주의 이름을 걸고 거짓말을 할 리는 없으니 사실일 것이다.

티에는 기꺼이 소년이 내민 꽃다발을 받았다.

꽃다발에 아무 이상이 없다는 것을 확인한 후에야 비로소 꽃다발은 시연의 손으로 넘어갔다.

그제야 붉은 꽃을 자세히 볼 수 있게 된 시연의 입가에 사르르 미소가 번졌다.

멀리서 봤을 때도 아름다운 꽃이라고 생각했는데 가까이서 보니 더욱 아름다웠다.

"정말 예쁜 꽃이네요. 장미인가요?"

"아니요. 그 꽃의 이름은 'Vampire flower'입니다."

"Vampire flower?"

의미를 해석하자면, 뱀파이어 꽃. 굉장히 특이한 이름이었다.

"고마워요. 창조주께도 고맙다고 인사를 전해주세요."

"네, 그럼 이만."

꾸벅 고개 숙여 물러난 소년은 사람들이 몰려 있는 연회장 쪽이 아닌 반대쪽으로 걸어갔다.

대부분 연회장에 몰려 있었기 때문에 그곳은 인기척이 드물었다. 개미 그림자도 보이지 않았다.

"또 내 이름 팔고 돌아다니지?"

그런 소년의 앞으로 한 소녀가 불쑥 등장했다.

창조주였다. 창조주는 삐딱하게 벽에 기대서서 못마땅한 얼굴로 소년을 쳐다봤다.

"말없이 불쑥불쑥 등장하는 버릇 좀 고쳐줄래, 라엘? 깜짝 놀랐잖아."

"네가 놀랐다고? 말도 안 되는 소리를 하는군."

소년, 라엘은 픽 하고 웃으며 창조주의 말을 받아쳤다.

"그리고 굳이 알릴 필요가 있나? 내가 이쪽으로 넘어오면 자동으로 내가 왔다는 걸 알게 되면서."

"자동으로 아는 거랑 네가 말해서 아는 거랑은 느낌이 다르거든?"

창조주가 툴툴거리며 불만을 토로했지만 라엘은 전혀 개의치 않는다는 듯 가볍게 어깨를 으쓱였다.

"그래서, 여긴 무슨 일이야? 귀한 꽃까지 들고 찾아오고."

"그냥 인사차 온 거야. 드디어 네가 운명을 볼 수 없는 존재가 생겼다고 하길래 어떤 존재인지 궁금해서."

"나보고 그 말을 믿으라고?"

창조주는 눈매를 곱게 일그러뜨리며 허리춤에 손을 올렸다.

"네가 그런 시답지 않은 일로 여길 왔을 리가 없잖아? 무슨 볼일이야?"

"……역시 넌 못 속이겠네."

라엘은 너털웃음을 터뜨리며 가볍게 어깨를 으쓱였다.

"별건 아니고, 한 가지 부탁을 하려고 왔어."

“부탁? 무슨 부탁?”

“미래에 생길 그 남자의 아이를 나에게 줘.”

뒤이은 말에 창조주의 얼굴이 다소 딱딱하게 굳었지만 라엘은 개의치 않고 말했다.

“운명에 구애 받지 않는, 운명을 거스를 수 있는 그 아이를 나에게 줘.”

“……원래 그 아이는 죽어야 할 아이라는 걸 알면서도 달라는 거야?”

“그래서 달라는 거야. 죽일 바엔 차라리 나 달라고.”

“부탁하는 주제에 너 어처구니없이 당당하다?”

“그럼 무릎이라도 꿇을까?”

“아, 됐어.”

라엘이 정말 무릎을 꿇을 것처럼 굴자 창조주는 작게 당황하며 손을 내저었다.

“근데 이유가 뭐야? 그 아이는 네 입장에서도 처치 곤란일 텐데, 왜 데려가려는 건데? 어디다 써먹으려고?”

“운명을 바꾸는 데 써보려고.”

“아, 설마 지금 네 세계가 많이 혼란스러운 것 때문이야?”

라엘은 대답하지 않고 웃었지만, 긍정의 의미였다. 그제야 이해가 된 창조주는 작게 한숨을 내쉬며 말을 이었다.

“그런다고 바뀔 것 같아? 되레 악영향을 끼칠 수도 있어.”

“하지만 내 아이들을 위해서 무엇이든 해봐야지. 너도 알잖아, 이런 내 마음.”

정곡을 찌르는 말에 창조주는 입을 다물었다.

“그러니까 부탁한다.”

라엘은 창조주의 어깨를 가볍게 두드리며 말했다.

“그 아이, 나중에 내가 필요하다고 할 때 꼭 나에게 넘겨줘.”

"……그 전에 죽어도 난 모른다?"

"걱정하지 마. 그 전에 데리러 올 테니까."

그럼 나중에 보자는 말을 남긴 뒤 라엘은 어둠 속으로 사라졌다.

시연과 데미안은 동시 입장을 하기로 결정했다.

시연을 데리러 신부 대기실로 온 데미안은 모든 준비를 마치고 다소곳이 앉아 있는 시연을 보고 그대로 굳었다.

"왜 그러세요, 데미안 씨?"

이에 시연이 의아하다는 듯 묻자 그제야 데미안은 짧은 탄성을 뱉으며 고개를 저었다.

"아니, 아무것도. 그저……."

"그저?"

"너무 예뻐서 아무한테도 보여주고 싶지 않다는 생각이 들었거든."

이 무슨 닭들이 털을 홀라당 벗고 뛰어갈 소리인지.

이제 어느 정도 면역이 된 티에조차 닭살 돋은 팔을 쓰다듬을 정도인데 면역력이 없는 시녀들은 난생처음 보는 데미안의 모습에 기겁하며 입을 쩍 벌렸다.

"데미안 씨도 멋져요."

단순히 그가 한 칭찬에 대한 보답이 아닌 진심이었다.

흑과 백을 두르고 머리를 말끔하게 올린 그는 단순히 멋지다는 말로는 표현이 안 될 만큼 근사했다.

저런 남자가 자신의 평생 반려가 된다는 사실이 그저 놀랍고 신기했다.

몇 달 전만 해도 평생 남자를 만나지 못할 거라고 생각했는데, 이렇게 되다니.

역시 사람 일이란 한 치 앞도 알 수가 없었다.

"근데 언제까지 데미안 씨라고 부를 거지?"

"네? 그럼요?"

"이제 데미안이라고 불러도 돼."

데미안.

항상 부르던 이름인데, 끝에 '씨'만 빠졌을 뿐인데 기분이 오묘해졌다.

감히 부르기 민망하다고 할까.

"이전에 잘 불러놓고 이제 와서 내외하는 건가?"

그녀가 주저하자, 데미안이 픽 웃으며 말했다.

놀리는 것이 분명한 말에 더 창피해진 시연은 입술을 삐죽였다.

"그땐 제정신이 아니었잖아요. 제정신일 때 불러본 적은 없다고요."

"그럼 지금부터 부르면 되겠군. 평생 날 데미안 씨라고 부를 것이 아니라면 말이야."

틀린 말이 아니기도 하거니와 내심 '데미안'이라고 부르고 싶었던 시연은 용기를 내서 그의 이름을 입에 담았다.

"데미안."

"응."

그러자 데미안이 금방이라도 눈이 멀어버릴 것 같은 화사한 미소를 지으며 웃었다.

정말이지, 심장에 좋지 않은 웃음이었다.

"그럼 갈까."

"네."

시연은 수줍게 웃으며 데미안이 내민 손에 제 손을 포갰다. 검은 장갑과 흰색 레이스 장갑이 조화롭게 어울렸다.

시연과 데미안이 연회장으로 향하자 수많은 시녀들과 시종들이 그들의 뒤를 따랐다. 그중에는 당연히 티에와 베르도 있었다.

연회장으로 들어서니 원탁회 일원들을 비롯해서 각 일족의 수장들, 마계에서 온 7인의 검, 그리고 천계의 손님까지 모두 그들을 향해 고개를 숙이고 있었다.

가장 상단에 있는 건 창조주였다. 시연과 데미안은 손을 잡고 창조주의 앞으로 걸어갔다.

창조주는 주례를 하기 위해 상석에 서 있는 게 아니었다. 그저 둘 사이를 인정한다는 증거로 서 있는 것이었다. 창조주가 없는 반려식은 무효였다.

그렇기 때문에 창조주의 앞에 선 데미안과 시연은 서로를 마주 보고 성혼선언문을 낭독했다. 이곳에 오기 전 몇 번이고 연습했지만 막상 자리에 서니 떨렸다. 시연은 무슨 정신으로 성혼 선언문을 다 낭독했는지 기억하지 못했다. 기억이 나는 건 그저 부질없이 떨리는 자신의 목소리뿐이었다

성혼 선언문 낭독 다음엔 반지 교환 시간이 있었다. 프러포즈를 받았을 때 받은 반지가 아닌, 큼지막한 다이아가 박힌 반지였다. 금단의 아이 소동이 있기 전부터 준비한 반지는 드디어 주인의 손에 안착되어 빛을 발했다.

파앗—.

반지를 끼는 순간 시연의 등 뒤로 날개가 치솟았다. 그건 데미안도 마찬가지였다. 위풍당당한 크기를 자랑하며 등장한 날개는 곧 화려한 깃털을 흩뿌리며 사라졌다. 검은색과 흰색의 깃털들이 하모니를 이루며 연회장에 가득 찼다. 그야말로 장관이었다.

"어……?"

그래서 넋을 놓고 바라보고 있던 시연은 데미안이 제 뺨에 손을 대자 그를 쳐다봤다. 그의 얼굴이 점점 가까워지고 있었다. 그가 뭘 하려는 건지 모른다면 그건 바보일 것이다.

시연은 기꺼이 눈을 감았고, 곧 입술 위에 차갑고 부드러운 것이 닿았다.

"이리하여 이 둘이 정식으로 반려가 됐음을 선언한다."

반려식 내내 아무 말도 하지 않던 창조주가 드디어 한마디 뱉었다.

그녀의 말에 무게가 실려 연회장 가득 울려 퍼졌다. 이것으로 시연과 데미안은 서로를 정식 반려로 맞이했다.

그 누가 상상이나 했을까? 안느를 잃고 두 번 다시 반려를 맞이하지 않겠다고 결심한 데미안이 금단의 아이를 반려로 맞이할 거라곤.

누가 감히 예상했을까? 접촉한 이성의 에너지를 빼앗는 기이한 능력을 가진 탓에 평생 이성과의 접촉을 꺼리던 시연이 반려를, 그것도 마계의 군주를 평생의 반려자로 맞이하게 될 거라곤.

서로를 만나지 않았으면 절대 불가능한 일이었다.

그렇게 두 사람은 뜻밖의 장소에서 뜻밖의 인연을 만나 아름다운 결실을 맺었다.

EPILOGUE

못다 한 이야기

I

데미안은 반려식을 치르기 전부터 반려식이 끝나고 일주일 동안은 모든 일을 하지 않고 쉴 테니 아예 찾지 말라고 입버릇처럼 말했었다.

아예 찾지 말라니, 말도 안 되는 소리였다.

그간 데미안이 부지런하게 일한 덕분에 많은 일들이 해결되긴 했지만 아직 다 처리하지 못한 마계 일부터 시작해서 원탁회 일, '더 뉴'에 관한 일 등 그가 해줘야 하는 일이 한두 가지가 아니었기에 아예 찾지 않는 건 불가능했다.

데미안도 그 사실을 잘 알고 있을 것이다. 그러니 다들 데미안이 장난치는 것일 거라고 생각했는데 모두의 예상을 뒤엎고 데미안은 피로연이 끝나자마자 시연을 데리고 홀연히 사라졌다.

사라진 건 데미안과 시연뿐만이 아니었다. 티에도 함께 사라졌다. 아마

시중들 사람이 필요했기 때문일 것이다.

이에 베르가 왜 자신은 안 데려갔느냐며 나중에 돌아온 데미안에게 투정한 건 후일담이었다.

“군주님의 이름으로 예약된 호텔을 찾을 수가 없습니다!”

“마계에도 없습니다!”

“요정계도 마찬가지예요!”

모두들 데미안을 찾기 위해 노력했지만 그 어디에서도 그를 찾을 수가 없었다. 데미안은 흔적 하나 남기지 않고 완벽하게 사라진 것이다.

예상치 못한 데미안의 부재에 원탁회는 물론 마계도 혼란에 빠졌다.

“설마 천계로 가신 건 아닐까요?”

데미안을 찾기 위해 마계, 인간계 등 모든 차원을 다 뒤졌지만 단 한 곳, 천계는 뒤지지 않았다.

“그럴 일은 절대 없어.”

혹시나 하는 마음에 베르가 중얼거리자, 마몬은 단박에 그의 말을 부정했다.

“아무리 숨고 싶다고 해도 군주님께서 천계에 숨으실 리가 없잖아.”

“그건 그렇죠? 그럼 도대체 데미안 님은 어디 계실까요.”

“글쎄다.”

마몬은 가볍게 어깨를 으쓱이며 요즘 푹 빠진 호리병 모양의 바나나 우유를 쪼옥 빨았다.

“어디 숨어 계신지는 모르겠지만 확실한 건 우리 힘으론 찾을 수 없다는 거지.”

“역시 마몬 님도 그렇게 생각하세요?”

“그래. 그러니까 괜히 쓸데없이 힘 빼지 말고 군주님이 돌아오실 때까지 이상한 사고가 터지지 않길 간절히 기도하자.”

그런데도 터지면 어쩔 수 없고. 그리 중얼거린 마몬은 금세 비운 호리병 모양의 바나나 우유병을 쓰레기통에 집어넣었다.

커다란 창문으로 들어온 햇살이 닫힌 눈꺼풀을 간질였다. 햇살은 따스했지만 공기 중에 드러난 맨살은 약간 으스스 떨렸다. 잠결에 무심코 이불을 잡아당기려던 시연은 이불 대신 묵직한 무언가가 잡히자 눈을 떴다.

"……아."

시연이 잡은 건 데미안의 팔이었다.

눈을 뜨자마자 저를 마주 본 채 자고 있는 데미안의 얼굴이 보였다.

이에 살짝 놀란 시연은 순간 저도 모르게 내지를 뻔했던 비명을 가까스로 삼켰다. 자칫 데미안이 깨기라도 하면 큰일이니까.

시연은 숨 쉬는 것조차 조심하며 그를 바라봤다. 그가 숨을 고를 때마다 남자치곤 긴 속눈썹이 팔랑였다. 피부는 티끌 하나 없이 깨끗했다. 남자가 이럴 수도 있구나.

새삼 감탄하며 시연은 그의 뺨을 쓰다듬었다. 그 손이 정착한 곳은 도톰한 입술이었다.

불현듯, 어젯밤 이 입술이 저를 얼마나 괴롭혔는지 떠올라서 시연은 볼을 붉혔다. 어젯밤뿐일까, 반려식을 치른 뒤 이 외딴섬으로 넘어온 데미안은 잠시도 쉬지 않고 시연을 괴롭혔다. 이제 거리낄 것이 없으니 망설이지 않는 것이었다.

그동안의 회포를 다 풀겠다는 듯 짐승처럼 덤벼대는 데미안 때문에 시연은 이곳에 온 후, 셋째 날까진 거의 침실 밖으로 나가지 못했다. 그래도 불편한 건 없었다. 씻을 때가 되면 티에가 욕조를 가지고 왔고, 식사도 침실

안에서 하면 됐으니까.

침실 크기는 운동장만큼 컸고, 한쪽 벽은 거대한 발코니가 차지하고 있었는데 그 너머로 푸른 쪽빛의 바다가 훤히 보였다. 원래 바다에 들어가는 건 그다지 좋아하지 않는 터라 보는 것만으로도 충분히 힐링이 됐다.

'거기다 세상에서 가장 사랑하는 남자가 내 곁에 있으니까…….'

그것만으로도 행복해질 요소는 충분했다. 차오르는 행복감에 입가에 미소가 절로 그려졌다.

시연은 데미안의 입에 가볍게 입을 맞췄다. 그리고 곧장 떼려는데…….

"……!"

불현듯 머리를 감싸며 잡아당기는 손 때문에 약간 떨어졌던 입술이 다시 붙었다.

분명 조금 전까지만 해도 고른 숨을 내쉬며 자고 있던 그였는데 언제 깬 건지 알 수 없었다.

유려하게 휜 눈으로 저를 바라보는 데미안의 시선을 차마 똑바로 마주하기가 부끄러워 시연은 눈을 질끈 감았다.

그사이 입맞춤은 점점 더 깊어졌다. 올곧이 겹쳐진 몸이 뜨거웠다.

이불이 내려가면서 햇살 아래 드러난 데미안의 등은 굉장히 매끄러웠다. 그 등을 손으로 감싸니 서늘한 감촉이 한껏 느껴졌다.

"하아……."

반면 시연은 얼굴을 사과만큼이나 빨갛게 익히고선 들뜬 숨을 뱉었다. 그 숨마저 전부 삼키며 집요하게 시연의 입술을 탐하던 데미안은 이내 쪽, 하는 소리와 함께 입술을 뗐다.

"왜 그렇게 부끄러워하지?"

여전히 눈매는 초승달처럼 아름답게 휘어 있었다.

그 뒤로 찬란하게 부서지는 햇살 때문에 그의 모습은 매우 눈이 부셨다.

"먼저 도발해놓고?"

"제가 어, 언제요!"

"먼저 뽀뽀했잖아."

"그게 왜 도발이에요! 그냥 가볍게 뽀뽀만 하려고……."

데미안이 또 한 번 쪽, 입을 맞춘 탓에 시연은 말을 잇지 못했다. 그저 어리벙벙한 표정으로 눈을 깜빡이며 그를 바라봤다. 그런 시연이 너무나도 사랑스러워 데미안은 연신 입을 맞췄다.

쪽, 쪽, 쪽—.

햇살을 타고 사랑스러운 소리가 울려 퍼졌다. 입술에도, 작고 예쁜 코끝에도, 저를 한껏 담고 있는 눈동자에도 입을 맞추며 데미안은 끊임없이 애정 표현을 했다.

슈팅스타처럼 톡톡 튀던 사랑스런 분위기가 야릇하게 변하는 건 한순간이었다. 햇살을 담은 열기가 침실 가득 퍼져나갔다. 달아오를 대로 달아오른 분위기는 서늘한 공기를 후끈하게 데웠다. 점점 농밀해지는 분위기 속에 굵은 땀방울이 데미안의 등줄기를 타고 흘러내렸다.

데미안의 모든 것을 받아들인 시연의 몸이 바르르 떨렸다. 눈앞이 형형색색으로 변하면서 지끈한 아픔과 함께 말로 표현할 수 없는 감정이 치솟았다. 이곳에 온 뒤로 몇 번이고 경험했지만 여전히 익숙해지지 않는, 그러면서도 가슴이 벅찰 정도로 행복해지는 감정이었다.

심장이 터질 것처럼 두근거렸다. 그 두근거림은 저도 모르게 깊은 잠의 심연에 빠질 때까지 계속됐다.

"……."

불현듯 느껴지는 인기척에 잠에서 깬 시연은 눈을 떴다.

그러자 어느새 옷을 완벽하게 챙겨 입은 데미안이 보였다.

거울을 보며 마무리를 하고 있던 데미안은 시연이 깬 것을 눈치채고 그녀에게 다가왔다.

“나 때문에 깬 건가?”

“아니요. 그냥 눈이 떠졌어요.”

“그래? 그럼 씻고 아침 먹지.”

아침이라곤 하기엔 늦은 시간이었지만 오늘 처음 먹는 끼니이니 따지고 보면 아침이 맞았다.

시연의 이마에 가볍게 입을 맞춘 데미안은 곧장 침실을 나섰다. 이미 볼 거 다 본 사이였지만 시연이 편하게 씻고 옷을 갈아입을 수 있게 배려해준 것이었다. 데미안이 나간 후에야 비로소 이불 밖으로 나온 시연은 욕실로 들어갔다.

침실 크기가 어마어마했던 것만큼 욕실 크기도 어마어마했다. 잡지 광고에서나 보던 사자상 욕조가 있었다. 사자상의 눈을 누르니 입에서 뜨거운 물이 한껏 쏟아져 나왔다. 물 온도를 적당히 맞춘 시연은 입욕제를 넣고 몸을 담갔다. 몸을 감싸는 따뜻한 물과 향기로운 입욕제의 향에 몸이 노곤하게 풀렸다. 피로가 전부 사라지는 것 같았다.

“벌써 이곳에 온 지 일주일째인가.”

시계가 없어서 정확한 시간은 알 수 없었지만 밤낮이 여섯 번 바뀌었으니 일주일이 흐른 건 틀림없었다.

신혼여행은 일주일 동안 즐기기로 했으니 이제 이 꿈같은 장소에서 벗어나 다시 원래의 삶으로 돌아갈 시간이었다.

마몬부터 시작해서 다들 보고 싶은 마음은 있었지만 막상 바쁜 일상으로 돌아간다고 생각하니 조금 아쉬웠다. 이 여유를 좀 더 즐기고 싶었다.

목욕을 끝내고 옷을 갈아입고 나오자 이미 식사 준비가 완벽하게 되어 있었다. 티에의 솜씨였다.

처음에는 신혼여행에 티에를 왜 데리고 오는 건가 싶었는데 지금은 그녀가 없는 걸 상상하고 싶지도 않았다. 덕분에 편안하게 휴식을 취할 수 있었으니까.

늦은 아침은 따뜻한 갈릭 수프에 갓 구운 빵, 신선한 샐러드였다. 빈 속에 부담 없이 먹기 딱 좋았지만 일어난 지 얼마 안 돼서 그런지 식욕이 그다지 많이 없었다.

"아."

그래서 포크를 집은 채 가만히 있자 데미안이 빵을 한입 크기로 뜯어 시연에게 내밀었다.

"제가 먹을게요."

시연은 자신들을 흐뭇하게 바라보고 있는 티에의 눈치를 살피며 말했다. 그러자 데미안의 눈매가 약간 일그러졌다. 못마땅한 것이었다. 물론 시연이 아닌 티에에 대한 불만이었다.

눈치 빠른 티에는 잽싸게 자리를 비켰다.

"이제 됐지?"

어서 먹으라는 말이었다.

못 말려, 진짜.

시연은 작게 웃으며 그가 내민 빵을 받아먹었다.

"맛있어?"

"네, 맛있네요."

"내가 직접 만든 거야."

그가 직접 이 빵을?

"정말요?"

"그럼 내가 거짓말할까 봐?"

데미안은 다소 놀라 입을 살짝 벌리고 있는 시연의 입안에 빵을 쏙 집어넣어주며 말했다.

"빵뿐만 아니라 수프도, 샐러드도 내가 만든 거야. 티에의 도움을 받긴 했지만."

"절 위해서 만든 거예요?"

"그럼 내가 누굴 위해서 만들었을까 봐?"

그건 그랬다. 단지 주방에서 앞치마를 두르고 음식을 만드는 데미안의 모습이 잘 상상되지 않았다.

조금 더 목욕을 빨리 끝내고 나왔더라면 그 모습을 볼 수 있었을 텐데. 아쉬운 마음이 들었다.

시연은 데미안이 저를 위해 만든 음식들을 천천히 둘러봤다. 아까까진 분명 식욕이 별로 없었는데 지금은 먹고 싶은 마음이 확 들었다.

시연은 가장 가까이 있는 샐러드부터 먹었다. 아삭거리는 식감이 일품이었다. 갈릭 수프도 간이 딱 맞았고, 빵도 맛있었다.

티에가 도와줬다고 해도 이렇게 하기 쉽지 않은데.

"처음 하는 거 맞아요?"

"처음은 아니야."

처음이 아니라니. 막 수프를 뜬 시연의 손이 멈칫했다.

그러고 보니 데미안은 이미 안느라는 천족을 반려로 맞이한 적이 있었다. 행복감에 젖어 그 사실을 잠시 잊고 있었다. 반려를 맞이한 과거가 있는 만큼 그는 제게 보여주었던 이 다정한 행동들을 안느에게도 해줬을 것이었다.

그리 생각하니 심장이 욱신거렸다. 이미 지나간 과거라고, 지금 그가 좋아하는 건 자신이라고 애써 마음을 다스리려고 해도 쉽지 않았다.

"그래요?"

그래서 저도 모르게 퉁명스럽게 대답했더니 데미안이 작게 웃음을 터뜨리며 고개를 끄덕였다.

"그래. 반려에게 해주는 건 처음이지만."

"……네?"

그 말은 안느에게 만들어준 것이 아니라는 건가?

"그럼 누구한테 해줬는데요?"

"레아."

예고도 없이 나온 이름에 시연의 눈동자가 크게 흔들렸다.

"그녀에게 해줬지. 정확히는 그녀가 시켜서 한 일이었지만."

설마 데미안이 먼저 그 이름을 꺼낼 거라곤 생각지 못했다.

분위기는 한순간에 가라앉았다.

시연은 들고 있던 스푼을 내려놓고 데미안을 쳐다봤다.

그가 먼저 그 이야기를 꺼냈다는 건 할 말이 있기 때문일 거라고 생각했는데, 역시 예상대로였는지 데미안이 진지한 얼굴로 말을 꺼냈다.

"너도 이미 알고 있겠지만…… 전에 내가 폐 창고에서 했던 레아에 관한 이야기는 전부 거짓이다. 난, 그녀를 그렇게 죽인 적이 없어."

"네, 그건 이미 알고 있어요. 그리고 엄마가 저를 구하기 위해 승계 과정에 도전했다는 것도 알고요."

"그럼 말하기가 쉬워지겠군."

말하는 건 한결 쉬워졌지만 분위기는 결코 가볍지 않았다.

데미안은 크게 한숨을 내쉰 뒤 말을 이었다.

"네가 아는 대로 레아는 승계 과정에 도전했다. 굉장히 무모한 도전이었지. 그녀가 이길 가능성은 1%…… 아니, 아예 없었어. 애초에 그녀는 내가 가진 힘의 반도 따라오지 못했으니까. 그래서 난 그녀가 도전했다는 소식을 듣고 그녀를 찾아갔었다."

그 이유는 레아가 승계 과정을 포기하도록 만들기 위함이었다. 한때 엄마처럼 따랐던 레아를 제 손으로 죽이고 싶지 않았으니까.

그래서 데미안은 레아를 설득했지만 레아는 고집불통이었다.

"승계 과정에 도전하는 걸 절대 포기할 수 없다고 하더군. 그 이유가 뭐냐고 물어봐도 그녀는 알려주지 않았어."

이에 가슴이 답답해진 데미안은 그녀를 감금하기로 결정했다. 그러면 레아는 결투장에 나타나지 못할 것이고 그건 도전을 포기했다는 의미로 받아들여지니, 그녀를 죽이지 않아도 되는 것이었다. 물론 그렇게 한다면 도전해놓고 도망친 천하의 비겁자로 낙인찍히게 되겠지만 죽는 것보단 나았다.

"그래서 그렇게 하려는데, 레아가 웃으며 부탁 하나만 하자고 하더군."

"부탁이요?"

"그래, 부탁."

시연이 아닌 식탁을 바라보며 데미안은 7년 전, 레아와 만났던 그날의 일을 떠올렸다.

—네 손을 더럽히지 않고 스스로 죽을 테니까…… 넌 내가 승계 과정에 도전했다가 실패해서 죽었다고 널리 알려줘.

—무슨 말도 안 되는 소리를 하는 거지, 레아?

데미안은 눈살을 찌푸리며 여전히 환하게 웃고 있는 레아를 노려봤다.

—도대체 뭐 때문에 그렇게까지 하려는 거냐. 이유가 뭐야.

—그건 말해줄 수 없어.

—그럼 나 역시 네 부탁을 들어줄 수 없다.

—아니, 넌 들어줄 거야. 지금도 이렇게 날 말리기 위해 달려올 만큼 넌 다정한 아이니까.

"그리고…… 순식간에 일이 벌어졌다."

레아는 품에 숨기고 있던 검을 정확하게 심장에 찔러 넣었다. 너무 순식간에 벌어진 일이기도 하고 예상 밖의 일이었던지라 말릴 수도 없었다. 누가 제 심장을 찌를 거라고 상상이나 했겠는가.

—레아!

데미안은 다급하게 달려가 그녀를 부축했지만 이미 칼은 심장을 깊게 관통한 후였다. 제아무리 마족이라고 할지라도 심장을 이렇게 찔리고 살아남을 수는 없었다. 실낱같은 숨소리는 레아의 수명이 얼마 남지 않았다는 걸 보여주었다.

—부탁……드립니다, 마계의 군주시여.

레아는 그가 군주가 된 이후로 처음 존댓말을 쓰며 데미안의 손을 꽉 잡았다.

데미안의 손과 옷은 금세 피로 물들었다.

—제가 스스로 자살한 것이 아닌…… 승계 과정에 도전해서 당신의 손에 죽은 것으로 해주십시오.

—도대체 뭐 때문이냐!

—…….

—뭐가 널 이렇게 만든 것이냐, 레아!

데미안은 울부짖듯 레아에게 물었지만 여전히 돌아오는 대답은 없었다.

곧이어 그녀의 몸이 맥없이 축 늘어졌다.

눈도 제대로 감지 못하고 레아는 그렇게 죽었다.

"레아가 부탁한 건 확실히 말도 안 되는 일이었다. 하나 그녀의 마지막 유언이자 부탁을 도저히 무시할 수 없어 난 그녀가 원하는 대로 해주었다."

"하지만 종이 울리지 않았다고……."

"거기까지 알고 있는 건가."

데미안은 조금 난감하다는 듯 웃으며 말을 이었다.

"맞아. 네 말대로 종은 울리지 않았다. 그래서 어쩔 수 없이 다른 소문을 냈지. 네가 폐 창고에서 들었던, 그 소문을 말이야."

결투장 입구까지 왔다가 뒤늦게 후회가 된 레아는 도망치려고 했고, 이에 화가 난 데미안이 죽였다는 소문을 말하는 것이었다.

덕분에 레아가 어리석게도 승계 과정에 도전했다가 죽었다는 소문은 널리널리 퍼졌고, 시연이 무사할 수 있었던 것이었다. 이것이 7년 전, 레아의 죽음에 관한 진실이었다.

이야기의 중반부터 고개를 푹 숙이고 있던 시연의 눈동자에 눈물이 고였다. 금방이라도 떨어질 것 같은 눈물을 애써 참느라 힘겨웠다.

하고 싶은 말도, 데미안에게 묻고 싶은 말도 많았지만 레아가 왜 그런 무모한 선택을 했는지 잘 알기에 목이 메어 아무것도 말할 수가 없었다.

누군가 심장을 바늘로 찌르는 것처럼 매우 고통스러웠다.

"그 탓에 레아는 감히 주제도 모르고 무모하게 도전한 어리석은 마족으로 기록되어 있다. 난 지금이라도 그 기록을 바꿔주고 싶어."

그게 무슨 말이지?

그제야 시연은 데미안을 쳐다봤다.

"주제도 모르고 무모하게 도전한 어리석은 마족이 아닌, 자신의 딸을 사랑해서 기꺼이 제 모든 것을 바친 위대한 마족이라고 기록해주고 싶어."

데미안은 그녀의 떨리는 눈동자를 똑바로 응시하며 말을 이었다.

"그래야 군주의 성 지하 깊은 곳에 방치되어 있는 그녀의 시신을 온전한 곳에 묻어줄 수가 있으니까."

"엄마의 시신이…… 있어요?"

돌아온 질문에 데미안이 작게 고개를 끄덕였다.

엄마의 시신이 있다니.

승계 과정에 도전한 자들의 시신은 마물들의 먹이로 주는 것이 관례라던데, 그러지 않고 시신을 온전히 보존해놨다는 사실이 그저 놀라웠다.

레아의 시신이 있다는 건 그녀의 얼굴을 다시 한 번 볼 수 있다는 의미였다. 비록 영혼 없는 죽은 몸뿐이지만 그것만으로도 족했다. 레아가 실종됐을 때 시신이라도 좋으니 그녀의 얼굴을 다시 한 번이라도 볼 수 있기를 간절히 바랐으니까.

"고마워요."

참았던 눈물은 결국 떨어졌다. 그녀의 뺨을 타고 흘러내린 눈물은 꽉 쥔 주먹 위로 하염없이 떨어졌다.

"정말 고맙고 미안해요, 데미안."

이런 줄고 모르고 그를 의심했었으니까.

그 사실이 너무 미안해서 시연은 하염없이 눈물을 흘리며 그에게 사과했다. 데미안은 그런 시연을 말없이 꽉 안아주었다.

일주일간의 신혼여행에서 돌아온 데미안이 가장 먼저 한 일은 그동안 처리 못한 일을 처리하는 것이 아닌 7년 전, 승계 과정에 도전했던 레아에 대한 기록을 바꾸는 일이었다.

데미안은 일부러 언론을 이용해서 레아에 관한 이야기를 널리 퍼뜨렸다.

제 목숨을 바쳐서 자식을 구하려고 한 레아의 모성애는 뭇 대중들의 눈물샘을 자극했다.

레아는 더 이상 무모하고 어리석은 마족이라고 불리지 않고 모성애가 강한 마족이라고 불렸다.

신혼여행 이후, 마계에 있는 군주의 성에 들어간 시연이 다시 성을 나선 건 얼마 지나지 않아서였다.

몇몇에게만 알린 비공식적인 행사로 티에를 데리고 조용히 성을 빠져나온 시연은 검은 드레스에 검은 베일을 쓰고 손에는 새하얀 항아리를 들고 있었다.

II

발푸르기스의 밤

매년 5월 1일. 마녀 및 마족 등 마계의 피가 진하게 이어진 종족들의 힘이 폭주하는 날. 힘이 강하면 강할수록 영향을 많이 받는다.

마계에는 세 개의 공휴일이 있었다.

군주의 생일, 마계 건국 기념일, 그리고 발푸르기스의 밤.

"발푸르기스의 밤에는 마계 전체가 조용하거나 혹은 아주 시끄럽거나 둘 중 하나예요."

티에는 시연의 목욕 시중을 들며 말했다.

"강한 힘을 가진 자들이 발푸르기스의 밤을 무사히 넘기면 조용하고, 한 명이라도 조용히 넘기지 못하면 시끄럽죠."

"시끄러우면 어떤 일이 일어나는데?"

"어느 한쪽이 거의 죽을 때까지 싸워요. 그날은 이성보다 욕망이 가득한 날이라 주변에서 말려도 안 들을 뿐더러 말릴 마족도 없죠."

참으로 끔찍하다며 티에는 몸을 부르르 떨었지만 아직 발푸르기스의 밤을 단 한 번도 겪지 않은 시연에겐 그날이 얼마나 끔찍한지 잘 와닿지 않았다. 그래서 별 감흥 없이 그렇구나, 하고 고개를 끄덕였다.

"자, 그럼 머리 이리로 주세요. 감겨드릴게요."

예전에는 누군가에게 목욕 시중을 받는 것이 익숙하지 않았지만 몇 번 받으니 익숙하고 편했다. 그래도 알몸을 보여주는 건 부끄러워서 시연은 천으로 몸을 감쌌다. 수영복과 비슷한 재질로 만들어진 천이었기 때문에 그대로 물에 들어가도 딱히 문제가 될 건 없었다.

"아, 좋다."

티에는 두피 마사지까지 해주며 꼼꼼하게 시연의 머리를 감겨주었다.

눈을 감은 채 그 손길을 만끽하고 있던 시연은 이상하게도 손이 옆선을 타고 아래로 내려오자 살며시 눈을 떴다.

"어……?"

그러자 제 머리를 만져주고 있는 데미안이 보였다.

'데미안이 왜 여기에?'

너무 놀란 시연은 말을 잃은 채 멍하니 데미안을 바라봤다. 그러자 데미안은 굉장히 매력적인 미소를 지으며 시연의 가느다란 목을 매만졌다.

"지금까지 몰랐는데 말이야."
그 손은 곧 물기가 고여 있는 쇄골로 떨어졌다.
"물속에 들어가 있는 여자는 굉장히 아름다운 거였어."
"무슨…… 꺄악!"
그제야 자신이 천 하나 외엔 다른 걸 걸치지 않은 상태라는 걸 자각한 시연은 화들짝 놀라며 데미안에게서 멀어졌다.
"왜, 왜 여기 있는 거예요!"
반대편 끝까지 간 시연은 벽에 몸을 딱 붙인 채 소리쳤다. 사실 소리치려는 것이 아니라 그냥 말하려는 것이었지만 밀폐된 욕실인지라 어쩔 수 없이 소리가 울렸다.
"있으면 안 되는 건가?"
"당연하죠!"
"흐음, 그래? 근데 앞에서 아무도 막지 않던데."
감히 군주가 간다는데 시종들이 막을 리가 없었다. 그걸 모를 리가 없는데 저런 말을 하는 데미안이 얄미워 시연은 눈을 흘겼다.
첨벙—.
그사이 데미안은 서슴없이 욕조 안으로 들어왔다. 옷을 입고 있음에도 불구하고 그는 개의치 않았다.
10명이 앉아도 괜찮을 만큼 욕조는 크고 거대했지만 데미안이 들어오니 이상하게도 꽉 찬 느낌이었다.
"갑자기 왜 들어오는……."
"목욕하는 네 모습을 보니 나도 목욕하고 싶어서."
"오, 옷을 입고 목욕이라니! 말도 안 되는 소리 하지 마세요!"
"옷이 문제가 되는 건가?"
데미안은 가벼운 어조로 대답하며 상체를 훌렁 벗었다. 물에 젖은 옷을 그렇게 쉽게 벗을 수 있다는 것도 처음 알았다. 그가 바지까지 벗으려고 하자 시연은 기겁하며 소리쳤다.

"벗지 마요!"

"아깐 옷을 입었다고 뭐라 하더니 변덕이 심하군."

그거랑 이거랑 같은지 따지고 싶었지만 그 말을 채 뱉기도 전에 데미안이 성큼 다가와 시연을 와락 끌어안았다.

"꺄악."

첨벙—.

순간적으로 몸에 가해지는 무게에 시연의 몸이 기울면서 그대로 물에 빠졌다. 욕조 물이니 깊진 않았지만 누우면 잠수할 수 있을 만큼은 됐다.

물에 빠진 시연이 호흡에 곤란을 느끼고 입을 벙긋거리자 그 위로 데미안이 입을 맞췄다. 그리고 인공호흡을 하듯 숨을 불어넣어주었다.

그렇게 시작된 입맞춤은 끈적끈적하게 변했고, 둘 사이에서 흘러나오는 공기는 욕실 안을 떠도는 수증기보다 더 뜨거웠다.

4월 30일이 되자 마계 전체는 다가올 발푸르기스의 밤을 맞이하기 위해 분주하게 움직였다. 가장 분주한 건 군주의 성이였고, 그다음으로 7인의 검이 있는 성이었다. 마계에서 가장 강한 자들이 있는 곳이기 때문이다.

그들이, 특히 데미안이 발푸르기스의 밤을 무사히 넘기지 못한다면 마계 전체가 위험하기 때문에 군주의 성은 최대한 심혈을 기울여 준비했다.

예전에 썼던 봉인은 군주가 된 그에겐 쓸 수 없기 때문에 다른 준비를 해야 했다.

반면 시연은 아무런 준비를 하지 않고 멀뚱멀뚱 있었다. 천족인 그녀가 발푸르기스 밤의 영향을 받을 리가 없으니 준비할 건 아무것도 없었다.

"발푸르기스의 밤이 지날 때까진 석실에 들어가 있을 거다."

데미안과 시연은 마계로 돌아온 순간부터 지금까지 쭉 한방을 썼다. 그건 관례에 어긋난다고, 두 분은 따로 방을 쓰는 것이 관례라고 마계의 원로들이 난리를 쳤지만 데미안은 깔끔하게 무시했다.

"하루뿐이겠지만, 혼자 자야 할 거야. 미안하다."

하나 오늘 밤은 곧 다가올 발푸르기스의 밤 때문에 석실로 가야 했다. 그것이 못내 미안한 데미안이 작게 인상 쓰며 말하자 시연은 고개를 저었다.

"고의로 그러는 것도 아니고 데미안이 미안해할 게 뭐가 있어요. 무사히 돌아오기나 해요."

"물론이지."

데미안과 시연은 주변에 기립하고 있던 시종들과 시녀들이 헛기침을 하며 일제히 고개를 돌려야 할 만큼 진한 입맞춤을 나눈 뒤에야 비로소 헤어졌다.

넓은 침실에 혼자 남은 시연은 몰려오는 한기에 침대 안으로 들어갔다. 침대는 혼자 자기엔 너무나도 거대했다. 이곳에 온 이후로 하루도 빠짐없이 자신을 꽉 끌어안아주던 온기가 사라지니 마음이 굉장히 공허했다. 외로움과 쓸쓸함이 물씬 느껴졌다.

'티에라도 부르고 싶은데…….'

하지만 티에 역시 발푸르기스 밤의 영향을 받기 때문에 자리를 비워 부를 수가 없었다. 다른 시녀들은 있으나 마나이니 시연은 외로움을 삼키며 억지로 잠에 들려고 노력했다.

『시연.』

그렇게 겨우 잠들었는데 누군가 부르는 소리에 다시 잠에서 깬 시연은 졸린 눈을 비비며 부스스 자리에서 일어섰다.

『시연, 시연.』

'누구길래 나를 이렇게 애타게 부르는 거지?'

시연은 비적비적 침대 밖으로 나와 방을 나섰다. 아무리 늦은 시간일지라도 복도에는 늘 시종들이 많았는데 오늘은 거의 보이지 않았다. 발푸르기스의 밤이었기 때문이었다.

창문 밖에는 불길함의 상징인 붉은 달이 높이 떠 있었다. 달빛 역시 붉었다. 시연은 그 달빛을 받으며 소리가 들리는 쪽으로 걸어갔다. 발푸르기스의 밤에는 함부로 돌아다니면 안 된다고 데미안을 비롯해서 주변 사람들에게 수없이 들었지만 왠지 가야 할 것 같은 기분이 들어 시연은 계속 나아갔다.

시계가 없어 얼마나 걸었는지는 모르지만 제법 걸은 것 같다는 생각이 들 무렵, 눈앞에 거대한 석문이 등장했다.

'뭐지, 이건?'

마계의 성을 수없이 탐색했지만 이런 석문은 처음 봤다. 시연은 가볍게 문을 두드렸다. 그러자 육중한 소리를 내며 문이 열렸다. 동시에 이제 너무나도 친숙한 기운이 몸을 덮쳤다.

'이 기운은…….'

시연은 천천히 안으로 들어갔다. 그러자 석실 중간에 몸을 웅크린 채 괴로워하고 있는 한 남자가 보였다.

"데미안……."

얼굴은 보지 않았지만 시연은 그 남자가 데미안이라는 걸 바로 알아챘다. 아니, 석실에 들어오는 순간부터 알고 있었다.

어떻게 모르겠는가. 온몸을 짓누르는 친숙한 기운은 그의 것인데.

"시연……?"

데미안은 크게 놀라며 시연을 쳐다봤다. 수려했던 얼굴은 식은땀으로 얼룩져 있었다. 이름을 부르는 목소리 역시 부질없이 떨렸다.

"네가 왜 여기에……."
"당신이 절 불렀잖아요."
'내가 그녀를 불렀다고?'
데미안은 의아하다는 듯 눈살을 찌푸렸지만 반박하지 못한 건 무의식적으로 그녀를 부른 것이 맞기 때문이었다.
발푸르기스의 밤으로 인해 힘이 폭주하면서 고통 속에 허우적거리던 데미안은 무의식적으로 시연을 찾았었다. 힘이 폭주된 만큼 욕망이 폭주하면서 그녀를 보고 싶은 마음이 몇십 배나 증폭됐기 때문이었다.
평소에도 그녀를 계속 곁에 두고 싶었는데 몇십 배나 증폭된 욕망을 감당할 수 있을 리가 없었다.
그런데 그게 설마 시연에게까지 닿았을 줄이야.
"돌아가."
시연을 본 건 기뻤지만 그녀가 여기 계속 있는 건 위험했다.
"당장 돌아……."
그래서 단호하게 그녀를 보내려는데 돌연 시연이 달려와 꽉 끌어안는 바람에 데미안은 말을 채 잇지 못했다.
데미안의 목을 꽉 끌어안은 시연은 그의 어깨에 얼굴을 묻었다. 그를 끌어안았을 뿐인데 공허했던 마음이 가득 채워졌다. 그만큼 그녀에게 그의 존재가 크다는 의미였다.
"그냥 당신 곁에 있을래요."
"그건 안 돼. 위험하다."
"당신 눈엔 지금 제가 위험해 보이나요?"
그건 아니었다. 되레 시연의 표정은 편안해 보였다.
"당신이 없는 게 더 불안하고 위험해요."
"……."

"그러니까 곁에 있게 해줘요. 그냥 여기 있을래요."

이리 말하는데 어찌 매정하게 거절하겠는가. 데미안은 고개를 끄덕였다. 그러자 열렸던 석문은 다시 닫혔고, 석실 안에는 칠흑 같은 어둠이 찾아왔다. 어둠이 찾아오자 시연은 데미안의 품으로 더욱 파고들었다.

'하아…….'

그런 시연의 행동에 데미안에겐 한 가지 고민이 더 생겼다. 지금 가지고 있는 고민들을 모조리 억누를 만큼 아주 큰 고민이었다.

그건 바로 그녀를 가지고 싶다는 욕망을 억누르기가 무척이나 힘들다는 것이었다. 발푸르기스의 밤에 시연을 가지려고 한다면 제아무리 시연일지라도 몸에 무리가 갈 것이다.

하물며 제대로 된 장소가 아닌 이런 곳에서 시연을 가지고 싶지 않았기에 데미안은 폭주하려는 욕망을 억누르기 위해 발푸르기스의 밤이 지나도록 마계가(馬契歌)를 부르며 애꿎은 허벅지만 꼬집어야 했다.

III

마계는 총 8개의 영지로 나뉘어져 있으며 가장 크고 좋은 땅인 마계의 중앙에는 군주의 성이 있었다.

인간계로 따지자면 군주의 성이 있는 영지가 수도인 것이다.

수도인 만큼 항상 다른 영지에서 놀러 온 주민 등으로 늘 북적거렸지만 최근 들어 그 북적거림이 잦아진 것은 모두 수도의 외곽 지역에 있는 카페 때문이었다.

외곽 지역에 있는 것치고 대리석으로 올린 고급스러운 건물은 멀리서 봐도 눈에 띄었다. 이 건물 외에 주변에 건물이 하나도 없기 때문이기도 했다.

하물며 인테리어는 어떤가. 카페 주인이 여자라는 걸 확연히 알 수 있을 정도로 아기자기했다.

물론 커피와 디저트 맛 역시 일품이었다.

그래서 외곽 지역에 있음에도 불구하고 많은 손님들이 찾아왔지만 그들이 이 외곽까지 찾아오는 진짜 이유는 다른 곳에 있었다.

딸랑—.

"어서 오세요!"

발랄하게 웃는 여자의 얼굴은 퍽이나 사랑스러웠다. 금실을 달아놓은 듯 찰랑거리는 머리칼은 또 어떤가.

그 어떤 바다를 담아도 그보다 더 아름다울 순 없을 거라고 생각되는 푸른색의 눈동자와 마주칠 때마다 손님들은 심장이 멎는 것 같았다.

카페에 들어오려고 했던 행인들은 예상치 못한 심장 어택에 그대로 굳어버렸다.

"안 들어오고 뭐 해요?"

그런 그들에게 한 서큐버스가 다가와 핀잔을 줬다. 그제야 망부석에서 벗어난 행인들은 쭈뼛쭈뼛 들어와 카운터 앞에 섰다.

카운터 앞에 있는 건 그들의 심장을 강하게 어택했던 여인이었다.

'이 여자가 소문의…….'

행인들은 소리 내지 않고 눈빛으로 대화했다.

"주문은 뭘로 하시겠어요?"

"뭐, 뭐가 제일 맛있나요?"

"음, 저희 집 커피는 다 맛있는데요."

그리 말하며 또 한 번 싱긋 웃으니 심장이 미칠 듯이 질주했다.

뭐에 홀린 사람처럼 저도 모르게 손을 뻗어 여자의 손을 잡으려던 행인은 불현듯 그 사이로 낯선 손이 들어와 가로막자, 그제야 정신을 차리며 위를 올려다봤다.

그러자 그를 흉흉하게 바라보고 있는 한 남자가 보였다. 어둠보다 더 어두운 머리칼과 눈동자. 그리고 시선을 마주치는 것만으로도 온몸의 솜털이 쭈뼛 서는 살기.

"구, 군주님……!"

행인을 흉흉하게 바라보고 있던 건 마계의 군주인 데미안이었다.

뜻하지 않게 군주와 만나게 된 행인은 바닥에 넙죽 엎드렸다.

그와 같이 왔던 동료들은 이미 도망친 지 오래였다. 손님으로 북적거리던 카페 역시 한순간 텅 비었다.

"언제 왔어요, 데미안?"

어깨를 무겁게 짓누르는 살기가 한순간 사라진 건 여자가 데미안에게 말을 걸었을 때였다.

언제 흉흉한 살기를 내뿜었느냐는 듯 데미안은 옅게 웃으며 여자의 이마에 가볍게 입을 맞췄다.

"방금 왔다. 일은 안 힘들었나?"

"전혀요. 항상 하던 일이었는데요, 뭘."

데미안의 이름을 서슴없이 부르며 그의 애정을 올곧이 받고 있는 여자. 그녀의 정체는 바로 군주의 반려인 시연이었다.

이 카페가 마계에서 유명한 것도 무려 군주의 반려인 시연이 운영하는 카페였기 때문이었다. 군주의 반려가 일개 카페를 운영한다니.

처음 이 소식을 들었을 땐 다들 말도 안 된다고 생각했었다. 그건 데미안을 비롯해서 군주의 성 식구들도 마찬가지였다. 티에는 반려로서의 위엄이 떨어진다며 결사반대를 하였다.

하지만 시연의 뜻은 완고했고, 허락해주지 않으면 각방을 쓰겠다는 폭탄

선언에 데미안은 어쩔 수 없이 시연이 카페를 운영하는 걸 허락해줬다.

대신 카페 운영 시간은 오전 10시부터 오후 5시까지이며, 티에를 비롯해서 다른 시녀들을 데리고 할 것, 그리고 절대 시연이 서빙이나 잡일을 하지 않는다는 조건이었다.

그 조건하에 카페가 열린지 어언 4년째였다.

처음 열렸을 땐 한 달도 가지 못하고 문을 닫을 거라고 생각했는데 4년씩이나 유지된다는 사실에 마계의 주민들 모두 놀라워하면서도 이 카페가 망하지 않았으면 하고 바랐다.

그만큼 시연이 만든 커피와 디저트는 맛있었고, 시연의 얼굴을 조금이라도 더 보고 싶었기 때문이기도 했다.

더불어 시연이 카페를 운영하면 얼굴 보기 힘든 데미안의 얼굴도 종종 볼 수 있으니 그야말로 일석이조였다.

"근데 오늘 어쩐 일이세요? 아직 문 닫으려면 멀었는데?"

"할 말이 있어서."

이미 남자의 존재는 그들의 안중에 없었다. 남자는 그걸 천만다행으로 여기며 조용히 모습을 감추었다.

"할 말이요? 저녁에 하면 안 되는 거였나요?"

"지금 인간계에 갈 거라서 그건 안 될 것 같은데."

"아."

벌써 시간이 그렇게 됐나.

그제야 데미안이 찾아온 까닭을 이해한 시연은 고개를 끄덕였다.

원탁회 일부터 시작해서 '더 뉴'의 일까지, 그가 해야 할 일이 이것저것 있었기 때문에 데미안은 3개월에 한 번씩은 무조건 인간계로 넘어가서 일주일은 머물다가 돌아왔다.

"이번에도 일주일인가요?"

그 말은 일주일간 그를 보지 못한다는 의미였다. 그것이 못내 아쉬워 시연은 작게 울상을 지으며 물었다.

"아마도."

"잘 다녀오세요. 몸조심하시고요."

"정말 나 혼자 가도 되는 건가?"

"네?"

"같이 인간계로 가자고 말하는 건데."

"……아!"

한 박자 늦게 데미안의 말을 알아들은 시연은 짧게 감탄사를 뱉었다.

곧 시연의 얼굴에 아름다운 함박웃음이 번졌다.

"바로 준비할게요!"

이윽고 카페의 불이 완전히 꺼졌다.

'CLOSED'라고 적힌 푯말에는 정갈한 글씨체로 짧은 안내 문구가 함께 적혀 있었다.

인간계에서 마계로 넘어간 지 어언 5년째.

중간에 짧게 하루 정도 인간계로 나온 적이 한 번 있긴 했지만 이번처럼 일주일 내내 나온 건 처음이었다.

안전상의 문제도 있고, 군주의 비가 함부로 다른 계로 넘어가면 안 된다고, 꼬장꼬장한 마계의 원로들이 어깃장을 놓았기 때문이기도 했다.

데미안이 천마 전쟁을 벌이면서까지 시연을 되찾아오려고 한 만큼 그가 그녀를 얼마나 사랑하는지 알기에 마계의 원로들도 시연을 반려로서 인정해주었다.

하지만 그들은 여전히 천족이자 금단의 아이였던 시연이 그들의 군주의 반려인 것을 못마땅해했다.

한데도 여태 조용한 건 데미안이 두렵기 때문에 그 말을 감히 입 밖으로 꺼내지 못하고 있는 것뿐이었다.

그 사실을 모르는 데미안이 아니었지만 괜한 분란을 일으키고 싶지 않아 그 역시 묵언하고 있었다.

괜히 소란을 일으켜서 시연의 귀에 들어가기라도 하면 그녀가 상처를 받을 테니까. 그런 일이 일어나는 건 그도 원하지 않았다.

“와아!”

오래간만의 외출은 시연을 들뜨게 만들었다. 그들이 걱정할까 봐 말은 안 했지만 그녀는 내심 인간계를 그리워하고 있었다. 나고 자란 곳이니 그립지 않을 리가 없었다.

시연은 어린아이처럼 좋아하며 쫄레쫄레 주변을 둘러보았다. 그런 시연을 바라보는 데미안의 눈빛은 한없이 다정하면서도 안타까움을 품고 있었다.

“어서 일을 끝내도록 하지.”

일주일간 묵을 호텔에 체크인을 한 데미안이 시연을 돌아보며 말했다.

“일을 다 끝내면 데이트하러 가자.”

“네.”

데이트. 듣기만 해도 설레는 단어였다.

시연은 수줍게 웃으며 고개를 끄덕였다. 데미안은 가볍게 버드 키스를 한 뒤 외투를 들고 베르와 함께 객실을 나섰다.

"정말 덥네요."

그 사이 짐 정리를 마친 티에가 손부채질을 하며 에어컨을 켰다.

"이런 날씨에 돌아다니는 건 지옥인데. 선선할 때 나왔으면 좀 좋아요?"

"그렇게 생각하지 마, 티에."

마계로 넘어가면서 수많은 호칭 변화가 있었지만 가장 크게 변화한 건 티에에게 반말을 한다는 것이었다.

저보다 나이가 많은 티에에게 반말을 하고 싶진 않았지만 그것이 법도라고 하니 어쩔 수 없이 반말을 하기 시작했고, 이젠 어느 정도 익숙해져 있었다.

"바쁜데 같이 가자고 말해준 것만으로도 고마워해야지."

"아이참, 반려님은 이상하게 착하시단 말이에요. 이런 건 투정 부리고 하셔야 돼요."

"그런가요?"

"네. 요 옆에 수족관 새로 생겼던데, 군주님 기다리는 동안 가보실래요?"

안 될 건 뭐가 있겠는가. 시연은 순순히 고개를 끄덕였다.

이번에 생긴 수족관은 세계 최대 규모라고 팸플릿에 적혀 있는 만큼 아주 거대하고 웅장했다.

투명한 유리로 된 수족관에는 온갖 해양 생물들이 살고 있었다. 작고 귀여운 종류부터 무서운 포식자들까지 다양했다.

"히익!"

태어나서 상어를 처음 본 티에는 수족관 안에 있는 상어가 그녀를 향해 입을 쩍 벌리자마자 기겁하며 시연의 뒤에 숨었다. 그 모습이 어찌나 웃긴지 시연은 배를 잡고 웃었고, 티에는 그런 시연에게 너무하다며 툴툴거렸다.

"반려님!"

수족관 구경이 끝날 무렵, 그들을 찾아온 손님이 있었다. 리사였다.

그는 여전히 나풀거리는 중세풍의 원피스를 입고 있었고, 그것이 못마땅한 티에는 입을 삐죽였다.

"여긴 어쩐 일이에요, 리사?"

"베르에게 연락받았어요. 반려님이 인간계에 나왔으니 가서 안내 좀 해드리라고요."

그게 아니라 그녀가 걱정돼서 리사를 붙인 것이 틀림없었다.

괜히 리사를 번거롭게 한 것 같아 조금 신경이 쓰였지만 안 그래도 리사가 잘 지내는지 궁금했던 차이기도 했고 리사의 얼굴이 즐거워 보여서 크게 마음 쓰지 않기로 했다.

"그럼 잘 부탁해요."

"네, 반려님!"

10년이면 강산이 변한다는 말이 있는데 그건 5년에도 통용되는 말인지 그새 모르는 것들이 많이 생겼다.

만약 야외였다면 티에가 덥다고 투덜거렸겠지만 다행히도 전부 실내였다.

전시회부터 시작해서 방 탈출 카페 등 근처에서 유명한 것들을 대부분 즐긴 시연 일행은 저녁 시간이 되자 리사가 미리 예약해둔 레스토랑으로 들어갔다.

예약을 하지 않으면 자리를 잡을 수 없을 만큼 이 근방에선 아주 유명한 레스토랑이었다.

"원래 당일 예약은 안 되는 거였는데 군주님 이름을 대니까 바로 받아주는 거 있죠?"

군주님은 역시 대단하다며 리사는 호들갑을 떨었다. 자리도 야경이 훤히 보이는 명당이었다.

“아, 화장실 좀 다녀와야겠어요. 반려님은 먼저 가서 앉아 계세요.”

“저도 화장실 좀 다녀올게요.”

두 사람이 동시에 화장실을?

약간 의아했지만 시연은 별 의심하지 않고 그들을 보내준 뒤 메뉴판을 살폈다.

이탈리아 레스토랑이라서 그런지 음식 이름들이 다소 낯설었다. 파스타 하나에도 이렇게 많은 이름들이 붙는다는 걸 시연은 오늘 처음 알았다.

그건 다른 음식들 역시 마찬가지였다.

‘이거 보니까 데미안이랑 처음으로 레스토랑 갔던 게 생각나네.’

이것저것 선택하기보다 코스를 먹는 것이 나을 것 같아 진지하게 보고 있던 시연은 불현듯 과거 일을 떠올리고 작게 웃음을 터뜨렸다.

그때만 해도 데미안과 이런 사이가 될 거라곤 생각지도 못했는데.

정말이지 사람 일은 한치 앞도 알 수가 없었다.

“주문하시겠습니까?”

“아, 잠시 일행이 오면…… 어? 데미안?”

제게 말을 건 이가 웨이터인 줄 알고 있던 시연은 웨이터가 아닌 데미안이 서 있다는 사실에 크게 놀라며 눈을 동그랗게 떴다.

“여기서 뭐하는 거예요? 일은 어쩌고요?”

“마몬에게 던져놓고 왔어.”

“네에?”

“여행 온 첫날이잖아. 점심은 그렇다고 쳐도 저녁은 같이 먹어야지.”

정말이지 뜬금없는 소리였다.

아니, 그럴 거였으면 처음부터 그럴 거라고 말을 하든지 이리 갑자기 등장하는 건 뭐란 말인가.

“싫어? 돌아갈까?”

"아, 아니요!"

데미안이 금방이라도 돌아갈 것처럼 굴자 시연은 자리에서 벌떡 일어서며 소리쳤다.

그 때문에 주변의 시선이 그들에게 집중됐다.

주변의 시선보다 유쾌하다는 듯 저를 바라보는 데미안의 시선이 더욱 신경 쓰여 시연은 얼굴을 붉히며 다시 자리에 앉았다.

어쩐지 티에와 리사가 함께 화장실을 가는 것이 조금 이상하다고 생각했는데 데미안이 오기 때문이었나 보다.

그들이 여태 돌아오지 않는 것도 그 때문일 것이다.

"메뉴는 정했어?"

"그냥 코스 요리로 시키면 될 것 같은데요."

"무슨 음식인지 몰라서 못 정하는 거 아니고?"

"아니거든요."

정곡을 찔렸지만 인정하고 싶지 않아 시연은 퉁명스럽게 대답했다.

하나 소용없는 대답이었다. 그녀의 마음을 다 안다는 듯 데미안은 알아서 주문했다.

소스 선택부터 시작해서 스테이크의 굽기까지 시연이 좋아하는 스타일로 전부 맞춰주었다.

"근데 정말 여기 있어도 되는 거예요? 바쁜 거 아니었어요?"

"바빠."

"그러면……."

"그래도 너랑 밥 먹을 시간은 있어."

데미안은 식전 빵을 한입 크기로 뜯어내며 말했다.

"열심히 일하는 것도 너랑 데이트할 시간을 벌기 위해 하는 건데, 이 정도는 하게 해줘야지."

그러곤 먹기 좋게 뜯은 빵을 시연 쪽으로 내밀었다.

처음에는 부끄러워했지만 이젠 익숙해진 시연은 자연스럽게 빵을 덥석 받아먹었다.

"……쇼크."

멀지 않은 테이블에서 그 모습을 본 리사가 충격 받은 얼굴로 작게 중얼거렸다.

"군주님이 저렇게 느끼한 타입이셨다니."

"저 정도는 양반인데."

"뭐? 진짜?"

"어. 저거보다 훨씬 심할 때도 많아. 한 번 불이 붙으면 아침 회의도 거르고 침실에서 나오질 않으신다니까."

그 이후에 시연의 몸에 붉은 열꽃이 얼마나 많이 피어나는지 아느냐며 티에는 시큰둥한 얼굴로 음료수를 들이켰다.

반면 리사는 여전히 충격 받은 얼굴로 시연과 데미안의 알콩달콩한 모습을 지켜봤다.

데미안이 바빴다는 것만 제외하면 인간 세상 여행은 굉장히 즐거웠다. 간만에 인간 세상에 다녀온 시연은 그 어느 때보다 행복해했지만, 그 기분은 오래가지 못했다.

"군주님은 마계에서 가장 고귀한 피를 이은 유일무이한 분."

마계 원로의 대표인 하츠가 한 발 앞으로 나서서 구부정한 허리를 더 깊게 숙였다.

"그러니 그 피가 후대에도 계승되게 하기 위해서 군주님께서 부인을 들여 후계를 보시길 권해드립니다."

부인. 다른 말로 첩이었다. 그들은 지금 데미안에게 첩을 들이라고 말하고 있는 것이다. 그 사실에 시연은 너무 놀라 말을 잇지 못했고, 데미안은 노기가 가득한 목소리로 말했다.

"난 부인을 들일 마음이 없다. 쓸데없는 짓 하지 마라."

"하나 후계를 보시기 위해선 당연히 부인을 들여야 하지 않겠습니까."

"후계 따윈 필요 없다."

데미안은 불안한 얼굴로 말없이 제 뒤에 가만히 서 있는 시연의 손을 꽉 잡아주며 다부지게 말했다.

"설령 후계를 낳는다고 해도 그녀가 아닌 다른 여자가 낳아주는 후계 따윈 필요 없어."

"그 무슨 말씀이십니까! 천족과 후계를 만들다니요! 그런 일은 일어나선 안 됩니다!"

"그럼 내가 후계를 보는 일은 없을 거다."

"하나……!"

"내가 같은 말을 반복하게 하지 마라, 하츠."

싸늘하게 떨어진 목소리에는 위압감이 가득했다. 하츠는 더 이상 말을 잇지 못하고 물러나야만 했다.

"가자, 시연."

데미안은 시연의 손을 잡고 성큼성큼 안으로 들어갔다. 그 뒤를 따라가며 시연은 슬쩍 뒤를 돌아봤다.

그러자 상당히 못마땅한 얼굴로 저를 바라보고 있는 원로들이 보였다. 시연 역시 원로들이 저를 못마땅해한다는 걸 알고 있었다. 좋아할 리가 없었다. 천족인 데다가 과거 금단의 아이였고, 그들이 원하는 후계도 낳아줄 수 없었으니까.

군주보다 권위가 약하긴 하지만 마계의 원로들은 마계 역사의 산증인이자 기둥이었다. 데미안이 자리를 비운 동안 마계를 지탱해준 고마운 사람들이기도 했다. 그런 그들과 사이가 나빠져서 좋을 건 하나도 없었다. 그래서 그들과 잘 지내보려고 수없이 노력했는데 다 헛수고였던 모양이었다. 그 사실이 너무나도 씁쓸하고 안타까워서 마음이 무거워졌다.

데미안은 시연이 머무는 궁으로 들어선 후에야 비로소 그녀의 손을 놔주었다. 시연은 불안함과 초조함이 가득한 눈으로 데미안을 바라봤다. 데미안은 그런 시연의 얼굴을 쳐다보지 않았다. 짜증스레 얼굴을 구긴 채 머리를 쓸어 올릴 뿐이었다. 기분이 매우 좋지 않아 보였다.

"미안."

그러더니 돌연 사과를 했다.

"내가 처신을 잘했다면 이런 일은 없었을 텐데."

"아니에요. 당신이 미안해할 이유가 뭐가 있어요. 되레 아이를 가질 수 없는 내가 미안하지……."

"그런 말 하지 마라. 전에도 말했다시피 난 너만 있으면 아이 따위 필요 없어."

"하지만 당신은 후계가 필요하잖아요."

그놈의 후계.

데미안은 처음으로 자신이 군주라는 사실이 짜증이 났다.

군주가 아니었다면 주변에서 이렇게 후계를 가지라고 닦달하지 않았을 테니까.

"그 문제는 내가 알아서 할 테니까, 넌 아무 걱정하지 마."

데미안은 시연의 눈가에 고인 눈물을 닦아주며 말했다.

"넌 그저 지금처럼 나에 대한 마음만 변하지 않으면 돼. 자신 있지?"

두말하면 잔소리였다. 시연이 고개를 끄덕이자 잘했다는 듯 데미안이 희미하게 웃으며 촉촉이 젖은 그녀의 눈 위에 입을 맞췄다.

데미안은 알아서 할 테니 신경 쓰지 말라고 했지만 그건 말처럼 쉽지 않았다.

신경을 쓰지 않으려고 해도 어느 순간 신경을 쓰고 있었고, 그 탓에 신경이 날카롭게 섰다. 사소한 일에도 짜증이 나고 예민해졌다.

"……그러니 군주님께서 부인을 들이시는 게 반려님께도 좋으실 겁니다."

거기다 하츠까지 찾아와 속을 뒤집으니 더욱 신경이 날카로워졌다.

오늘은 날씨가 좋아 정원 산책을 나왔는데 그게 실수였다. 궁에 있었다면 그가 찾아오지 못했을 테니까.

그다지 달갑지 않은 만남이었지만 마냥 무시할 수는 없어 그와의 대화를 허락했는데 잘못된 선택이었다.

하츠는 말을 줄줄이 늘어놓았지만 말하고자 하는 요지는 단 하나였다. 데미안이 부인을 들일 수 있도록 그를 설득해라.

데미안이 계속 고집을 피우니 결국 시연에게 도움을 요청하는 것이었다.

"원로들이 걱정하는 것이 뭔지 잘 알겠지만 전 그럴 수가 없습니다."

시연은 다소 긴장된 목소리로 말했다.

"제 손으로 사랑하는 사람을 다른 여자의 품에 보내라니요. 그런 일을 어떻게 하겠습니까?"

"반려님이 사셨던 곳은 이런 문화가 익숙하지 않을지 모르지만 마계에서 일부다처제는 흔한 일입니다. 과거 군주님들께서도 부인을 여러 명 두셨습니다."

틀린 말은 아니었다. 그 증거로 베르만 해도 부인이 3명이나 있었고, 마몬 역시 반려 한 명에 부인을 여럿 두고 있었다.

데미안이 부인을 들이는 건 마계의 문화상 매우 일상적인 일이 아니었다. 오히려 들이지 않겠다고 버티는 것이 이상한 일이었다.

"그럼 제가 아닌 데미안에게 직접 가서 말하세요. 전 일부다처제 문화가 익숙하지 않아 제 손으론 그런 짓을 할 수 없으니까요."

"이렇게 비협조적으로 나오시면 반려님은 평생 이 성에서 나가지 못할 수도 있습니다. 그래도 좋으십니까?"

그날 이후, 시연은 카페는 물론 성 밖으로 나가지 못했다. 흉흉해진 민심을 걱정한 데미안이 그러길 바랐기 때문이었다. 시연 역시 사태의 심각성을 깨닫고 순순히 데미안의 뜻에 따랐다.

그러길 벌써 2주였다. 새장에 갇힌 새처럼 시연은 지극히 제한된 사람만 만나며 방과 정원만을 오갔다. 그런 생활이 답답하고 불편하지 않다면 거짓말이었지만 하츠에게 내색하고 싶진 않았다.

"절 협박하는 건가요?"

"협박이라니요. 그럴 리가 있겠습니까."

하츠는 능구렁이처럼 웃으며 말했다.

"단지 전 반려님이 걱정돼서 말씀드리는 겁니다. 반려님만 걱정되겠습니까, 군주님도 걱정이 됩니다. 아시다시피 요즘 민심이 많이 흉흉하거든요."

"……."

"군주는 마계의 기둥입니다. 어중이떠중이가 돼서는 안 되는 자리죠. 승계 과정에 도전해서 이기면 군주의 자리에 앉을 수 있음에도 불구하고 어째서 역대 군주들이 초대 군주의 후계들뿐인지 한번 공부해보시는 걸 추천드립니다."

이미 그 문제에 대해선 공부했고, 덕분에 마계에서 군주의 후계가 얼마나 소중한 존재인지 알게 됐다.

그러니 마계를 생각한다면, 데미안의 앞날을 생각한다면 그에게 부인을 들여 후계를 만들라고 권하는 것이 맞았지만 그러고 싶지 않아 시연은 대답하지 않고 가만히 있었다.

"조금 뒤면 성대한 연회가 열리지요."

초대 군주가 창조주에게 마계의 군주로 인정받은 기념비적인 날을 말하는 것이었다.

마계는 이 날을 건국 기념일로 삼아 매년 성대한 연회를 열었다.

올해는 부인을 들이는 일로 성 분위기가 흉흉했지만 그렇다고 그날을 그냥 넘길 순 없었다.

"그때 군주님의 침실에 적당한 여인을 넣을 생각입니다."

"……."

"정말로 군주님을 생각한다면 그날 가만히 계셔주셨으면 합니다."

이번에도 시연은 대답하지 않았지만 이미 대답을 들은 듯 하츠는 흔들리는 눈동자로 저를 바라보는 시연에게 고개 숙여 인사한 뒤 물러났다.

하츠가 물러난 뒤에도 시연은 가만히 앉아 있었다.

대화의 내용도 그렇고 그녀의 상태가 심상치 않아 보여 티에는 조심스럽게 다가갔다.

"냄새가 역해, 티에."

시연은 그녀의 몫인 홍차를 멀리 밀며 말했다.

평소 그녀가 좋아하는 홍차였는데, 냄새가 역하다니. 티에의 얼굴이 좀 더 울상이 됐다.

"좀 쉬고 싶어."

"네, 네! 바로 방으로 들어가시죠."

시연은 자리에서 일어서자마자 비틀거리며 다시 주저앉았다.

"바, 반려님!"

이에 티에는 기겁하며 그녀를 부축했다.

"어, 어서 의사를……!"

"됐어. 잠을 못 자서 그런 거니까 호들갑 떨 거 없어, 티에."

"하지만……."

"정말로 괜찮아. 조금 쉬면 나을 것 같아."

시연이 저리도 강경하게 말하니 티에는 고개를 끄덕일 수밖에 없었다.

조금만 쉬면 괜찮아질 것 같다더니 시연의 상태는 좀처럼 괜찮아지지 않았다.

그래도 예전엔 쪽잠이라도 잤는데 하츠가 찾아온 뒤론 아예 잠을 자지 못했고 소화 불량까지 걸렸다.

먹은 걸 그대로 토해내는 것도 벌써 일주일째였다.

"역시 의사를 불러오는 것이 낫지 않을까요?"

이에 티에가 발을 동동 구르며 묻자 시연은 고개를 저었다.

"됐어. 신경성이라 의사가 와도 해결 못 해줄 거야."

"하지만……."

"그것보다 연회에 참여해야지. 어서 준비해줘."

오늘은 성대한 연회가 열리는 날이었다.

몸 상태는 안 좋았지만 이런 행사에 빠질 순 없었다. 빠지면 분명 수군거리며 뒷말이 나올 테니까. 하물며 오늘은 하츠가 이상한 계획까지 세우고 있었다.

'그걸 막아야 돼.'

하츠를 만난 이후로 지금까지 계속 생각해봤지만 역시 데미안을 다른 여자의 품에 보낼 수가 없었다. 저밖에 모르는 이기적인 사람이라고 손가락질 받아도 할 수 없었다. 사랑하는 남자를 다른 여자의 품에 보내고 눈물을 흘리는 것보단 나았다.

그러니 그걸 막기 위해서라도 시연은 이를 악물고 연회에 참석했다. 볼품없는 모양새는 화려한 옷과 화장으로 가렸다.

연회는 제시간에 시작됐다.

데미안과 함께 연회장의 가장 상석에 앉은 시연은 다른 원로들과 이야기를 나누고 있는 하츠를 계속 신경 쓰느라 음식을 조금도 먹지 않았다.

"좀 먹지 그래?"

보다 못한 데미안이 손수 음식을 가져와 건넸다. 달콤한 케이크였다. 그것도 시연이 평소에 좋아하는 치즈 케이크였다.

케이크를 보기 전까진 딱히 뭘 먹고 싶다는 생각이 없었는데 케이크를 보니 식욕이 확 돌았다. 데미안이 가져다준 성의도 있으니 시연은 기꺼이 케이크를 크게 포크로 베어 먹었다.

"욱."

차오르는 역겨운 느낌에 시연은 황급히 입을 틀어막았다. 옆에서 보좌하던 티에가 크게 당황하며 손수건을 건넸다.

"괜찮은 건가?"

데미안도 당황하며 물었다.

"네, 괜찮아요."

손수건에 먹던 케이크를 뱉으며 시연은 고개를 끄덕였다.

"그냥 단순히 체한 것 같아요."

"단순히 체한 것이 아닙니다. 일주일째 제대로 먹지 못하고 계세요."

이 기회를 놓치지 않고 티에는 냉큼 고자질을 했다.

"일주일째라고?"

데미안의 눈매가 날카롭게 변했다.

그 시선을 고스란히 받게 된 시연은 그의 시선을 똑바로 마주하지 못하고 손을 꼼지락거렸다.

"왜 의사를 부르지 않았지? 아니, 그것보다 왜 나한테 말하지 않았어."
"아, 그게……."
"당장 의사를 부르지."
데미안의 부름에 대기하고 있던 의사가 냉큼 달려왔다.
시연은 순순히 의사에게 제 손을 맡겼다.
그러자 차갑고 서늘한 기운이 몸 안으로 들어오는 것이 느껴졌다. 의사의 기운이었다. 이곳의 의사들은 제 기운을 환자의 몸에 집어넣어 진찰했다.
"……!"
신중하게 진찰하던 의사의 눈이 돌연 커졌다. 대단히 놀란 것처럼 보였다.
'뭐지? 큰일이라도 있는 건가?'
의사의 반응에 시연은 내심 불안해졌다.
그건 데미안도 마찬가지였는지 그는 성급하게 물었다.
"무슨 안 좋은 병이라도 걸린 건가?"
"그게…… 반려님께선 아기를 가진 것 같습니다."
"아……기라고?"
연회장에 흐르던 음악은 어느새 사라지고, 사람들의 시선이 시연에게 집중되어 있었다. 모두들 꿀 먹은 벙어리처럼 아무 말 없이 데미안과 시연을 바라보았다.
멍하게 있는 건 시연 역시 마찬가지였다.
아기라니.
시연은 제 귀로 들은 말을 이해할 수가 없었다.
아기를 갖지 못하는 몸이 됐는데 어떻게 임신이 될 수 있단 말인가.
"금단의 아이는 안 됩니다."
멍하게 있던 시연의 정신을 깨워준 건 하츠의 목소리였다.
어느덧 상단 앞까지 다가온 하츠는 특유의 꼬장꼬장한 목소리로 말했다.

"창조주의 예언에 따라 금단의 아이가 태어나는 건 막아야 합니다!"

하츠의 말대로였다. 시연이 낳을 아이는 금단의 아이로 태어날 테니, 창조주의 명에 따라 이 아이는 죽어야만 했다.

"안 돼요."

뒤늦게 그 사실을 깨달은 시연은 질겁하며 배를 감쌌다.

"이 아이를 죽이면 안 돼요!"

떨리는 목소리가 연회장에 넓게 울려 퍼졌다.

파리하게 질린 안색은 두꺼운 메이크업으로도 가려지지 않았다.

주변의 시선이 따가웠다. 결코 호의적인 시선은 아니었다. 금단의 아이를 가졌으니 당연했다.

여기서 제 편을 들어줄 사람은 데미안밖에 없었기 때문에 시연은 그에게 매달렸다.

"데미안, 이 아이는……!"

"쉬이, 괜찮아."

데미안은 제 옷깃을 잡고 있는 시연의 손을 부드럽게 감싸며 그녀를 달래주었다.

"그 누구도 우리 아이를 다치게 하지 못할 테니까, 넌 걱정할 거 없다."

그제야 파리했던 안색에 혈기가 약간 돌았다.

시연을 다독인 데미안은 연회장을 크게 둘러봤다.

그의 시선이 최종적으로 도착한 곳은 하츠였다. 데미안은 하츠를 똑바로 바라보며 입을 열었다.

"이것으로 후계 문제는 해결됐군."

"그 무슨……! 그 아이는 금단의 아이입니다! 설마 금단의 아이를 후계로 정하겠다는 말씀이십니까!"

"금단의 아이라도 내 피를 이어받은 후계인 건 틀림없는 사실!"

데미안의 목소리가 쩌렁쩌렁하게 연회장에 울려 퍼졌다.

데미안은 다시 한 번 좌중을 훑어본 뒤 말을 이었다.

"그러니 나는 이 아이를 후계로 정하겠다."

"하나 그 아이는 금단의 아이입니다! 마족이 아닌 자가 군주의 자리에 오르는 건 말이 되지 않습니다!"

"예컨데 이 아이가 금단의 아이가 아니라 온전한 마족이면 된다는 의미겠지."

데미안의 입가에 묘한 미소가 그려졌다.

그 미소 하나로 원로들은 물론 시연까지 그가 무슨 생각을 하는지 단박에 알아챘다.

설마. 시연이 불안한 눈으로 그를 올려다보자 데미안은 말없이 그녀를 안아 들고 성큼성큼 연회장을 벗어났다.

"데미안, 당신 설마……."

시연은 자신이 생각한 것이 맞는지 물어보려고 했지만 데미안이 입을 맞춘 탓에 그럴 수가 없었다.

쪽, 하고 울려 퍼지는 소리는 경쾌했지만 마음은 더욱 불안해졌다. 시연은 데미안의 옷깃을 세게 잡았다.

제 방 침대에 시연을 내려놓은 데미안은 무릎을 꿇고 시연과 눈높이를 맞췄다.

"아기를 가졌으니 나쁜 건 생각하지 말고 좋은 것만 생각하도록 해."

"어떻게 그래요!"

시연은 울먹이는 목소리로 소리쳤다.

"당신이, 당신이 마르스랑 같은 짓을 하려고 하는데 제가 어떻게 그래요……!"

"그건 최후의 보루야. 만약의 경우를 위한 대비책이지."

말이 대비책이지 거의 확정이라고 봐도 무방했다.
현재 신인 우리스가 아이를 위해 희생해줄 리는 없으니까.
"굉장히 희박한 확률을 뚫고 기적처럼 생긴 아이다."
그녀가 좀처럼 울상이 된 얼굴을 펴지 못하자 데미안이 뺨에 가볍게 입을 맞추며 말했다.
"그런 아이라면 또 한 번 기적을 가지고 오겠지."
"데미안……."
"그러니까 전부 다 잘될 거다. 넌 아무 걱정하지 말고 그저 무사히 아이를 낳는 데 집중하도록 해."
계속 저를 다독이는 데미안의 말과 행동에 불안했던 마음이 조금이나마 가라앉았다.
시연은 아직 티가 나지 않는 배를 감싸며 고개를 끄덕였다.
부디 겨울이 가고 봄이 오길 바라면서.

시연의 임신 사실을 들은 대중들은 불안해하면서도 창주조가 어떤 반응을 보일지 궁금해했다.
금단의 아이를 죽이라는 예언이 여태껏 철회되지 않은 만큼 당연히 아이를 지우라는 명을 내릴 줄 알았는데 의외로 창조주는 이렇다 할 반응을 보이지 않았다.
잠잠해도 너무 잠잠했다.
"이 아이를 허락한다는 의미 아니야?"
"글쎄. 만약 허락한다면 허락한다는 명을 내리지 않았을까?"
"그건 그래. 그럼 도대체 뭐지?"

다들 창조주의 뜻을 가늠하지 못하고 어리둥절해하는 사이, 출산 예정일이 점차 가까워졌다. 처음엔 그녀의 임신을 불안해하며 걱정하던 티에와 베르는 이젠 그 누구보다 시연이 무사히 순산하기를 기원했다.

"윽!"

"반려님!"

"정신 차리세요, 반려님!"

예정일 일주일 전, 시연의 산통이 시작됐다.

티에를 비롯해서 성에 있는 모든 시녀들이 출산 준비에 돌입했다. 회의를 하던 데미안도 단숨에 달려왔다.

보통 남자는 밖에서 기다리기 마련인데 데미안은 손수 출산을 도왔다.

시연을 돕고 싶은 마음 때문이기도 하지만 혹 금단의 아이가 태어난다면 다른 놈들이 피해를 볼 수 있기 때문에 직접 받으려는 것이었다.

초산인 것치고 시연은 순조롭게 출산했다. 아들이었다.

외모는 시연과 데미안을 쏙 빼닮았지만 어쩐 일인지 눈동자는 붉은색이었다. 그것만으로도 이상한데 더 이상한 건 태어난 아기에게선 천족의 기운도 마족의 기운도 느껴지지 않았다. 금단의 아이의 기운 역시.

한 번도 일어난 적 없는 기이한 현상에 다른 의미로 마계는 술렁거렸지만 시연이 있는 침실은 평온했다.

"정말 예뻐요."

시연은 눈물 젖은 얼굴로 품에 안고 있는 아기를 쳐다봤다. 영영 볼 수 없을 거라고 생각했던 데미안과 제 아이를 직접 눈으로 보고 품에 안으니 감회가 새로웠다.

"근데 정말 괜찮은 건가요? 아이가 평범하지 않다고 다들 수군거리던데……."

"평범한 아이가 아닌 건 맞지만 금단의 아이도 아니지. 창조주도 아무 말

안 하는데 그들이 무슨 말을 할 수 있을 리가 없잖아."

"그건 그래요."

그제야 안심한 시연은 방긋 웃었다. 아이를 낳은 지 얼마 안 돼서 모습은 다소 초췌했지만 데미안의 눈에는 그런 시연조차 너무 예뻤다.

"이제 행복해지자."

데미안은 젖은 시연의 눈 위에 가볍게 입을 맞추며 말했다.

"셋이서 영원히 행복해지는 거야."

셋이서.

둘보다 더 심장에 와닿는 말이었다. 멈췄던 눈물이 다시 흘러내렸다. 시연은 데미안의 어깨에 머리를 기대며 대답했다.

"네, 그래요."

"오랜만이네."

회색빛으로 물든 도시와 어울리지 않는 은발이 눈부셨다. 눈동자는 붉은 색으로 반짝였다.

확실히 눈에 띄는 외모였지만 그 누구도 보지 못했다는 듯 그의 곁을 유유히 지나갔다. 그건 은발을 가진 소년 역시 마찬가지였다.

"흑……."

한참 걷던 소년이 걸음을 멈춘 건 누군가의 울음소리가 들렸을 때였다. 소년은 울음소리가 들리는 곳으로 고개를 돌렸다. 그러자 어둠을 은신처 삼아 울고 있는 한 소년이 보였다. 은발의 소년보다 두세 살 어려 보였다.

"왜 울고 있어?"

은발의 소년은 그 소년에게 다가가 물었다. 그제야 은발의 소년이 온 걸 알아챈 소년이 고개를 들었다. 소년의 눈동자는 피를 머금은 듯한 붉은색이었다.

"넌 누구야……?"

"아, 난 라엘이라고 해. 넌?"

"카이……."

"카이라, 좋은 이름이네."

은발의 소년, 라엘은 카이의 머리를 쓰다듬어주었다. 그 손길이 싫지 않은지 카이는 가만히 있었다.

"근데 왜 울고 있었어?"

"……나 혼자 남았으니까."

카이는 눈물을 글썽이며 고개를 푹 숙였다.

"아무 능력도 없는 날 좋아해주는 이들이 전부 죽었어. 이제 남은 건 나 혼자뿐이야……."

"……."

"이제 난 어떻게 하면 좋지? 이런 곳에서 어떻게 살지? 아무도 날 필요로 해주지 않고 좋아해주지 않는데……."

"그럼 널 좋아해주는 이가 있는 곳으로 갈래?"

뜬금없는 말에 카이는 고개를 들어 라엘을 쳐다봤다. 라엘은 카이의 두 눈을 똑바로 바라보며 말을 이었다.

"널 좋아해주고 필요로 하는 곳이 있다면 가겠어?"

"그런 곳이 있어?"

"물론."

라엘은 눈을 초승달처럼 접으며 웃었다. 그러고는 카이를 향해 손을 내밀었다.

"그러니까 나랑 가자. 너에게 새로운 세상과 힘을 알려줄게."

카이는 그 손을 보며 고민했다. 오늘 처음 보는 낯선 이가 하는 말을 덜컥 믿어서는 안 된다는 걸 알고 있었지만, 그래도 믿고 싶었다. 그만큼 절박했고, 더 이상 물러설 곳이 없었다.

"그래, 가자."

카이는 결국 라엘이 내민 손을 잡았다. 그 손을 잡는 순간 환한 빛이 카이를 덮쳤다.

이윽고 빛이 사라진 자리에 남은 건 라엘뿐이었다. 라엘의 입가엔 만족스러운 미소가 번졌다.

"……이제 데려가는구나."

라엘의 뒤로 한 소녀가 모습을 드러냈다. 창조주였다.

"오랫동안 찾으러 오지 않길래 잊은 건가 싶었는데, 아니었네."

"그럴 리가. 그저 기다려준 거야. 이 아이가 미련 없이 이곳을 떠날 수 있도록."

"호오, 대단한 정성이네. 그 아이가 그 일을 해결해줄 수 있을 거라고 믿는 모양이지?"

"글쎄. 해보지 않고는 모를 일이지만, 운명에 얽매이는 이들보단 자유롭지 않을까?"

"남의 아이를 가지고 도박을 하다니. 너무하는군."

창조주의 핀잔에 라엘은 작게 웃었다. 어둠에 사로잡힌 그의 몸은 조금씩 흐릿해졌다.

"행복하게 해줘."

창조주는 그런 라엘을 보며 말했다.

"본디 태어나지 말았어야 하는 존재이기에 불행했던 만큼, 그곳에선 행복하게 해줘."

"노력은 하겠지만 확답은 못 해줘."

어느덧 얼굴을 제외한 모든 부위가 어둠 속으로 사라졌다.

"그 아이는 운명을 벗어난 아이. 내가 어떻게 할 수 있는 존재가 아니니까……."

그 말을 마지막으로 라엘은 완전히 사라졌다. 그 뒤에도 한참 동안이나 그곳에 서 있던 창조주는 이내 돌아서며 작게 중얼거렸다.

"다음에는 뱀파이어 요새에서 볼 수 있는 건가……."

〈끝〉

WRITER'S NOTE

작가 후기

『악마를 탐하다』를 쓰면서 저에게 생긴 가장 큰 변화는 유부녀가 됐다는 겁니다.

작가 후기를 쓰는 이 시점에는 벌써 결혼한 지 1년이 다 되어가지만 아직도 '유부녀'라는 호칭이 익숙하지 않습니다. 남편이 있다는 말도요.

『악마를 탐하다』는 제가 쓴 몇 안 되는 작품 중에서 가장 다사다난한 소설이었습니다. 처음 기획했던 것과 달리 새로운 방향으로 쓰느라 여러 번 수정해야 했고, 초반에 다소 무례한 데미안의 행동 때문에 독자님들의 매서운 꾸짖음도 들었으니까요.

그 당시에는 이렇게까지 해야 하는 건지, 중간에 포기하고 싶은 마음도 들었지만 저를 응원해주시는 많은 분들의 힘 덕분에 여기까지 올 수 있었습니다.

그리고 호되게 꾸짖어주신 덕분에 지금과 같은 좋은 작품이 만들어졌다고 생각합니다. 갈 길을 잃고 방황하는 저를 이끌어주신 테라스북 팀과, 제 부족함을 알려주신 독자님들, 멋진 일러스트로 함께 달려온 몽글이 님께 다시 한 번 고맙다는 말씀을 전해드립니다.

언제나 곁에서 저를 응원해주는 남편에게도 항상 고맙고 사랑한다는 말을 이 자리를 빌어 수줍게 말해봅니다.

글을 쓴 지 어언 5년째. 『악마를 탐하다』는 네이버 '오늘의 웹소설' 연재작으로는 4번째 작품입니다. 아직도 제가 이렇게 많은 글을 썼다는 것이, 많은 독자님들의 사랑을 받고 있다는 것이 얼떨떨하고 믿기지 않습니다.

게다가 올해에는 더 좋은 소식도 기다리고 있으니, 여러모로 가슴이 설레고 두근거립니다. 제가 왜 이러는지 이미 아시는 독자님들도 계시겠지요? 그 독자님들과 함께 설레며 앞으로 올 좋은 소식을 기다리려고 합니다.

그리고 이 설레는 마음을 그대로 담아 다음에는 더 좋은 작품을 가지고 돌아오겠습니다.

언제나 행복하시고, 하시는 일이 모두 잘되길 기도하며 이것으로 후기를 마치겠습니다.

초판 1쇄 인쇄 2018년 2월 13일
초판 1쇄 발행 2018년 2월 28일

지은이 신지은 | 펴낸이 강성욱 | 책임 기획 전주예 | 기획 편집 송진아 고은결 | 기획 디자인 탁영건
일러스트 몽글이 | 로고 김미현 | 교정 서진영 류혜선
펴낸곳 테라스북 | 등록 제25100-2013-000012호
주소 (04019) 서울특별시 마포구 희우정로5길 29 2층 202호
전화 070-4794-5826 | 팩스 0505-911-5826
블로그 http://terracebook.blog.me | 전자우편 terracebook@naver.com
ISBN 978-89-94300-82-5 (04810)
ISBN 978-89-94300-80-1 (SET)

ⓒ신지은 2018 Printed in Korea

테라스북은 오름미디어의 임프린트 브랜드입니다.

잘못된 책은 구입하신 곳에서 바꾸어 드립니다.
이 책의 전부 또는 일부 내용을 재사용하려면 사전에 저작권자와 오름미디어의 동의를 받아야 합니다.

이 도서의 국립중앙도서관 출판시도서목록(CIP)은 서지정보유통지원시스템 홈페이지(http://www.seoji.nl.go.kr)와 국가자료공동목록시스템(http://www.nl.go.kr/kolisnet)에서 이용하실 수 있습니다. (CIP제어번호: CIP2018002654)